Neuzeit im Aufbau

Darstellung und Dokumentation

Herausgegeben von Richard van Dülmen,
Jörn Rüsen und Winfried Schulze

Band 6

Winfried Schulze

Bäuerlicher Widerstand und feudale Herrschaft in der frühen Neuzeit

frommann-holzboog

CIP-Kurztitelaufnahme der Deutschen Bibliothek

Schulze, Winfried:
Bäuerlicher Widerstand und feudale Herrschaft in der frühen Neuzeit / Winfried Schulze. –
Stuttgart-Bad Cannstatt:
Frommann-Holzboog, 1980.
(Neuzeit im Aufbau; Bd. 6)

ISBN 3-7728-0716-X (Br)
ISBN 3-7728-0715-1 (Ln)

Satz und Druck: Remsdruckerei Sigg, Härtel & Co, Schwäbisch Gmünd
Bindung: Verlagsdruckerei Otto W. Zluhan, Bietigheim

Den Berliner Freunden und Kollegen 1970–1977

Winfried Schulze ist ordentlicher Professor für Geschichte an der Ruhr-Universität Bochum.

Gegenstand dieses Bandes ist der bäuerliche Widerstand gegen feudale Herrschaft im Zeitraum zwischen dem Ende des Bauernkrieges von 1524–26 und dem Ausbruch der Französischen Revolution im Heiligen Römischen Reich Deutscher Nation. Die Thematisierung dieses Forschungsproblems verfolgt die Absicht, die vielfältigen Erscheinungsformen des bäuerlichen Widerstands für die Geschichte der deutschen Territorialstaaten in diesem Zeitraum nutzbar zu machen und in den Forschungsstand anderer europäischer Länder einzubringen.
In der historischen Forschung der Bundesrepublik Deutschland ist der bäuerliche Widerstand – sieht man einmal vom herausragenden Ereignis des Bauernkrieges ab – nur vereinzelt zur Kenntnis genommen worden und bislang unzureichend erforscht worden. Auf der Basis von Archivmaterial und gedruckten Quellen wird hier der Versuch unternommen, einen Überblick über die Vielzahl der Widerstandsbewegungen dieser Epoche zu geben, ihren ökonomisch-rechtlichen Bedingungsrahmen zu skizzieren und ihre wichtigsten Formen zu charakterisieren. Neben dem Aufweis einer bislang nicht vermuteten Dichte von Revolten ist es vor allem die These einer tendenziellen Verrechtlichung der sozialen Konflikte in dieser Epoche, die hier entwickelt wird. Die damit verbundene Institutionalisierung sozialer Konflikte in der ständischen Gesellschaftsordnung wird als ein wesentlicher Faktor der Destabilisierung dieser Ordnung angesehen. Die Fülle der Widerstandsaktionen belegt die Existenz eines als fundamental verstandenen Widerstandsdenkens der bäuerlichen Untertanen, das sich an der gerechten Ausübung von Herrschaft und der wirtschaftlichen Sicherung der eigenen Existenz orientierte und sich die Hierarchie der politischen Gewalten im Reich, hier vor allem die Position des Kaisers, in der Praxis zunutze machte.
Die Quellensammlung verfolgt die Absicht, das Phänomen des bäuerlichen Widerstands aus einer möglichst großen Zahl von Aspekten heraus zu beleuchten und die Fülle der Quellen zu dokumentieren, die uns über dieses oft für unerforschbar gehaltene Phänomen Aufschluß geben können.

Winfried Schulze is Professor of History at the University of Bochum.

The subject matter of this book is the peasant resistance against the Feudal order in the 'Holy Roman Empire of the German Nation' during the period between the end of the Peasants' War of 1524–26 and the outbreak of the French Revolution. It aims to call attention to the multifarious forms of peasant resistance at that time and to open up this field of research for scholars of the history of the German territories as well as to provide new material for historians in other European countries.

Apart from the pivotal event of the Peasants' War, peasant resistance has been largely ignored by West German historians and has not yet been adequately researched. Here an attempt is made, on the basis of archival material and printed sources, to give an overview of the many resistance movements of that epoch, to outline their economic and legal backgrounds and to characterise their most important forms. Apart from unearthing a multitude of hitherto undiscovered revolts, the main object of the book is to develop the thesis of a gradual 'legalisation' of social conflicts during that period. The concomitant institutionalisation of social conflict in the social order of the Estates is seen as a major factor in the destabilisation of this order. The large number of acts of resistance is evidence of a fundamental 'mood of resistance' amongst the peasant subjects which was oriented towards the just exercise of authority and the securing of their own economic existence. The peasants in practice made use of the hierarchy of political power in the Empire, in particular the position of the Kaiser.

The collection of sources aims to illuminate the phenomenon of peasant resistance from as great a number of aspects as possible and to document the number of sources which can give us information about a phenomenon which has often been regarded as being inaccessible to research.

Inhalt

B. Dokumente

Vorbemerkung

Ein nur kurzer Blick auf die historische Forschung in der Bundesrepublik Deutschland reicht aus um festzustellen, daß die Bauernrevolten im Reich zwischen Bauernkrieg und Französischer Revolution nicht zu den intensiv behandelten Themen der Frühneuzeitforschung gehören. Im Unterschied etwa zu den aus unterschiedlichen Gründen intensiv betriebenen Forschungen zu diesem Thema in Ost- und Westeuropa hat sich in der Bundesrepublik Deutschland die Geschichtswissenschaft diesem Problem nur unter landes- und lokalgeschichtlichen Aspekten zugewandt. Der deutsche Bauernkrieg von 1524–26 hat sicherlich ebensoviel einschlägiges Interesse absorbiert wie zu der Auffassung beigetragen, als habe nach diesem ,,Naturereignis" Resignation und Apathie den Bauernstand charakterisiert. Erst in den letzten Jahren ist dem Phänomen des bäuerlichen Widerstands gegen feudale Herrschaft – um diesen weiteren Begriff zu verwenden – neues Interesse entgegengebracht worden, wobei die fortgeschrittene Forschungslage in den anderen europäischen Ländern, vor allem Frankreich, sicherlich anregend gewirkt hat. Es schien mir ein naheliegender und sicherlich wünschenswerter Beginn für eine vertiefte Untersuchung des bäuerlichen Widerstands zwischen Bauernkrieg und Französischer Revolution zu sein, eine Quellensammlung zu dieser wichtigen Thematik zu erarbeiten und dieser Sammlung eine sehr geraffte Darstellung seiner Bedingungen und konkreten Erscheinungsformen voranzustellen, auch wenn die Vorarbeiten zu diesem Thema eigentlich noch unzureichend und wichtige Quellenforschungen noch im Gang sind. So entstand der vorliegende Band, dessen Hauptteil eine Sammlung von Quellenzeugnissen ausmacht, die bislang entweder ungedruckt waren oder im 17. und 18. Jahrhundert in juristischer Spezialliteratur erschienen, die für die überwiegende Zahl der Interessenten als unzugänglich zu gelten hat. Hinzu kommen einige Stücke, die in lokal- und regionalgeschichtlichen Publikationen gedruckt wurden und somit auch nur einem begrenzten Kreis verfügbar waren. Wenn man bedenkt, daß praktisch nur zwei Quellenpublikationen umfassendes deutsches Quellenmaterial über Bauernrevolten bereitstellen, nämlich Rudolf Lehmanns Sammlung von Quellen zur ,,Lage der Privatbauern in der Niederlausitz" und die Aktenpublikation zum bayerischen Bauernkrieg von 1705/06 von Riezler und Wallmenich, dann scheint der Nutzen einer solchen Sammlung auf der Hand zu liegen. Sie soll die bereits vorliegende Quellensammlung von Günther Franz zur Lage des deutschen Bauernstandes in der Neuzeit, die das spezifische Problem des Widerstands natürlich nur in einigen Stücken berücksichtigen konnte, um einen wichtigen Aspekt ergänzen und unser Bild vom politischen Handeln der bäuerlichen Bevölkerung erweitern, vielleicht sogar verändern. Wenn es gelänge, durch diesen Quellenband das Interesse an dieser Fragestellung zu beleben und sie als Forschungsgegenstand zu etablieren, dann wäre dies ein Erfolg, wie er dem Verfasser vorschwebt.

Die zeitliche Begrenzung dieses Bandes auf den Zeitraum zwischen Bauernkrieg und Französischer Revolution ergibt sich aus forschungspraktischen wie allgemein-historischen Überlegungen. Einerseits beginnt mit dem Ende des Bauernkriegs de facto jene Lücke in unserem Wissen über bäuerlichen Widerstand, andererseits markieren die Französische Revolution und ihre Folgewirkungen eine Grenzlinie, jenseits der auch der bäuerliche Widerstand in den deutschen Territorialstaaten in einem neuen Kontext gesehen werden muß. Ohne natürlich den Problemzusammenhang zwischen den Revolten der 80er und der 90er Jahre des 18. Jahrhunderts willkürlich trennen zu wollen, erschien es mir angebracht, zunächst einmal mit der Französischen Revolution eine Grenzlinie zu ziehen und etwa ein Ereignis wie den Sächsischen Bauernaufstand des Jahres 1790 nicht mehr in die Untersuchung einzubeziehen. Die räumliche Begrenzung ergab sich prinzipiell aus dem Gebiet des Heiligen Römischen Reichs Deutscher Nation, wofür eine Begründung schwerlich gegeben zu werden braucht, auch wenn damit durchaus unterschiedlich strukturierte Gebiete zusammengefaßt werden, von der unterschiedlichen Aufstands- und Widerstandsintensität ganz zu schweigen. Auch wenn die Spezialisierung der Forschung immer wieder dem Territorialitätsprinzip der Reichsordnung Rechnung tragen muß und dies insgesamt ja auch ausreichend tut, so schien es mir doch notwendig zu sein, die hier gestellte Frage nach dem bäuerlichen Widerstand – jedenfalls dem Anspruch nach – für das gesamte Reichsgebiet zu betrachten. Wichtige Voraussetzungen und Erscheinungsformen des Widerstands konnten nur unter einem reichspolitischen Aspekt behandelt werden.

Was die Auswahl der Quellen anbetrifft, so ist diese natürlich in gewissem Maße sowohl von den Schwerpunkten meiner bisherigen Arbeit auf diesem Gebiet als auch von den noch verbleibenden „weißen Flecken“ der Forschung bestimmt. Eine gewisse Dominanz oberdeutscher Quellen ist nicht zu übersehen, wobei dies freilich nicht nur meinen Schwerpunkten, sondern auch der realhistorischen Grundlage entspricht. Die Anordnung des Quellenmaterials habe ich schließlich chronologisch organisiert, selbst wenn das zu einer Trennung einleuchtender sachlicher Zusammenhänge führt. Insgesamt erlaubte die chronologische Anordnung jedoch eine klarere Sicht auf die Veränderung der Formen und Bedingungen des Widerstands und machte auch die Gruppierung von Texten zu einer Revolte möglich. Die verschiedenen Aspekte bäuerlichen Widerstands habe ich möglichst breit zu berücksichtigen versucht. Auch wurde Wert darauf gelegt, die ganze Fülle des verwendbaren und überaus ergiebigen Quellenmaterials zu dokumentieren und damit weiterführende Forschungen anzuregen. So wurden nicht nur erzählende Quellen gesammelt, sondern auch Äußerungen der direkt Betroffenen, also aufständischer Bauern, betroffener Landes- und Grundherren oder ihrer Beamten, Entscheidungen der Reichsgerichte und Juristischer Fakultäten, Volkslieder über Aufstände, auch eine Bilddarstellung. Einbezogen habe ich schließlich auch die politische und rechtliche Bewertung des Widerstands, weil sich hier eine Möglichkeit bot, die gesellschaftliche Bedeutung dieses Phänomens festzumachen. Leider konnten durch die notwendige Kürzung des Dokumententeils nicht alle verfügbaren Quellentypen berücksichtigt werden. Die Darstellung sollte jedoch einen Eindruck von der Fülle und Ergiebigkeit des Materials vermitteln.

Abschließend bleibt mir die angenehme Pflicht, allen, die mir bei der Arbeit geholfen haben, für ihre Mühe zu danken. Dies gilt vor allem meinen Mitarbeitern an der FU Berlin (bis 1977) und an der Ruhr-Universität Bochum, die mir bei der Materialsammlung, Transkription und Textniederschrift geholfen haben. Frau Eva Furth (Berlin), Frau Gisela Klein und Frau cand. phil. Sabine Schenkel (Bochum) unterstützten mich hierbei. Herrn cand. phil. Eberhard Elbs (jetzt Konstanz), dem Teilnehmer eines einschlägigen Berliner Seminars im Wintersemester 1976/77, habe ich für seine Transkription der Quelle über die Owinger Rebellion zu danken, meinem Mitarbeiter Werner Troßbach für seine wichtige Vorarbeit der Untersuchung der prozessualen Auseinandersetzungen im 18. Jahrhundert. Meinem Kollegen Jörn Rüsen (Bochum) verdanke ich die Anregung zu diesem Band in dieser Reihe. Schließlich möchte ich dankbar darauf hinweisen, daß die Vorarbeit zu diesem Buch schon profitieren konnte von der Bewilligung eines Forschungsprojektes über „Agrarische Konflikte vom 14.–18. Jahrhundert im europäischen Vergleich" durch die Stiftung Volkswagenwerk, das der Verfasser zusammen mit Prof. Dr. Peter Blickle (Saarbrücken) seit Anfang 1978 bearbeitet.

Die Vorarbeit zu diesem Band wurde noch im Friedrich-Meinecke-Institut der FU Berlin begonnen, dem ich von 1970–1974 und 1976–1977 angehörte. Vielleicht kann die Widmung dieses Buches an die Berliner Freunde und Kollegen meinen Dank für die Hilfe und Förderung zum Ausdruck bringen, die ich dort erfahren habe.

Bochum, im September 1978 — Winfried Schulze

A. Darstellung

1. Zur Historiographie und Forschungslage des bäuerlichen Widerstands

1.1. Zur Historiographie bäuerlichen Widerstands

Historische Forschung erweist sich immer als von zeitgebundenen Fragestellungen und Interessenkonstellationen beeinflußt. Im besonderen Maße muß dies für soziale Bewegungen gelten, die das jeweils etablierte politisch-soziale System und seine Normen in Frage gestellt haben.

Diese Regel scheint auch für die Erforschung der bäuerlichen Revolten in der frühen Neuzeit zu gelten. Es läßt sich in der Literatur des 16., 17. und 18. Jahrhunderts deutlich eine Stufe ausmachen, seit der die Geschichte von Revolten neues Interesse im Rahmen einer Literatur fand, die das Problem der inneren Ordnung und Stabilität der Staaten thematisierte. Damit ist der relativ umfangreiche Bestand juristischer oder politikwissenschaftlicher Abhandlungen zum Aufstandsproblem gemeint, eine Literaturgattung, die, hauptsächlich im Interesse der territorialen Obrigkeiten geschrieben, auf Strategien zur Vermeidung oder Pazifizierung von Revolten abzielte[1]. Diese Literatur bedurfte natürlich eines ausreichenden Erfahrungspotentials und lenkte somit ihr Augenmerk automatisch auf die Revolten vergangener Zeiten. Während z. B. 1627 Paul Mathias Wehner in seiner „Metamorphosis rerumpublicarum" den Bauernkrieg von 1525 als Beispiel für einen Aufstand anführt, der durch „große schatzung, guld, Zinß, Zehenden und dergleichen unleidliche Auflage, Bürden und Frohnen und Beschwerungen" verursacht worden sei und im übrigen auch die Wiedertäufer in Münster und den Niederländischen Aufstand dieser Ursache zuordnet[2], ging es in der Dissertation, die Georg Melchior Hoffmann 1707 in Giessen unter dem Titel „Rusticus seditiosus" vorlegte, bereits um eine weit detailliertere Zusammenstellung der bis dahin bekannten Revolten in Deutschland und deren Analyse. Hoffmann beschreibt hier eine Kette von Aufständen, die er 1491 in Kempten beginnen läßt und die über die Bundschuhaufstände im Elsaß, um Speyer und im Breisgau, den Armen Konrad von 1514, den Kärntner Bauernaufstand von 1515, in der Windischen Mark von 1517, die verschiedenen regional präzise differenzierten Aufstandsbewegungen von 1525/26, den oberösterreichischen Bauernaufstand von 1626, die Widerstandsbewegungen gegen schwedische Soldaten im Breisgau 1633, den bayerischen Bauernkrieg von 1705/06 bis zu den Revolten im Buseckertal (Hessen-Darmstadt 1702–1706) und in Solms-Braunfels (seit 1705) reicht[3].

Diese Arbeit muß in der Tat als der Beginn der wissenschaftlichen Beschäftigung mit den Bauernaufständen angesehen werden. Sie bildet in gewisser Weise das

Pendant zu der wenige Jahre später verfaßten Dissertation von Georg Wilhelm Fleischmann über die Bauerntumulte des 16. Jahrhunderts, sprich den Bauernkrieg, eine Arbeit, in der schon Max Steinmetz den Beginn der wissenschaftlichen Beschäftigung mit dem Bauernkrieg gesehen hat[4]. Zweifellos war es die gestiegene Häufigkeit von bäuerlichen Revolten und langwierigen prozessualen Rechtsstreitigkeiten, die die Beobachter des 18. Jahrhunderts zum Aufarbeiten der älteren und neueren Revolten veranlaßte. So war es die Erfahrung des bayerischen Aufstandes von 1705, die Hoffmann 1707 bewog, ,,über die Aufstände der Bauern in Deutschland vor allem die früherer Zeiten nachzudenken"[5].

Die Marburger Dissertation von J. W. Waldschmidt 1726 fügte der oben angeführten Kette von Aufständen noch den schweizerischen Bauernkrieg von 1653 und die hohenzollernschen Auseinandersetzungen zwischen Fürsten und Untertanen im Laufe des 18. Jahrhunderts hinzu und beschäftigte sich außerdem intensiv mit der Rebellion in dem Schweizer Städtchen Wilchingen bei Schaffhausen, die damals gerade beendet worden war[6].

Überblickt man die Versuche politikwissenschaftlicher und juritischer Arbeiten im 17. und 18. Jahrhundert, die Geschichte bäuerlicher Widerstandsaktionen zu erforschen, so wird deutlich, daß diese Ansätze im wesentlichen ein Abfallprodukt der Bestrebungen waren, das Phänomen bäuerlichen Widerstands politisch und juristisch zu analysieren und so die Stabilität der Territorialstaaten zu sichern. Bäuerlicher Widerstand war ein zu dringendes Problem der Zeit, wie in den Vorworten der einschlägigen Arbeiten immer wieder geklagt wurde, als daß man es hätte verschweigen können. Damit war auch der bäuerliche Widerstand als historisches Thema bereits konstituiert. Daß ein Landesfürst wie der Fürstbischof von Speyer 1777 den ungehorsamen Untertanen von Bruchsal eine ,,Chronologische Geschichte des Ungehorsams der Bruchsaler Bürger" vorhielt, die bis zum Bundschuh zurückreichte, mag dabei als Sonderfall der historischen Beschäftigung mit diesem Thema gelten[7].

Die weitere Behandlung dieses Themas wurde jedoch verschüttet durch die Auswirkungen der Französischen Revolution[8], deren Rückwirkungen in Deutschland den bislang fast schon normalen Konflikten zwischen Landesfürsten und Untertanen ein neues politisches Gewicht beimaßen. Diese Konflikte, die bislang in schon traditioneller Weise behandelt worden waren, gewannen nun eine Dimension, die auch ihre weitere wissenschaftliche Behandlung prägen sollte. So fürchtete der Jurist Johann Melchior Hoscher im Vorwort zu seiner ,,Geschichte der neuesten Empörungen deutscher Untertanen wider ihre Landsherrschaft" ein Übergreifen des französischen ,,Empörungsgeistes" ,,wie ein electrischer Schlag" in andere Länder Europas, vor allen Dingen angesichts der hier um sich greifenden Empörung nach Deutschland. Hoscher sah sich bei seiner Einleitung zu den Akten über acht neuere Revolten im Westen des Reiches vor die Schwierigkeit gestellt, dem

Despotismus des vorrevolutionären Frankreichs eine Absage erteilen, die Exzesse der Revolution verurteilen und gleichzeitig die deutschen Verhältnisse so beurteilen zu müssen, daß jede Revolte unangemessen sei. Auf die Frage, „was für Mittel muß jedes deutsche Volk ergreifen, wenn es Beschwerden gegen die Regierung zu haben, wenn es in seinen unveräußerlichen Rechten gekränkt zu seyn glaubt", konnte es für ihn nur die Ablehnung jeder Revolte geben, da es doch einen „Oberrichter" gebe, der „den Unterthan gegen den Herrn höret und schützet". Hoschers Aktenkompilation über Revolten diente so dem Nachweis ihrer historischen Unangemessenheit, sollte schließlich auch dem „Bürgerstand" die Möglichkeit geben, „daraus Warnung zu schöpfen"[9].

Im Jahre 1808 analysierte der österreichische Kanoniker Franz Kurz den oberösterreichischen Bauernkrieg des Jahres 1626 in der Überzeugung, daß die Geschichte „uns nicht nur schöne lobenswerthe Thaten vorhalten" soll, „um uns zu ähnlichen anzueifern, sie muß uns auch Verbrechen in ihrer vollen Häßlichkeit erzählen, um uns von denselben abzuschrecken. Schon in dieser Hinsicht sind Erzählungen von wilden Empörungen gegen Monarchen nicht unnütz, und dann gehören sie auch als wichtige Ereignisse zur Geschichte eines Landes, in welchem sich solche traurige Auftritte ereignet haben". Seine direkte Absicht sah er in der „Betrachtung, daß sich viele Menschen selbst nicht unglücklich machen würden, wenn ihnen das Uibel deutlicher vor ihren Augen schwebte, dem sie unbesonnen zueilen. Hätten unsere Voreltern jene unabsehbare Reihe des Elendes reifer bedacht, in welches sie sich sammt dem lieben Vaterlande durch ihren Ungehorsam gegen den Monarchen stürzten, sie würden ihm gewiß treue gehorsame Unterthanen geblieben seyn. Die Kette aller traurigen Ereignisse, welche den Wohlstand Oesterreichs auf viele Jahre hin vernichteten, hieng an dem Ungehorsame, als dem ersten Gliede derselben, und nur zu spät bereueten sie es, sich den Befehlen des Landesfürsten je einmal widersetzt zu haben. Schon die Religion macht es uns zur strengsten Pflicht, die von Gott gesetzte Obrigkeit zu ehren; aber auch die Vaterlandsliebe prägt es tief unseren Herzen ein, daß Treue, Gehorsam und kindliche Anhänglichkeit gegen den Monarchen unser unverrücktes Augenmerk seyn müsse, denn sonst geht das Vaterland zu Grunde; und wir sind mit demselben zugleich verloren. Wie glücklich wir jetzt leben, da wir folgsame Unterthanen des besten Monarchen sind, können wir erst dann wirklich empfinden, wenn wir die traurige Geschichte unserer rebellischen Vorfahren lesen, und uns mit ihnen vergleichen."[10]

Die allgemeine Tendenz, die für die Erforschung des Bauernkrieges von 1525 in dieser Epoche festgetellt wurde, gilt in noch viel stärkerem Maße für die Vielzahl der lokal und regional bedeutsamen Revolten. Die Orientierung der Geschichtswissenschaft vor allem nach 1848 zog diese Revolten in den Bannkreis revolutionärer Umtriebe und machte sie so zum Anathema. So wurde etwa die Veröffentlichung der Akten des Windischen Bauernaufstandes von 1573 durch den Agramer Kanoniker Franz Rački einige Jahre bis 1875 aus Gründen politischer Opportunität zurückgestellt[11] und oft genug finden sich in den Vorworten landesgeschichtlicher Arbeiten Bemerkungen, die sich von einer denkbaren politischen Interpretation der Veröffentlichung distanzieren. Für Bayern konstatierte 1887 ein Historiker, der eine Abhandlung über den bayerischen Bauernkrieg von 1705 vorlegte, „daß nicht bloß die Volksschule, auch die Mittelschule" der Erwähnung des Bauerkrieges „ängstlich" aus dem Wege gehe[12].

Schließlich war es die sich seit dem Vormärz, genauer seit Wilhelm Zimmermann, immer stärker durchsetzende Auffassung von der politischen Bedeutungslosigkeit der deutschen Bauern nach der Niederlage im Bauernkrieg[13], die das Interesse der Geschichtsschreibung von jenen Formen des Widerstandes fortzog, die sich nach diesem Ereignis durchsetzten. Diese Auffassung hat sich als außerordentlich zählebig erwiesen und hat insgesamt sogar die allmähliche Vermehrung der Detailkenntnisse über einzelne Revolten überdauert. Sie hat es auch vermocht, bereits im Vormärz entwickelte Thesen über den positiven Ausgang des Bauernkrieges zu überlagern. So hatte etwa 1842 der Paulskirchenabgeordnete Johann Baptist Haggenmüller in seiner Geschichte Kemptens die Auffassung vertreten, daß „die große Bewegung, welche Teutschland im ersten Viertel des 16. Jahrhunderts ergriffen hatte", für das „politische Leben des Volkes" damit endete, daß „seine althergebrachten Rechte gerettet und für die Folgezeit dauernd befestigt wurden"[14]. Doch solchen Interpretationen war vor allem nach dem Fehlschlag der Revolution von 1848 kein Erfolg beschieden. Jedenfalls gab es keine durchschlagende Initiative, die den bäuerlichen Widerstand als Forschungsthema hätte etablieren können. Ihren vielleicht schärfsten Ausdruck fand diese Auffassung in einem Artikel des für seine Zeit repräsentativen und wirksamen „Handwörterbuchs der Staatswissenschaften", in dem Karl Steinbrück 1909 zur Lage der Bauernschaft nach 1525 formulieren konnte: „Die Initiative der Bauern, gewaltsam sich Vorteile zu erringen, war vollständig gebrochen. Der Geist der Resignation, der sklavischen Unterwürfigkeit und der geistigen und körperlichen Trägheit, verbunden mit Tücke und Bosheit, Haß und Bitterkeit gegen die Herrschaft, der dem ganzen Bauernstand jahrhundertelang das Gepräge gab, verbreitete sich."[15] Für eine Geschichtswissenschaft, die – so die sicherlich extreme, in einem Buch über den Bauernkrieg geäußerte Meinung Wilhelm Stolzes von 1907 – die bisherige nationale Geschichte „durch keine soziale Revolution entstellt" sah[16], konnte es schwerlich ein vorrangiges Ziel sein, die Fülle und Vielfalt des bäuerlichen Widerstandes nach dem Bauernkrieg aufzuarbeiten.

Überblickt man die Geschichtsschreibung des 19. und des frühen 20. Jahrhunderts, so sind es insgesamt zwei Forschungsrichtungen, die das politische Agieren von Bauern zwar nicht in den Vordergrund stellten, aber doch vielfältig förderten,

wenn man zunächst einmal von der an Detailfragen orientierten Landesgeschichtsschreibung absieht. Einmal waren dies diejenigen Forschungen, die im Zusammenhang mit den konfessionellen Auseinandersetzungen der Gegenreformationsepoche auch das Verhalten bäuerlicher Schichten untersuchten. In diesem Zusammenhang sind z. B. die österreichischen Bauernrevolten zwischen 1595 und 1632 schon relativ früh und erstaunlich intensiv erforscht worden[16a]. Eine Arbeit wie die von Felix Stieve über den oberösterreichischen Bauernkrieg von 1626 mag als typisch für diese Tendenz gelten, die ausgehend von der allgemeinen politischen Geschichte des konfessionellen Zeitalters auch die Rolle eines Bauernkrieges im Kräftespiel dieser Epoche erforschen wollte.
Die andere Forschungsrichtung, der wir eine Vielzahl von Informationen zur bäuerlichen Wirtschafts- und Sozialgeschichte der frühen Neuzeit verdanken, war die von den staatswissenschaftlichen Seminaren der Universitäten getragene umfassende Erforschung der sozialen Lage der Bauern seit dem späteren 19. Jahrhundert[17]. Es ist die mit den Namen Knapp, Grünberg, Hannsen, Gothein, Wittich, Ludwig, Fuchs u.a. verbundene Erforschung der historischen Entwicklung bäuerlicher Schichten vor allem seit dem Beginn der Neuzeit, die ausging von der nationalökonomischen Diskussion um die Erhaltung des Bauernstandes. Sie wurde unterstützt durch so verschiedene Richtungen wie die von rechtshistorischer Seite vorgenommene Untersuchung speziell der bäuerlichen Rechtsstellung und durch agrarromantische Bewegungen, wie wir sie in besonderer Breitenwirkung mit dem Namen Wilhelm Heinrich Riehls verbinden können. Dieser zuerst genannte „staatswissenschaftliche" Forschungszweig muß als Beginn einer wissenschaftlichen systematischen Behandlung der bäuerlichen Rechts-, Wirtschafts- und Sozialgeschichte angesehen werden, auf deren Grundlagen auch die heutige Forschung immer wieder aufbauen muß. Natürlich mußten diese Arbeiten auch auf die vielfältigen Konflikte zwischen Bauern und Grundherren eingehen, viele Einzelheiten wurden so ermittelt, ohne jedoch das Problem dieser Konflikte in den Vordergrund zu stellen. So fand sich z.B. in einer von Carl Johannes Fuchs 1898 entwickelten Definition des Arbeitsgebiets der Agrargeschichte kein Hinweis auf die Erforschung dieser Auseinandersetzungen[18].
Schließlich muß noch auf den besonderen Beitrag der landesgeschichtlichen Forschung zu unserer Fragestellung verwiesen werden. Gerade in der Konzentration auf Orts- und Landesgeschichte, in der damit notwendigerweise verbundenen Durcharbeitung begrenzter Archivbestände ergaben sich mannigfache Hinweise auf die Existenz lokaler Revolten, die – wenn auch oft anekdotisch berichtet und unter begrenztem Gesichtswinkel ausgewählt – wichtiges Belegmaterial für das Problem des bäuerlichen Widerstandes festhielten und einem – wenn auch leider begrenzten – Publikum zugänglich machten. Die Ergiebigkeit eines regionalgeschichtlichen Forschungsansatzes auch für unsere Thematik belegt exemplarisch

die Studie von Günther Haselier über „die Streitigkeiten der Hauensteiner mit ihren Obrigkeiten“ von 1940. Ihr Verfasser berichtete im Vorwort, daß diese Arbeit im Rahmen eines Forschungsprogramms zur Analyse der „Not und Arbeitslosigkeit im Hotzenwald“ in der Mitte der 30er Jahre entstand[19].
Diese hier knapp skizzierten drei Forschungsrichtungen lieferten auch die Informationen, die Otto Schiff 1924 in einem Aufsatz über die deutschen Bauernaufstände zwischen Bauernkrieg und Französischer Revolution zusammenfaßte[20]. Damit wurde – sieht man einmal von den Ausführungen Johannes Jannssens ab, der in seiner Geschichte des deutschen Volkes seit dem Ausgang des Mittelalters einzelne Beobachtungen über bäuerliche Widerstandsaktionen und Revolten zusammenstellte[21] – in der neueren Forschung zum erstenmal der Versuch unternommen, die Frage nach den Bauernrevolten des 16. bis 18. Jahrhunderts als eigenständiges Forschungsproblem zu konstituieren. Schiff, der sich in einer früheren Arbeit mit der Vorgeschichte des Bauernkrieges befaßt hatte, schien es ertragreich, auch die späteren Revolten mit dem Bauernkrieg zu vergleichen. Sein Fazit lief auf die – gegenüber den älteren, oben zitierten Auffassungen – bemerkenswerte Feststellung hinaus, „daß der deutsche Bauer sich nach 1525 keineswegs mit den herrschenden Zuständen abgefunden hat“. Wenn auch Schiffs Erklärung für die lokale und regionale Begrenzung der Bewegungen – das Fehlen einer „rechtfertigenden und zugleich werbenden Gesellschaftslehre“ – nicht überzeugen kann[22], so war mit diesem Aufsatz doch eine These vorgelegt worden, deren Weiterentwicklung und Nachweisung noch heute als Programm zu gelten hat.

1.2. Der neuere Forschungsstand in Ost- und Westeuropa

Wenn auch der direkte Untersuchungsgegenstand dieses Bandes sich räumlich auf das Gebiet des Heiligen Römischen Reiches erstreckt, so kann eine Einführung in den allgemeinen Forschungsstand zum Problem bäuerlichen Widerstandes nicht an den Ergebnissen der west- und osteuropäischen Länder vorbeigehen. Dies erklärt sich nicht nur aus der Fülle der hier erarbeiteten Ergebnisse, sondern vor allem aus der Überlegung heraus, daß es Anstöße aus diesen beiden Bereichen sind, die die Konzeption dieses Bandes und anderer weiterführender Forschungsarbeiten zu diesem Komplex beeinflußt und strukturiert haben.
Auch wenn man die Äußerungen des tschechoslowakischen Historikers Josef Petran, daß die Forschung über Bauernrevolten in der Bundesrepublik „keine neuen Erkenntnisse“ geliefert habe[23], als überzeichnet bewerten muß, so zeigt doch ein erster vergleichender Blick auf die einschlägigen Forschungsergebnisse, daß sich sowohl in den westeuropäischen wie in den osteuropäischen Ländern ein gleichermaßen entwickelter Stand der Forschung verzeichnen läßt, demgegenüber das

Ausmaß der Beschäftigung mit den Bauernaufständen in der Bundesrepublik deutlich zurückbleibt. Während – wie noch zu erläutern ist – besonders in Frankreich die Rolle der Bauernaufstände schon sehr früh in die allgemeine Analyse des Absolutismus als politisch-soziales System einbezogen wurde, auch für England inzwischen der Versuch einer systematischen Untersuchung auf der Grundlage intensiver Detailstudien unternommen wurde, ging die Forschung in den osteuropäischen Ländern stärker vom Leitbegriff der ,,Rolle der Volksmassen in der Geschichte" aus und sicherte sich damit eine Kategorie, die zumindest eine umfassend angelegte Erforschung bäuerlichen Widerstandes implizierte.
Wenn auch diese sehr allgemeine Programmatik einen wesentlichen Impuls für die Forschung darstellte, so wurde die spezifische Bedeutung des bäuerlichen Widerstandes in der Epoche des Feudalismus erst von dem sowjetischen Historiker B. F. Poršnev herausgestellt und auf eine anfangs zwar nicht unumstrittene, letztlich jedoch weitgehend akzeptierte Formel gebracht. Sie besagte, wie Poršnev schon in einer 1948 bis 1950 veröffentlichten, 1952 auch ins Deutsche übersetzten Artikelserie formulierte[24], daß ein Zusammenhang existiert zwischen der Stärke des bäuerlichen Widerstandes gegen feudale Ausbeutung und der Entwicklung des Staates in der Epoche des Feudalismus. Angewandt auf unseren Zeitraum bedeutet dies, daß Bauernaufstände als die höchste Form des Widerstandes die Bildung zentralisierter, nationaler Monarchien bewirkten, ja notwendig machten. Auf eine Kurzformel gebracht, besagte diese These: Der Absolutismus als die entwickeltste Form der zentralisierten Monarchie ist die notwendige Folge eines sich verstärkenden umfassenden bäuerlichen Widerstandes, der in Aufständen kulminiert.
Gerade angesichts einer, wenn auch differenzierten, so doch weitgehenden Rezeption der Poršnevschen Thesen mag es nützlich sein, noch einmal auf den scharfen Widerspruch hinzuweisen, den seine Ausführungen unmittelbar nach der Veröffentlichung fanden. Wie Diskussionsberichte und Gegenveröffentlichungen zeigen, konzentrierte sich die Kritik auf den Vorwurf einer Hypostasierung der Kategorie des Klassenkampfes zum ,,Entwicklungsgesetz der Feudalgesellschaft" schlechthin und damit einer Eliminierung der ökonomischen Grundkategorien der feudalen Gesellschaft. ,,Indem Poršnev", so sein Hauptkritiker J. A. Kosminski, ,,anstelle des Anwachsens der Produktivkräfte und des Wechsels der Produktionsverhältnisse die Entwicklung als Klassenkampf unterschiebt, beraubt er letzteren der historischen Grundlage, macht ihn zu einer überhistorischen Kategorie und entstellt den natürlich-historischen Charakter der Entwicklung der Menschheit."[25]
Es ist erstaunlich und bedürfte im Rahmen der innermarxistischen Methodologiedebatte intensiverer Analysen, daß Poršnevs Thesen die Formulierungen zur Bewertung der Bauernaufstände vor allem in der DDR stark beeinflußt haben. Gerhard Heitz (Rostock) übernahm diese Funktionsbestimmung 1965 in seinen

grundlegenden Aufsatz über die Bedeutung der Bauernbewegungen für die Entwicklung des Absolutismus und gab damit schon im Titel eine Übernahme der Grundthesen zu erkennen. Auch die seitdem in der DDR erschienenen Aufsätze zur Funktionsbestimmung des bäuerlichen Widerstandes lassen diese Grundlinie erkennen[26].

Nicht unwesentlich für diese Konsolidierung der Thesen Poršnevs mag die Tatsache gewesen sein, daß dieser, parallel zu den oben erwähnten Artikeln, den Versuch unternommen hatte, die Intensität und außerordentliche Bedeutung der Bauernaufstände in Frankreich vor der Fronde nachzuweisen[27]. Damit geriet Poršnev in eine herausragende Position innerhalb der Auseinandersetzung mit einer Reihe prominenter westeuropäischer Historiker über eine zentrale Frage der Struktur des französischen Absolutismus, die für die weitere Wirksamkeit seiner Thesen schwerlich ohne Einfluß geblieben sein wird.

Bevor jedoch näher auf diese Diskussion über die französischen Bauernrevolten eingegangen wird, sei noch auf eine andere theoretische Leistung Poršnevs hingewiesen, die für die Wirksamkeit seines Konzepts wesentlich ist. Im letzten Beitrag der erwähnten Artikelserie ging es ihm um eine Differenzierung der Formen des bäuerlichen Widerstandes gegen die feudale Ausbeutung. Poršnev unterschied dabei drei Grundformen des ,,offenen bäuerlichen Widerstandes", nämlich den *Teilwiderstand* als die ,,individuelle oder kollektive Ablehnung einer bestimmten Forderung, Vorschrift oder eines bestimmten Gesetzes"; die Übertretung irgendeines Verbots; den *Rechtsstreit* mit den Grundherren wegen einzelner Rechte und Pflichten, dann Abzug oder Flucht der Bauern als definitiver Bruch zwischen Bauern und Grundherrn und schließlich *Aufstände* als ,,kollektive Gewaltanwendung zur Beseitigung der bestehenden Verhältnisse"[28].

Diese erste Einteilung ist unabhängig von der von Poršnev intendierten historischen Abfolge dieser drei Formen zu einem wichtigen Klassifizierungsschema für bäuerlichen Widerstand geworden. Gerade für die hier interessierende Epoche zwischen dem deutschen Bauernkrieg und der Französischen Revolution bietet diese Grobgliederung ein erstes Hilfsmittel zur Einordnung bäuerlichen Widerstandes, der unter wechselnden historischen Bedingungen unterschiedliche Ausformungen annehmen konnte. Besonders die ersten beiden Formen des Widerstandes, ihre Charakterisierung als ,,niedere Formen des Klassenkampfes", z. T. auch als ,,täglicher Klassenkampf" erweisen sich als besonders bedeutsam für die Analyse eines bäuerlichen Widerstandes, der sich nicht mehr in gewaltsamen Formen artikulierte, zeigen zugleich aber auch die analytischen Grenzen der Kategorie des ,,Klassenkampfes" auf.

Eine Reduzierung der Untersuchung neuerer marxistischer Positionen auf die Person Poršnevs würde jedoch im gegenwärtigen Stand der Debatte wesentliche Aussagen außer acht lassen. Neben der Vielzahl konkret-historischer Forschungen, deren sachlicher Ertrag hoch einzuschätzen ist und über die noch zu berichten sein wird[29], ist zunächst auf eine gewisse Schwerpunktverlagerung einzugehen, die vor allem in der DDR-Forschung zu beobachten ist. Vor allem unter dem Eindruck einer intensiv betriebenen Agrargeschichte des Feudalismus, der quantitativen und qualitativen Veränderung der Renten hat sich eine gewisse Abkehr von der an Poršnev anschließenden Hypostasierung des Klassenkampfes ergeben und einer insgesamt breiter angelegten Untersuchung des Verhältnisses von Agrarstruktur und bäuerlichem Widerstand Platz gemacht. In diesem Zusammenhang sind vor allem die Arbeiten der Rostocker Arbeitsgruppe um Gerhard Heitz zu nennen, ohne andere Beiträge, insbesonders von Harnisch, Wernicke, Vogler u.a. damit an den Rand zu drängen[30]. Wenn Heitz z.B. „den engen Zusammenhang von Agrarstruktur und Klassenkampf" als erwiesen ansieht, so kann dabei trotz seiner gleichzeitigen Betonung der Verdienste Poršnevs eine gewisse Verlagerung der Fragestellung nicht übersehen werden, auch wenn diese Verschiebung nicht thematisiert wird[31].

Eine erheblich stärkere Differenzierung dieser klassischen Ausgangsbasis muß in den Beiträgen des sowjetischen Historikers Čistozvonov gesehen werden. Er hat, vor allem im Zusammenhang mit der Systematik der kapitalistischen Entwicklung und der „bürgerlichen Revolution" in Europa versucht, den bäuerlichen Widerstand in dieser Epoche aus den sich verändernden ökonomischen Grundlagen heraus zu begründen. In deutlicher – freilich uneingestandener – Distanz zu Poršnev betonte Čistozvonov erneut die entscheidende Bedeutung von Produktivkraftentwicklung und gesellschaftlicher Arbeitsteilung für den historischen Entwicklungsprozeß. Sein Versuch einer regionalen Typisierung bäuerlicher Widerstandsaktionen ist stark an seinen Studien über die Manufakturepoche des europäischen Kapitalismus orientiert und ordnet die bäuerlichen Aktionen dieser Hauptlinie der historischen Entwicklung weitgehend unter. In aller Deutlichkeit vertritt Čistozvonov eine relativ starke Marginalisierung des bäuerlichen Widerstandes, indem er ihn immer wieder in Relation zu den jeweiligen bürgerlichen Verhältnissen setzt. Schließlich warnt er – auch dies ist gegen Poršnev zu verstehen – davor, den „bloß zeitlichen Zusammenfall der bäuerlichen und der bäuerlich-plebejischen Kundgebungen in der untersuchten Periode" als „organische Komplexe oder als identische Erscheinung" einzuschätzen. Diese Aussage kann nicht anders als eine deutliche Warnung vor einer in sich zusammenhängenden Erforschung und eigenständigen Bewertung bäuerlicher Widerstandsaktionen verstanden werden[32].

Diese Art von globaler Analyse scheint jedoch nicht typisch für die Vielzahl der Einzeluntersuchungen, die inzwischen von der marxistischen Forschung zu den bäuerlichen Widerstandsaktionen vorgelegt worden sind. In diesem Zusammenhang ist es von besonderem Interesse, daß in einer Reihe von osteuropäischen Staaten die Geschichte der Bauernaufstände ganz zielbewußt in die Nationalgeschichte integriert wird. Diese Tendenz war gerade in den letzten Jahren gut zu beobachten, als sich die Gedenkjahre wichtiger Bauernbewegungen häuften. Der Reigen wurde 1972 eröffnet durch die ungarischen Gedenkfeiern zum 500. Geburtstag des Georg Dózsa[33], fortgesetzt durch die jugoslawischen Feiern zum 400. Gedenkjahr des Windischen Bauernaufstandes im Jahre 1573[34], in gewisser Weise auch durch die Bauernkriegsgedenkfeiern und -publikationen in der DDR im Jahre 1975[35] und schließlich auch durch das Gedenken an die Bauernaufstände in Böhmen im Jahre 1775, die von der tschechoslowakischen Geschichtswissenschaft intensiv bearbeitet wurden[36]. In allen Fällen ist eine starke Funktionalisierung der Bauernbewegungen für ein marxistisch geprägtes, mit starken nationalen Momenten durchsetztes Geschichtsbild zu beobachten. Es verwundert daher nicht, wenn alle diese Gedenkjahre Anlaß zu repräsentativen und wissenschaftlich ertragreichen Publikationen waren, die vielfach die älteren Arbeiten überholt haben.

Neben diesen bislang geschilderten Tendenzen marxistischer Forschung scheint in der DDR-Forschung eine gewisse Akzentverschiebung in der Erforschung bäuerlicher Widerstandsaktionen besonders bedeutsam. In den älteren Arbeiten zu diesem Problem war der Ausgangspunkt für die Beurteilung der Rolle des feudalen Staates stets Engels' Diktum von dessen Zwangs- und Unterdrückungsfunktion gewesen, das eine ernsthafte Analyse der Rolle des Staates erschwert hatte. Noch 1955 hatte z. B. Percy Stulz gegen das – nach Friedrich Engels – „aufgeklärte Vorurteil" angekämpft, „es müsse doch seit dem dunklen Mittelalter ein stetiger Fortschritt zum Besseren stattgefunden haben". Er versuchte, den Nachweis der ungebrochenen Unterdrückungsfunktion des Staates im sächsischen Bauernaufstand von 1790 anzutreten[37]. Demgegenüber hatte schon der sowjetische Historiker J. A. Kosminski in seiner bereits angeführten Replik auf Poršnev die rhetorische Frage gestellt, ob „denn der Feudalstaat (wie auch die Feudalklasse überhaupt) wirklich nur eine reaktionäre Rolle in der Geschichte gespielt und nur das eine (oder nahezu das einzige) Ziel gehabt habe, die Haupttriebkraft des Prozesses, die Bauernaufstände, zu unterdrücken"[38]. Diese differenzierende Fragestellung ist im letzten Jahrzehnt durchaus aufgenommen worden und hat insgesamt zu einer bemerkenswerten Relativierung in der Beurteilung der Staatsfunktion geführt. Wie anders ist es zu verstehen, wenn Karl Czok auf die „feudale Anarchie" als die historische Alternative zur Feudalmonarchie hinwies[39], oder wenn M. Reißner feststellte, daß es dem erstarkenden absolutistischen Staat durch eine vernünftige, am Allgemeinwohl orientierte Politik gelang, die „freiwillige Anerkennung der Massen zu gewinnen"[40]. Diese „objektiv wirksame" Politik ist auch in den neuesten Veröffentlichungen der DDR-Geschichtswissenschaft stark in den Vordergrund gerückt worden und es besteht somit wenig Anlaß, die unter diesen Vorzeichen betriebenen Forschungen nicht zur Kenntnis zu nehmen. In diesem Zusammenhang muß auch auf die Forderung der Kooperation mit nichtmarxistischen Historikern eingegangen werden, die G. Heitz im Hinblick auf die Erforschung jener Gebiete erhob, die „marxistischen Historikern schwer zugänglich sind“[41]. Verbunden mit der Forderung, „den Zusammenhängen zwischen Agrarstruktur und Klassenkampf vertieft und vergleichend nachzugehen“, muß darin ein ernstzunehmendes Angebot zu gemeinsamer Arbeit gesehen werden. Es braucht dabei nicht betont zu werden, daß eine solche Zusammenarbeit nicht an einer Diskussion auch der zentralen forschungsleitenden Begriffe vorbeigehen kann. Die intensive Diskussion über das Konzept der „frühbürgerlichen Revolution“ – um einen vergleichbaren Sachkomplex heranzuziehen – hat zumindest die Wirkung gehabt, daß die Problematik dieses Begriffs selbst und seine empirische Diskrepanz zum realhistorischen Prozeß zu Beginn des 16. Jahrhunderts deutlich erkannt worden ist[42]. Auf unseren Forschungsgegenstand übertragen kann diese Forderung nur bedeuten, daß auch das Konzept des „Klassenkampfes“ in seiner vermuteten durchgängigen Anwendbarkeit überprüft werden muß.

Dabei muß zunächst festgestellt werden, daß die Poršnevsche Thematisierung des bäuerlichen Widerstandes gegen feudale Herrschaft unter dem Leitbegriff der „höheren“ und „niederen“ Formen des Klassenkampfes geeignet war, die seit Marx eingefahrene Haltung der marxistischen Forschung gegenüber der historischen Bedeutung der Bauern zu revidieren. Marx' Charakterisierung der französischen Parzellenbauern als „Kartoffelsack“, d. h. als historisch passiver Schicht, die der Hilfe anderer Gesellschaftsschichten bedarf, um historisch wirksam zu werden, hatte die Bauern zu einem Anhängsel bürgerlicher Bewegungen gemacht und sie auf diese Gruppe hin funktionalisiert[43]. Insofern stellten Poršnews Überlegungen einen wichtigen Neuansatz dar, der historischen Bedeutung bäuerlichen Widerstands gerecht zu werden.

Andererseits müssen die Schwächen des Klassenkampfkonzepts für unsere Epoche gesehen und reflektiert werden. Unbestritten scheint, daß wir von einer sehr weitgehenden Konfrontation zwischen den landbearbeitenden bäuerlichen Schichten und der landbesitzenden adeligen Oberschicht ausgehen müssen. Nicht zuletzt der Bauernkrieg hatte in Deutschland diesen Gegensatz deutlich gemacht. Über die Haltung der Bauern gegenüber dem intermediären Adel konnte nach diesem Ereignis kein Zweifel mehr bestehen. Das Klassenkampfkonzept impliziert jedoch darüberhinaus eine unveränderte Frontstellung zwischen Bauern und feudalem Staat als dem „Agenten“ der herrschenden Feudalklasse und übersieht damit eine deutlich stärker werdende Differenzierung zwischen den Interessen des grundbesitzenden Adels und den territorial-staatlichen Ordnungssystemen in der frühen Neuzeit. Auch wenn parallele Interessenkonstellationen zwischen Staat und Adel noch lange Zeit die divergierenden Interessen überwiegen bzw. sich im Effekt gleichartige Reaktionen gegenüber den Bauern ergeben, so negiert das Klassenkampfkonzept prinzipiell die Veränderungsmöglichkeit des Beziehungsgefüges zwischen Bauern und Grundherren bzw. erweist sich als unfähig, die neue Interessenkonstellation zu erfassen. In dieser Diskussion um die Adäquanz forschungsleitender Begriffe ist es auch von Interesse, daß das Klassenkampfkonzept in den anderen osteuropäischen Ländern mit weit größerer Zurückhaltung rezipiert wurde als in der DDR. Die schärfste Zurückweisung dieses Konzepts findet sich m. W. bei der polnischen Historikerin Celina Bobinska, die auf dieses Konzept überhaupt verzichtete und dafür präziser von ,,résistance antiseigneurale" oder ,,lutte contre les seigneurs" sprach[44].

Die historische Bewertung bäuerlicher Widerstandsbewegungen in der Forschung der Bundesrepublik Deutschland war bis vor wenigen Jahren auf die Arbeiten von Günther Franz beschränkt, dessen Arbeiten zum Bauernkrieg und zur politischen Geschichte des deutschen Bauernstandes hier die entscheidende und unverzichtbare Grundlage boten[45]. Nicht frei von Widersprüchen zu älteren Arbeiten sind seine entsprechenden Ausführungen in dem Kapitel seiner ,,Geschichte des deutschen Bauernstandes", der einzige neuere Überblick, der freilich in seinem Literaturteil deutlich macht, wie stark Lokal- und Landesgeschichtsforschung der Vorkriegszeit hier noch die Grundlage abgeben[46]. Abgesehen von Franz zeichnen sich die meisten einschlägigen Handbücher und Überblicke durch nur knappe Bemerkungen zum Aufstands- oder Widerstandsproblem aus. Im neueren ,,Handbuch der Wirtschafts- und Sozialgeschichte" vermutete Wolfgang Zorn, daß die Enttäuschung der Reformation und die Niederlage von 1525 ,,schweigend ertragen" wurde mit Ausnahme der ,,Bauernunruhen mit evangelisch-religiösem Hintergrund gegen die katholischen Landesherren" in den österreichischen Ländern. An anderer Stelle findet sich die davon abweichende Beobachtung, daß sich auch zwischen 1648 und 1800 der Bauernstand keineswegs ,,vollständig ruhig" verhielt, zum Beleg werden mittel- und oberdeutsche Bewegungen des 18. Jahrhunderts angeführt[47]. Insgesamt ergibt dieser Überblick ein eher ,,staatsfernes" Bauerntum, das sich in sein Schicksal fügt, gelegentlich in blinder Wut gegen Bedrückung revoltiert, ohne damit jedoch politisch bewußtes Handeln an den Tag zu legen. Gerhard Oestreich wies auf die ,,fast ständigen Unruhen und Widerstände" in der Oberlausitz hin, ohne daß dieser Widerstand jedoch die Herausbildung einer ,,Adelsrepublik" auf Kosten der Untertanen verhindert hätte[48].

Neuere Forschungen, die für unser Problem einschlägig sind, fanden sich sowohl im Bereich der Landesgeschichte als auch der rechtshistorischen Forschung. Hier ist einmal die Erforschung der Salpetereraufstände im Hotzenwald durch Günter Haselier zu nennen, der damit ein lange Zeit außerordentlich kontrovers behandeltes Thema klären konnte[49], zum andern aber auch die systematischen Forschungsarbeiten Karl Siegfried Baders, der in seiner dreibändigen Rechtsgeschichte des Dorfes in Mittelalter und früher Neuzeit wesentliche Grundlagen der Gemeindeverfassung erarbeitete und darüber hinaus erkannte, daß die Prozeßfä-

higkeit der Gemeinde und die vielfältige Nutzung dieses Rechts ein von Otto Brunner doch abweichendes Bild im Verhältnis von Herrschaft und Gemeinde ergab. Schon Bader ging es darum, „neben den juristischen Formen das Kräfteverhältnis aufzuzeigen, das mit dem üblichen Bild des Absinkens der Bauernschaft zum bloßen Beherrschungsobjekt nicht übereinstimmt"[50].
Nach diesen wichtigen Hinweisen Baders hat sich eine Umbewertung der politischen Bedeutung bäuerlichen Widerstands erst in den letzten Jahren angebahnt. Hier sind einmal die Forschungen Peter Blickles zu nennen, dessen neues Bild der bäuerlichen Landschaften im oberdeutschen Bereich der bislang eher als Kuriosum bewerteten Organisation bäuerlicher Bevölkerung in politisch aktiven Landschaften neue Aufmerksamkeit sichern konnte[51]. Zudem haben seine Zweifel an der These von der „politischen Entmündigung" der Bauern nach 1525 entscheidend den Boden bereitet für ein erneutes und intensiveres Aufgreifen bäuerlicher Widerstandsbewegungen. Wenn auch von kritischen Überlegungen gegenüber Blickles Forschungen begleitet, so sind hier auch die Stellungnahmen von Volker Press anzuführen[52], dessen Anstöße zur Erweiterung der traditionellen ständegeschichtlichen Betrachtungsweise um finanzgeschichtliche und Untertanenprobleme ebenfalls als Schritt zu einer vertieften Analyse der ständischen Gesellschaft zu werten sind. Solche Forderungen passen auch zu einer Erweiterung des Begriffs der Agrarverfassung als dem Leitbegriff der agrargeschichtlichen Forschung. Früher – wie aus dem erwähnten Zitat von Fuchs zu ersehen – relativ eng ausgelegt, ist dieser Begriff in neueren Forschungen zu einer sozialgeschichtlichen Kategorie geworden, der es um eine breite Untersuchung der Bedingungen für soziales Handeln in der agrarischen Wirtschaft geht und von daher auch größeres Interesse an den Konflikten zwischen Gemeinde, Grundherrschaft und dem modernen Staat zeigt[53].
Neben diesen neueren Beiträgen zu unserer Thematik, die in absehbarer Zeit wohl auch zu greifbaren Ergebnissen führen werden, waren es eigene Überlegungen, die schon 1972 zur Neuformulierung der Frage nach der „politischen Bedeutung des gemeinen Mannes" in der Epoche nach dem Bauernkrieg führten[54]. Angeregt durch landesgeschichtliches Material der habsburgischen Erblande, durch die Untersuchung des Windischen Bauernaufstandes von 1573, der von Kroatien-Slawonien auch auf die südliche Steiermark übergriff, war es dann der Komplex der Türkengefahr des späten 16. Jahrhunderts und ihrer Auswirkungen auf die untertänige Bevölkerung, der neues Material bereitstellte. Die seit 1576 enorm gestiegenen Reichs- und Kreissteuern stellten die Untertanenverbände und die Territorialfürsten im oberdeutschen Bereich vor neue Anforderungen finanzieller und politischer Art, als es galt, immense Summen einer Bevölkerung abzufordern, deren Steuerverhalten an der Einmaligkeit, der Begrenztheit und Überschaubarkeit der Steuerforderung orientiert war[55]. Vielfacher Widerstand war hier die Folge,

zwischen 1590 und 1614 eskalierte er zu einer Kette z. T. langjähriger Steuerrevolten in einzelnen Kleinterritorien zwischen Oberrheintal und Allgäu. Unter dem Eindruck der belastenden Erfahrung von 1525, der Bedrohung durch die Türken und dem Angewiesensein auf die Steuerleistung der Untertanen reagierte vor allem der Kaiserhof mit der bemerkenswerten Taktik der politischen Lösung der Konflikte durch Verhandlungen und Kommissionen, die zusammen mit parallelen Erscheinungen im judikativ-administrativen Bereich der Territorialstaaten und mit dem Auftauchen einer neuen wissenschaftlichen Literatur ,,de seditionibus" Anlaß bot, von einer ,,veränderten Bedeutung sozialer Konflikte im 16./17. Jahrhundert" zu sprechen[56].

Jüngste Veröffentlichungen zeigen, daß das neu aufgegriffene ,,Untertanen"-Thema Interesse findet. Dies gibt auch Anlaß zu der Frage nach der Motivation solcher Forschungen, über die sich Rechenschaft zu geben, dem Historiker allemal zur Ehre gereicht. Volker Press sah bereits Anlaß zu der Warnung, in Sachen ,,Untertanen" ,,des Guten zuviel zu tun" und ,,erneut jene Heldenverehrung in die Geschichte zu tragen, die die Jahrhunderte zuvor den herrschenden Gruppen gewidmet haben". Press selbst empfahl dagegen die Erforschung der ,,unteren Schichten im Gesamtgefüge der Gesellschaft mit ihren Zusammenhängen und Konflikten"[57].

Diese Forderung trifft sich mit den bereits vorgetragenen Überlegungen zur Einbeziehung bäuerlichen Widerstands in die Ständeforschung und damit zu einer Fragestellung, ,,die die wesentlichen Gruppen der ständischen vorrevolutionären Gesellschaft umfaßt" (so meine eigene Formulierung) und somit zur Klärung der Struktur feudaler Herrschaftsorganisation beiträgt. Doch wäre es – dies scheint mir eine wichtige methodologische Einsicht zu sein – irrig zu glauben, als sichere uns der bewußte Blick auf das ,,Gesamtgefüge der Gesellschaft" eine ideologiefreie Forschungsposition. Auch unsere Sicht dieses Gesamtgefüges ist perspektivisch beschränkt und wird durch neue, beschränkte Perspektiven weiter entwikkelt und gewinnt durch sie. Die Anerkennung der Ergiebigkeit eines perspektivischen Ansatzes, wie sie kürzlich Wolfgang J. Mommsen im Kontext der Bemühungen des Arbeitskreises ,,Theorie der Geschichte" entwickelt hat[58], enthebt uns der Notwendigkeit, ideologiefreie Denkansätze ,,außerhalb der Geschichte" suchen zu müssen, sondern verpflichtet uns zu dem verstärkten Bemühen, den eigenen perspektivischen Ansatz der Prüfung durch das Quellenmaterial und der Kritik durch die am Prozeß der Forschung Beteiligten offen zu halten. Kautelen dieser Art erleichtern die nüchterne Feststellung, daß – wie einleitend skizziert – die Erforschung des Widerstands der untertänigen Bevölkerung bislang vernachlässigt wurde und daß es der Geschichtswissenschaft eines freiheitlich-demokratischen Staatswesens wohl ansteht, auch diesem Traditionsstrang vermehrtes Interesse zu schenken. Im übrigen wird zu prüfen sein, ob die Untersuchung bäuerlichen Widerstands in der frühen Neuzeit nicht auch neue Traditionen freilegt, die bislang zu wenig beobachtet wurden[59].

Es wurde bereits erwähnt, daß die neuere Geschichtsforschung über die Bauernaufstände des 16. bis 18. Jahrhunderts vor allem durch die Diskussionen um die These Poršnevs ausgelöst wurden, daß die Bauernaufstände vor der Fronde nur als Teil eines umfassenden Klassenkampfes zwischen Bauern und städtischen Arbeitern einerseits und Adel und Bürgertum andererseits verstanden werden könnten. Dies war zugleich ein Angriff auf die bisherige französische Geschichtsforschung, die hinsichtlich der Bauernrevolten zu relativ einhelligen Ergebnissen gekommen war. Damit war das Argumentationsmuster der französischen Geschichtsschreibung angegriffen, das die französischen Revolten niemals nur als Bauernaufstände, sondern vor allem als Aufstände regionaler Einheiten gegen eine zentralstaatliche Fiskalpolitik interpretiert hatte[60]. Das bedeutete, daß die Konfrontation nicht zwischen Bauern und Grundherren gesehen wurde, sondern vielmehr zwischen Bauern und Grundherren einerseits und den Steuereinnehmern des Zentralstaates andererseits.

In aller wünschenswerten Klarheit wurde Poršnevs Attacke von Roland Mousnier zurückgewiesen, der sich in mehreren Artikeln mit den methodischen Prämissen und den Ergebnissen Poršnevs auseinandersetzte[61]. Eine sachliche Berührung zwischen beiden Historikern ergab sich insofern, als es beiden Historikern um das Phänomen der Revolten während der Regierung Richelieus ging. Gegenüber Poršnev war Mousniers Ausgangspunkt jedoch das Problem der Ämterkäuflichkeit im 16. und 17. Jahrhundert, über das er 1945 eine weit über die Ergebnisse seines Lehrers Georges Pagés hinausgehende Analyse vorlegte[62]. Daraus ergab sich eine Erklärung der Revolten des 17. Jahrhunderts durch den Widerspruch zwischen den Inhabern käuflicher Ämter und den Versuchen Richelieus und Mazarins, die direkte Kontrolle über die Ämter durch das Intendantensystem zurückzugewinnen.

Gegen Poršnev betonte Mousnier vor allem die wichtige Rolle des Adels bei der Auslösung der Revolten, so wie er auch das städtische Bürgertum durch seinen Widerstand gegen die königliche Fiskalpolitik und seine flexible Haltung gegenüber den Aufständischen für den Fortgang der Bewegungen verantwortlich machte. Für ihn waren Adel und Bauern durch das gemeinsame Interesse geeint, die Besteuerung zurückzudrängen, während Poršnev dem Adel nur ein Ausnutzen der bäuerlichen Aktionen vorwarf. Sein Interesse mußte es sein, den Bauern nicht zu stark durch Steuern belastet zu sehen, um die eigenen Rentenbezüge nicht zu gefährden. Bemerkenswert an dieser Debatte, die hier nicht ausführlich verfolgt werden soll, zumal sie in mehreren Übersichtsartikeln aufgearbeitet worden ist[63], war ebenfalls die Diskussion um die verwendete Begrifflichkeit. So hielt Mousnier vor allem die Verwendung von Konzepten, die im Lauf des 19. und 20. Jahrhunderts entwickelt worden sind, für die ständische Gesellschaft bis zur Mitte des 18. Jahrhunderts für unangemessen. Den Klassenbegriff lehnte er als inadäquates Instrument ab, um eine Gesellschaft ständischer Ordnung zu analysieren[64].

Über diese Debatte, deren Argumente bis heute in der Interpretation des französischen Absolutismus bestimmend geblieben sind, sollte nicht vergessen werden – vor allem in unserem Zusammenhang – daß beide Forscher sich darin einig waren, daß die Revolten des 17. Jahrhunderts eine bedeutende Rolle für die Entwicklung des Absolutismus spielten, der auf der verschärften Steuerpolitik aufbaute. Damit erst – so läßt sich rückschauend wohl konstatieren – ist die intensivere Erforschung der bäuerlichen Revolten in Frankreich und darüberhinaus erst angeregt worden. Besonders Mousnier kommt das Verdienst zu, seine Schüler für die verschiedenen regionalen Revolten interessiert zu haben[65].

Mit besonderem Interesse muß hier auch die Analyse der französischen Bauernbewegung zwischen dem 16. und 18. Jahrhundert verzeichnet werden, die von E. Le Roy Ladurie an verschiedenen Stellen vorgetragen wurde. Sie erscheint deshalb als besonders bedeutsam, weil sie die Funktion des zentralstaatlichen Ordnungssystems mit in die Entwicklung einbezieht und von daher die Relativierung des Klassenantagonismus belegt[66].

Le Roy Ladurie stellt bei dieser Untersuchung der französischen Bauernaufstände einen entscheidenden Wendepunkt fest, den er etwa auf die Mitte des 17. Jahrhunderts fixiert. Während die Aufstände vor diesem Zeitpunkt als Bewegungen auf gesamtstaatlicher Ebene zu bewerten sind, die sich vor allem gegen den Steuerdruck und die mangelnde Ordnungsfunktion des Staates wenden, verlagern sich die Bewegungen nach der Wende auf die grundherrschaftliche Ebene. Hier treffen die Bemühungen der Grundherren zur Intensivierung der Landwirtschaft durch Zugriff auf das Gemeindeland auf den wachsenden Widerstand der bäuerlichen Bevölkerung, so daß sich insgesamt eine neue Frontstellung ergibt. Zu dieser Verlagerung der Konfliktebene, die Le Roy Ladurie mit einer Reihe von Veränderungen in der Funktion des Staates begründet (u. a. indirekte statt direkte Besteuerung, neue Politik der Intendanten gegenüber den Bauern, verbesserte agrarische Produktion bei tendenziell gleichbleibender Steuerbelastung), trat hinzu eine wichtige Veränderung der sozialen Kommunikation auf dem Lande. Die kirchlichen Festtage verloren ihre Bedeutung als Ausgangspunkte bäuerlicher Aktivitäten zugunsten der Markttage. Der Markt mit seinen neuen Möglichkeiten, aber auch neuen Abhängigkeiten für die Bauern begründet nicht nur eine wirtschaftliche Neuorientierung, sondern auch eine Neustrukturierung der Kommunikation, die zugleich Anlaß für neue Formen ländlicher Konflikte wird, die sog. „food riots“, wie sie etwa in Frankreich und England im 18. Jahrhundert neue Bedeutung gewinnen[67].

Le Roy Ladurie formuliert so eine Stufenfolge der bäuerlichen Sozialkonflikte, die

in engem Zusammenhang mit den politisch-ökonomischen Bedingungen entwickelt wird. Während die Bauernkriege nur denkbar sind auf einer Stufe ungenügender staatlicher Konsolidierung, einer mangelnden Kontrolle des Staates über divergierende religiöse und soziale Gruppen, reagieren die antifeudalen Revolten seit der Mitte des 17. Jahrhunderts auf die neue Konfrontation von Bauern und Grundherren bei gleichzeitiger Neubewertung der Rolle des Zentralstaates. Die „food riots" schließlich sind Reaktionen der bäuerlichen Bevölkerung auf den neuen Mechanismus des Marktes, der schon in eine neue Epoche hinüberführt.
Die neuere Erforschung der englischen Bauernrevolten ist im Grunde durch die Nachwirkungen der Poršnev-Mousnier-Debatte ausgelöst worden. C. S. L. Davies, der 1973 einen ersten Vergleich zwischen französischen Revolten und den entsprechenden Vorgängen in England im 16. und 17. Jahrhundert vornahm, sah in England durchaus Parallelen zur charakteristischen französischen Konfliktlage zwischen Adel und Bauern einerseits und dem modernen Steuerstaat andererseits[68]. Wenn in den englischen Revolten des 16. Jahrhunderts Adelige nicht selbst beteiligt waren, so standen sie in den Anti-Steuerrevolten den Bauern doch oft wohlwollend gegenüber. Ein Beweis für die weniger furchterfüllte Haltung der Gentry gegenüber den Bauern war für Davies das Ergebnis einer Umfrage über die Bewaffnung der Untertanen für die Miliz im Jahre 1569. Während 8 counties auf mögliche Gefahren einer Bewaffnung hinwiesen, schien immerhin 11 counties ein solcher Schritt im Hinblick auf denkbare Reaktionen der Bauern unproblematisch[69]. Gerade im Vergleich mit deutschen Territorien, in der jede Bewaffnung des Landesaufgebots von der Stimmung der bäuerlichen Bevölkerung abhängig gemacht wurde, muß eine solche Einschätzung überraschen. Obwohl in England sicherlich eine geringere Dichte der Revolten festgestellt werden kann als in Frankreich, „war die Furcht vor Unruhe zumindest ein Grund für einen guten Teil der Sozialpolitik der Regierung", wie Davies feststellte[70].
Die neueren Forschungen zur Geschichte der englischen Bauernrevolten des 16. und 17. Jahrhunderts sind nicht durch eindeutige Interpretationen zu charakterisieren. Insgesamt zeichnet sich ein Trend zur stärkeren Differenzierung zwischen Anti-Steuerrevolten in der ersten Hälfte des 16. Jahrhunderts, antireformatorischen Revolten um die Mitte des Jahrhunderts und den gegen die enclosures der Grundherren gerichteten Revolten im späten 16. und 17. Jahrhundert ab, wo sie noch bis in die Ereignisse des Bürgerkriegs hineinreichen. Darüberhinaus ist auch durch die Nutzung des popular protest-Begriffs eine erhebliche Erweiterung der Widerstandsaktivitäten erreicht worden[71]. Insgesamt – so läßt sich sagen – ist der bäuerliche Widerstand in stärkerem Maße als bislang zum Indikator der Veränderungen in staatlichen Ordnungssystemen und in der agrarischen Produktion geworden, so daß auch hier eine Einbindung bäuerlichen Widerstands in den gesamtgesellschaftlichen Entwicklungsprozeß zu beobachten ist.

1.3. Probleme der Forschung – Erklärungsversuche

Von den grundsätzlichen Schwierigkeiten der historischen Forschung über den bäuerlichen Widerstand sind bislang vor allem die unterschiedlichen Interessenlagen angesprochen worden, die die Forschung behindert oder gefördert haben. Zweifellos ist damit ein wichtiger Komplex berührt, der vor allem dann herangezogen werden muß, wenn man den unterschiedlichen Forschungsstand in den europäischen Ländern zu erklären versucht.

Im Falle des bäuerlichen Widerstands kommt jedoch noch ein zentrales Problem hinzu, das man als gewichtige materielle Schwierigkeit ansprechen muß. Gemeint ist damit die Natur der Quellen, die den am Phänomen ,,bäuerlicher Widerstand" interessierten Historiker vor erhebliche Interpretationsschwierigkeiten stellt[72]. Ein großer Teil der Quellen, die in der historischen Forschung normalerweise benutzt werden, sind Quellen, die von den untersuchten Personen, Gruppen oder Institutionen selbst produziert worden sind. Das Tagebuch bzw. der Aktenniederschlag eines Politikers im 19. oder 20. Jahrhundert, die Predigt eines Reformators, das Handschreiben eines Fürsten im 17. Jahrhundert, wie die Briefe des Mitglieds in einem Handwerkerverein des 19. Jahrhunderts sind persönlich geformte Quellenzeugnisse, die die historische Forschung mit Recht vor allem deshalb benutzt, weil sie uns direkten Zugang zur Mentalität der untersuchten Personen, Gruppen oder Institutionen geben. Natürlich werden bei ihrer Analyse auch immer wieder Quellenbestände herangezogen, die von beobachtenden oder betroffenen Dritten produziert wurden, doch geschieht dies eher zur Kontrolle subjektiven Materials, wie ich es einmal nennen möchte. ,,Der Mensch der unteren Schichten", so bestätigte François Furet demgegenüber einmal, ,,existiert für den Historiker nur verloren in demographischen und soziologischen Studien." Zwar versuche die moderne Geschichtsforschung, ihn durch das quantitative Studium vergangener Gesellschaften wieder in die Geschichte zurückzuführen, aber auch dort bleibe er schweigend[73].

Wenn wir uns nun mit dem bäuerlichen Widerstand im Zeitraum vom 16. bis zum 18. Jahrhundert befassen, bedeutet dies, daß wir über solcherart ,,subjektives" Material nur in sehr seltenen Fällen verfügen, daß wir auch hier den ,,schweigenden" Bauern finden. Die historisch handelnden Persönlichkeiten treten als Quellen produzierende Personen auf den ersten Blick kaum auf. Diese Bemerkung bedeutet nicht nur, daß wir über keinerlei Archivkörper verfügen, die von einem rebellierenden Dorf angelegt worden wären (während wir z.B. durchaus über Archivbestände revoltierender Adeliger oder adeliger Körperschaften verfügen). Es gibt nur wenige Selbstzeugnisse aus bäuerlichen Widerstandsaktionen, die ohne den zwanghaften Eingriff von Justiz oder obrigkeitlicher Anleitung entstanden wären, die uns gleichsam ,,in die Situation" des handelnden oder behandelten

Bauernführers versetzen könnten. Dies gilt auch für die vielen bäuerlichen Beschwerdeschriften aus dem 16., 17. und 18. Jahrhundert, die uns im Archivmaterial der Obrigkeiten überliefert sind. In den allermeisten Fällen sind solche Beschwerdeschriften von juristischen Beratern, mehr oder weniger selbstlosen Advokaten „gestellt" und geschrieben worden, die den bäuerlichen Unmut in instanzenrelevante Äußerungen umformulierten und somit für uns eine Barriere bedeuten, die zwischen der Beschwerdeschrift und dem Denken, Fühlen und Wollen der Menschen steht, deren historisches Handeln wir untersuchen wollen. Mir scheint, daß diese grundsätzliche Problematik vor allem dann ins Gewicht fällt, wenn wir nicht nur Aussagen über die soziale und rechtliche Lage von Bauern als anonymer Gesamtheit machen wollen, sondern wenn wir die Bauern in ihrem Widerstand aufsuchen und sie damit zu historisch handelnden Persönlichkeiten machen. Die Handlungskategorie selbst erschließt sich im allgemeinen nur über ein relativ breites Spektrum an Informationen über Intentionen, Bedürfnisse, Widerstände, Abwägungen, Entscheidungen und ähnliche subjektiv fixierbare Tatbestände. Fehlen uns diese, zumal in ihrer Unmittelbarkeit, dann muß die historische Forschung, die sich solchen Fragestellungen zuwendet, ein relativ größeres Maß an Korrektiven anzuwenden bereit sein, um die real verfügbaren Informationen für den angesprochenen intentionalen Kontext nutzbar zu machen.

Was bedeuten diese Überlegungen für die konkrete Forschungssituation auf unserem Felde? Wie sieht das Material aus, dem wir unsere Informationen entnehmen können? Wer schreibt denn überhaupt über aufständische Bauern, wenn diese es schon nicht selbst oder nur höchst selten tun? Wo läßt sich überhaupt Material über Bauern, die ihrer Herrschaft Widerstand leisten, eruieren? Diese Frage ist nicht nur von theoretischem Interesse angesichts mancher Meinungen, die es angesichts der Quellenlage für schwer möglich halten, eine Geschichte der Bauern in der ständisch geordneten Welt zu schreiben. Für Herbert Helbig war es 1963 gerade die wenig aussagekräftige Quellenlage, die es verhindere, eine adäquate Einordnung und Bewertung bäuerlicher Schichten in der ständischen Gesellschaft zu erreichen[74].

Damit ist auch ganz eng die Frage verknüpft, warum bislang die Forschungen auf diesem Gebiet materiell behindert worden sind und wo in Zukunft Forschungen angesetzt werden müssen, die das Problem bäuerlichen Widerstands vertiefen wollen. Gerade angesichts der territorialen Zersplitterung Deutschlands in der frühen Neuzeit und der daraus resultierenden Unübersichtlichkeit des Archivmaterials ist dieses Problem von besonderer Bedeutung. Hinzu kommt freilich auch, daß Forschungen über bäuerlichen Widerstand in unserer Epoche unter der Erheblichkeitsschwelle älterer Forschungen ansetzen müssen. Spektakuläre Ereignisse wie die oberösterreichischen Bauernkriege im 16./17. Jahrhundert fanden schon deshalb ein besonderes Interesse, weil sie mit anderen religiösen und dynastischen Krisensymptomen kollidierten. Der bayerische Bauernkrieg von 1705/06 mußte ins Blickfeld der Forschung geraten, weil seine gegen die „Fremdherrschaft" des Kaisers zu deutende Stoßrichtung ihn auch für die Kategorien der älteren Geschichtsforschung interessant machte. Gleiches gilt auch für den österreichischen Bauernkrieg von 1626, der ebenfalls Ansatzpunkte für eine „patriotische" Interpretation bietet.

Diese Kategorien trafen jedoch nicht eo ipso auf regional begrenzte Revolten, auf Aufstände in Kleinterritorien, auf prozessualen Widerstand zu, wie er gerade seit dem Ausbau der territorialen administrativen Apparate charakteristisch wurde. Will man diese Formen des Wiederstands nachvollziehbar machen und im Gesamtzusammenhang bewerten, so muß mit einer feineren Skala von Erheblichkeit gearbeitet werden. Es müssen – darauf soll hier vor allem abgehoben werden – die Stellen im System der frühneuzeitlichen Territorien aufgespürt werden, an denen solcher Widerstand seinen aktenmäßigen Niederschlag fand. Hierbei muß vor allem davon ausgegangen werden, daß bäuerlicher Widerstand ja immer eine Form der Leistungsverweigerung oder -beeinträchtigung an die verschiedenen Ebenen der Obrigkeit bedeutete und insofern sehr schnell den Tatbestand des „crimen" erfüllte. Die meist im 19. Jahrhundert entstandenen Ordnungssysteme für viele territoriale Archivbestände spiegeln diese Tatsache klar wieder, wenn sie den bäuerlichen Widerstand jedweder Form unter der Rubrik „Verbrechen" ablegen, wo er sich mit Diebstahl, Kindesmord und Sodomie in Gesellschaft findet. Wo dies nicht der Fall ist, bieten Bestände der Gerichtsbehörden – sowohl lokaler wie territorialer Stufe – Ersatz. Dies gilt nicht nur für die Territorien selbst, sondern auch für die Organe der Reichsjustiz, also Reichskammergericht und Reichshofrat. Schließlich kann auch der Einstieg über die verschiedenen Funktionen bäuerlicher Leistungen zum Ziel führen. Steuerakten belegen i. a. Steuerverweigerungen, Militärakten geben Auskunft über Dienstverweigerungen, in Beständen über die landesfürstlichen Jagdämter finden sich Nachrichten über Jagdfronverweigerungen usw. Dieser funktionale Zugriff auf das Phänomen des bäuerlichen Widerstandes scheint mir unabhängig von der oft nachträglich veränderten Struktur ganzer Archivbestände ein Weg zu sein, der uns von der gesellschaftlichen Struktur her an das Material heranführen kann, an dem wir die Forschungen beginnen lassen können. Sind einmal die Leistungsmodalitäten (also Fronarten, Steuerformen, Besitzwechsel etc.) bzw. deren Veränderungen bekannt, dann ist der Weg zum relevanten Material nurmehr eine technische Frage der archivalischen Ordnung, die relativ leicht zu lösen ist. In diesem Zusammenhang muß darauf hingewiesen werden, daß eine Berücksichtigung dieser Fragestellungen in den Archivinventaren von außerordentlichem Vorteil sein kann. Hier muß auch bedacht werden, daß das jeweils angewandte Prinzip der Archivierung historischer Bestände für die Forschung – zumindest in der Phase der Materialsuche – große Bedeutung haben kann. Ein Archivbestand nach dem Provenienzprinzip, der die Aktenbestände einer Behörde in der Ordnung ihrer Entstehungszeit beläßt, ist im Hinblick auf bäuerlichen Widerstand erheblich schwieriger zu benutzen als ein nach dem Pertinenzprinzip geordneter Bestand, der – unabhängig von der Zeit der Durchführung einer solchen Ordnung – einzelne Betreffe auswirft, in denen das Phänomen bäuerlicher Widerstand aufscheint wie etwa in der oben genannten Rubrik „Verbrechen", wie sie in der „alphabetischen Physiognomie" der Bestände des Generallandesarchivs Karlsruhe auftaucht[75].

In der DDR sind in den letzten Jahren Bemühungen zu verzeichnen, das für den bäuerlichen Widerstand relevante Material durch Spezialinventare nutzbar zu machen. So hat etwa eine Übersicht über das einschlägige Material in den einzelnen Staatsarchiven eine erstaunliche Fülle von interessantem Quellenmaterial ergeben, das bislang noch der Bearbeitung harrt[76]. Auch eine detaillierte Bestandsanalyse für die einschlägigen Bestände im Staatsarchiv Leipzig hat die Reichhaltigkeit des Materials aufgezeigt, das den staatlichen Archiven aus den Grundherrschaftsarchiven zugewachsen ist und jetzt das Material der Mittel- und Zentralbehörden ergänzt[77]. Wenn auch eine vergleichbare Arbeit für die Staatsarchive und die relevanten Privatarchive in der Bundesrepublik nicht zu erwarten ist, so kann doch der oben angedeutete funktionale Zugang zum Archivmaterial diesen Mangel ausgleichen[78].

Ein Beispiel soll diese Ausführungen belegen. Im Verlauf von Forschungen über die Auswirkungen der Türkengefahr in Deutschland im späten 16. und frühen 17. Jahrhundert mußte natürlich auch der Frage nachgegangen werden, wie die in dieser Zeit enorm ansteigenden Türkensteuern von den Untertanen der einzelnen Territorien erbracht wurden. Erste, eher vereinzelte Hinweise etwa in den Finanzakten des Reiches koinzidierten mit älteren Forschungen über einige lokale Bauernrevolten in dieser Zeit. Die zeitgenössische Literatur zum Reichskammergericht verstärkte den Eindruck, daß vor allem im oberdeutschen Bereich in diesem Zeitraum eine ganze Kette von Bauernrevolten stattgefunden haben muß, die in ihrer Gesamtheit bislang unbekannt geblieben war. Von hier aus war es dann ein relativ einfacher Schritt zu einer eingehenden Untersuchung der in Frage kommenden Bestände der Reichsarchive wie der territorialen Bestände, um den archivalischen Nachweis für das vermutete Revoltenbündel zu führen, das mit dem Ansteigen der Türkensteuern in einem engen Zusammenhang steht.

Die Verbreitung der Quellenbasis als notwendige Voraussetzung weiterführender historischer Forschung zum Problem des bäuerlichen Widerstands führt jedoch kaum aus der grundsätzlichen Problematik heraus, die hier angesprochen werden sollte. Die mangelnde Schriftlichkeit der handelnden bäuerlichen Schichten, die nur in den seltensten Fällen durch die Existenz von bäuerlichen Kanzleien in hochorganisierten Aufstandsaktionen wie den oberösterreichischen Bauernkrieg von 1626 und dem bayerischen Bauernaufstand von 1705 unterbrochen wird – die dann freilich auch meist von nichtbäuerlichen Personen übernommen und betrieben wurden –, stellt die historische Forschung vor große interpretatorische Probleme, die mit besonderen Korrekturmaßnahmen ausgeglichen werden müssen. Vor allem die wünschenswerte Analyse der bäuerlichen Vorstellungswelt, von Entscheidungsprozessen zur Weiterführung oder zum Abbruch einer Revolte, ist nur schwierig zu leisten. Wenn uns auch Verhörprotokolle und Schuldbekenntnisse gefangener Rebellen in Fülle vorliegen, so sind diese Aussagen – so wertvoll sie uns sein müssen – doch immer problematische Quellenzeugnisse, die oft mehr über den Frager im Verhör als über den peinlich oder gütlich Befragten aussagen. Schon ein sehr vorläufiger Blick über die bekannten Bauernrevolten der frühen Neuzeit in Deutschland zeigt ein außerordentlich breites Spektrum der Beweggründe auf. Wenn wir – wie das naheliegt – einen Zusammenhang zwischen der ökonomischen und rechtlichen Lage der Bauern und ihrem eventuellen Widerstandsverhalten annehmen, so wird damit deutlich, daß letztlich die höchst unterschiedliche besitzrechtliche Stellung der Bauern, von der wiederum die wirtschaftliche Lage der Bauern bis zu einem bestimmten Grade abhängig war, der Grund für die Schwierigkeit ist. Wenn schon die Feudaljuristen des 17. Jahrhunderts den höchst unterschiedlichen Rechtsstatus der Bauern als Hindernis für eine möglichst scharfe Bestimmung dieses Status beklagten, so trifft dieses Argument für die heutige Ursachenforschung zum bäuerlichen Widerstand voll zu. Der evidente Widerspruch zwischen der Lage der ostelbischen Bauern im System der Gutsherrschaft mit weitestgehender Schollenbindung, der Trennung zwischen der bäuerlichen Familie und dem von ihr bebauten Land und ihrer eindeutig schwächeren Widerstandstätigkeit als im Bereich der südwest- und oberdeutschen Rentenherrschaft mit relativ stabiler Besitzgarantie, markiert das Problem in aller Deutlichkeit und Schärfe. Bezieht man die inzwischen erheblich ausdifferenzierte Bestimmung der unterschiedlichen Formen von Herrschaft über Land und Leute, wie sie vor allem durch Friedrich Lütge vorangetrieben wurde[79], ein, so wird damit ein Faktor in die Interpretationsversuche eingeführt, der in letzter Konsequenz eine vergleichende Analyse erheblich erschwert, wenn nicht im Ansatz unmöglich macht. Dies gilt vor allem vor dem Hintergrund einer sich vor allem seit dem Beginn des 16. Jahrunderts deutlich bemerkbar machenden wirtschaftlichen Statusdifferenzierung innerhalb der bäuerlichen Schichten selbst, die hier ebenfalls mit in die Analyse einbezogen werden muß. Ein Sachkenner wie Otto Brunner ging sogar so weit zu sagen, daß von „der" Lage der Bauern überhaupt nicht gesprochen werden kann[80].

Doch scheinen mir diese Tatbestände keine Hinderungsgründe für vergleichende historische Arbeiten zu sein. Nicht nur der Hinweis auf die vergleichende Forschung in anderen europäischen und außereuropäischen Ländern soll hier bemüht werden. Entscheidender scheint demgegenüber eher der Tatbestand, daß es sich bei dem zu vergleichenden Phänomen des bäuerlichen Widerstands um einen Sachverhalt handelt, der breit genug definiert ist, um die unterschiedlichen Stufen seiner Manifestation (also z.B. Flucht, Prozeßführung, organisierte Abgabenverweigerung oder offene Revolte) begrifflich zu umfassen. Darüberhinaus muß betont werden, daß Gegenstand des Vergleichens hierbei letztlich nicht die unterschiedliche ökonomische und rechtliche Lage der Bauern ist, sondern das daraus resultierende gesellschaftliche Verhalten und dessen Wirkungen in der politischen Ordnung der Ständegesellschaft.

Diese unterschiedlichen Ausgangslagen für bäuerlichen Widerstand müssen vor allem dann wieder in die Analyse eingebracht werden, wenn es um die Bestimmung des Widerstandsverhaltens unterschiedlich strukturierter regionaler oder lokaler Einheiten der bäuerlichen Schicht geht. Der bäuerliche Lebensbereich in unserer Epoche ist durch eine doppelte Isolierung charakterisiert. Einmal bedeutet die lokale Beschränkung des Wirtschaftens einer bäuerlichen Gemeinde, der starke Zwang dieser Wirtschaftsform zur Anwesenheit auf dem Hof und damit die prinzipielle Erschwerung von Kontakten und Erfahrungen über diesen Wirtschaftsraum der Gemeinde hinaus eine Belastung für politisches Handeln, die nur schwer auszugleichen ist. Die Marktorientierung der Mitglieder einer bäuerlichen Gemeinde ist zwar ein denkbares Gegengewicht, ist insgesamt jedoch (noch) nicht stark genug, um eine deutlich über die Gemeinde und Grundherrschaft hinausreichende politische Ordnungsvorstellung zu etablieren.

Zum anderen werden diese über die Gemeinde und die eigene Grundherrschaft hinausreichenden Faktoren wieder beschnitten durch die unterschiedlichen Interessenlagen der einzelnen bäuerlichen Gemeinden. Hier spielen nicht nur die grundherrschaftlich orientierten Produktions- und Verhaltensordnungen eine Rolle – also Fronordnungen, Weistümer etc. –, sondern etwa die Tatsache, daß eine nahe am Herrschaftssitz liegende Gemeinde meist stärker mit Frondiensten verschiedener Art belastet war als eine weitab liegende Gemeinde, weil sich am Herrschaftssitz aus der Natur der Sache heraus mehr Möglichkeiten für die Inanspruchnahme solcher Dienste ergaben. Botenlaufen, Wachtdienste und Versorgungsfuhren für die Herrschaft konnten hier zu viel drückenderen Auswirkungen führen als bei einer weitab liegenden Gemeinde, die z.B. nur ein Amtshaus der Herrschaft mit Diensten zu versorgen hatte. In gleicher Weise konnte die Jagdlust eines Landesherren zu drückenden Jagdfronen für eine Gemeinde führen, während die andere Gemeinde angesichts ihrer entfernten Lage zum bevorzugten Jagdgebiet davon weitgehend verschont blieb.

Angesichts solcher Differenzen in der Belastung der bäuerlichen Arbeitskraft, die ja letztlich auch differierende Erträge bedeuteten, konnte die Interessenlage von Grundherrschaft zu Grundherrschaft, ja von Gemeinde zu Gemeinde verschieden sein. Gegenüber solch unterschiedlichen Ausgangsebenen für bäuerlichen Widerstand scheint es angebracht zu sein – wie ich dies schon 1974 in einem Aufsatz getan habe[81] – von der Vorstellung unterschiedlich hoch anzusetzender „Reizschwellen" auszugehen. Diese „Reizschwelle" muß ermittelt werden durch eine sorgfältige Prüfung der bei den jeweiligen bäuerlichen Gemeinden als hergebracht geltenden Belastungen und der Versuche, dieses tradierte Maß an Belastungen zu überschreiten. Nur damit kann der Fehlschluß vermieden werden, daß jede Art von Belastung schlechthin, wie sie ja im feudalen System der Bewirtschaftung des Landes immer gegeben war, schon zur Auslösung von Widerstandsaktionen führen müsse.

Diese Fehleinschätzung, wie sie etwa vielen älteren Revoltestudien zugrunde liegt, verschließt sich den Analysemöglichkeiten, die das Quellenmaterial insgesamt bietet und bietet somit Raum für individual- oder sozialpsychologische Reduktionismen, die ohne Abstützung durch die Quellenzeugnisse formuliert werden.

Eine Strukturanalyse bäuerlicher Beschwerdeschriften der hier untersuchten Zeit muß zunächst davon ausgehen, daß der Anfang solcher Schriften im allgemeinen in einem Vergleich besteht, in dem der gerade beklagte Zustand in Bezug zu einer konkret angegebenen, günstigeren Vergangenheit gesetzt wird. Die Verwendung von Formulierungen wie „bislang unerhörte", „vorher nie gekannte" oder „neue" Beschwerungen unterstreicht den Vergleich ebenso wie die meist minutiöse Chronologie der neuen Belastungen, die den betroffenen Gemeinden auferlegt wurden. Für den Begriff der „Reizschwelle", der ja die Vorstellung eines allmählichen Erreichens einer „kritischen Grenze" impliziert, spricht auch die Tatsache, daß kaum eine Beschwerdeschrift eine einzige Beschwerde herausstellt. Zumeist ist es gerade die Abfolge der Verschlechterung, die daraus resultierende scheinbare Zwangsläufigkeit, die die Bauern zur Gegenmaßnahme treibt. Schließlich trägt der Begriff der „Reizschwelle" auch der Tatsache Rechnung, daß die Bauern nicht die gänzliche Abschaffung der feudalen Wirtschaftsweise und etwa die Aufhebung aller Lasten fordern. Vielmehr geht es um eine bestimmte aus der Vergangenheit heraus entwickelte und durch sie sanktionierte Vorstellung von gerechter Belastung der Gemeinde, die die Notwendigkeit von Abgaben keineswegs gänzlich zur Disposition stellt. Daraus darf jedoch nicht – wie dies in der Diskussion der 12 Artikel von 1525 oft geschah – eine „konservative" Charakterisierung der bäuerlichen Beschwerden gefolgert werden. Unter den jeweils gegebenen Bedingungen gesteigerter Dienste, Abgaben oder Steuern mußte im Gegenteil jede Leistungsverweigerung der Bauern den jeweils erreichten Stand der Belastung und die davon abhängige politisch-soziale Struktur wieder in Frage stellen und mußte insofern auch eine revolutionär-verändernde Komponente, jedenfalls in letzter Konsequenz, enthalten, die den zeitgenössischen Beobachtern übrigens durchaus geläufig war.

Diese Skizzierung grundsätzlicher Schwierigkeiten bei der Analyse bäuerlicher Bewegungen führt uns auch zu der Frage, welche grundsätzlichen Interpretationsversuche bislang für das Phänomen bäuerlicher Revolten in unserer Epoche vorgelegt worden sind. Diese Frage darf vor dem Hintergrund einer gewissen Interessenverschiebung in der Geschichtswissenschaft, die auf Erklärung größeres Gewicht als auf Deskription legt, besondere Aufmerksamkeit beanspruchen, vor allem dann, wenn wir dabei das Gesamtproblem bäuerlicher Revolten in der europäischen Frühneuzeit beachten.

Es ist insgesamt wohl nur eine Bestätigung des einleitend beschriebenen Zusammenhangs von aktuellen gesellschaftlichen Interessen und historischer Forschung, wenn man auf die Häufung derjenigen historischen Arbeiten hinweist, die in den letzten beiden Jahrzehnten über „Krisen", „Konflikte", „Ungehorsam" und „Widerstand" geschrieben worden sind. Die Fülle dieser Arbeiten und ein oft leichtfertiges Hantieren mit dem Krisenbegriff haben auch bereits entsprechende kritische Würdigung gefunden[82], die erwähnte Warnung vor neuer Heldenverehrung – diesmal gegen Bauern und Unterschichten – wäre an dieser Stelle noch einmal zu nennen.

Ungeachtet solcher berechtigter Kritik an Verzeichnungen und begrifflichen Überdehnungen muß ein Tatbestand festgehalten werden. Es ist dies ein offensichtlich breites Interesse der Geschichtswissenschaft am Phänomen innergesellschaftlicher Konflikte und an den historischen Formen ihrer Bewältigung. In diese breite Forschungsrichtung müssen auch jene Versuche eingeordnet werden, die bislang – vorwiegend im westeuropäischen Ausland – entwickelt wurden, um die frühneuzeitlichen Bauernrevolten als soziale und politische Bewegungen zu interpretieren. Auf der Grundlage der breiten Detailforschungen über Bauernrevolten vor allem in Frankreich und England sind einige Interpretations- und Typisierungsversuche entwickelt worden, auf die hier einzugehen ist. Diese Typisierungen – dies muß hier betont werden – sind weniger darauf angelegt, die Bewegungen aus sich selbst heraus zu erklären, sondern sie als Vorgeschichte moderner sozialer Konflikte zu sehen bzw. ihre Differenz zu den modernen Konflikten herauszuarbeiten. Ausgangspunkt dieser Bemühungen war vor allem die bäuerliche Gemeinde, die in vielfältiger Weise als entscheidende Determinante bäuerlichen Widerstands gesehen wurde. Yves-Marie Bercé, dem wir eine umfassende Studie über die Croquants in Frankreich verdanken, betrachtet die Gemeinde als die „originäre Zelle bäuerlichen Lebens", deren Mitglieder nicht nur gemeinsam die Probleme des agrarischen Wirtschaftens meistern, sondern auch gemeinsame Vorstellungen gegenüber den Möglichkeiten und Bedrohungen der Außenwelt entwickeln und formulieren. „Die gemeindliche Zelle", so schreibt Bercé, „entwickelt, durch königliche Maßnahmen gestärkt, ihre Bräuche und ihre Abwehrmaßnahmen gegen die Unbilden der Zeit." Er läßt dieses durch die Organisation der Gemeinde strukturierte „comportement collectif" bis ins 19. Jahrhundert andauern, bis zur endgültigen Schwächung der Gemeinde durch die Anziehungskraft der Städte und bis zur definitiven Überlagerung der Gemeinde durch eine Marktgesellschaft, die die Solidaritäten innerhalb der Gemeinde außer Kraft setzt. Dieser Übergang bedeutete zugleich die Eliminierung der Voraussetzungen für die Revolten des klassischen Typus, die wir mit Bercé – jedenfalls hinsichtlich ihrer sozialen Verankerung – als Gemeinderevolten ansprechen können[83]. Sie werden abgelöst durch neue Formen des sozialen Protests wie Hungerunruhen (food riots), Bewegungen also, in denen die neue Abhängigkeit einer nicht mehr agrarisch produzierenden Bevölkerungsschicht von den Imponderabilien der Getreidemarktentwicklung ihren Ausdruck findet. Diese neue Abhängigkeit reicht natürlich weit über die einzelne Gemeinde, den einzelnen Marktort hinaus und ist deshalb zu Recht als neue Stufe des sozialen Protests gewertet worden. Die Typisierung als „Gemeinderevolten", die von David Sabean in einem Aufsatz über die „kommunale Basis der Aufstände vor 1800" noch weiter generalisiert und hinsichtlich ihrer Bedingungen analysiert wurde[84], hat auch Pate gestanden bei einer Typisierung, die von Charles Tilly vorgetragen worden ist[85]. Im Rahmen einer Studie über die Formen sozialer Bewegungen von der frühen Neuzeit bis in die heutige Zeit traf Tilly die – insgesamt freilich wenig hilfreiche – Unterscheidung zwischen *reaktiven* und *proaktiven* Formen des sozialen Protests und versuchte damit, die unterschiedlichen Zielvorstellungen aufständischer Bauern im 17. Jahrhundert und streikender Arbeiter im 19. Jahrhundert zu charakterisieren. Reaktiver Protest bezog sich bei dieser Unterscheidung noch auf das Einklagen „alter" Gerechtigkeiten, proaktiver Protest dagegen auf die Gewährung neuer Leistungen.

Insgesamt also läßt sich in der westeuropäischen Forschung eine starke Forschungsrichtung ausmachen, deren Interesse vorwiegend der Herausarbeitung von unterschiedlichen Formen des sozialen Protests gilt, wobei der Wandel der Protestformen – darauf verwies kürzlich George Rudé[86] – in gewisser Weise als Indikator des Übergangs von der agrarischen zur industrialisierten Gesellschaft begriffen wird.

Der hiermit angesprochene Komplex des Verhaltens agrarisch geprägter Gesellschaften im Übergang zur modern-staatlichen-industrialisierten Welt ist ein in den beiden letzten Jahrzehnten vielfach behandelter Forschungsgegenstand. Ausgangspunkt dieser Forschungen und die daraus resultierende Konstituierung des Begriffs der „peasant society" waren offensichtlich parallele Problemstellungen in Entwicklungsländern einerseits und der Übergangsepoche zwischen dem agrarisch und dem industriell strukturierten Europa andererseits. Dokumentiert findet sich diese Parallelität in neuen Zeitschriften wie dem „Journal of Peasant Studies" (London) und den „Peasant Studies" (Pittsburgh) sowie jetzt in einer Vielzahl von vergleichend angelegten Sammelwerken. So schwierig es auch ist, die hier repräsentierten agrarhistorischen, anthropologischen und agrarsoziologischen Ansätze auf einen Nenner zu bringen, der über das Grundkonzept der „peasant society" hinausginge[87], so fällt doch der Tatbestand auf, daß die in diesem Kontext untersuchten bäuerlichen Widerstandsbewegungen immer zu dem Ergebnis führten, daß – wie Henri Mendras es formulierte – „Bauernbewegungen sich oft in eine Veränderung der Gesamtgesellschaft einordnen"[88], oder wie Eric Wolf es sah, „Bauernrebellionen (in diesem Fall des 20. Jahrhunderts – W. S.) nicht mehr länger einfache Antworten auf lokale Probleme", sondern „Reaktionen der Dörfer auf größere gesellschaftliche Veränderungen sind, die durch gesamtgesellschaftlichen Wandel in Bewegung gesetzt wurden"[89]. Auf der Grundlage sowohl mittelalterlicher europäischer Bauernkriege, japanischer Bauernkriege und lateinamerikanischer Bauernbewegungen des 20. Jahrhunderts hat Henry A. Landsberger, ein amerikanischer Soziologe, schließlich ein Untersuchungsraster für die Analyse von „peasant movements" erstellt, dessen generelle Annahme eines höchstwahrscheinlichen Zusammenhangs zwischen objektiven Veränderungen in der agrarischen Produktion und/oder politischen Veränderungen sich mit den eben herausgestellten Kriterien deckt. Landsbergers Untersuchungs- und Interpretationsraster brachte auch die Ergebnisse der modernen soziologischen und sozialpsychologischen Analyse kollektiven Verhaltens in diesen Forschungsbereich ein, so daß sein Arbeitsansatz, der historische und sozialwissenschaftliche Fragestellungen reflektiert verbindet, als ein insgesamt überzeugendes Hilfsmittel der Analyse bezeichnet werden kann, eine Bewertung, die für viele andere sozialwissenschaftliche „Krisen"- oder „Rebellions"-Studien nicht in gleicher Weise gelten kann[90].

Weniger als begrifflich durchdachter Untersuchungsrahmen, sondern eher als grundlegender Anstoß zu einer neuen Sicht auf die politische Bedeutung des Bauerntums im Prozeß der Modernisierung von traditional-agrarischen Gesellschaften hat Barrington Moores Buch über die „Sozialen Ursprünge von Demokratie und Diktatur" von 1966 gewirkt. Neben dieser unbezweifelbaren Funktion seines Buches, dem höchst kontroverse Rezensionen zugedacht wurden[91], bietet das systematische Schlußkapitel einige interessante Hinweise auf die unterschiedliche „Anfälligkeit" traditionaler Gesellschaften für Bauernrevolten, die Anwendbarkeit des Begriffs der „Ausbeutung" sowie auf das Verhältnis von Bauern und Grundherren unter dem Einfluß wachsender zentralstaatlicher Verwaltungen. Damit wird die weitere Forschung zu dieser Thematik von der Einsicht ausgehen müssen, daß die Gründe und Auswirkungen bäuerlichen Widerstands ganz sicher weniger mit Hilfe moderner individual- oder kollektiv-psychologischer Kategorien analysiert werden können, deren spezifischer Wert vielmehr darin liegt, daß sie den gegebenen historischen Bedingungsrahmen erweitern und somit kontrollieren. Eine tiefer zielende Untersuchung und historische Bewertung des bäuerlichen Widerstands wird vielmehr zu berücksichtigen haben, daß erst in der Wechselbeziehung von Bauernstand, Grundherrschaft und modernem Staat und in der Herausarbeitung ihrer sich verändernden Interessenlagen eine sinnvolle Einordnung dieses Phänomens zu erwarten ist. So reizvoll etwa die Beschreibung der Formen und der Begleiterscheinungen, der inneren Dynamik und der Motivationen des Widerstands sein mag, so darf darüber nicht vergessen werden, daß erst der Blick auf das Gesamtgefüge der betroffenen politisch-sozialen Systeme in dieser Frage weiterhelfen kann.

2. Überblick über bäuerliche Widerstandsaktionen im Reich zwischen Bauernkrieg und Französischer Revolution

Unzweifelhaft stellt der Bauernkrieg von 1524–26 einen Ereigniskomplex dar, der für die weitere Geschichte bäuerlicher Widerstandsaktionen einen grundlegenden Einschnitt bedeutete. Dies zu betonen und zu belegen, erscheint notwendig vor allem deshalb, weil eine Diskussion der quantifizierbaren Folgen des Bauernkrieges, also der nachweisbaren demographischen, vermögensrelevanten, wirtschaftlichen oder rechtlichen Folgewirkungen nicht den Kern dessen trifft, was als historisch bedeutsame Nachwirkung dieses Ereignisses angesehen werden muß[1]. Der Blick auf die scheinbar ohne deutlich erkennbare Schwierigkeiten geschlossene Bevölkerungslücke von vielleicht 100 000 Menschen, die Beobachtung offensichtlich ohne sehr große Schwierigkeiten von der bäuerlichen Bevölkerung aufgebrachter Strafgelder, die Feststellung einer Vielzahl höchst unterschiedlicher strafrechtlicher Verfolgungen der Akteure dieser Bewegung mögen schon früh dazu geführt haben, die Wirkungen des Bauernkrieges eher in einer scheinbar langfristig zu beobachtenden Mentalitätsveränderung zu sehen, die oben bereits als „Apathie" und „Staatsferne" der Bauern apostrophiert worden ist[2].

Aber schon die unmittelbar dem Bauernkrieg folgenden Reaktionen von Bauernschaften an Orten außerhalb und innerhalb des Bauernkriegsgebietes zeigen, daß von einem Erlöschen des Widerstands insgesamt keine Rede sein kann. Abgesehen von wiederholt ausgesprochenen Befürchtungen einiger Fürsten, es könne zu neuen Aufständen kommen[3], sind es 1527/28 die Aufstandsbewegungen von etwa 40 Dörfern der Herrschaft Hoyerswerda in der Niederlausitz gegen ihren Grundherrn Wilhelm von Schönberg, die die weiter gegebene Möglichkeit offenen Widerstands in diesen Jahren belegen. Auch hier gelang es durch scharfe Bestrafung des Anführers, der sich in Prag beschwert hatte, die Bewegung einzugrenzen[4]. 1530 kommt es in Triberg im Schwarzwald zu einem Aufstandsversuch, der ebenfalls durch die Hinrichtung von drei Anführern unterdrückt wurde[5]. Ebenso blieb der Aufstand für die Bauern im Erzbistum Salzburg weiterhin eine reale Möglichkeit. 1531/32 reagierten die Untertanen des Gerichts Hüttenstein bei St. Gilgen gegen neue Steuern und gegen die Beschneidung ihrer alten Rechte nach dem Bauernkrieg und bewiesen damit[6], daß in den Jahren nach 1526 immer wieder der Gedanke einer neuen Erhebung diskutiert worden war. Die bislang angesprochenen Gebiete der Niederlausitz und der österreichischen Länder weisen auch nach diesen Jahren während der Mitte des 16. Jahrhunderts noch kleinere Aktionen auf. In Spital am Pyhrn finden wir 1539, 1548 und 1550–54 kleinere Aktionen[7], 1539/40 kam es in Oberberthelsdorf und Petershain b. Loebau zur Verurteilung von Aufrührern einer Rebellion[8] und 1548/49 weitete sich der Aufstand zweier Gemeinden gegen den Grundherrn Franz von Minckwitz auf das ganze Gebiet um Luckau aus[9]. Hier gelang es dem Landvogt der Niederlausitz erst nach längerem Einsatz von Söldnertruppen, die Bauern, die nur noch dem Kaiser untertan sein wollten und vorübergehend eine eigene Selbstverwaltung eingerichtet hatten, niederzukämpfen.

In diesem Zusammenhang von Aktionen unmittelbar nach dem Bauernkrieg ist es auch von besonderem Interesse, daß der Reichstag von 1530 dem Reichskammergericht eine zu milde Behandlung der Rädelsführer des Bauernkriegs vorwarf und im folgenden Jahr in der Neufassung der Kammergerichtsordnung die bislang offenbar großzügig gehandhabte Möglichkeit der Aufhebung der Urfehde regelte[10]. Noch 1534 berichtete König Ferdinand seinem kaiserlichen Bruder über einen drohenden Aufstand des „gemeinen Mannes" und formulierte damit eine Befürchtung[11], die in den Jahrzehnten nach dem Bauernkrieg von Obrigkeiten aller Art oft genug wiederholt wurde. Solche Äußerungen belegen in ihrer Gesamtheit, daß der Bauernkrieg für Adel und Fürsten ein schockierendes Erlebnis gewesen war, dessen Erinnerung noch Generationen später lebendig war und auch die kleinste Bewegung von Bauern im entlegensten Teil des Reichs zu einer politisch relevanten Aktion werden ließ. Auch für die Generation der bäuerlichen Bevölkerung, die noch eine persönliche Erinnerung mit 1525 verband, blieb dieses Jahr ein Einschnitt des persönlichen Lebens, der noch Jahrzehnte später zur Angabe des eigenen Alters verwendet wurde[12].

Nach einem offensichtlichen Nachlassen von Widerstandsaktionen um die Mitte des 16. Jahrhunderts herum, kam es in den 60er und 70er Jahren wiederum zu einem Anstieg und auch zu größeren Bewegungen, wobei hier eine zunehmende Konzentration auf oberdeutsches und habsburgisches Gebiet zu beobachten ist. Übersehen wir einmal Fronverweigerungen in der Mark Brandenburg und die Unruhe unter pommerschen Bauern zwischen 1556 und 1560[13], so ist es die mit dem Namen Barthlmä Dossers verbundene Aufstandsbewegung im Gebiet um Brixen, die zwischen 1561 und 1564 die Regierung dieses Landes beschäftigte[14]. Während sich in der Niederlausitz im Gebiet des Klosters Dobrilugk seit 1564 die Untertanen gegen ihren Pfandherrn Rudolf von Gersdorff empörten und in Schönbrunn bei Görlitz die Untertanen ihrem Grundherrn Georg von Warnsdorf Widerstand leisteten[15], war es in den Jahren 1564/65 in Salzburg ein Aufstand protestantischer Bauern gegen Rekatholisierungsversuche des Erzbischofs[16], der die Kette jener im österreichischen Raum sich häufenden Auseinandersetzungen eröffnete, in denen sich konfessionelle, soziale und wirtschaftliche Gründe vermischten. 1572/73 dagegen kam es im Gebiet zwischen Cilli (Südsteiermark) und Zagreb zu einem größeren Bauernaufstand[17], als sich ein lokaler Konflikt zwischen einem tyrannischen Grundherrn und seinen Untertanen zu einem Krieg ausweitete, der erst durch massiven militärischen Einsatz unterdrückt werden konnte. Sowohl der Salzburger Aufstand wie dieser Windische Bauernaufstand bewiesen die enge Zusammenarbeit der Fürsten in diesem Raum, die gemeinsame Vorkehrungen trafen und sich gegenseitig Hilfe versprachen. Robotaufstände in Reichenstein (Oberösterreich) von 1567 bis 1572 unter der Führung Siegmund Gaisruckers[18] und ein lokaler Konflikt in Arnbach in Bayern, wo sich die Bauern des Adam von Neydeck zwischen 1568 und 1576 zu einem Bund zusammenschlossen[19], hatten den Landesherren dieses Raums die von den Bauern drohende Gefahr beinahe gleichzeitig vor Augen geführt.

Diese Welle von parallelen Bewegungen im habsburgisch-bayerisch-salzburgischen Gebiet steht gewissermaßen am Beginn einer ganzen Gruppe von Revolten und Bauernkriegen, die den jetzt beginnenden Zeitraum in eindeutiger Weise aus der gesamten Epoche herausheben. Zwei Zentren mit unterschiedlicher zeitlicher Ausdehnung lassen sich hierbei unterscheiden. Zum einen ist dies der Bereich der schon angesprochenen habsburgischen Erblande, hier vor allem Österreich ob und unter der Enns, in denen es nach kleineren lokalen Aktionen (Stift Seitenstetten 1570, Steyr 1573, Reichenstein 1582, Sierninger Händel 1588–1590, Spital am Pyhrn 1589) zu den parallelen Bauernkriegen von 1596–98 kommt[20], zum großen oberösterreichischen Bauernkrieg von 1626[21], zu den mit dem Namen des religiösen Schwärmers Martin Laimbauer verbundenen Unruhen 1632/33[22] und schließlich zum Bauernaufstand in der unteren Steiermark 1635[23]. Nicht zu Unrecht hat deshalb der Historiker der oberösterreichischen Gegenreformation Karl Eder den Zeitraum zwischen 1525 und 1648 in Oberösterreich als ,,soziales Dauerbeben" angesprochen und damit die besondere Problematik einer bäuerlichen Bevölkerung zum Ausdruck gebracht[24], die unter dem dreifachen Druck einer Tendenz zur Ausweitung der grundherrlichen Eigenwirtschaft, einer zuweilen unerbittlich vorgehenden Rekatholisierung durch die katholischen Landesfürsten und einer hohen steuerlichen Belastung stand, die aus den Türkenkriegen der Jahrhundertwende und den Kosten des Dreißigjährigen Krieges resultierte.

Während im habsburgischen Herrschaftsbereich eine relativ entwickelte Stufe des bäuerlichen Widerstands erreicht wurde (vor allem 1626), ist das andere Zentrum Oberdeutschland durch die besondere Form der auf Gemeinden, Ämter oder kleinere Herrschaftskomplexe begrenzten Revolte gekennzeichnet, die sich vor allem gegen erhöhte Besteuerung und Fronerhöhungen richtete. Hier läßt sich die zeitliche Grenze mit dem Beginn der 80er Jahre und dem Jahre 1619 ziehen. Vorläufer dieses deutlich in Widerstandsform und Motivation zusammengehörenden Revoltenbündels bildeten hier Auseinandersetzungen der reichsritterschaftlichen Herrschaft Thainhausen gegen Philipp von Bicken zwischen 1576 und 1585[25], Übertretungen des Jagdverbots der Untertanen von Harthausen (Hohenzollern-

Sigmaringen) 1579 und Widerstand der Untertanen des Grafen von Löwenstein in Abstatt[26], die ihren Landesherrn beim Herzog von Württemberg verklagten. Auch längere Auseinandersetzungen zwischen den Untertanen von Burtenbach (bei Augsburg) und den Schertlin von Burtenbach zwischen 1579 und 1591, über deren direkten Anlaß noch Unklarheit besteht, müsen hier erwähnt werden[27]. Zwischen 1580 und 1582 kommt es dann zu einer Revolte der Untertanen von Böhmenkirch (bei Göppingen) gegen ihren Herrn von Rechberg, dem zu harte Dienstforderungen vorgeworfen wurden. Diese Revolte führte hier zum Einsatz eines neuen Verfahrens der Beilegung solcher Konflikte, die für das hier behandelte Revoltenbündel geradezu charakteristisch wurde[28]. Die Beilegung dieser Revolte wurde einer vom Kaiser eingesetzten Kommission aus benachbarten Fürsten und Adeligen und kaiserlichen Vertrauensleuten übertragen, deren Bestreben in allen hier behandelten Fällen darauf hinauslief, durch Vergleichsverhandlungen zwischen den Konfliktparteien zu vermitteln und so den Einsatz militärischer Mittel zunächst zu verhindern.

Die Reihe dieser Revolten setzt sich fort in Hohenzollern-Hechingen, wo die Gemeinde Owingen zwischen 1584 und 1596 hartnäckig versuchte, ihre Fronbelastung auf dem alten Stand zu halten. Zum erstenmal findet sich hier eine Widerstandsform, die als neu zu betrachten ist. Um sich gegen die befürchtete Gefangennahme durch landesherrliche Beamte zu schützen, flüchteten die Untertanen in ein benachbartes Herrschaftsgebiet und kehrten erst nach Verhandlungen und bestimmten Garantien zurück[29]. Zwischen 1590 und 1592 kam es zwischen Conrad von Rechberg und der Gemeinde Oberwaldstetten zu einer Auseinandersetzung über die Ablösung der Frondienste durch Geldzahlungen, die eine kaiserliche Kommission 1592 durch einen Vertrag beilegen konnte[30]. 1593 begannen die Untertanen von Harthausen und Veringen mit Beschwerden gegen eine neue Steuerverteilung unter den verschiedenen Teilen der Herrschaft Hohenzollern-Sigmaringen, die mindestens bis 1596 anhielten[31]. Im gleichen Jahr kam es im Amt Hohentengen des Truchsessen Christoph von Waldburg zu einem Aufstand gegen die Belastung durch die Türkensteuern und andere Belastungen durch den Landesherrn, die sich bis 1608 hinzogen[32]. Die gleiche Dauer erreichte ein Konflikt über neue Belastungen und die hohen Reichs- und Kreissteuern zwischen den Untertanen der Landgrafschaft Klettgau und den Grafen von Sulz, der in mehreren Etappen bis 1608 dauerte, als endlich kaiserliche Mandate gegen die Gemeinden ergingen[33]. Die Gemeinden Odenheim und Rohrbach führten seit 1595 langwierige Auseinandersetzungen mit dem Stift Bruchsal, die sich vor allem an einem Ungelt entzündeten, das 1591 dem Stift vom Kaiser bewilligt worden war. Zwischen 1610 und 1617 standen die beiden Gemeinden in der Reichsacht[34]. 1596 begannen in den Grafschaften Rotenfels und Staufen im Allgäu Revolten gegen unberechtigt hohe Forderungen des Grafen für die Reichssteuern, von denen die Rotenfelser

Bewegung in einen Prozeß am Reichskammergericht mündete und schließlich 1606 in einem durch kaiserliche Kommissare vermittelten Vergleich beigelegt wurde[35]. In dem unmittelbar benachbarten Tigen Rettenberg, das zum Besitz des Bischofs von Augsburg gehörte, kam es zwischen 1605 und 1608 zu einem ähnlichen Konflikt um die Reichssteuern und eine Reihe anderer Belastungen[36]. Hier mußte eine kaiserliche Kommission drei Kommissionstage ausschreiben, bis 1608 – unter dem Eindruck des bei Donauwörth aufgebotenen bayerischen Heers – der Widerstand zusammenbrach. Auch in der Haigerlocher Linie der Grafen von Hohenzollern kam es 1597 zu heftigem Widerstand der Untertanen gegen die Verteilung der Reichssteuern, der bis 1603 andauerte[37]. Im Jahre 1600 revoltierten nach jahrelanger vorheriger Unruhe die Bauern des vorderösterreichischen Amtes Waldkirch (im Schwarzwald)[38], 1602 verweigerten die Untertanen von Bingen bei Sigmaringen dem Reichsritter von Hornstein die Türkensteuern[39]. In den vorderösterreichischen Herrschaften am Hochrhein kam es schließlich zwischen 1612 und 1614 zu einer Aktion, die verschiedene Täler dieses Gebietes zum gemeinsamen Widerstand gegen die vom vorderösterreichischen Landtag beschlossene Erhöhung des Rappenmaßpfennigs erfaßte. Nach vielerlei Versuchen zur gütlichen Beilegung dieses Aufstands konnte hier erst der Einsatz von habsburgischem Militär die Ruhe wiederherstellen[40]. Im gleichen Zeitraum leisteten die Untertanen der Reichsherrschaft Justingen auf der Schwäbischen Alb ihrem Herrn von Freyberg heftigen Widerstand bei seinem Versuch, die gemeindlichen Rechte an der Allmende und am Gemeindewald einzuschränken und die Frondienste zu erhöhen[41]. Zählen wir noch die sog. „Generalrebellion" der Untertanen von Hohenzollern-Hechingen gegen das landesherrliche Jagdverbot zu dem hier knapp beschriebenen Bündel von Revolten[42], so überschauen wir damit einen erstaunlichen Bestand an Widerstandsbewegungen gegen Steuern und Fronen, die sich durch ihre relative Einheit der Motivation, der Formen des Widerstands, teilweise ihre zeitliche Parallelität und ihre räumliche Zusammengehörigkeit auszeichnen.
Damit ist jedoch keineswegs ein vollständiger Bericht über den bäuerlichen Widerstand im Reich an der Wende vom 16. zum 17. Jahrhundert gegeben worden. Hingewiesen werden muß einmal auf eine Vielzahl von langwierigen prozessualen Auseinandersetzungen um bestimmte Rechte wie etwa den Prozeß der Untertanen der Abtei St. Peter im Schwarzwald, die zwischen 1583 und 1628 mit dem Abt um Waldnutzung, Todfall, Heuzehnten und ihre Freizügigkeit stritten[43]. Auch in anderen Territorien außerhalb des eben behandelten Gebiets finden sich kleinere Revolten, so etwa in Löwenberg und Hirschberg in Schlesien, wo 1587–89 ca. 50 Dörfer rebellierten[44], so etwa in Kemnitz zwischen 1592 und 1603[45], wo sich der Konflikt um die geforderte Verringerung von Fronfuhren drehte. In Tirol reagierten die Untertanen auf den Tod Erzherzog Ferdinands 1595 mit Jagdfreveln[46]. Auch in Böhmen kam es 1595/96 zu mehreren Aufständen, die den Einsatz kaiser-

licher Kommissionen erforderlich machten[47]. Die Lehnsleute von Hirschberg verweigerten zwischen 1595 und 1603 die Besitzwechselabgabe[48]. Die Untertanen der Herrschaft Wenigs führten im gleichen Zeitraum einen Prozeß gegen ihren Landesherrn von Isenburg-Büdingen[49]. Selbst in Bayern kam es 1596 in der Grafschaft Haag zu einer Bauernrevolte, die jedoch schnell unterdrückt wurde[50]. Die 4 Dörfer im Hattgau der Grafen von Hanau-Lichtenberg-Ochsenstein prozessierten seit 1596 mehrere Jahre lang am Reichskammergericht gegen die Steuerforderungen ihres Landesherrn[51].

Die Untertanen von Schweinau, Gumpelstadt, Steinbach und Waldfisch in Thüringen erwirkten 1603 ein Kammergerichtsmandat gegen die Hund von Wenckheim zu Altenstein, weil sie sich von einem 1598 geschlossenen Fronvertrag benachteiligt fühlten[52]. 1606 kommt es im Pinzgau zu einer Revolte gegen den Erzbischof von Salzburg[53]. 1609 empörten sich die Bauern von Weesenstein im Amt Pirna gegen ihren Herrn von Bünau wegen der Erhöhung der Frondienste[54], 1612 geschah das gleiche in der Herrschaft Frauenstein[55]. 1613 rebellierten die Künischen Freibauern im Böhmerwald gegen Zdenko von Kolowrat wegen der Einziehung von Bauerngütern und willkürlicher Verhaftungen[56]. In Solms-Greifenstein schließlich begannen 1610 Auseinandersetzungen über die Leibeigenschaft, die mit Unterbrechungen das ganze 17. Jahrhundert andauerten[57].

Die Epoche des Dreißigjährigen Krieges muß im Hinblick auf bäuerliche Widerstandsaktionen natürlich gesondert betrachtet werden, weil hier ganz offensichtlich besondere Bedingungen festzustellen sind. Abgesehen von einigen kleineren Aktionen in vom Krieg noch nicht oder gar nicht betroffenen Territorien, die eher unter die Kategorie normalen Widerstands einzuordnen sind, fördern Steuerdruck, Soldateneinquartierungen und die Neigung, die Heere sich selbst aus dem besetzten Land ernähren zu lassen, jede Form des Widerstands, oft genug verzweifelt und als Akte reiner Notwehr gegen die Kriegslasten[58]. Der bayerische Bauernaufstand von 1633/34 ist hierzu zu rechnen[59], wie schon der oberösterreichische Bauernkrieg von 1626, der durch die bayerische Besetzung des Landes mitausgelöst wurde, das dem bayerischen Kurfürsten als Pfand für seinen Kriegsbeitrag auf kaiserlicher Seite übereignet worden war. 1627 erheben sich die Bauern des Amtes Schwarzburg in Thüringen gegen die bedrückende Einquartierung lüneburgischer Soldaten[60], und an mehreren Orten im Reich haben wir Nachrichten darüber, daß Gemeinden sich verzweifelt wehrten, wenn plündernde Soldaten versuchten, das letzte Stück Vieh fortzuführen.

Daneben jedoch setzte sich die Reihe jener Revolten fort, die sich an den schon traditionellen Gründen entzündeten. Seit 1635 tobte in der Oberlausitz ein heftiger Kampf gegen eine ständig steigende Fronbelastung[61], im gleichen Jahr erhoben sich – wie schon erwähnt – in der unteren und mittleren Steiermark die Bauern mehrerer Herrschaften und im Zillertal sammelten sich 1645–47 die Bauern zum

Kampf gegen die drückende Extraordinaristeuer[62]. Etwa um die gleiche Zeit versuchten die Untertanen der vorderösterreichischen Herrschaft Triberg im Schwarzwald, die Ablösung der Verpfändung ihrer Herrschaft durchzusetzen. Nachdem sie 1642 ein Schloß in Flammen aufgehen ließen, gelang es ihnen auch, gegen eine Zahlung von 25 000 fl. ihre Herrschaft abzulösen und eine Garantie gegen weitere Verpfändungen zu erhalten. Freilich blieb es hier unruhig, 1657–59 kam es wiederum zu Beschwerden über den Obervogt, dem die Untertanen die ungerechte Verteilung der Steuerlast und der Frondienste vorwarfen[63].

Die durch die lange Kriegszeit erforderlichen Maßnahmen zum Wiederaufbau der verwüsteten Landesteile absorbierten nach dem Kriege natürlich viel Unzufriedenheit in der bäuerlichen Bevölkerung. Trotzdem kam es in einer Reihe von Territorien in den Jahrzehnten nach dem Krieg zu Revolten, die sich vor allem gegen Versuche der Landesherren richteten, die im Kriege üblich gewordenen steuerlichen Mehrbelastungen auch in die Friedenszeit hinein zu verlängern. Außerdem erweckte der Beschluß des Reichstags von 1654, der den Landesfürsten die Umlage der Militärausgaben ohne Zustimmung der Stände erlaubte[64], bei einer Reihe von Landesherren den Eindruck, als sei nun die willkürliche Einführung von neuen Abgaben und Leistungen sanktioniert worden. Ein Musterbeispiel für diese Vermutung sind die Auseinandersetzungen im Fürststift Kempten, wo sich die Untertanen angesichts einer Fülle neuer Abgaben 1666 in ihrer Not an die Juristische Fakultät Ingolstadt um ein Gutachten über die Rechtmäßigkeit dieser Abgaben und ihre rechtlichen Möglichkeiten wandten[65]. Schon vorher hatte der Fürstabt von Kempten eine Auseinandersetzung mit den Untertanen der Gemeinde Aitrang begonnen (1659), die erst 1671 durch eine kaiserliche Kommission beigelegt werden konnte[66]. 1653 hatten die Untertanen der nicht weit entfernten Herrschaft Illereichen eine Revolte gegen ihren Herrn von Rechberg begonnen. Anlaß bot hier die Umlage der Reisekosten des Herrn zum Reichstag nach Regensburg, andere Beschwerden traten jedoch hinzu. Die Untertanen zogen selbst nach Regensburg und beschuldigten dort ihren Herrn der ungerechten Belastung. Für etwa 5–6 Jahre weigerten sich die Untertanen, ihre Abgaben zu zahlen und ihren Dienstpflichten nachzukommen. Auch hier gelang erst 1661 einer Kommission die Vermittlung eines Vergleichs[67]. Ebenso kam es 1654 und 1680/81 zwischen der Gemeinde Laupheim und den Herren von Welden zu Auseinandersetzungen vor allem wegen erhöhter Frondienste, die durch vorderösterreichische Kommissionen geschlichtet wurden[67a]. 1650 hatte in der Herrschaft Tüschenbroich (bei Mönchengladbach) eine Auseinandersetzung um Wachtdienste, Fronfuhren und Abgaben begonnen, die bis 1658 andauerte[68]. Die wohl größte Revolte dieser Nachkriegsjahre brach 1647 in den Herrschaften Callenberg, Hartenstein, Glauchau und Lichtenstein der Grafschaft Schönburg aus, wo vor allem Fronleistungen den Hauptstreitpunkt ausmachten. Die Untertanen versuchten hier, den Prozeß von den zunächst betroffenen sächsischen Instanzen an das Reichskammergericht zu bringen, wobei sie von den Stadtrichtern sächsischer Städte unterstützt wurden. In Callenberg beendete eine militärische Exekution 1665 die Bewegung, während sich in Glauchau der Streit bis in den Anfang der 80er Jahre hinzog[69]. Auch Oberösterreich wurde 1655 wieder Schauplatz einer Revolte in Wildenegg, die bis 1661 andauerte[70]. Die allgemeine Stimmung in den habsburgischen Erblanden war durch äußerste Vorsicht der Obrigkeit gegenüber den Untertanen gekennzeichnet. Als kaiserliche Söldner 1656 plündernd durch die Steiermark zogen, waren die Bauern zu erfolgreicher Gegenwehr nicht in der Lage, da die Stände aus Furcht vor einem Bauernaufstand keine Waffen verteilt hatten[71]. 1667/68 kam es in der Niederlausitz im Amt Cottbus zum Aufstand von 55 Dörfern gegen ihre Herrschaften, die sie „generaliter von den Gütern wegjagen" wollten[72]. Während 1675 in der Mark Brandenburg wie schon 1646–54 in der Priegnitz einzelne Unruhen begannen[73], brach 1675 im Herrschaftsgebiet der Truchsessen von Waldburg und des Klosters Salem die sog. Ostracher Rebellion aus, die sich vor allem an Frondiensten und der Leibeigenschaft entzündete und bis 1681 andauerte[74]. Die 1680 in Böhmen ausgebrochenen großen Bauernunruhen griffen zwar nicht auf die benachbarten deutschen Territorien über, wurden aber in ihrem Verlauf von den bayerischen Behörden sehr genau verfolgt und ernst genommen[75].

Abgesehen von dem bereits erwähnten Zusammenhang zwischen den Folgen des Dreißigjährigen Krieges und einigen Revolten lassen sich keine wesentlichen Einschnitte in der Chronologie der seit dem Ende des 17. Jahrhunderts ausbrechenden Revolten ausmachen. So können wir unseren Überblick fortsetzen mit einer 1697 beginnenden Empörung der Untertanen der Vogtei Elsoff in der Grafschaft Sayn-Wittgenstein, die sich bis 1714 hinzog. Bau- und Jagddienste waren hier die Ursachen[76]. Damit wird auf zwei neue Ursachenkomplexe hingewiesen, die vor allem nach dem Dreißigjährigen Krieg zunehmende Bedeutung gewannen. Bauarbeiten wurden angesichts neuer Erfordernisse einer sich verdichtenden Verwaltung und im Zeitalter prächtiger Residenzbauten zu einem dringenden Bedarf, in gleicher Weise machte die immer stärker repräsentative Funktion der fürstlichen Jagd erhebliche Dienstleistungen der Untertanen erforderlich. Wenn wir noch die Auflehnung gegen höhere und ungerechtfertigte Besteuerung und die Angriffe auf Wald und Allmende hinzunehmen, so haben wir damit den Ursachenkomplex angesprochen, der für die Kette der Bauernrevolten im 18. Jahrhundert charakteristisch wird. Eine Ausnahme macht hierin der bayerische Bauernkrieg von 1705/06, eine Erhebung der vorwiegend ländlichen Bevölkerung, die durch die habsburgische Besetzung Bayerns und die scharfen Kontributionen doppelt belastet war[77]. In der Herrschaft Hungen der Grafen von Solms begann 1705 eine Empörung gegen Frondienste und Steuern, die sich bis 1729 hinzog[78]. Die Untertanen des Buseckertals (Hessen-Darmstadt) widersetzten sich der angemaßten Lan-

deshoheit der hessischen Landgrafen und daraus resultierenden Steuerforderungen und führten zwischen 1706 und 1714 Prozesse an den Reichsgerichten[79]. 1714 begann nach Vorläufern zwischen 1690 und 1698 in Greiz eine Revolte gegen überhöhte Steuerforderungen der Landesherrschaft, die in einen langen Prozeß am Reichsgericht überging, der bis 1730 dauerte[80]. Im Kreis Cottbus revoltierten 1715 die Bauern von über 70 Dörfern, als ein Wortführer der bäuerlichen Beschwerden verhaftet wurde. Mehrere tausend Bauern versammelten sich zu einem Zug nach Berlin[81]. Zur gleichen Zeit brach im Fürstentum Rudolstadt der sog. „Landstreit" aus, eine Revolte der bäuerlich-bürgerlichen Bevölkerung gegen Steuerforderungen, die ungerechtfertigt erschienen. Auch hier dauerte der an den beiden Reichsgerichten geführte Prozeß bis 1736[82]. Im Jahre 1727 begannen sowohl im Fürststift Kempten wie in der vorderösterreichischen Grafschaft Hauenstein im Hochschwarzwald längere Auseinandersetzungen.
Während in Kempten schon 1732 ein neuer Vertrag zwischen Untertanen und Abt über Steuerverteilung und Abgaben geschlossen wurde[83], entwickelte sich in Hauenstein ein langwieriger Kampf um bestimmte Privilegien im Bereich der Selbstverwaltung der Grafschaft, der in drei Etappen bis 1745 dauerte und unter dem Namen „Salpetererkrieg" bekannt wurde[84]. 1728/29 bat der Bischof von Konstanz um den Einsatz des schwäbischen Kreiskontingents gegen die Untertanen von Rißtissen[85]. 1734 und 1739 revoltierten die Bauern von Kloster Neuzelle (Mark Brandenburg) und 14 Dörfer bei Sonnenwalde gegen den Grafen von Solms[86]. 1752–53 kam es in Anhalt-Bernburg zu Akzise-Unruhen[87], 1754/55 verweigerten die Untertanen der Herrschaft Kerpen und Kasselburg dem Herzog von Arnsberg die Steuern und machten so den Einsatz einer kaiserlichen Kommission notwendig[88]. 1756 begannen in Triberg neue Beschwerden gegen den Obervogt der Herrschaft, die sich bis 1771 fortsetzten[89]. 1762 brachen in Tirol im Burggrafenamt Meran Unruhen aus[90], 1764 in der Niederlausitz[91], 1766 in Anhalt-Bernburg, wo die Kontributionen der Grund waren[92]. 1769 leisteten die Untertanen in Padberg und Brilon Widerstand gegen die Forstnutzung der Regierung des Bischofs von Paderborn[93]. Nördlich davon kam es in der Grafschaft Schaumburg 1784 zu heftigem Widerstand der Untertanen gegen neue Abgaben für den Straßenbau, die bis zu bewaffneten Auseinandersetzungen eskalierten[94]. Die nächsten Unruhen, die im Reich ausbrachen, gehören schon in den Zeitraum, der durch die Französische Revolution und ihre Auswirkungen auf Deutschland bestimmt war. Wenn es im Reich auch weiterhin nur zu lokal und regional beschränkten Bewegungen kommt, die sich gerade im Jahre 1789 häuften und im Sächsischen Bauernaufstand von 1790 ihre bedrohlichste Stufe erreichten[95], so soll an diesem Einschnitt die Übersicht über bäuerlichen Widerstand abgeschlossen werden.
Diese Übersicht wäre jedoch nicht vollständig, wenn hier nicht zumindest auf

zwei Territorien des Reichs eingegangen würde, wo wir beinahe über den gesamten Zeitraum hinweg bäuerlichen Widerstand in unterschiedlicher Form ausfindig machen können. Das klassische Beispiel dafür ist zweifellos das Territorium von Hohenzollern-Hechingen, das bereits mehrfach erwähnt wurde mit den Unruhen zwischen 1584 und 1619. Im Jahre 1700 begann hier jedoch ein Streit, der sich über das ganze 18. Jahrhundert hinziehen sollte und bis 1798, als ein Landesvergleich geschlossen wurde, die höchsten Reichsgerichte beschäftigte und auch viel publizistisches Interesse fand. Ausgangspunkt waren hier die landesfürstlichen Verbote der Jagdausübung durch die Untertanen. Doch blieb es nicht bei dieser Beschwerde, sondern der Katalog der Gravamina erstreckte sich bald auch auf die klassischen Gebiete von Steuern, Abgaben und Frondiensten. Am ehesten noch den Vorgängen im Fürststift Kempten vergleichbar, wo ja auch der nach dem Bauernkrieg 1526 geschlossene Vertrag bis ins 18. Jahrhundert der Ansatzpunkt für Beschwerden war, zeigen die Ereignisse in Hohenzollern die starke Kontinuität bäuerlichen Widerstands auf[96].

Während der Fall Hohenzollern gerade wegen seiner reichspublizistischen Beachtung immer wieder das Interesse der Forschung gefunden hat – wenn auch bislang keine gründliche und quellenfundierte Bearbeitung vorliegt – gehört der zweite Langzeitkonflikt eher zu den nahezu unbekannten Beispielen langdauernden Widerstands. Es handelt sich hierbei um die Marschbauernschaften des Bischofs von Bremen, die sich 1598 zum erstenmal gegen den Versuch der oberen Stände des Landes wandten, ihnen den Hauptteil der Reichssteuern aufzuerlegen und – in der Folgezeit – ihnen die Landstandschaft generell zu bestreiten. In mehreren Phasen versuchten die Bauernschaften etwa 150 Jahre lang, gegen diesen Versuch Widerstand zu leisten, bis ein Urteil des Reichskammergerichts im Jahre 1741 endgültig ihrem Widerstand ein Ende machte[97].

Der Stand der Forschung über die hier behandelten Ereignisse bringt es mit sich, daß wir über einzelne Bewegungen noch nicht genügend Informationen besitzen, um deren Breite ausmachen zu können. 1706 bis 1723 empört sich z.B. die Gemeinde Michelfeld im Odenwald gegen Christoph von Gemmingen wegen zu hoher Fron- und anderer Lasten, so daß eine vom Kaiser beauftragte Kommission vermitteln mußte und erst 1723 zu einem Ende kam[98]. Ähnlich war es 1716 in Isenburg-Meerholz, wo neben den Frondiensten auch die Beeinträchtigung vieler Gemeinderechte Grund für den langanhaltenden Widerstand des Gerichts Gründau waren[99]. Längere Auseinandersetzungen ergaben sich um Holz-, Jagd- und Fischrechte sowie Jagdfronen auch in der Grafschaft Krichingen, die dem Grafen von Wied-Runckel gehörte. 1763 ergingen hier die Urteile des Reichshofrats[100]. Fronstreitigkeiten ergaben sich auch 1756 in Hohensolms-Münzenberg[101], 1787 auch in Sayn-Hachenburg[102], schon 1727 in Nassau-Siegen und seit 1702 in Sayn-Wittgenstein[103]. Eine Vielzahl ähnlicher, in ihrem genauen Verlauf noch unbekannter Vorgänge ergibt sich aus der Bearbeitung des Aktenniederschlags der obersten Reichsgerichte und zeitgenössischer juristischer Spezialliteratur. Solange das Ausmaß dieser Aktionen nicht hinreichend bekannt ist, muß es verfrüht sein, schon endgültige Urteile über das Gewicht solcher Bewegungen abzugeben. In jedem Fall scheint bei der Erforschung dieses Widerstands ein wichtiger Gesichtspunkt zu sein, daß hier nicht nur beliebig kleinere und größere Bewegungen dieser Art registriert werden dürfen. Vielmehr muß dabei bedacht werden, daß eine hohe Zahl von Konflikten dieser Art auch unser Gesamturteil über die gesellschaftliche und politische Stabilität dieser Epoche beeinflussen müßte.

2.1. Erklärung und Typisierung der deutschen Bauernrevolten

Der nur chronologische Überblick über diese Vielzahl lokaler und regionaler Bauernrevolten und Widerstandsaktionen, die bislang höchstens gelegentlich hinsichtlich ihrer Motive oder ihrer regionalen Kumulierung kommentiert wurden, läuft natürlich Gefahr, Bewegungen dieser Art letztlich unerklärt stehen zu lassen. Er überläßt sie damit einem bloß regional begrenzten Forschungsinteresse und trägt möglicherweise dazu bei, die Auswirkungen dieser Ereignisse auf die politische und soziale Ordnung dieser Epoche zu übersehen. Zu unterschiedlich scheinen auf den ersten Blick tatsächlich die jeweiligen Voraussetzungen wirtschaftlicher, sozialer und rechtlicher Art, zu differenziert die verschiedenen Formen des Widerstands, um sie in einen direkt einleuchtenden Zusammenhang zu bringen, der in Frankreich etwa durch das Paradigma der „antifiskalischen" Revolten des 17. Jahrhunderts hergestellt wird[104].

Über diesen begründeten Bedenken, die keineswegs ohne Einfluß auf die entsprechende Forschung geblieben sind, dürfen bestimmte, deutlich beobachtbare Grundtendenzen in der Geschichte der bäuerlichen Revolten zwischen Bauernkrieg und Französischer Revolution nicht übersehen werden. Ganz evident scheint zunächst eine relativ starke Kumulierung der Revolten im oberdeutschen Bereich. Das Oberrheingebiet, der Schwarzwald, Oberschwaben und die habsburgischen Erblande sind die Gebiete mit der zweifellos stärksten Revoltendichte, zugleich auch der größten Radikalität der Bewegungen. Demgegenüber fallen die west-, nord- und ostdeutschen Territorien unter dem Aspekt der Revoltendichte stark ab, während im mitteldeutschen Raum gerade im 17. und 18. Jahrhundert eine starke Häufung von Revolten auszumachen ist[105].

Weiterführender als diese Betrachtung der regionalen Verteilung, die gleichwohl wegen ihrer weitgehenden Parallelität mit der Ausdehnung des Bauernkrieges von 1524/26 bedeutsam ist, scheint es zunächst, eine Beziehung zwischen der Größe der Territorialstaaten und der Aufstandshäufigkeit herzustellen. Denn schon auf den ersten Blick fällt die Tatsache ins Auge, daß die kleineren Territorien in stärkerem Maße von Revolten betroffen sind als die Mittel- und Großterritorien. Dies gilt sowohl für das Revoltenbündel zwischen 1584 und 1619 im oberdeutschen Raum, für die Revolten in Solms-Greifenstein und Solms-Braunfels zwischen 1610 und 1729, für die Grafschaft Schönburg 1650–1681, die Greizer Unruhen 1714–1730, für Anhalt-Bernburg 1752, für Schwarzburg-Rudolstadt 1627 und 1716–36, für Schaumburg-Lippe 1784–93, für die Grafschaften Sayn-Wittgenstein 1697–1725, Nassau-Weilburg und Isenburg-Meerholz 1718–1773, für das Stift Kempten 1666–67 und 1721–32, für die Ritterherrschaft Illereichen 1653–61, für die Herrschaft Triberg im Schwarzwald 1642–54 und für die Salpeterunruhen in der Grafschaft Hauenstein sowie schließlich auch für die hohenzollernschen Grafschaften im 18. Jahrhundert. Weitere Beispiele können der chronologischen Übersicht entnommen werden, eine Vielzahl von Beispielen ergibt sich vor allem, wenn wir die prozessualen Auseinandersetzungen des 18. Jahrhunderts miteinbeziehen. Die bislang nur unzureichend erforschte Rechtssprechung der höchsten Reichsgerichte, vor allem des Reichshofrats, bestätigt, wie erste Auswertungen der gedruckten Quellen ergeben haben, die These von der Revoltenanfälligkeit der Kleinterritorien in eindeutiger Weise[106].

Doch die Größe eines Territoriums scheint allein noch kein zureichendes Kriterium zu sein. Wir müssen vielmehr diese erste Beobachtung durch den Hinweis ergänzen, daß diese Territorien durch eine spezifische Doppelrolle von Landesfürst und größtem Grundbesitzer charakterisiert sind, damit im allgemeinen auch nicht über adelige Landstände verfügen, die eine intermediäre Stellung zwischen Fürst und Untertanen einnehmen könnten. Nehmen wir andererseits noch die scheinbar widersprüchliche Beobachtung hinzu, daß Territorien mit einer überstarken, nur wenig kontrollierten Machtstellung der Stände wie die Lausitzen, ebenfalls eine starke Revoltenanfälligkeit aufweisen[107], so könnte die These dahingehend formuliert werden, daß jene Territorien in besonderem Maße durch Revolten gefährdet waren, die – aus unterschiedlichen Gründen – den Entwicklungsschritt zum modernen „Militär-, Wirtschafts- und Verwaltungsstaat“ nicht oder nur unvollkommen vollzogen hatten[108]. Damit fehlten starke, administrative Apparate mit mehrstufigen Gerichtssystemen zwischen bäuerlichen Untertanen und den Fürsten. Diese Territorien standen außerdem unter einem erhöhten finanziellen Druck, da die Relation zwischen der Bevölkerungszahl und dem Regierungsaufwand ungünstig war, weil die finanzielle Belastung durch Linienteilungen und Erb- oder Abfindungsverträge erheblich war und weil die auf diesen Territorien lastenden Reichs- und Kreissteuern höher waren als es der wirtschaftlichen Kraft dieser Kleinterritorien zuträglich gewesen wäre. Damit aber waren wiederum günstige Voraussetzungen für Eingriffe der zentralen Instanzen des

Reichs gegeben[109], ein Zeichen innerer Schwäche solcher Herrschaftsgebilde, das von den betroffenen Untertanen außerordentlich schnell wahrgenommen und ausgenutzt wurde. Dieser erste Befund, der sich auch mit dem noch später zu entwickelnden Argument von der zunehmenden Verrechtlichung sozialer Konflikte nach dem Bauernkrieg in Einklang bringen läßt, stützt sich u. a. auf die im europäischen Vergleich von Bauernrevolten entwickelte These, daß Bewegungen dieser Art offensichtlich zusammenhängen mit Krisenerscheinungen im politischen oder wirtschaftlichen System und aufhören, sobald bestimmte politische oder wirtschaftliche Strukturveränderungen durchgesetzt sind[110].

Dieser erste Befund von der Affinität zwischen unterentwickeltem Territorialstaat und Revoltenhäufigkeit hat aber zunächst den Mangel, daß keineswegs alle uns bekannten Revolten damit erfaßt werden können. Selbst wenn man historischen Erklärungsversuchen eine nur relative Stringenz abverlangt, fällt hier auf, daß die bayerischen Aufstände von 1633/34 und 1705/06, die österreichischen Aufstände von 1596–97 und 1626 nicht in dieses Erklärungsmodell hineinpassen.

Bedenken wir jedoch im Falle Nieder- und Oberösterreichs die konfessionelle Problematik als Sonderbedingung, zu der 1626 noch die bayerische „Fremdherrschaft" hinzutritt und stellen wir in Bayern die besondere Belastung der Untertanen durch den Dreißigjährigen Krieg (1633/34) sowie durch die Besetzung des Landes durch kaiserliche Truppen (1705/06) in Rechnung, so scheinen in diesen Fällen tatsächlich Sonderbedingungen vorhanden zu sein, die sich von dem oben entwickelten Hauptargument deutlich abheben.

Diese These scheint mir vorläufig geeignet zu sein, um die deutschen Bauernrevolten unseres Zeitraums in einen Begründungszusammenhang einzuordnen, der einerseits wichtige gemeinsame Merkmale aufnimmt, andererseits weit genug gespannt ist, um relevante regionale Unterschiede zuzulassen. Wesentlich scheint mir daran, daß bäuerlicher Widerstand nicht abstrakt mit der für die feudale Ordnung grundlegenden Produktionsweise verknüpft wird, also mit der Verpflichtung zu Rentenleistungen für die Nutzung des Landes. Es geht der hier entwickelten These vielmehr darum, die gegebene Produktionsweise mit der Entwicklung der staatlichen Ordnung zu verbinden und somit den sich wandelnden Bedingungsrahmen für bäuerlichen Widerstand adäquat zu erfassen.

3. Voraussetzungen und Bedingungen bäuerlichen Widerstands

3.1. Bauer – Grundherr – Territorialstaat

Soziale Bewegungen zu untersuchen heißt zugleich, Voraussetzungen und Bedingungen solcher Bewegungen zu untersuchen. Mit Voraussetzungen und Bedingungen sollen hier jene Faktoren gemeint sein, die die Rolle des Bauern gegenüber seinem Grundherrn, seinem Landesherrn und dem Kaiser gegenüber bestimmen, der Obrigkeit in ihren gestaffelten Zuständigkeiten also. Damit können jedoch nicht nur die rechtlichen und wirtschaftlichen Unterordnungsverhältnisse gemeint sein, die Belastung durch grundherrliche oder staatliche Abgaben und Leistungen, sondern auch die Skala der bäuerlichen Reaktionsmöglichkeiten, soweit diese durch rechtliche Setzung sanktioniert worden waren. Schließlich muß in diesem Zusammenhang auch die Grundstruktur bäuerlichen Handelns, die Gemeinde, einbezogen werden, weil damit der Rahmen gemeinsamen Handelns entscheidend fixiert war.

Als Otto Brunner 1951 seinen wichtigen Aufsatz über das europäische Bauerntum veröffentlichte, ging es ihm um den Aufweis einer spezifisch europäischen Rationalität im Verhältnis von Bauer und Herrschaft[1]. Es entsprach dabei der von Brunner an anderer Stelle entwickelten Charakterisierung aller feudalen Herrschaftsverhältnisse, wenn er gerade durch die bewußte Gegenüberstellung des europäischen und des russischen Bauern den zentralen Rechtscharakter der Beziehungen zwischen Bauer und Herrschaft hervorhob, der durch ein Gleichgewicht von Rechten und Pflichten gekennzeichnet war. Dieses funktionale Bild der alteuropäischen Gesellschaft, die Brunner mit großer Sachkenntnis und Anteilnahme beschrieben hat, setzte eine sich letztlich selbst regulierende Gesellschaft voraus. Es schloß zwar die Konfrontation nicht aus, reduzierte die Spannweite denkbarer Auseinandersetzungen jedoch auf das Verhältnis von Lehnsherr und Vasall, von Grundherr und Grundholden[2]. Verletzte eine der beiden Seiten ihre Verpflichtungen, so bestand für den Betroffenen die grundsätzliche Möglichkeit, das Treueverhältnis aufzukündigen und damit den aufgetretenen Konflikt zu lösen. In der Sprache des Schwabenspiegels wurde der uns hier interessierende Fall der Nichterfüllung herrschaftlicher Schutzverpflichtung in die folgenden bekannten Sätze gekleidet:

„Wir suln den herren dar umbe dienen, daz si uns beschirmen. Unde beschirmen si uns nüt, so sin wir in nüt dienestes schuldig nach rechte.“[3]

Das hierin zum Ausdruck kommende Modell der Gegenseitigkeit von Rat und

Hilfe gegen Schutz und Schirm wurde von Brunner ganz bewußt in Antithese zu einer Mediävistik entwickelt, die die Staatsvorstellung des 19. Jahrhunderts ungefiltert auf das Mittelalter übertragen hatte. Hierin liegt sein besonderes Verdienst, wohingegen sein Versuch einer Radikalhistorisierung der mediävistischen Begriffe schon früh auf Widerspruch und Kritik stieß[4].

Das Problem dieses Ansatzes, der in letzter Zeit einer oft überscharfen Kritik unterzogen wurde, liegt darin, daß das Modell ausgewogener gesellschaftlicher Rechte und Pflichten offensichtlich nicht den Veränderungen gerecht wird, die seit der Entstehung der frühmodernen Territorialstaaten die gesellschaftlichen Beziehungen charakterisieren. Zwar versuchte Brunner die vom Schwabenspiegel angesprochene Schutzpflicht auf den frühmodernen Staat zu übertragen, wenn er den niederösterreichischen Bauernaufstand von 1596/97 als einen Versuch interpretiert, den nicht mehr gewährleisteten Schutz des Landes „einzuklagen"[5], doch scheint mir hier der Punkt erreicht zu sein, an dem sich das Brunnersche Modell als nicht mehr tragfähig erweist. Seine Annahme, daß das „Aufeinanderangewiesensein" von Herrn und Holden „eben doch" die zahllosen Konflikte überwinde, die innerhalb der Grundherrschaft immer wieder aufbrechen[6], erweist sich als hinfällig. Gerade die herangezogenen österreichischen Aufstände vom Ende des 16. Jahrhunderts machen deutlich, daß die innere Veränderung der Grundherrschaften, ihre Tendenz zur stärkeren Nutzung der bäuerlichen Dienste ein Maß an Konfliktpotential produzierten, das nicht mehr im Zusammenspiel von Herrn und Holden beigelegt werden konnte. Zwar wollten die adeligen Grundbesitzer diesen Konflikt intern lösen – unter Wahrung ihres jus primae instantiae – doch tatsächlich mußten sie sich der Vermittlungstätigkeit beugen, die der Landesherr und Kaiser an sich gezogen hatte. Es ist von besonderem Interesse festzustellen, daß Brunner selbst später seine eben berührte Aussage über das „Aufeinanderangewiesensein" von Grundherr und Holden erheblich differenzierte. Daß dies in einer Rezension der „Agrarverfassungsgeschichte" Friedrich Lütges geschah, sollte besonders zur Kenntnis genommen werden. Gegenüber Lütges Betonung der relativen Konfliktfreiheit der Agrargesellschaft wies Brunner darauf hin, daß es „immer Interessengegensätze zwischen Herrschenden und Beherrschten, Spannungen und Konflikte gegeben" habe. Ihm schien „das Herrschaftsgefüge der älteren Agrarverfassung von einer inneren Dynamik und nicht bloß von wirtschaftlichen oder rechtlichen Faktoren" bestimmt[7], eine Feststellung, die auch den Ausgangspunkt der hier entwickelten Überlegungen ausmacht.

Wir müssen also davon ausgehen, daß die interne Lösung von Konflikten innerhalb der Grundherrschaften auf der Basis des Schwabenspiegelsatzes spätestens seit dem Zeitpunkt nicht mehr als sinnvolles Regulationsinstrument dienen konnte, an dem sich die Beziehung zwischen Herrn und Grundholden verdinglichte und sich auf einen rein materiellen Kern reduzierte, seiner Wechselseitigkeit be-

raubt und in eine stark einseitige Leistungspflicht des Holden umgewandelt wurde[8]. Der frühmoderne Staat mit seiner territorialen Friedensgarantie und seiner Schutzfunktion gegen äußere Angriffe und vor allem mit den für diese Aufgaben erforderlichen Steuerforderungen führte aller Welt deutlich genug vor Augen, daß der Schutz des Holden auf einen anderen Herrschaftsträger übergegangen war, der zudem ein Monopol an legitimer Gewaltausübung für sich in Anspruch nahm. Diese Monopolisierung der Gewalt – äußerlich sichtbar in der Landfriedensregelung, der Reichsexekutionsordnung und den verschiedenen judikativen Instanzen auf territorialer und Reichsebene – zwang jedoch zugleich auch den Staat zum Eingriff in die Beziehungen zwischen Grundherren und Untertanen.
Das Verbot der Selbsthilfe als Kern der Landfriedensregelung und die immer stärker werdende rechtliche Beschränkung von Maßnahmen gegen die eigenen Untertanen bedeutete zugleich, daß der Territorialstaat in steigendem Maße die Abgaben der Untertanen an die Grundherren garantieren mußte. Damit war automatisch ein Eingriffsrecht staatlicher Instanzen gegeben, wenn bäuerliche Untertanen – aus welchen Gründen auch immer – Abgaben und Dienste verweigerten. In dieser Konstellation war nun kein Raum mehr für ein quasi-vertragliches Verhältnis von Herrn und Holden und das von Brunner den zeitgenössischen Quellen entnommene Bild verliert hier definitiv seine Erklärungskraft. Die Abnahme der Weistümer – jener „Spiegelung der Kämpfe zwischen Grundherren und Bauern“ [9]– als Ausdruck einer „autonomen“ Regelung der Beziehung seit dem 16. Jahrhundert zeigt diese Entwicklung ebenso deutlich an wie die steigende Zahl territorialer Bauern-, Untertanen-, Hut-, Gesinde- und Fronordnungen, die an ihre Stelle traten[10]. Zugleich geriet die Institution der Grundherrschaft unter einen stärkeren Legitimationsdruck. Wenn auch das System des geteilten Eigentums dem Grundherrn weiterhin die Renteneinkünfte sicherte, wobei die alte Begründung des „Schutzes“ zunehmend einer Argumentation mit dem „pristinum dominium“ Platz machte, so kann kein Zweifel daran bestehen, daß die soziale Position des Adels als intermediäre Kraft zwischen Fürst und Untertanen seit dem Bauernkrieg unter Druck geriet. Wenn im Verlauf des sächsischen Bauernaufstands von 1790 Bauern erkennen, daß „wir aber nunmehro in einem ganz anderen Periodum leben, wo der Edelmann uns mit seinem Schutz ganz unnütz worden und weiter nichts mehr zu schützen im Stande vermögend als ihrer Untertanen Beutel, daß sie nicht des vielen Geldes wegen zerreißen mögen“[11], so scheint dieser Sarkasmus durchaus charakteristisch für eine im Bauerntum weit verbreitete Haltung gegenüber der bestehenden sozialen Privilegierung des Adels.
Mit dieser Entwicklung, die hier nur ganz knapp charakterisiert zu werden braucht, war auch ein neuer Rahmen für Konfrontationen zwischen Grundherren und Untertanen geschaffen worden. Es konnte insgesamt kein Zweifel daran bestehen, daß das Verhältnis zwischen Fürst und Untertanen vorrangig durch den

Herrschaftscharakter geprägt war. Gelehrte Denktraditionen des aktiven Widerstands von Untertanen gegen einen tyrannischen Fürsten haben im deutschen Bereich keine Wurzel schlagen können[12]. Die ehemals gegebene Wechselseitigkeit im Verhältnis zwischen Herrn und Holden reduzierte sich auf die rechtlich weiterhin gegebene Möglichkeit, einen Grundherrn, der seine Bauern „über alle Gebühr" quälte, durch seinen Lehnsherrn des Lehens entsetzen zu lassen[13]. Damit aber ergaben sich insgesamt neue Voraussetzungen für bäuerlichen Widerstand, die in aller Deutlichkeit herausgehoben werden müssen, weil sie gerade für die Untersuchung der deutschen Verhältnisse wichtig wurden. Es entwickelte sich ein kompliziertes Dreiecksverhältnis zwischen Untertanen, Grundherrschaften und Territorialstaaten, das durch drei grundsätzliche Interessenbündel bestimmt war.

1. Die Grundherren hatten angesichts einer zunehmenden Geldwirtschaft und der günstigen agrarischen Konjunktur ein Interesse daran, die bäuerlichen Abgaben- und Fronverpflichtungen möglichst intensiv zu nutzen, wobei die jeweilige Agrarstruktur die bevorzugte Form der Rente bestimmte.
2. Die bäuerlichen Untertanen hatten ihrerseits ein starkes Interesse an einer möglichst weitgehenden Sicherung ihrer Besitztitel an Land, ihres Vererbungsrechts und ihrer erwirtschafteten Produkte zu günstigen Bedingungen, weil damit erst die individualisierte Form der Bodennutzung ihre Früchte tragen konnte und eine Teilhabe an der agrarischen Konjunktur möglich wurde.
3. Der Territorialstaat hatte seinerseits ein vorrangiges Interesse an einer ökonomisch gesunden, steuerfähigen Bevölkerung, um sich nach außen behaupten und nach innen seine Herrschaft stabilisieren zu können.

Während diese Konstellation vor allem für die mittleren und großen Territorien des Heiligen Römischen Reiches gilt, muß für die kleinen Territorien, in denen der Landesherr zugleich Grundherr war, aber auch in abgeschwächter Form für alle anderen Territorien ein 4. Faktor hinzugenommen werden, der auf die zunächst geschilderte dreigliedrige Interessenkonstellation von erheblichem Einfluß war.

4. Der Kaiserhof war vor allem gegenüber den kleineren Territorialfürsten bestrebt, sich als Kontrollinstanz zu behaupten. Gerade angesichts der weitgehenden Stärkung der Landesfürsten im Westfälischen Frieden und durch den § 180 des Reichsabschieds von 1654 (Besteuerungsrecht) bemühte sich der Kaiserhof im Interesse der Stabilität der Reichsordnung um eine Kontrolle der Landesfürsten, wenn diese durch Steuerforderungen oder Justizverweigerungen den inneren Frieden gefährdeten.

Besonders wichtig an dieser eher schematischen Gegenüberstellung von Interessen scheint die Ableitbarkeit prinzipieller Konfliktlagen zu sein. Damit sollte klar werden, daß in der so strukturierten politischen Gesellschaft des Reichs angesichts steigender Forderungen und begrenzter Ressourcen ein Modell sich ausgleichender Pflichten und Rechte keinen Bestand mehr haben konnte.

Mit diesem Schema ist noch eine weitere konstante Voraussetzung für bäuerlichen Widerstand gegeben. Die Hierarchie und Konkurrenz der Territorialstaaten bzw. die Hierarchie zwischen Bauern, Kleinterritorien und Kaiserhof gab dem bäuerlichen Widerstand immer jenen Spielraum, der nur aus der Existenz einer „dritten Kraft", einer „external power" (so eine Formulierung von Eric Wolf) gewonnen werden kann[14]. Auch die vielfältigen Widersprüche zwischen katholischen und protestantischen Ständen oder zwischen Reichsstädten und Territorialfürsten vergrößerten diesen Spielraum, wie die Konflikte im oberschwäbischen Raum und deren Förderung durch jeweils benachbarte Reichsstände beweisen. Das heißt, es konnte im Reich niemals zu einer Konfrontation allein zwischen zwei Konfliktparteien kommen, immer gab es eine Macht, die kontrollierend eingreifen konnte.

3.2. Die Entwicklung des modernen Steuerstaates

Wenn wir so die Ausgangslage für bäuerlichen Widerstand vor allem dadurch bestimmt haben, daß sich durch den Funktionsverlust der Grundherrschaften und den Übergang der Schutzfunktion auf den frühmodernen Staat mit allen steuerpolitischen Konsequenzen die Eingriffe zentraler Instanzen in das Verhältnis von Grundherren und Untertanen sich verstärkten, so gibt dies natürlich nur den allgemeinen Rahmen für unser Problem ab. Konkret bedeutete dieser Übergang ein Ansteigen der Belastungen der Untertanen durch Steuern, d. h. Abgaben für territoriale oder Reichsangelegenheiten. Am Beispiel der Reichssteuern können wir uns diesen Anstieg der Belastungen gut veranschaulichen, wobei wir sicher sein können, einen alle Territorien in gleicher Weise belastenden Indikator gewählt zu haben[15].

Wir müssen dabei davon ausgehen, daß die einzelnen, gut überschaubaren Versuche des Reichs im 15. Jahrhundert, Heere gegen äußere Feinde wie Hussiten und Türken aufzubieten, für die Territorialfürsten offensichtlich zunächst keine erheblichen finanziellen Probleme bedeuteten, zumal, wenn die Mannschaft für das Reichsaufgebot durch seine Lehnsträger gestellt werden konnte. Erst die zunehmende Ablösung des persönlichen Aufgebots der Reichsfürsten schuf ein neues Problem insofern, als jetzt statt Mannschaft Geldbeträge direkt an das Reich zu leisten waren. Ganz offensichtlich wurden diese Summen zunächst meist aus dem landesfürstlichen Kammergut bezahlt, ganz wie das der Verpflichtung entsprach, deren rechtliche Basis ja das vom Reich ausgegebene Lehen an den einzelnen Reichsfürsten war. An dieser Rechtsauffassung ist auch während der gesamten Geschichte des Reichs festgehalten worden, immer blieb der einzelne Reichsfürst für diese Reichssteuern verantwortlich, gegen ihn eröffnete der Reichsfiskal den fiskalischen Prozeß, wenn die Steuern nicht gezahlt wurden.

Zwei Entwicklungen sind nun für die weitere Geschichte unseres Problems von Bedeutung. Einmal der Versuch des Reichs, durch die Einführung des Gemeinen Pfennigs eine allgemeine Veranlagung aller Untertanen im Reich herbeizuführen. Damit verhalf man einem Prinzip zum Durchbruch, das eine Gesamtverantwortlichkeit aller Reichsuntertanen voraussetzte, während das bislang benützte System der Umlage der Steuern auf der Grundlage einer Matrikel aller Reichsstände von deren alleiniger Verantwortlichkeit ausging. Gerade angesichts neuer dringender Gemeinschaftsaufgaben wie Türkenabwehr und Reichsgerichtsbarkeit war eine solche Verlagerung der Verantwortlichkeit leicht durchsetzbar.
Diese Verlagerung der Verantwortlichkeit griff bald auch auf das System der Matrikularabgaben über. Als 1489 der Reichstag in Frankfurt eine Steuer beschloß, wurde zugleich den betroffenen Reichsfürsten die Möglichkeit gegeben, durch kaiserliche Mandate ihre Untertanen, ,,ihnen zur Hülf", mit diesen Steuern zu belegen. Dies war jedoch kein völlig neues Verfahren. Schon 1480 hatte man in Brandenburg-Ansbach eine Reichssteuer auf die Untertanen umgelegt und man darf in anderen Territorien einzelne parallele Vorgänge annehmen. Die Argumentation, die hierbei zur Anwendung kam, können wir einem Ausschreiben für den Landtag der märkischen Stände im Jahre 1489 entnehmen, wo der Landesfürst glaubte, daß die geforderte Reichssteuer nicht allein ihn selbst, sondern ,,mehr euch und unsere Lande" betreffe.
Mit diesem Beschluß von 1489 und seinen unmittelbaren Folgen war ein Prinzip in die Entwicklung der Reichsgeschichte eingebracht worden, das schnell durchgesetzt wurde. Die Reichsabschiede von 1507 und 1510 schrieben die noch 1489 als Möglichkeit erwähnte Umlage der Steuern auf die Untertanen schon als Regel fest, schon 1506 wurde im Stift Berchtesgaden die Mithilfe der Untertanen zur Reichssteuer vertraglich fixiert. Diese Regelung wurde im Lauf der ersten Hälfte des 16. Jahrhunderts vielen Landständen im Reich aufgezwungen, so z. B. 1536 in Lüneburg und 1539 in der Markgrafschaft Brandenburg-Ansbach. Wenn wir auch in einzelnen Territorien noch bis in das dritte Jahrzehnt feststellen können, daß die Zahlung der Reichssteuern als Angelegenheit des Landesherrn galt (so in Lüneburg bis 1536, in Magdeburg bis 1532, im ernestinischen Sachsen bis 1523), so kann doch insgesamt kein Zweifel daran bestehen, daß jeder weitere Reichstagsbeschluß über Steuerbewilligung den neuen Grundsatz festigte, daß für Reichssteuern das ganze Land heranzuziehen sei.
Stellt man diese Entwicklung in Rechnung, so kann es nicht mehr verwundern, wenn wir im Bauernkrieg von 1525 mehrfach Klagen der Bauern über die neuen, beschwerlichen Reichssteuern finden. Dies gilt sowohl für den fränkischen wie für den schwäbischen Raum, wo sich die Bauern in gleicher Weise über diese neue Belastung beschweren. Die Haltung der Bauern zeigt das eingangs angedeutete Problem der konkurrierenden Ansprüche von Grundherrschaft und Territorialstaat

auf: „Darumb wir vermainen. söllich Geld nit schuldig sein Us der Ursach, darumb das wier Zeins und Gilt gebent, darumb unser Junckher billich uns beschützen und beschirmen soll.“[16] Wir können in dieser Klage eine fast tragisch anmutende Stellung der Bauern sehen, die noch nicht wahrhaben wollen, daß ihr Junker längst nicht mehr die Kompetenz hat, ihren Schutz zu gewährleisten.

Der Verlauf des 16. Jahrhunderts bringt unter steuergeschichtlichen Aspekten den definitiven Durchbruch zur Umlage der Reichssteuern auf die Untertanen der Territorien, eine Entwicklung, die sich bekanntlich seit dem Reichsabschied von 1543 definitiv durchsetzte und mit der alle entgegenstehenden Privilegien der Untertanenverbände für nichtig erklärt wurden. Wenn 1545 von Kurbrandenburg schon die Forderung nach einer Mitbeteiligung des Landesfürsten und des Adels an der Reichssteuer – wie dies der Gemeine Pfennig noch vorsah – als unbillig hingestellt wurde („denn dem gemeinen gepofel gefellt es wohl, wann die obrigkeit und die reichen mitgelden müssen“)[17] zeigt dies, wie selbstverständlich hier schon die Steuer ganz auf die Untertanen umgelegt wurde. Die weiteren Reichsabschiede dieses Jahrhunderts bauten diese Regelung aus und schufen zugleich Strafmöglichkeiten den Untertanen gegenüber, die die Zahlung der Reichssteuer verweigerten.

Doch nicht nur der prinzipielle Aspekt muß hier unser Interesse finden. Beinahe noch wichtiger wurde die Tatsache, daß im Lauf des 16. Jahrhunderts eine solche kontinuierliche Steigerung der Steueranforderungen eintrat, die das neue System des „Steuerstaates“ auch praktisch durchsetzen und verankern konnte. Damit wurde im Verlauf von etwa drei Generationen ein völlig neues Steuerverhalten der untertänigen Bevölkerung durchgesetzt. Während 1525 noch die bäuerlichen Reaktionen die Steuerforderungen für das Reich prinzipiell ablehnten, ging es 70–80 Jahre später nur mehr um die Frage der adäquaten Verteilung der Steuersummen oder um die Frage einer sinnvollen Verwendung der gezahlten Steuern. Die Steuerrevolten des späten 16. und frühen 17. Jahrhunderts stellen nicht mehr das Prinzip in Frage, sondern entzündeten sich vorwiegend an ungerechtfertigter und überhöhter Besteuerung.

Ein Blick auf das Ausmaß der Reichssteuern zwischen 1519 und 1606 mag belegen, welche Fakten hier geschaffen worden waren. Hatte die Summe der Reichssteuern zwischen 1519 und 1555 noch insgesamt 73 1/2 Römermonate ausgemacht, so wurde die Summe zwischen 1556 und 1606 auf insgesamt 409 Römermonate gesteigert, wovon allein auf den letzten drei Reichstagen von 1594, 1598 und 1603 226 Römermonate an Reichssteuern bewilligt wurden. Nimmt man zu dieser Summe noch jene Steuern hinzu, die seit 1594 von den Kreisen für die Kreiskontingente im Türkenkrieg gesondert bewilligt wurden, so muß man feststellen, daß z. B. allein die Untertanen des besonders betroffenen schwäbischen Kreises zwischen 1594 und 1606 die Forderung von insgesamt 412 Römermonaten Reichs-

und Kreissteuern zu verkraften hatten. Erst diese Zahl mag verdeutlichen, welche Veränderungen im Steuerverhalten der untertänigen Bevölkerung hier in zwei bis drei Menschenaltern durchgesetzt werden konnten. Diese Entwicklung wurde durch den Dreißigjährigen Krieg natürlich noch verstärkt. Auf der territorialen Ebene schlug diese Entwicklung der Reichssteuern voll durch und verband sich mit dem ebenfalls steigenden Bedarf der Territorialstaaten zu einem erheblichen Anstieg der Belastung der Untertanen, deren Ausmaß und deren praktische Durchsetzung längst noch nicht hinreichend erforscht sind[18]. Für Bayern hat eine Berechnung der grundherrlichen und landesherrlichen Abgaben zwischen 1480 und 1660 ergeben, daß die Landsteuern um ca. 2200 % stiegen, während die grundherrlichen Abgaben durchschnittlich um 300–400 % stiegen. Als 1641 nach langen Kriegsjahren der Jurist M. Faust Ratschläge für das fürstliche Finanzwesen seiner Zeit untersuchte, beschrieb er die Auswirkungen des ständigen Steuerdrucks folgendermaßen: „Die Contribution ist leider bey diesen zwanzigjährigen Kriegsläufen so gemein worden, daß solchs wort nit mehr für lateinisch, sondern so weit teutsch zu halten, daß es auch die Bawren im Felde nur allzu teutschlich verstehen."[20] Es war für die Bauern ein schmerzhafter Prozeß des Umlernens, dessen konkrete Auswirkung folgende Szene aus dem Jahre 1604 verdeutlicht. Im Amt Hohentengen des Truchseß von Waldburg fragten sich die Bauern verständnislos, warum in einem Jahr über dreißig Monate (d. h. Römermonate) Steuern zu bezahlen seien, „dieweil nur zwölf monat im jahr seyen". „Darüber man sie bericht", schrieb der Amtmann, „etlich mögens verstanden haben und etlich auß unverstand nit."[21]

3.3. Wirtschaftliche Bedingungen des Widerstands

> „Die agrarische Revolte ist für den Historiker so untrennbar mit der Grundherrschaft verbunden wie der Streik mit den großen kapitalistischen Unternehmen." Marc Bloch[22]

Diese erste Skizze der Ausgangsbedingungen für bäuerlichen Widerstand hat zunächst auf den finanzpolitischen Rahmen von bäuerlichen Bewegungen abgehoben, der durch die Konkurrenz von Grundherrschaft und Territorialstaat gegeben war. Diese Beobachtungen sollen ergänzt werden durch einige Bemerkungen zu den wirtschaftlichen und rechtlichen Bedingungen für bäuerlichen Widerstand. Die allgemeine Charakterisierung bäuerlichen Wirtschaftens im gegebenen Zeitraum läßt sich sicherlich dadurch geben, daß man auf die individualisierte Form der agrarischen Produktion hinweist. Von einigen Sonderfällen im Bereich der

ostelbischen Gutsherrschaft abgesehen, produzierte die bäuerliche Familie in unterschiedlichen rechtlichen Formen auf eigenes Risiko und auf eigenen Gewinn, wenn auch gebunden durch die Flurverfassung der Gemeinde und die Abgabenverpflichtungen an Grund-, Zehnt-, Gerichts- und Landesherrn. Seit der Auflösung der mittelalterlichen Villikationsverfassung hatte sich diese individualisierte Form der agrarischen Produktion durchgesetzt und hatte zugleich ihre juristische Absicherung erfahren durch ein differenziertes System bäuerlicher Besitzrechte. Die landschaftliche Vielfalt dieser Besitzrechte vom schlechten Freistiftrecht bis zum günstigsten „schlichten Zinsgut" sollte nicht übersehen lassen, daß die meisten bäuerlichen Wirtschaftseinheiten – dies stellte auch Gerhard Heitz fest – in der Hand der Familien blieben, die auf ihnen arbeiteten[23]. Das bäuerliche „dominium utile" wurde ein anerkanntes Prinzip der ländlichen Rechtsordnung und unterlag je länger je mehr dem Schutz der territorialstaatlichen Rechtsordnungen[24]. Als Ausnahmen gegenüber diesem generellen Trend müssen jedoch die Entwicklungen in den ostelbischen Territorien angeführt werden, wo das Bauernlegen der verschiedenen Epochen so weit gehen konnte, daß – wie in Mecklenburg z. B. – der bäuerliche Besitz völlig eliminiert wurde. Wenn man diese Entwicklung feststellt, darf andererseits nicht übersehen werden, daß auch im Bereich der Gutsherrschaft durchaus weiterhin die Formen der individuellen bäuerlichen Produktion gegeben waren. Keineswegs darf eine zu scharfe und totale Differenzierung zwischen Altsiedelland und dem ostelbischen Bereich angenommen werden[25].
Diese generelle Feststellung des individuellen bäuerlichen Wirtschaftens, die Existenz des bäuerlichen Familienbetriebes als Normalform des Wirtschaftens scheint mir die erste und wesentliche Voraussetzung für die bloße Möglichkeit bäuerlichen Widerstands zu sein. Erst diese individuelle Teilhabe der Bauern an der Produktion für einen begrenzten oder ausgeweiteten Markt schuf die Grundvoraussetzung für alle weiteren Konfliktsituationen zwischen Bauern, Grundherren und Territorialstaaten. Diese Grundvoraussetzungen müssen noch weiter erläutert werden, ihre spezifische Bedeutung für die Formen und den Verlauf von Widerstandsbewegungen muß aufgezeigt werden.

Zunächst schuf die eigene Wirtschaft des Bauern, die Existenz eines eigenen, von der Kontrolle der Grundherrschaft unabhängigen bäuerlichen Budgets, die materielle Voraussetzung für die Organisierung des Widerstands. Es ermöglichte ihm das Abzweigen von Geld für die Bezahlung von Advokaten, das Abfassen und Schreiben von Supplikationen, die Reisen an den Sitz des Reichskammergerichts oder den Kaiserhof. Es ermöglichte schließlich auch – wenn auch in begrenztem Maße – die Abwesenheit des Bauern von seinem Hof, indem es ihm die nötigen Geldmittel verschaffte, sich bei einem Aufenthalt außerhalb des Dorfs zu verpflegen. Auch war die individuelle Form der bäuerlichen Wirtschaft die Grundvoraussetzung für eine spezifische Form des Widerstands – die Flucht von Bauern über

die Landesgrenzen ihres Herrschaftsbereiches, um sich so den Zwangsmaßnahmen des eigenen Landesherren zu entziehen. Dadurch erst wurde die Mitnahme des Viehs und der wichtigsten Habe möglich und konnte darüber hinaus für den betroffenen Grund- und Landesherren zum tatsächlichen Schaden werden.
Neben diesen materiellen Voraussetzungen, die mit der Existenz eines bäuerlichen Nutzeigentums gegeben waren, das zudem tendenziell gestärkt wurde, bot dieses bäuerliche Teil-Eigentumsrecht einen wichtigen Ansatzpunkt für die Motivation des bäuerlichen Widerstands.
Es ist eine aus allem über Bauernrevolten gesammelten Material bekannte Tatsache, daß als Ideal aller bäuerlichen Zielvorstellungen die autonome bäuerliche Produktion zu gelten hat, unkontrolliert und unbehindert von Grundherren, Steuereinnehmern oder städtischen Zwischenhändlern. Je höher nun der Grad der Autonomie der bäuerlichen Produktion entwickelt ist, desto stärker ist damit die Bereitschaft zum Widerstand entwickelt, wenn sich Beeinträchtigungen der Autonomie des Produzierens und Vermarktens ergeben, sei es durch grundherrliche Abgaben und Frondienste oder landesherrliche Steuerleistungen, Zwangsmonopole des Grundherren (wie Mühlen- oder Tavernenzwang) oder Beschneidung der Gemeinderechte an der Allmende oder dem Gemeindewald (Weide- und Nutzungsrechte)[26].
Der einmal beschrittene Weg zur Individualisierung der bäuerlichen Produktion mußte angesichts der tendenziellen Erweiterung der Marktproduktion, der wachsenden Beanspruchung durch staatliche Steuern und der daraus resultierenden Stärkung der bäuerlichen Einzelwirtschaften durch die Territorialstaaten ein wesentliches Moment zur Motivierung des Widerstands abgeben. Er war ein nicht aufzuhaltender Entwicklungstrend angesichts der zunehmenden Unrentabilität aller feudal-rechtlich erzwungenen Arbeitsformen (Fronarbeit) und er mußte notwendigerweise wachsende Ansprüche produzieren. Zumindest jedoch war er geeignet, die Bereitschaft zur Verteidigung der einmal errungenen Position von Unabhängigkeit zu stärken und die „Reizschwelle" für eventuellen Widerstand bewußt zu machen bzw. eventuell sogar zu senken. Insofern liegt in der individualisierten Form des agrarischen Produzierens und in ihrer Absicherung durch Erbrecht und Nutzeigentum ein die Feudalgesellschaft aus sich selbst heraus schwächendes Moment, das im Gegensatz etwa zum Eindringen der Geldwirtschaft oft unterschätzt wird.
Die Frage des Zusammenhangs zwischen der wirtschaftlichen Lage der Bauern und dem Widerstandsverhalten gehört sicherlich zu den schwierigsten Problemen des hier behandelten Forschungskomplexes. Inwiefern die absolute Einkommenshöhe bäuerlicher Familien oder relative Einkommensminderungen ein auslösender Faktor für Bauernrevolten sind, bedarf der Untersuchung im konkreten Einzelfall. Eine generelle Aussage über diesen Zusammenhang für den hier unter-

suchten deutschen Bereich scheint mir, abgesehen von der problematischen Forschungslage, auf der eine solche Aussage aufbauen müßte, auch nicht von entscheidender Bedeutung für die Untersuchung bäuerlichen Widerstands. Alle Anzeichen aus den bekannten Widerstandsbewegungen deuten darauf hin, daß hier höchst unterschiedliche Einkommensverhältnisse gegeben waren, so daß jede Korrelation von Einkommenshöhe und Widerstand in die falsche Richtung führen würde. Tatsächlich hat die Einkommensproblematik in der bisherigen Diskussion um die europäischen Bauernrevolten der frühen Neuzeit eine nur geringe Rolle gespielt. Aus der Sicht der betroffenen Landesherren, hier des Grafen Max Willibald von Waldburg, stellte sich dieser Eindruck folgendermaßen dar. 1663 schrieb er an seinen Amtmann, daß eine lange Erfahrung zeige, daß die Untertanen „über das Wenige sich ebenso beschweren wie über das Viele; je mehr man sie schont und ihnen nachsieht, desto weniger gedenken sie zu tun"[26a].
Trotzdem ist natürlich das Einkommen bäuerlicher Familien insofern ein wesentlicher Aspekt, als damit der gesamte Zusammenhang zwischen Ertrag der bäuerlichen Wirtschaft und Abgabenbelastung thematisiert wird. Wichtiger als die Frage, ob sich die Gesamtbelastung des bäuerlichen Einkommens durch grund-, gerichts- oder landesherrliche Abgaben in unserem Zeitraum vergrößerte, verringerte oder auf gleichem Niveau blieb[27], scheint dabei die Frage nach der wirtschaftlichen Belastbarkeit der Masse der bäuerlichen Bevölkerung. Alle zur Verfügung stehenden Angaben haben nun ergeben, daß dem überwiegenden Teil der bäuerlichen Bevölkerung nur eine „mäßige Landausstattung" zur Verfügung stand. Von daher ergibt sich die Feststellung, daß diesem Teil der Bevölkerung nur ein außerordentlich geringer Spielraum für eine über den Eigenbedarf hinausgehende Produktion gegeben war. Wenn auch die Berechnung, daß 70–80% der bäuerlichen Familien mit einem Durchschnittsertrag von 18–35 dz Roggengetreide ständig an der Grenze des Existenzminimums lebten[28], durch Zuverdienstmöglichkeiten verschiedener Art relativiert wird, so läßt sich doch daraus die generelle Konsequenz ziehen, daß die bäuerliche Bevölkerung in ihrer relevanten Mehrheit beständig Gefahr lief, an den Rand des Existenzminimums zu geraten. Von daher erklärt sich auch die zunächst unverständliche Verbissenheit, mit der selbst um kleinste Leitungen gekämpft wurde, etwa die Verpflichtung des Grundherren zur Gewährung des Fronbrotes. Da jede einzelne aus dem „bunten Chaos der bäuerlichen Lasten" (W. Roscher) als Bestimmungsfaktor des bäuerlichen Ertragsspielraums angesehen werden muß, konnte die Auseinandersetzung um jede einzelne dieser Leistungen nicht ausbleiben. Eine Charakterisierung der Anlässe für Auseinandersetzungen zwischen Grundherren und Untertanen als „recht unbedeutend" – so urteilte einmal Friedrich Lütge[29] – trifft deshalb nicht die spezifische Problematik der Einkommenslage der bäuerlichen Untertanen. Charakteristisch für diese prekäre Lage der Bauernschaft ist die Beurteilung der Einkom-

mensverhältnisse der niederhessischen Gemeinde Schwebda durch Johann Stephan Pütter, der 1746 schrieb: „Benimmt man der Gemeinde Schwebda die gemeine Weide, so kann kein Einwohner, der nicht für sich ein ansehnliches Vermögen hat (wie doch in Dörfern zumahl in Schwebda nicht zu finden) seine Nahrung haben."[30]

3.4. Rechtliche Rahmenbedingungen für bäuerlichen Widerstand

3.4.1. Die Kriminalisierung des Widerstands nach dem Bauernkrieg

Schon der Ausgang des Bauernkrieges hatte in aller Deutlichkeit gezeigt, daß die Obrigkeiten der betroffenen Herrschaften nicht darum verlegen waren, das Strafgericht über die aufständischen Untertanen juristisch einzuordnen und zu begründen[31]. Darüber hinaus war es eines der Ergebnisse des Bauernkrieges, über die Konsensus bestehen dürfte, daß dieser Aufstand selbst Anlaß bot, die überkommenen Bestimmungen gegen den Aufruhr der Untertanen zu überprüfen und, wo dies als notwendig erachtet wurde, zu verschärfen. Der Reichsabschied von 1526 war auch auf diesem Gebiet ein wichtiger Einschnitt, weil nach seinen Bestimmungen kein Zweifel mehr darüber bestehen konnte, daß Widerstand gegen die Obrigkeit nicht nur verboten war, sondern auch alle Maßnahmen bereitgestellt waren, die das Zusammenspiel der territorialen Obrigkeiten gegen den Aufruhr der Untertanen sicherstellten[32]. In den Reichsabschieden von 1529 und 1530 wurden diese Bestimmungen wiederholt. Daß auch der Schwäbische Bund nach dem Ende des Bauernkrieges alle Maßnahmen traf, um sich gegen künftige Untertanenbewegungen zu schützen, bedarf keiner besonderen Hervorhebung. Hier bediente man sich vor allem der Bundespatrouillen noch bis 1528, der Waffenablieferung gefangener Bauern und der strengen Durchführung der Brandschatzungen, um künftige Erhebungen zu verhindern. Darüber hinaus ließ jedoch auch der Schwäbische Bund keinen Zweifel daran, daß es ihm um eine langfristige Pazifizierung der Untertanen durch Kompromißlösungen und Verträge zwischen Obrigkeiten und Untertanen ging. Er stellte schon im Januar 1527 seinen Mitgliedern gegenüber klar, daß „wo ainicher Bundts stannd dardurch ain Aufrur erwecken, und das Es untugklicher weyse seinthalb beschehen were sich erfynden, so werd man sich desselben nit beladen oder annemen."[33]
Eine weitere Verdeutlichung und Verbreitung der Strafwürdigkeit von Aufruhr bedeuteten die Formulierungen des Art. 127 der Constitutio Criminalis Carolina (CCC), die Aufruhr mit Todesstrafe oder Landesverweisung bedrohten[34]. Die grundlegenden Bestimmungen des Reichs wie die Landfriedensgesetzgebung, die Carolina und der Reichsabschied von 1526 erfuhren in den einzelnen Territorien

noch weitere Verstärkung und Spezifizierung. Ein Edikt des Herzogs von Jülich und Berg aus dem Jahre 1554 untersagte bei Leib- und Lebensstrafen jede Art von „Rottierung und Conspiration“[35], sogar die Ordnungen kleinerer Herrschaften übernahmen Bestimmungen gegen Aufruhr (St. Peter im Schwarzwald)[36] oder stellten, wie etwa in der Grafschaft Rotenfels im Allgäu, den Schulmeister unter Verbot, gegen den Grafen „weder (zu) schreiben, rathen, reden noch beystand thun, weder heimlich noch offenlich“[37]. Auch der Reichsabschied von 1548 und die Reichsexekutionsordnung von 1555 betonten noch einmal das Verbot des Widerstandes gegen die rechtmäßige Obrigkeit[38]. Insgesamt konnte so kein Zweifel mehr daran bestehen, daß die verschiedenen administrativen Ebenen des Reiches, also Territorien, Kreise und das Reich selbst, für eine eindeutige und durchgreifende Kriminalisierung des Widerstands gesorgt hatten.

Neben diesen vielfältigen positiv-rechtlichen Bestimmungen „contra subditos refractarios“ setzte sich auch in der Publizistik dieser Epoche eine Tendenz durch, den Widerstand der Untertanen gegen die Obrigkeit als unchristlich und verwerflich hinzustellen. Mit dieser „Publizistik“ sollen hier alle jene Veröffentlichungen gemeint sein, die – wie z. B. Predigtsammlungen, Steuermandate, Flugschriften, Neue Zeitungen u. ä. – Äußerungen zur Stellung der untertänigen Bevölkerung in der ständischen Gesellschaftsordnung enthielten.

Gemeinsamer Ausgangspunkt sowohl katholischer wie protestantischer Schriften war hier die historische Erfahrung des Bauernkrieges und die einschlägigen Stellungnahmen Luthers, Melanchthons, eines Brenz oder eines Cochläus. Charakteristisch hierfür mag die deutsche Übersetzung des Bauernkriegsberichtes des Petrus Gnodalius sein, die 1573 durch Jakob Schlusser vorgelegt wurde. Er wollte „die grosse, erschreckliche, unsinnige, unchristliche empörung der Bawrschafft“ beschreiben, die „mit grossem blutvergiessen und schaden gestillet“ wurde. Diese Übersetzung veranstaltete er „dem gemeinen man zum besten“, ihre Wirkung suchte er durch den nachfolgenden Abdruck von Martin Luthers „Ermahnung zum frid“, von Johann Brenzens Predigt „Vom Gehorsam der Untertanen“ und Johann Eberlins „Getrewe Warnung an die Christen der Burgawischen Mark, sich auch fürhin zu hüten vor auffruhr und vor falschen Predigern“ zu verstärken[39]. In Ingolstadt erschien 1601 eine kleine Schrift über die österreichischen Bauernkriege zwischen 1595–98, die ebenfalls „dem gemeynen Mann zu gutem verteutscht“ worden war[40]. Solche historisch argumentierenden Aufforderungen zum Gehorsam und die damit verbundenen Versuche zur Begründung dieses Gehorsams aus den strukturellen Gegebenheiten der ständischen Gesellschaft heraus erwiesen sich besonders notwendig angesichts der steigenden steuerlichen Belastung der untertänigen Bevölkerung, über die bereits gesprochen wurde. Der frühmoderne „Militär-, Finanz- und Verwaltungsstaat“ war in hohem Maße auf die problemlose Einziehung dieser Steuern angewiesen und unterstützte deshalb alle Versuche, die Bevölkerung zum Gehorsam zu ermahnen.

Einige Beispiele mögen die differenzierten Bemühungen belegen, von denen hier gesprochen wurde. Als in Salzburg 1573 eine „Neue Zeitung" in Versform erschien, die eine Schilderung und Wertung der Niederlage der Bauern im Windischen Bauernaufstand gab, schloß der Verfasser die 33 Strophen mit den folgenden Versen:

„Darumb will Gott auch von uns han,
Daß man der Oberkeit sei underthan;
– Glaubt mir in der Wahrheite! –
Denn Gott sie selbst geordnet hat
zu strafen die Bosheite.
Darumb, ihr Christen arm und reich,
Nemet ein Beispiel all zugleich,
Fangt's an in Gottes Namen!
Daß wir der Obrigkeit gehorsam sein,
Drauf sing ich frölich: Amen!"[41]

Eine andere Flugschrift von 1566 diskutierte die Art und Weise, wie das Reich auf die Bedrohung durch die Türken zu reagieren habe. Diese Schrift eines katholischen Pfarrers ging von der funktionalen Dreiteilung der Gesellschaft in Wehr-, Lehr- und Nährstand aus („Der Bapst lehr, der Kayser wehr, der Bawr ernehr") und forderte die Untertanen zu fleißiger Arbeit und williger Bezahlung von Abgaben und Steuern auf: „Gedenckt, daß sie (die Obrigkeiten – W. S.) für euch gleich als wol, als für sich selber streiten. Ir sollt auch euch inn kain auffruer wider oder auch abfall von ewer christlichen angeborenen obrigkait geben."[42]

Auch die Titel einiger Schriften des 16. und 17. Jahrhunderts mögen belegen, in welch vielfältiger Weise die Rolle der Untertanen als gehorsame Steuerzahler und Bearbeiter des Landes thematisiert wurde. 1585 schrieb Johann Schuwardt einen „Spiegel der Unterthanen"[43], in dem er Richtlinien für ein gott- und obrigkeitsgefälliges Verhalten entwickelte, 1685 schrieb der Jurist und Kanzler Ahasver Fritsch seinen „Subditus peccans, sive tractatus de peccatis subditorum"[44] und der Hallenser Superintendent Arnold Mengering widmete 1642 in seinem „Scrutinium conscientiae catecheticum" ein umfangreiches Kapitel der Frage, welche Pflichten der Untertan gegenüber seinem Herrn zu erfüllen habe[45]. Die Anlage dieses Buches als „Beichtspiegel" mit speziellen Fragen zur Gewissenserforschung („47. Gewissensfrage: Ob sie in ihre ordentliche Oberkeit einiges Mißtrauen gesetzt . . .?") war besonders geeignet, ein eventuelles Fehlverhalten der Untertanen herauszufinden und sofort zu verurteilen.

Es kann somit kein Zweifel bestehen, daß der Ungehorsam gegenüber der Obrigkeit, d. h. praktisch die Bestreitung von Ansprüchen der Grund- oder Landesherren, von den verantwortlichen administrativen und kirchlichen Instanzen als Verbrechen und Sünde kriminalisiert wurde. Der „Thesaurus practicus“ des Christoph Besold, ein im 17. Jahrhundert in mehreren Auflagen verbreitetes juristisches Lexikon, stellte es als gängige Rechtsregel hin, „quod semper favendum sit veteri statui, nec novatoribus adhaerendum“[46], und charakterisierte damit ebenso die obrigkeitliche Auffassung, wie die Bemerkungen Besolds aus dessen „Discursus de aerario publico“ von 1626, der seinerseits den folgenden Predigttext zustimmend zitierte:

> „Underthanen haben keinen Befelch sich wider solche Last auffzulehnen, sondern das Creutz geduldig zu tragen und Gott umb Linderung zu bitten, das lehret Gotts Wort, und nicht Auffruhr stifften und den Frieden zerstören. Dann solche pressurae seind Zeichen des Jüngsten Tags und der herzunachenden Erlösung. Wann die Beschwerungen auffs höchste kommen, so pflegt der Erlöser auch zu kommen.“[47]

3.4.2. Möglichkeiten des rechtlichen Widerstands

Wenn wir so deutlich gemacht haben, daß bäuerlicher Widerstand prinzipiell verboten und mit schweren Strafen belegt war, so kann das nur als erste und allgemeine Charakterisierung gelten, die scheinbar auch in Widerspruch steht zu den hier aufzuzeigenden Möglichkeiten des rechtlichen Widerstands. Anzuknüpfen ist hier noch einmal an den Ausgang des Bauernkriegs, d. h. den Reichstagsabschied des Jahres 1526 und die Kapitulationsbedingungen des Schwäbischen Bundes. Neben den dort verabredeten Strafbestimmungen und gegenseitigen Hilfsfestlegungen war es ein bemerkenswertes Ergebnis dieser Beschlüsse, daß Maßnahmen erwogen wurden, um künftigen Unruhen der Untertanen vorzubeugen. Den Weg, der hier ansatzweise beschritten wurde, kann man bezeichnen als zumindest tendenzielle „Verrechtlichung sozialer Konflikte“[48]. Neben dem Ratschlag, den Untertanen nach dem Ende des Bauernkrieges ihre Rechte zurückzugeben und sie in Zukunft nicht „unbillich“ zu beschweren, war es vor allem der auch in den Reichsabschied aus dem Gutachten des Großen Ausschusses übernommene Beschluß, Streitigkeiten zwischen landsässigen Grundherren und ihren Untertanen an die territorialen Hofgerichte, Streitigkeiten zwischen reichsunmittelbaren Herren und ihren Untertanen an das Kammergericht zu verweisen. Selbst wenn man bedenkt, daß diesem Vorschlag im Reichsabschied geringeres Gewicht zukam als den erwähnten Strafbestimmungen, so wird man – auch im Zusammenhang mit den intensiveren Beratungen während des Reichstags und der Unterstützung dieser Maßnahmen durch den Schwäbischen Bund – doch daran festhalten müssen, daß dieser Reichsabschied insgesamt auf „mehr Rechtssicherheit“ und „eine gerechtere Sozialordnung“ (P. Blickle) abzielte. Eine solche Wertung wird sich vor allem dann aufrechterhalten lassen, wenn man dieses Ergebnis des Bauernkrieges mit den Verhaltensweisen konfrontiert, mit denen in anderen europäischen Staaten Bauernerhebungen des 16. Jahrhunderts pazifiziert wurden. Das Ergebnis des ungarischen Dózsaaufstands von 1514 lief auf eine eindeutige Unterdrückung der Bauernschaft hinaus. Hier wurde die Schollenpflichtigkeit festgeschrieben und – im direkten Unterschied zu Deutschland 1526 – hier wurde das Klagerecht der Untertanen beseitigt[50]. Auch in den französischen und englischen Bauernrevolten des 16. Jahrhunderts (Gabelleaufstand von 1548 und Kett's Rebellion um Norfolk 1549) finden sich keine Beschlüsse der regionalen oder nationalen Ständeversammlungen, die explizit die Bauernschaft in einer 1526 vergleichbaren Weise auf den Rechtsweg verwiesen hätten[51].

Natürlich muß man bedenken, daß die Formulierungen des Reichsabschieds von 1526 noch nicht bedeuteten, daß dieser Prozeß der „Verrechtlichung" in den Territorien auch umgehend verwirklicht worden wäre. Wir können jedoch eine Reihe von Anzeichen dafür nicht übersehen, daß sich der einmal inaugurierte Vorgang der „Verrechtlichung" innerhalb der territorialen Instanzen und der Reichsgerichtsbarkeit durchsetzte. Schon unmittelbar nach dem Bauernkrieg hatte sich der Reichstag von 1530, wie schon 1529, erneut mit den Fragen des Aufstands zu beschäftigen. Der Abschied verbot dem Reichskammergericht, den Untertanen, die nach dem Kriege hatten Urfehde schwören müssen, gegen ihre Obrigkeiten Mandate zuzuerkennen. Außerdem geht aus dem Beschluß die Tatsache hervor, daß eine offensichtlich erhebliche Zahl von Bauern am Reichskammergericht Klage wegen des Verlusts des Waffenrechts geführt hatte[52].

Wir sehen in den habsburgischen Erbländern, daß seit den 30er Jahren des 16. Jahrhunderts Bestimmungen erlassen wurden, die zunächst den Untertanen des Kammerguts und der Pfandherrschaften (1539), später allen Untertanen das Recht der Beschwerde an die jeweiligen Regierungen einräumte (1579)[53]. Zudem kommt es im 16. Jahrhundert in den Groß- und Mittelterritorien zu Landrechtsreformationen und Neu- oder Umorganisation zentraler Rechtsbehörden, die – wie etwa das sächsische Oberappellationsgericht von 1559[54] – als Anlaufstellen für Untertanenprozesse geeignet waren. Dieser Vorgang der Schaffung geeigneter Rechtsinstanzen wird gegen Ende des 16. Jahrhunderts noch einmal forciert, als der Reichsdeputationsabschied des Jahres 1600 neben anderen Regelungen über die Klagen von „armen Partheyen" und Untertanen allen Obrigkeiten auferlegte, ihre Unter-, Ober- und Hofgerichte zu reformieren und zu besetzen und an diesen Gerichten alle Untertanenklagen unter der Appellationssumme von 300 fl. (der Grenze für Klagen an das Reichskammergericht) annehmen und entscheiden zu lassen[55]. Auch sollte auf Verlangen einer Partei der Ratschlag einer auswärtigen Fakultät eingeholt werden, um so eine größere Unparteilichkeit der Rechtsprechung zu gewährleisten[56].

Wenn wir so zunächst einmal die Entwicklung zwischen dem Ende des Bauernkrieges, der nach dem Urteil eines Juristen des 18. Jahrhunderts „überhaupt auf die teutsche Gesetzgebung keinen unbeträchtlichen Einfluß geäußert hat"[57], und dem Ende des 16. Jahrhunderts feststellen, so ist damit die generelle Tendenz hinsichtlich der judikativen Instanzen angesprochen. Eine Bestätigung dieser institutionellen Entwicklung bietet der numerische Befund der bislang nachweisbaren Untertanenprozesse, der im 16. Jahrhundert eindeutig ansteigt[58] und – was noch eindeutiger ist – die Tatsache, daß seit der Mitte des 16. Jahrhunderts allenthalben von den Reichsständen versucht wurde, die häufigen Klagen ihrer jeweiligen Untertanen an den Reichsgerichten einzudämmen. Einen ersten Erfolg zeitigten diese Bemühungen, als nach der Kammergerichtsvisitation von 1568 in einem Memoriale außerhalb des offiziellen Abschieds das Kammergericht angewiesen wurde, „die vorbrachte Narrata der Unterthanen" durch den „notwendigen Bericht der Obrigkeiten" überprüfen zu lassen[59]. Die gleiche Absicht wurde auf einem niederrheinisch-westfälischen Kreistag von 1586 deutlich ausgesprochen, als die Stände sich heftig über die Prozessiersucht ihrer Untertanen beklagten und Gegenmaßnahmen forderten[60]. Diese Politik der „Klageverhinderung" fand weitere Teilerfolge in dem eben erwähnten Deputationsabschied des Jahres 1600, der neben anderen Kontrollmaßnahmen gegenüber Untertanenklagen – so z. B. Angabe des Klageanstifters oder des Advokaten – die Appellationssumme erhöhte. Schon vorher war im Reichsabschied 1594 bestimmt worden, daß in Untertanenklagen gegen Obrigkeiten Mandate den Untertanen „nicht leichtlich" erteilt werden sollten[61]. Im Entwurf einer neuen Reichskammergerichtsordnung von 1613 wurde diese generelle Kautele um die Bestimmung erweitert, daß in diesen Klagen die betroffene Obrigkeit „um nothwendigen Bericht" gebeten werden müsse[62]. Damit war eine besondere Modalität in Untertanenprozessen festgelegt worden, die bis zum Ende des alten Reiches diese Prozesse prägen sollte. Kernpunkt der reichsständischen Argumentation war hierbei die „praesumptio pro magistratu"[63], also die grundlegende Vermutung, daß eine jede Obrigkeit ihre Untertanen nach Recht und Gebühr behandele. Das „Schreiben um Bericht" fand auch Eingang in den Reichsabschied von 1654 und bedeutete damit zumindest eine sehr allgemeine Kautele gegenüber den Reichsgerichten, die damit angehalten wurden, „denen Unterthanen und Burgern wider ihre Obrigkeit die Prozeß nicht leichtlich (zu) erkennen"[64]. Daß ohnehin bestimmte Klagen von Untertanen gegen Reichsstände nicht angenommen werden durften, war schon im Zusammenhang mit den Türkensteuerbewilligungen des späten 16. Jahrhunderts festgelegt worden und wurde nach der Erweiterung des Besteuerungsrechtes der Reichsstände für Militärzwecke in § 180 des J. R. A. von 1654 auf diese Fälle ausgedehnt. Die Bemerkungen von Bernhard Diestelkamp, dessen Neubewertung der Kammergerichtsjudikatur im 16. Jahrhundert unser Bild dieser Institution erheblich differenziert hat, über das Vertrauen bäuerlicher Untertanen gegenüber dem Reichskammergericht scheinen mir angesichts der eben beschriebenen Versuche zur Eindämmung bäuerlicher Klagen nicht voll zu überzeugen. Er übersieht dabei sowohl die bereits erwähnten Klagen am Reichskammergericht unmittelbar nach dem Bauernkrieg, die dann ihren Niederschlag im Reichsabschied 1530 fanden, wie auch die Vielzahl bäuerlicher Prozesse gegen die Höhe der Reichssteuern seit dem späten 16. Jahrhundert[65]. Man braucht nur auf die Tatsache zu verweisen, daß die Bauern des Dorfs Hatten im Hattgau zwischen 1532 und 1567 zehn Mandate gegen ihren Landesherrn beantragten und erhielten. Ein vergleichbarer „Dauerkläger" war die Gemeinde Odenheim des adeligen Ritterstifts Bruchsal, die während des 16. Jahrhunderts ebenfalls ein gutes Dutzend Mandate gegen das Stift beantragte[66]. Natürlich waren die Klagemöglichkeiten der Untertanen an den Reichsgerichten – wo diese nicht durch unüberwindbare Appellationsprivilegien ohnehin unmöglich waren[67] – den betroffenen Reichsständen ein Dorn im Auge. Mehrfach versuchten sie, diese Klagemöglichkeiten abzuschaffen oder wenigstens einzuschränken. So, wie jedoch der Kaiserhof 1671 eine Ausdehnung des Besteuerungsrechtes verhindert hatte[68], so setzte er sich auch allen Versuchen zur Wehr, diese Klagemöglichkeiten anläßlich etwa der Verhandlungen über die Wahlkapitulationen einschränken zu lassen. Die Reichsgerichte taten durch ihre eindeutige Praxis das ihrige und hielten somit das Klagerecht der Untertanen als wesentliches Untertanenrecht aufrecht. Folgt man einer Spezialarbeit über das „Schreiben um Bericht" aus dem Jahr 1791, so interpretierten die Gerichte die Worte „nicht leichtlich" so, daß sogar nur dann um Bericht zu schreiben sei, wenn die Umstände der Klage „nicht leichtlich" zu erkennen seien[69]. Jedenfalls wußte Johann Ulrich von Cramer, der Verfasser der Wetzlarischen Nebenstunden, von „unzehlbare(n) Praejudicia", „wo man ohne Bericht Mandata erkannt hat"[70]. Auch von Zwierlein und Schellhaß schlossen sich dieser Meinung an, wobei letzterer sich nicht scheute, die anläßlich der Wahlkapitulation Leopolds II. erfolgte Verschärfung der Berichtspraxis als „fehlerhafte Gesetzgebung" zu kritisieren[71].

Nach dieser ersten Vorklärung der Möglichkeiten von Untertanenklagen gegen ihre Obrigkeiten am Reichskammergericht müssen nun die Fragen der Zuständigkeit und der Prozeßformen erörtert werden. Wenn diese Fragen auch relativ komplizierte Materien der Reichsverfassung berühren und auch in der neueren Forschung noch nicht hinreichend geklärt worden sind[72], so kommt doch gerade diesen scheinbar formalen Fragen besonderes Gewicht zu, da hiermit der Spielraum des prozessualen Widerstands abgesteckt wird.

Ganz eindeutig stand die Zuständigkeit des Reichskammergerichts für alle Landfriedensbrüche fest, denn der Tatbestand des Landfriedens war nicht mehr nur auf Reichsstände begrenzt. Mehr und mehr bezog sich der Landfrieden auf die allgemeine Ruhe und Ordnung im Reich und bedrohte daher den Landfrieden brechende Angehörige „hoch oder nidern weltlich stands" mit der Achtstrafe[73].

Wichtiger freilich als die bislang erwähnten Klagemöglichkeiten und die Landfriedensregelung, die ja nur den Sonderfall des gewalttätigen Aufruhrs bestrafte, sind für unseren Zusammenhang die Prozesse zwischen reichsunmittelbaren Landesherren und deren Untertanen. Nach vorhergehenden unklaren Regelungen in der Reichskammergerichtsordnung von 1500 bestimmte die Reichskammergerichtsordnung von 1555, daß Klagen von Untertanen gegen ihre eigenen Landesherren vor die sog. ,,Austräge" gehörten[74], von denen wiederum an das Kammergericht appelliert werden konnte.

Diese Regelung der Austrägalgerichtsbarkeit ist geeignet, den wirklichen Sachverhalt der Klagemöglichkeiten zu verschleiern. Zunächst einmal ist das Austrägalverfahren ein Rest der ständischen Schiedsgerichtsbarkeit, die sich in der Zeit vor der Landfriedensregelung bewährt hatte[75]. Sie war ein Privileg der Reichsstände zunächst untereinander, dann aber auch, wenn sie von fremden und eigenen Untertanen beklagt wurden. Charakteristisch für das Austrägalverfahren war eine Palette von insgesamt 8 Klagemöglichkeiten, unter denen der Kläger auswählen konnte. Sie reichte von der Möglichkeit, daß der Beklagte seine eigenen Räte als Austrägalinstanz einsetzte, über die Wahl von drei ,,unpartheyischen Fürsten" bis zur Wahl eines ,,unpartheyischen Commissarius". Praktisch bedeutete diese Regelung, daß vielfach das eigene Hofgericht des beklagten Reichsstands ein ,,Surrogat der Austräge" wurde, wie dies Schellhaß formulierte[76]. Zum anderen nutzten einige Reichsstände die Möglichkeit, die theoretische Wahlfreiheit der Verfahren einzuschränken, ein Vorgang, der vor allem in den großen Territorien zu betrachten ist und auch schon zu Anfang des 17. Jahrhunderts als ,,Herkommen" galt. Wesentliche Bestimmung dieses Verfahrens war jedoch, wie Schellhaß gegen andere zeitgenössische Juristen beweisen konnte, die Möglichkeit der Appellation an das Reichskammergericht[77].

Die in diesen Austrägalverfahren enthaltenen Verzögerungsmöglichkeiten wurden zusätzlich eingeschränkt durch die Regelung, daß in Spolienklagen im Austrägalverfahren bestimmte Kautelen zugunsten der ihrer Rechte oder ihres Besitzes ,,entsetzten" Untertanen eingebaut waren, die die Schnelligkeit des Verfahrens und die Sicherung juristischer Beobachtung garantierten[78]. Versuche der Reichsstände, in den Verhandlungen über die Wahlkapitulation Leopolds II. die Appellationsmöglichkeit von den Austrägalurteilen einzuschränken, hatten zwar de jure Erfolg, blieben nach dem Urteil zeitgenössischer Beobachter jedoch in der Praxis irrelevant[79].

Die anfangs angesprochene Undeutlichkeit des Austrägalverfahrens galt ebenfalls für die in den 8 Modi enthaltene Möglichkeit, eine Kommission aus 3 Fürsten zu bilden. Die auf diese Weise eingesetzten Kommisionen ,,ad austregas" unterschieden sich – oberflächlich betrachtet – kaum von den Kommisionen, die von beiden Reichsgerichten zur Untersuchung, gütlichen Vergleichung oder Entscheidung einer Streitsache zwischen Landesherren und Untertanen eingesetzt wurden. Tatsächlich aber waren die Austrägalkommissionen eine eigene judikative Instanz, während die anderen Kommissionen nur Teilfunktionen innerhalb des Prozesses übernahmen[80].

Wenn wir noch einmal den bislang beschriebenen Katalog der Klagemöglichkeiten überblicken, so waren damit einmal ganz allgemeine Untertanenklagen gegen ,,Bedrückungen" und ,,Beschwerungen", wie die Einführung neuer Dienste oder neuer Abgaben, gerichtsnotorisch zu machen. Zweitens waren damit die Fälle zu erfassen, in denen Landesherren ihre Untertanen ihrer ,,habenden Possession und Gewehre (zu) entsetzen" versuchten. In diesen Fällen mußte der Austrag besonders schnell eingesetzt werden.

Neben diesen beiden in ihrer Schwere unterschiedenen Klagemöglichkeiten hatten die Reichsgerichte noch ein weiteres Eingriffsrecht in die Beziehungen zwischen Landesherren und Untertanen. Vergleichbar in etwa dem Institut der einstweiligen Verfügung konnte das Reichskammergericht die Interessen von Untertanen durch ein sog. ,,mandatum sine clausula" wahren, wenn ,,die sach und handlung, darüber die Kayserliche Mandate zu erkennen gebetten, an ihr selbst von Rechts oder Gewonheit wegen verbotten. Und so diselbe begangen, auch ohne einige weiter Erkantniß, für strafwürdig oder unrechtmäßig zu halten, oder daß dardurch dem anruffenden Theil ein solche Beschwerd auffgelegt und zugefügt wurde, die nach begangener That nicht wider zu bringen, oder daß die Sach wider den *gemeynen nutz* wäre oder keinen Verzug leiden möchte."[81]

Aus dieser Bestimmung ergibt sich sehr deutlich, daß der Mandatsprozeß der wohl wichtigste Ansatzpunkt der Reichsgerichte war, um bedrängten Untertanen zu helfen. Von besonderem Interesse ist dabei, daß dieses Mandat u. a. von der Verletzung des ,,gemeynen nutzens" abhängig gemacht und damit den Reichsgerichten ein außerordentlich weiter Spielraum zur Verfügung gestellt wurde. Dieser Spielraum war vor allem dazu geeignet, durch einen schnellen reichsgerichtlichen Eingriff einen eventuellen Aufstand oder zumindest die Ausweitung einer lokalen Revolte zu verhindern.

Es ist wohl das Ergebnis dieser Eingriffsmöglichkeit durch das ,,mandatum sine clausula", daß schon gegen Ende des 16. Jahrhunderts der Tatbestand der ,,saevitia dominorum" seine quasi-reichsrechtliche Verankerung fand. Im autoritativen Handbuch der Kammergerichtsjudikatur des Andreas Gail finden wir schon 1578 (und seitdem in vielen Neuauflagen) diesen Tatbestand fixiert:

> ,,Wann ein Herr allzu sehr gegen und wieder seine Untertanen tyrannisieret, wütet oder tobet und dieselben über die Maßen beschweret und zu ungewöhnlichen Hof- und anderen ungebräuchlichen Diensten als Botschaften, Schildwachen und andern mit Gewalt zwingt, in solchem Fall mügen die Untertanen wohl der hohen Obrigkeit Hülf und Schutz anrufen und

begehren, daß den Herren bei hoher Straf auferleget werde, sie über Gebühr nicht zu beschweren."[82]

Man muß konstatieren, daß die Fixierung dieses neuen Tatbestandes ein außerordentlich wichtiger Entwicklungsschritt war, dessen Bedeutung m. E. kaum überschätzt werden kann. Damit war – unabhängig von dem Wortlaut der Reichsgesetze – ein Oberbegriff für das Verhalten von grund- oder landesherrlichen Obrigkeiten eingeführt worden, der alle hier einschlägigen Beschwerungen von Untertanen in sich aufnahm bzw. noch aufnehmen konnte. Diese Bestimmung baute auf der allgemeiner formulierten lehnsrechtlichen Regel über den Verlust des Lehens „ob deteriorationem feudi" auf. Als Spezialfall der Verschlechterung des Lehens galt nach der Lehnsrechtskompilation des Heinrich von Rosenthal aus dem Jahre 1600 die ungerechte Belastung der Untertanen mit ungewöhnlichen Diensten, „quia (vasallus) dominio abutitur et sic se indignum faciet dominari."[83]

Mit der Formulierung vom „tyrannischen Herrn" war auch ein für die Untertanen verständliches und einprägsames Schlagwort gefunden[84], das eine erhebliche Wirkung auf die Entwicklung des prozessualen Widerstands hatte und dessen Auswirkungen in einzelnen Revolten wir feststellen können. Wenn auch Gail im entsprechenden Kapitel seines Handbuches einschränkend darauf verwiesen hatte, daß Mandate s. c. gegen Obrigkeiten nicht „leichtfertig" erkannt werden dürften – „gemeiner Rechtslehr nach hat ein jeder Magistratus oder Obrigkeit die Präsumption oder stattliche Vermutung vor sich, daß sie jedem Gleich und Recht zu lassen geneigt" – so kann nicht bestritten werden, daß mit dieser prinzipiellen Abwehrmöglichkeit gegen „viehische behandlung" ein wichtiger Rechtsgrundsatz durchgesetzt worden war. Für eine Jenenser juristische Dissertation von 1692 bestand kein Zweifel, daß selbst gegenüber Leibeigenen die ungemessenen Dienste nicht unbegrenzt vermehrt werden durften, sondern nach dem Urteil eines guten Mannes zu begrenzen seien. Hinsichtlich der „remedia" gegen die „saevitia dominorum" stellte die Arbeit fest, daß den beschwerten Untertanen verschiedene Möglichkeiten der rechtlichen Gegenwehr zur Verfügung standen, wobei die bislang erwähnten Verfahren angesprochen wurden[85]. Auch der Kammergerichtsassessor Ludolf sah in seinem Kommentar des Kameralrechts von 1722 den Tatbestand der „saevitia dominorum" und den Einsatz der „Mandate sine clausula" als gegeben an[86].

Schließlich muß noch ein spezielles Problem erörtert werden. Es betrifft die Frage, inwieweit es den Obrigkeiten erlaubt war, gegen ihre ungehorsamen Untertanen selbst vorzugehen und sie „zum Gehorsam" zu bringen. Ausgangspunkt dieser Frage muß zunächst die Regelung des Reichsabschieds von 1526 sein, in der den Ständen die Abwehr von neuer „Aufruhr und Empörung" anheimgestellt wurde. Dieser Gedanke war auch in die Wahlkapitulation übernommen worden, wo es hieß: „Inmassen dann auch Churfürsten, Fürsten und Stände (die unmittelbare freye Reichs-Ritterschaft mit begriffen) zugelassen und erlaubt seyn solle, sich nach der Verordnung deren Reichs-Constitutionen bey iren hergebrachten und habenden und Lands-Fürstlichen und herrlichen Juribus selbsten und mit Assistentz der benachbarten Ständen wider ihre Unterthanen zu manutenieren und sie zum Gehorsam zu bringen." Diese Bestimmung wurde freilich relativiert durch den Begriff der „hergebrachten und habenden juribus" und durch den folgenden Zusatz, daß „da aber die Streitigkeiten vor dem Richter mit Recht verfangen wären, sollen solche aufs schleunigste ausgeführet und entschieden werden"[87]. Da bekannlich die Streitigkeiten zwischen Untertanen und Obrigkeiten darum gingen, ob bestimmte Belastungen „hergebracht" seien oder nicht, kann leicht geschlossen werden, daß das Recht der bewaffneten Selbsthilfe außerordentlich schwach entwickelt war. Es beschränkte sich praktisch auf ein Pfändungs- und Arrestierungsrecht bei Steuern und Renten, wie dies schon von Gail im späten 16. Jahrhundert festgestellt worden war, wenn er formulierte: „Moribus Germaniae contra subditos contumaces et inobedientes per arrestia bonorum et personarum proceditur."[88] Für Samuel Stryk bestand in einer 1695 verfaßten Disputation kein Zweifel daran, daß sich „die Fürsten gegen ihre Untertanen nicht der Selbsthilfe sondern des Rechtsweges zu bedienen hätten"[89].

Überblicken wir diesen Komplex der rechtlichen Konfliktmöglichkeiten zwischen Untertanen und territorialen Obrigkeiten, so fällt zunächst auf, daß dieses Problem bislang überhaupt nicht in seiner ganzen Tragweite erkannt und in seiner sachlichen Breite behandelt worden ist[90]. Tatsächlich aber wiederholte sich in dieser Frage die ganze grundsätzliche Schwierigkeit in der Bewertung der Reichsverfassung der frühen Neuzeit. Auf der einen Seite der nur zu gut bekannte Enwicklungstrend zur Ausbildung autonomer Territorien, auf der anderen Seite die weniger bekannten Versuche des Kaiserhofs, bestimmte Eingriffsrechte in die territorialen Rechtsverhältnisse zu bewahren oder sogar – angesichts offensichtlich gegebener Anlässe – noch auszubauen. Auf allen Ebenen der Reichsverfassung wiederholte sich die Auseinandersetzung um die Vormachtstellung von Kaiser und Territorialfürsten, bei Kammergerichts- und Reichshofratsordnungen, den Wahlkapitulationen, der Steuer- und Justizgesetzgebung.

Als Ergebnis können wir festhalten, daß die hier entwickelte und verfeinerte Rechtsordnung grundsätzlich vom Prinzip konkurrierender Eingriffsrechte bestimmt war. Solange der Territorialfürst sich im Bereich der hergebrachten Rechte bewegte und solange die betroffenen Untertanen die jeweiligen Belastungen akzeptierten, galt die alleinige Zuständigkeit der Landesobrigkeit. Sobald aber der Fürst den abgesteckten Spielraum tradierter Rechte überschritt und damit den Widerspruch seiner Untertanen herausforderte, bot die Rechtsordnung des Reichs ein differenziertes System der Beschwerde- und Appellationsmöglichkeiten an. Gegründet auf der Position des Kaisers als oberster Gerichtsherr, als „Quelle der

Gerechtigkeit", ergab sich hier ein für den Widerstand der Untertanen wesentliches Konkurrenzverhältnis, das ein bestimmtes Maß an Rechtssicherheit bereitstellte. Selbst wenn man aus der Praxis der Reichsjudikatur manchen Abstrich an der Durchsetzung dieser Untertanenrechte wird machen müssen, so scheint mir dieser Einwand nur für das Ergebnis der vielen Untertanenprozesse wesentlich zu sein, die in überaus starkem Maße an Kompromißlösungen orientiert waren. Grundsätzlich aber erkannten die territorialen Untertanenverbände die realen Möglichkeiten dieser Rechtsordnung und nutzen sie entsprechend. Von daher scheint mir einer Interpretation, die von den „Illusionen" der Untertanen hinsichtlich ihrer Bewertung des Kaisers ausgeht, der Boden entzogen[91]. Es muß vielmehr darauf ankommen, den hiermit gegebenen rechtlichen Spielraum anzuerkennen, ihn durch Einzelforschungen auszumessen und damit erst in die Lage zu kommen, die Wirkung bäuerlichen Widerstands auf das Rechtssystem des Reiches beurteilen zu können.

Natürlich läuft eine solche Interpretation Gefahr, sich die zeitgenössischen Bewertungen der Reichsjustiz in Untertanensachen zu eigen zu machen und damit zu einem Bild des Reiches als frühmoderner „Rechtsstaat" zu gelangen[92]. Tatsächlich sahen viele Reichsjuristen des 18. Jahrhunderts in dem eben beschriebenen System von Klagemöglichkeiten der Untertanen, dem komplizierten Verfahren von „Reichsaufsicht" über die Territorien ein Bollwerk gegen „Despotismus" und „Tyrannei". Gerade in der Konfrontation mit den französischen Verhältnissen, die vielfachen Anlaß zum Vergleichen boten, trat eine der „schätzbarsten Eigenheiten der teutschen Staatsverfassung" deutlich hervor, die im Schutz jedes mittelbaren Reichsuntertanen „gegen den Mißbrauch der landesherrlichen Gewalt" oder auch darin bestand, daß die Landesherren gegen die „Widerspenstigkeit unruhiger Untertanen" gesichert waren[93]. Für den Reichsjuristen Hoscher ergab sich aus dieser „wohltätigen Einrichtung" die sehr einfache und klare Antwort auf die Frage, welche Mittel in Deutschland zu ergreifen seien, um bestimmte Mängel der „Constitution" abzustellen: „Sicher nicht Rebellion, nicht Selbsthilfe, da wo ein Oberrichter ist, der Hilfe verschafft."[94]

Wenn sich sogar deutsche Fürsten angesichts der französischen Ereignisse befriedigt über die Haltung ihrer eigenen Untertanen äußerten und mit Selbstgefälligkeit auf ihre „Landes-Verfassungen" verwiesen[95], so können solche Bewertungen, die sich unschwer vervielfachen ließen, für die historische Forschung sicher nicht bedeuten, als sei ein Konfliktpotential in den deutschen Territorien des 17. und 18. Jahrhunderts nicht gegeben gewesen. Vielmehr hat gerade erst der Rekurs auf die bislang unerschlossenen judikativen Quellen von „Streitigkeiten", „Rebellionen" etc. gezeigt, wie groß die Zahl der Konflikte war, wie verbreitet bestimmte Formen des Konfliktaustrags geworden waren. Erst eine gründliche Erforschung dieser Auseinandersetzungen und eine entsprechende Neubewertung des Grades an innerer Stabilität in den Territorialstaaten dieser Epoche kann die Grundlage abgeben, auf der dann Untersuchungen über die Wirkung bestimmter Verrechtlichungstendenzen angesetzt werden können. Nicht die Leugnung oder Minimalisierung von Differenzen zwischen Obrigkeiten und Untertanenverbänden, sondern erst ihr Aufzeigen und ihre qualitative und quantitative Gewichtung geben den Hintergrund für eine adäquate Bewertung jener Verrechtlichungsstrategien ab, die in den Territorien und im Reich seit der grundlegenden Erfahrung des Bauernkrieges durchgesetzt wurden.

4. Die Formen des Widerstands und seine Organisation

4.1. Der Begriff des Widerstands

Mit dem Begriff des „Widerstands gegen feudale Herrschaft" wurde bewußt ein Begriff gewählt, der geeignet ist, ein breites Spektrum von sozialen Verhaltensweisen zu charakterisieren, die sich gegen bestimmte Formen der Ausübung von Herrschaft richteten. Wenn dabei diese Herrschaft durch das Adjektiv „feudal" näher bezeichnet wird, so ist damit jene „Dreiheit" von militärischen, politischen und ökonomisch-sozialen Phänomenen angesprochen, die Otto Hintze als konstitutiv für den Feudalismus bezeichnete[1]. Damit ist zugleich Hintzes Überlegung angesprochen, daß in den verschiedenen Phasen des mitteleuropäischen Feudalismus jeweils verschiedene, d. h. militärische, politische oder wirtschaftliche Funktionen das Erscheinungsbild des Feudalismus bestimmten[2].

Der Begriff des Widerstands ist in der historischen Literatur über das Mittelalter und die frühe Neuzeit im allgemeinen eng verbunden mit den politischen Beziehungen ständisch organisierter Verbände gegenüber Kaiser oder Landesfürsten. Auch die Diskussion des Widerstandsrechts, die im Gefolge der konfessionellen Kontroversen des 16. Jahrhunderts aufbrach, blieb ständisch beschränkt und fand auch in ihrer monarchomachischen Version keine Verbindung mit den breiten Schichten der untertänigen Bevölkerung. Daraus können wir schließen, daß der Begriff des Widerstands – der ja im Unterschied zu Ungehorsam oder Rebellion im allgemeinen positiv assoziiert und als legitim betrachtet wird – sozial eng begrenzt war und keinesfalls bis in die nicht herrschaftsfähigen Schichten hineinreichte. Diese soziale Limitierung legitimen Widerstands spiegelte den schon einleitend charakterisierten Tatbestand wieder, daß der konsensuelle Anspruch der feudal strukturierten Ordnung, wie er noch im Schwabenspiegel zitiert deutlich wurde, im Hinblick auf die untertänige Bevölkerung verkümmert war.

Trotz dieser Entwicklung, die durch das Ergebnis des Bauernkrieges, die Reichsgesetze und die Theologen beider Konfessionen gleichsam bestätigt wurde, blieb auch beim „gemeinen Mann" der Anspruch lebendig, daß Herren und Untertanen in einem durch wechselseitige Pflichten geprägten Verhältnis standen und daß bei eklatanter Verletzung der Herrenpflicht auch dem Untertan ein Recht auf Widerstand zustand. Dieser so denkbare Widerstand umfaßte ein breites Spektrum. Er reichte von der Verweigerung der Dienste und Abgaben bis hin zum bewaffneten Widerstand, so wie dies in den Bundschuhaufständen und im Bauernkrieg praktiziert worden war. Widerstand im Sinne von den Herren „nicht dienen wollen" blieb also in der gegebenen ständischen Ordnung notwendigerweise eine tradierte Möglichkeit sozialen Verhaltens für den Fall, daß der Herr den akzeptierten Grad von Belastung seiner Holden überschritt oder ihre Pflichten ihnen gegenüber verletzte.

Historisch greifbar wird Widerstand immer nur im gegebenen Normen- und Sanktionensystem einer Gesellschaft. Für die Erforschung dieses Widerstands bedeutet dies, daß der Historiker nicht moderne Kriterien qualitativer oder quantitativer Art von ,,Widerstand", ,,Klassenkampf" oder ,,sozialem Protest"[3] zugrundelegen darf. Josef Petrans Warnung, alle Aktivitäten zur Verbesserung der wirtschaftlichen Lage als ,,Klassenkampf" zu bezeichnen und damit den Begriff zu überdehnen, kann man sich nur anschließen[4]. Der Historiker muß vielmehr zunächst mit den Kriterien für ,,Widerstand" arbeiten, die das Normen- und Sanktionensystem der von ihm untersuchten Gesellschaft bereitstellt. Damit scheint auch die oft diskutierte Frage nach der Erheblichkeitsschwelle von Widerstandshandlungen beantwortet. Historisch erheblich wird ,,Widerstand" im hier verwendeten Sinne, wenn die jeweiligen Aktivitäten durch das Raster der zeitgenössischen Relevanzkriterien aufgegriffen und somit als Widerstandshandlungen bezeichnet und meist damit auch aktenkundig gemacht werden. Mit dieser ersten Eingrenzung kann auch dem Problem der Abgrenzung zwischen individuellem Widerstand und kollektivem Widerstand Rechnung getragen werden. Die Anwendung der zeitgenössischen Widerstandskriterien, begrifflich fixiert in ,,Aufruhr", ,,Rebellion", ,,Sedition", ,,Conspiration", ,,Landesverschwörung", ,,gemeiner Aufstand" und ihren lateinischen Entsprechungen, bewirkt im allgemeinen eine Beschränkung auf kollektive Tatbestände, grenzt also individuelle Widerstandsakte aus, sofern sie natürlich nicht im Rahmen kollektiver Aktionen erfolgen (Rädelsführer). Keineswegs sollen damit denkbare Formen individuellen Widerstands als irrelevant ausgeklammert werden, vielmehr soll damit eine für die Zwecke dieser Untersuchung praktikable Eingrenzung vorgenommen werden, um den Begriff des Widerstands nicht sinnlos auszuweiten.

Nicht als Widerstand wäre demnach der individuelle Angriff auf einen Amtmann, die Schmähung eines Landesfürsten im Wirtshaus oder ein ähnlicher Sachverhalt zu bezeichnen, wenn dies von Individuen und ohne Verbindung zu einer kollektiven Bewegung begangen wird. Kein Widerstand wäre auch die übliche langsame und nachlässige Verrichtung der Fronarbeit, wenn dies von betroffenen Grundherren als üblich, hergebracht und offensichtlich unabänderlich angesehen wird[5]. Unter der hier entwickelten Erheblichkeitsschwelle läge auch etwa der letztlich konsensuelle Abschluß einer Fronordnung, die Formulierung eines Weistums zwischen bäuerlichen Untertanen und einem Grundherrn, selbst wenn im Lauf der Verhandlungen gegensätzliche Positionen vertreten wurden. Bleiben die entsprechenden Diskussionen jedoch auf die Vertragsparteien beschränkt und entbehren sie begleitender Abgabenverweigerungen, so besteht kein Grund, dieses Verhalten als Widerstand zu qualifizieren. Hier lag vielmehr ein normales Funktionieren der tradierten Mechanismen vor.

Die Anwendung dieser Erheblichkeitsschwelle führt natürlich dazu, vor allem jenes Verhalten von Untertanen als Widerstand zu klassifizieren, das evident mit den gültigen rechtlichen Normen kollidierte und als solches die territorialstaatliche Rechtsordnung tangierte. In der gegebenen Phase der Entwicklung des Verhältnisses von Grundherrschaft und Territorialstaat ist folglich der Widerstand, der den Kompetenzbereich der Grundherrschaft überschritt und damit Reaktionen staatlicher Instanzen erforderlich machte, von besonderem Interesse. Hieran läßt sich die neue Qualität des Widerstands ermessen, der den quasi-autonomen Rechtskreis der Grundherrschaft überschritt und den Eingriff der Landesherrschaft oder substitutiv des Kaiserhofs erforderlich machte.

Die These, die hier vertreten werden soll, besagt, daß im Zeitraum nach dem Großen Bauernkrieg eine bedeutsame Veränderung des bäuerlichen Widerstands zu beobachten ist. In wachsendem Maße verlagert sich der Widerstand aus der Kompetenz der direkt betroffenen Grundherrschaften in den Kompetenzbereich der frühmodernen Staatlichkeit und wird hier in das bereits beschriebene System von unterschiedlichen Klagemöglichkeiten kanalisiert. Insofern macht der bäuerliche Widerstand im hier untersuchten Bereich den gleichen Prozeß der Rationalisierung mit, wie er im staatlichen Bereich als grundlegend erkannt worden ist. Natürlich wäre es falsch, allein im Bauernkrieg den Anlaß für die Verlagerung der Konflikte aus dem Kompetenzbereich der Grundherrschaft in den der Landesherrschaft zu sehen. Zu deutlich sind die ,,Ansatzpunkte politischer Willensbildung der Bauernschaft im spätmittelalterlichen Schwaben, Franken und Bayern" (W. Störmer)[6], unübersehbar die ,,staatliche Funktion des gemeinen Mannes" (P. Blickle) schon am Ende des 15. Jahrhunderts[7], als daß alleine im Bauernkrieg die große Trennlinie gesehen werden dürfte. Auch die Hinweise auf die mannigfache Anwendung schiedsgerichtlicher Verfahren vor dem Bauernkrieg bei K. S. Bader zeigen die fließenden Grenzen auf. Gerade die stärkere Anwendung von Schiedsverfahren (d. h. ja Konfliktlösung durch Außenstehende wie Kaiser, Schwäbischer Bund, benachbarte Fürsten oder Reichsstädte) zeigt jedoch, daß die Tendenz zur Überschreitung des engen herrschaftlich-genossenschaftlichen Rahmens der generelle Trend war, der nach dem Bauernkrieg rationalisiert und institutionell abgesichert wurde. Andererseits bleibt den Untertanen als ,,ultima ratio" der gewaltsame, ,,unkanalisierte" Widerstand im Sinne von ,,Bauernkrieg" erhalten, ja seine potentielle Möglichkeit wirkt als Angst vor Aufständen bei den Obrigkeiten als Stimulans für eine flexible Politik gegenüber den Untertanenverbänden nach dem Prinzip der Zweckmäßigkeit.

Insofern bleibt der bäuerliche Widerstand in unserer Epoche ein komplexes und schwer erfaßbares Phänomen. Zwischen Bauernkrieg und Französischer Revolution als den großen europäischen Manifestationen bäuerlicher Gewalt vollzieht sich insgesamt ein bemerkenswerter Prozeß der Verrechtlichung sozialer Konflikte, der deshalb deutlich herausgehoben werden muß, weil die bisherige Forschung über Bauernbewegungen oft genug von der Vorstellung irrationaler Reaktionen der Bauernschaft ausging, im Sinne etwa der „fureurs paysannes", von denen Roland Mousnier sprach[9], oder auch der Kennzeichnung der Bauernschaft als „blinde Kraft" bei Robert Mandrou und Josef Petran[10].

Jede weitere Bestimmung der Formen bäuerlichen Widerstands muß in einem zweiten Schritt ausgehen von den bäuerlichen Besitzrechten und von der Struktur der Leistungen in den agrarisch dominierten Teilen des Reiches in unserer Epoche. Insofern ist der starken Betonung des Zusammenhangs von Agrarstruktur und bäuerlichem Widerstand durch Gerhard Heitz und andere DDR-Historiker zuzustimmen[11]. Freilich ist damit nur eine Bedingungskomponente des Widerstands angesprochen, die nicht verabsolutiert werden darf. Methodisch erscheint dieser Schritt als eine bewußte Kontrolle des zunächst gewählten „historistischen" Ansatzes bei der Festlegung der Erheblichkeitsschwelle. Hatten wir hier zunächst auf die Selbstdeutung der Zeit zurückgegriffen, so muß jetzt in einem systematischen Zugriff das so gewonnene Material auf seine objektive Relevanz hin überprüft werden. Objektive Relevanz soll hierbei vor allem die aufgrund der gegebenen wirtschaftlichen, sozialen und politisch-juristischen Bedingungen feststellbare Funktion und Bedeutung der gewählten Form des Widerstands heißen. Konkret bedeutet dies, daß wir die Verweigerung einer bestimmten Abgabe, einer bestimmten Dienstleistung auf ihre reale Bedeutung für den eigentlichen Empfänger dieser Abgabe oder Leistung untersuchen müssen. Wir müssen z. B. fragen, wie sich die Flucht eines ganzen Dorfes für den betreffenden Landesherren auswirkt oder wie sich die Beschwerde der Bauern eines Amtes über ihren Landesherrn am Kaiserhof aufgrund der gegebenen Machtverhältnisse für diesen Landesherrn auswirken konnte. Kombinieren wir also in dieser Weise den hermeneutischen Zugriff auf das Material mit einer systematischen Einordnung und Bewertung der so gefundenen Sachverhalte in die politisch-ökonomische Struktur des betreffenden Territoriums, so scheint damit ein Verfahren gegeben, das der Komplexität der untersuchten Phänomene gerecht wird.

4.2. Die Formen des Widerstands: Der latente Widerstand

Von allen Problemen der Erforschung bäuerlichen Widerstands haben die unterschiedlichen Formen des Kampfes der Bauern wohl die stärkste Beachtung gefunden[12]. Das hängt vor allem damit zusammen, daß einmal die offenkundigen nationalen Unterschiede, zum andern aber auch die zeitlichen Differenzierungen der Widerstandsformen zunächst zum Gegenstand der Diskussion wurden. Es wurde bereits auf den Beitrag B. F. Poršnevs verwiesen, dessen Untergliederung des „Klassenkampfs" in Aufstände, Flucht und Teilwiderstand als „Grundformen des offenen bäuerlichen Widerstands" für die weitere marxistische Diskussion grundlegend wurde[13]. Zugleich stellte seine Differenzierung von „niederen" und offensichtlich „höheren" Formen des „Klassenkampfs" einen direkten Impuls dar, eine verfeinerte Abstufung des Widerstands zu erarbeiten. So wies z. B. Gerhard Heitz darauf hin, daß der Begriff der „niederen Formen" begrifflich höhere Formen voraussetzte, „auch wenn sie historisch nicht begegnen" und führte damit eine gewisse Wertigkeit in diese Stufenfolge ein[14]. Daneben war Poršnevs Betonung des „verdeckten wirtschaftlichen Kampfes" (Kosminski) ein Versuch[15], praktisch jede Aktivität zur Erhöhung der bäuerlichen Erträge als „Klassenkampf" zu interpretieren.

Bekanntlich hat Poršnevs Typologie in der DDR breiteste Rezeption gefunden, wo seit Wernickes Arbeit von 1962 und dem Aufsatz von Heitz von 1965 der Begriff der niederen Formen des Klassenkampfs programmatische und produktive Verwendung fand[16]. Seitdem sind in der osteuropäischen Forschung eine Reihe von Einwänden gegen diese grundlegende Typologie vorgetragen worden, von denen mir vor allem die Bemerkungen von Josef Petran, Jerzy Topolski und Josef Leszczyński wichtig erscheinen[17]. Diese Autoren entschieden sich stattdessen für eine Unterscheidung von latenten und offenen Formen des Widerstands und versuchten damit der Tatsache Rechnung zu tragen, daß die anderen bislang verwendeten begrifflichen Unterscheidungen wie individuell-kollektiv, bewußt-unbewußt, legal-illegal und aktiv-passiv sich nicht als komplex genug erwiesen hatten. Die Unterscheidung von latenten und offenen Formen des Widerstands erscheint sinnvoll, weil sie auf die Ebenen des Konflikts und deren gesellschaftlichen Kontext abhebt, in dem dieser Widerstand erfolgte. Sie ist von besonderem Nutzen, weil sie als Charakteristikum des Widerstands den entscheidenden Schritt der Manifestation des Widerstands heraushebt. Der Phase des latenten Widerstands kommt Bedeutung vor allem insoweit zu, als darin die Unzufriedenheit entsteht und eine Annäherung an den Punkt erfolgt, den man als „Reizschwelle" der jeweiligen Gemeinde bezeichnen kann und deren Überschreitung den Beginn der Phase des offenen Widerstands bedeutet. Ist diese Schwelle erst einmal überschritten, ergeben sich die anderen Formen des offenen Widerstands nicht in Stufenfolge – so wie dies das Modell der niederen und höheren Formen mißverständlich impliziert – sondern in Abhängigkeit von der ökonomischen Situation der Bauern, der politischen Struktur des Territoriums und den Inhalten und Zielen der Bewegung. Dabei können verschiedene Formen des Widerstands kombiniert oder alternativ verfolgt werden.

Der Verlauf der Auseinandersetzung zwischen den Gemeinden der Herrschaft Kriechingen und Graf Christian von Wied-Runkel kann die Bedeutung der Trennung zwischen latenter und manifester Form des Widerstands veranschaulichen. Anders als seine Vorfahren hatte der Graf nach seinem Regierungsantritt 1740 das Schloß Kriechingen zur Residenz ausgewählt und begann nun, ,,seine Regiments-Verfassung nach denen neuesten Maasregeln der Landeshoheit der deutschen Reichsständen in forestalibus, politicis et oeconomicis, auch militaribus einzurichten", woraus dann, so formulierte Johann Ulrich von Cramer 1770, ,,zulezt vielfache Process und kostbare Irrungen und Weitlauftigkeiten zwischen Herrn und Land entstanden seynd"[18]. Die Gegenstände des Streits betrafen in der Tat beinahe alle nur denkbaren Sachverhalte im Verhältnis zwischen Herrschaft und Gemeinden. Sie reichten von den wichtigen Nutzungsrechten an Wald, Weide und Fischwasser über die Frondienste, die Einführung des Stempelpapiers, die Steueranlage bis zum Halten der Enten am Fischwasser und dem Termin für die Bestellung der Waldhüter. 1742 kam es zu ersten Protesten der Gemeinden gegen die Versuche der Herrschaft, ihre Vorstellungen hinsichtlich der Organisierung der Herrschaft durchzusetzen, doch wurde die Absicht der Untertanen, die Sache an den Reichshofrat zu bringen, noch einmal durch einen fürstlichen Vergleich verhindert, der sie ,,bey ihren alten hergebrachten Rechten" ließ. Doch der junge Graf ließ nicht locker. Da er – um ein deutliches Beispiel herauszugreifen – die alleinige Nutzung des Fischwassers erreichen wollte, ließ er auf dem ,,Jahrgeding" ein Fischverbot ansagen. Ein Zeuge berichtete: ,,Es seye zwar auf dem Jahrgeding ohngefähr zehnmal nacheinander von ihrer Herrschaft verboten worden, in gedachtem Bach zu fischen, die Bauren hätten sich aber jederzeit auf ihre alte Gerechtigkeit beruffen und gesagt, daß sie soviel Recht dazu hätten als ihre Herrschaft." Etwa 10 Jahre blieb der Widerstand der Bauern auf seiner latenten Stufe, 1756 endlich erwirkte die betroffene Gemeinde ein Mandat des Reichshofrats und wählte damit die manifeste Form des Widerstands, die seit 1757 in offenen Aufstand umschlug und 1758 sogar zur Gewaltanwendung gegen verschiedene Exekutionstruppen des Oberrheinischen Kreises führte.
Die Natur der feudalen Abgabenverpflichtung brachte es mit sich, daß Veränderungen im Bereich der agrarischen Produktion wie die Urbarmachung wüsten Landes oder die Einführung neuer Produkte zugleich Differenzen darüber auslösen mußten, welchen Anteil an der agrarischen Produktion zukünftig dem Herrn zukommen sollte. Als der Graf von Isenburg-Meerholz durch Ankauf seine Eigenwirtschaft vergrößerte, weigerten sich die Untertanen des Gerichts Gründau, die jetzt erforderlichen vermehrten Frondienste zu leisten[19]. Und die eben erwähnten Kriechinger Untertanen weigerten sich, den Zehnt von den ,,Grundbirnen" zu geben, weil diese neue Frucht in den alten Zehntordnungen nicht erwähnt war. Angesichts der normalen Funktionsweise der feudalen Landnutzung mußte

jede Auseinanderstzung zwischen Obrigkeit und Untertanen sehr bald auf die Leistungen zurückfallen, die die Untertanen schuldeten, d. h. es kam in allen untersuchten Fällen von bäuerlichem Widerstand zur Verweigerung der normalen Dienste und Abgaben bzw. zur Nichtzahlung der geforderten Verbrauchs- oder direkten Steuern. Im Rappenkrieg im Oberrheintal kündigten die Bauern der umliegenden Täler an, den neu aufgelegten Maßpfennig (eine Verbrauchssteuer auf Wein) nicht zahlen zu wollen. In der Landgrafschaft Klettgau, wo es 1598 zu einer Revolte anläßlich der Türkensteuerverteilung kam, wurden von den Untertanen auch alle anderen Abgaben und Dienste verweigert, die herrschaftlichen Anordnungen und Beamten wurden nicht beachtet, stattdessen kam es zu einer Art von Selbstorganisation der rebellischen Gemeinden[21]. Die Verweigerung der herrschaftlichen Dienste und Abgaben war zugleich der Ausgangspunkt für alle möglichen Weiterungen des Konfliktes. Obwohl der Grundherr grundsätzlich ein Pfändungsrecht für ihm rechtmäßig zustehende Leistungen besaß, war die Abgabenverweigerung einer Gemeinde oder eines Amtes für einen Grundherrn oder einen kleineren Landesherrn ein Anlaß, den rechtlichen Schutz von Landes- oder Reichsgerichten zu erwirken.

Die Leistungsverweigerung der Bauern hatte zugleich noch andere Konsequenzen. Sie ermöglichte den betreffenden Bauern eine Festigung des Widerstands, weil jetzt zusätzliche Zeit, manchmal sogar Geld zur Verfügung stand. Beides konnte genutzt werden, um die eigene Position zu beraten, die Basis des Widerstands im Dorf zu verbreitern, einen Rechtsbeistand zu gewinnen. Dabei war es entscheidend, daß die Leistungsverweigerung ein Schritt im Verhalten der Untertanen war, der in aller Eindeutigkeit gegen die Obrigkeit und gegen die bestehende Rechtsordnung gerichtet war. Jetzt war die Schwelle zum Ungehorsam mit allen Konsequenzen überschritten.

Auch innerhalb der Gemeinde bildete die Leistungsverweigerung einen Wendepunkt. Sie spaltete die Gemeinde definitiv in eine ,,ungehorsame" und eine ,,gehorsame" Partei, sie ermöglichte im Selbstverständnis der bäuerlichen Gemeinden Repressionsmaßnahmen wie Allmende-, Backofen- und Schmiedeverbot gegenüber denen, die weiterhin zur Obrigkeit hielten. Zugleich mit der Leistungsverweigerung ergab sich im Leben des Dorfes eine Umkehrung oder zumindest Relativierung der bisherigen Hierarchie. Gegenüber den bislang dominierenden Gemeindeältesten oder Schöffen konnte sich – wenn die traditionelle dörfliche Führungsschicht nicht den Widerstand selbst trug und führte – eine Gegengruppe etablieren, die jetzt die Leitung der Gemeindeangelegenheiten übernahm. Für die betroffene Obrigkeit war gerade diese Umkehrung der dörflichen Sozialhierarchie ein evidentes Indiz für den revolutionären Charakter solcher Ereignisse, deren – oft übertrieben geschilderte – Begleiterscheinungen wie z. B. ungewöhnlich häufige Wirtshausaufenthalte, starker Alkoholgenuß, Gemeindezusammenkünfte,

Ausfall der normalen Amts- und Gerichtstermine, in dieses Bild verfallender Ordnung paßten[23].

Doch mußte nicht jede Leistungsverweigerung sofort diese Implikationen bedeuten. Handelte es sich z. B. um die Verweigerung eines neuen Dienstes, z. B. den Bau eines Jagd- oder Amtshauses oder ungewöhnliche Fronfuhren, so bedeutete dies für den Grundherrn die Notwendigkeit, sein Recht an den Gerichten zu suchen, während die Gemeinde das Eintreffen der gerichtlichen Ladung abwarten konnte.

In engem Zusammenhang mit der Verweigerung von Abgaben und Diensten steht eine andere spezielle Form des Widerstands, die ungleich seltener anzutreffen ist, nämlich das ,,Austreten" einer Gemeinde aus dem Herrschaftsgebiet ihres Landesherrn. Dieses Austreten muß scharf unterschieden werden von der bislang in der Literatur häufig genannten Flucht einzelner Bauern, wie sie vor allem in der einschlägigen Forschung der ostmitteleuropäischen Staaten relativ breiten Raum gefunden hat. Hier beobachtete Gerhard Heitz die Flucht von Bauern aus der Oberlausitz in die sächsischen Erblande oder aus Mecklenburg nach Brandenburg in der Absicht, sich dauerhaft einem bestimmten Grundherrn zu entziehen[24]. Helga Schultz glaubte in der Flucht der Bauern ,,eine ganz vorwiegend individuelle Widerstandsaktion" sehen zu können, wobei sie auf Beispiele aus Schleswig-Holstein, Hinterpommern und der Neumark verwies[25]. Diese Form der individuellen Flucht scheint ganz offensichtlich eine Reaktion jener Bauern zu sein, deren schlechte Besitzrechte einen längeren Kampf um die Bauernstelle illusorisch machte. Insofern ist es berechtigt, die Flucht als Kampfform im Bereich der ostelbischen Gutsherrschaft und in Osteuropa anzusiedeln, während sie in den Gebieten günstiger Besitzrechte kaum zu beobachten ist, wenn wir von vereinzelten Fällen einmal absehen.

Beim Austreten, das wir z. B. in oberschwäbischen Kleinterritorien im späten 16. und frühen 17. Jahrhundert beobachten konnten, handelt es sich im Gegensatz zur individuellen Flucht darum, daß zeitweise ein ganzes Dorf – oder zumindest die Männer eines Dorfes – den Herrschaftsbereich ihrer Obrigkeit verlassen, um einer drohenden Pfändung oder Exekution zu entgehen und um damit auf den eigenen Landesherrn Druck auszuüben. Im Unterschied zu den ,,Austritten", die Wernicke gewisserweise als Begleiterscheinung des Fronstreiks in der Mark Brandenburg beobachtete[26], scheint diese Form im oberschwäbischen Bereich mehr als nur temporäre Flucht gewesen zu sein. Das ,,Austreten" – manchmal für mehrere Monate – muß hier als Repressalie gegenüber dem Grundherrn, möglicherweise sogar als bewußte Demonstration gesehen werden. Dies konnte deshalb gelingen, weil das ,,Austreten" natürlich immer das zumindest stillschweigende Einverständnis einer benachbarten Herrschaft voraussetzte. Damit jedoch war für die kleinstaatliche Welt Oberschwabens ein Konfliktfall entstanden, der mehrere

Herrschaften betraf, folglich das Interesse des Kaisers und der vorderösterreichischen Regierung fand, deren Eingreifen von den „austretenden“ Untertanen gesucht wurde. Als „Erfinder“ dieser neuen Widerstandsform müssen die Untertanen des Dorfes Böhmenkirch bei Göppingen gelten, die sich 1580 beim Kaiser über ihren Herrn, den Freiherrn von Rechberg, beschwerten. Am 16. September zogen etwa 150 Untertanen bei Nacht aus dem Dorf fort und kehrten erst am 9. November wieder zurück[27].

Ein weiterer Fall eines solchen Austretens ereignete sich in der hohenzollernschen Gemeinde Owingen im Jahre 1584. 73 Mann verließen am 23. August bei Nacht ihre Höfe, befreiten einen gefangenen Dorfgenossen und kehrten erst am 8. November des gleichen Jahres zurück, nachdem ein kaiserliches Dekret vorläufige Straffreiheit bis zum Ende des Schiedsverfahrens zugesichert hatte und zwischen den Untertanen und Graf Eitelfriedrich von Hohenzollern ein Vertrag zustandegekommen war[28]. Obwohl diese spezielle Form des Widerstands in der hohenzollernschen Landesordnung bei Konfiskation aller Güter verboten worden war, griff schon 1605 die Gemeinde Trillfingen zu diesem Mittel und hielt im reichsritterschaftlichen Dorf Hirrlingen eine Gemeindeversammlung ab. Auch im Verlauf der schweren Konflikte des 18. Jahrhunderts bedienten sich einige hohenzollernsche Gemeinden (Hausen, Gauselfingen, Stetten) dieser Widerstandsform, als sie sich der Exekution schwäbischer Kreistruppen entziehen wollten[29].

Im Amt Hohentengen des Truchseß Christoph von Waldburg traten im August 1591 nach Drohungen ihres Landesherrn sämtliche Untertanen – bis auf wenige der Herrschaft treu gebliebene – nach Pfullendorf aus und erreichten so und auf Vermittlung benachbarter Fürsten und Reichsstädte einen Vergleichstag mit dem Truchseß[30].

Es kann somit kein Zweifel daran bestehen, daß das temporäre „Austreten“ als Widerstandsform vor allem in dem Teil des Reiches genützt wurde, dessen Nebeneinander vieler kleiner Territorien mit unterschiedlichen Interessenlagen geradezu ideale Voraussetzungen dafür bot. Gerade diese spezifische Widerstandsform, die ihren Vorteil aus dem Gegeneinander und den Konflikten der vielen Obrigkeiten zog, mag belegen, in welch starkem Maße das Territorialprinzip und die dort entwickelten Urformen der Staatlichkeit das Ausmaß und die Formen des bäuerlichen Widerstands bestimmten. Wenn z. B. der Truchseß von Waldburg im März 1592 in einem Schreiben an den Kaiser sich darüber beschwerte, daß die Äbte von Salmannsweiler (Salem), Weingarten und Roth sowie die Städte Konstanz und Pfullendorf in Hohentengen an der Kirchtüre ein Mandat hätten anschlagen lassen, das die rebellischen Untertanen unterstütze und sie ermahne, mit dem Truchseß keinen Vertrag abzuschließen, so charakterisiert das die kontroversen Interessen dieser benachbarten Obrigkeiten. Der Abt von Salmannsweiler, der die Hohentengener Untertanen auch auf andere Weise unterstützte – der Untertanen-Advokat kam aus Salmannsweiler – wurde im September 1593 durch den Kaiser ermahnt, nicht die Untertanen des Truchseß aufzuwiegeln. Welche Mittel in dieser Kontroverse zwischen dem Abt und dem Truchseß angewandt wurden, mag man daran erkennen, daß in den Prozeßakten auch ein vom Truchseß lanciertes Geständnis einer Frau aus Überlingen auftauchte, die gestand, mit dem Abt Unzucht getrieben zu haben[32].

Abgabenverweigerung und „Austreten" der Untertanen hatten neben ihren eigentlichen langfristigen Zielen auch spezifische Funktionen für den Verlauf der Auseinandersetzung zwischen Untertanen und Obrigkeiten. Beide stellten mit Gewißheit sicher, daß der Konflikt aus dem engen Beziehungsgefüge von Herrschaft und Untertanen hinausgetragen wurde und die Aufmerksamkeit der Nachbarherrschaften, des Territorialfürsten oder des Kaiserhofs fand. Der Konflikt wurde damit öffentlich in dem Sinne, daß einmal die verschiedenen Herrschaftsträger im Reich den Konflikt zur Kenntnis nahmen und kalkulierend in ihr eigenes Handeln einbezogen und daß zweitens andere Untertanen von dieser Bewegung erfuhren. Insofern scheint – wie bereits erwähnt – ein wichtiger Differenzierungspunkt der Widerstandsformen darin zu liegen, daß – im Unterschied etwa zu den vielfältigen Versuchen der Bauern, den Wert der Fronarbeit zu mindern – die offene Verweigerung der Abgaben und das „Austreten" den Konflikt manifest machten. Bei der bisherigen Unterscheidung zwischen „latenten" und „manifesten" Formen des Widerstands – etwa bei Josef Leszczynski[33] – wurde zuwenig beachtet, daß das Öffentlichmachen eines Konfliktes nicht nur einfach eine „höhere" Stufe des Widerstands im Sinne von besserer Organisation war, sondern daß damit die bäuerlichen Gemeinden durchaus einen „demonstrativen" Effekt beabsichtigten. Sie wollten damit den Spielraum gewinnen, der durch das umfassende System der Reichsverfassung mit ihren besonderen Kontrollmechanismen gegeben war und möglicherweise auch den Spielraum, der sich durch die allgemeine Aufstandsfurcht der Obrigkeiten ergab, die jedes „Exempel" von Rebellion sofort beigelegt sehen wollten.

4.3. Der manifeste Widerstand

Wenn so dem Schritt vom „stillen" zum „öffentlichen" Widerstand eine besondere Bedeutung zugewiesen werden darf, dann müssen hier auch jene anderen Möglichkeiten eingezogen werden, um einen gegebenen Konflikt aus dem herrschaftlich-untertänigen Dualismus heraus auf eine neue Ebene der politischen Reichsöffentlichkeit herauszuheben. Es sind dies die vielen Möglichkeiten der Beschwerdebriefe und Supplikationen an übergeordnete Instanzen wie den Landesfürsten, einen großen benachbarten Landesherrn oder den Kaiser. Doch erschöpfte sich die Liste der möglichen Adressaten damit noch nicht. Eine vergleichbare Funktion hinsichtlich der Manifestierung eines Konflikts auf einer höheren Ebene hatten auch bäuerliche Abordnungen an einen Kreistag (so tauchten z. B. Waldburgische Untertanen am schwäbischen Kreistag von 1597 auf)[34], einen Landtag (Bauern der Grafschaft Veringen kamen zum vorderösterreichischen Landtag 1596 in Konstanz, wo sie Erzherzog Matthias ihre Beschwerden vortrugen)[35] oder sogar an den Reichstag. So gelang es zum Beispiel den Untertanen der Herrschaft Illereichen 1658 am Reichstag in Regensburg, ihre Beschwerden vorzutragen, ein Tatbestand, der die in ihrer Reputation gekränkte Obrigkeit besonders hart traf[36].

Als höchste Stufe dieser Beschwerdemöglichkeit muß man den Weg von Bauern an den Kaiserhof selbst bezeichnen. Dieses traditionelle Instrument bäuerlichen Widerstands ist bislang nur unzureichend erforscht und noch weniger befriedigend analysiert worden. Insbesondere in der marxistischen Revoltenforschung ist der Rekurs an den Kaiser oder den Landesfürsten dem nahezu einhelligen Verdikt anheimgefallen, daß es sich hier um „naive" Kaisergläubigkeit gehandelt habe bzw. daß „die Bauern in dem Glauben an eine über den Klassen stehende, von der Herrschaft repräsentierte Gerechtigkeit befangen waren"[37]. Helga Schultz sprach in diesem Zusammenhang von „der Illusion über den Klassencharakter des feudalen Staates" und der „irrigen Hoffnung der Bauern", in ihrem „Landesherrn einen gerechten Richter" zu finden[38]. Erst der tschechoslowakische Historiker Josef Petran fordert seine Kollegen auf, die „Rolle des naiven Monarchismus nicht einseitig (zu) bewerten". Er konnte an den böhmischen Revolten beobachten, wie die Autorität des Kaisers „die Untertanen bestärkte" und eine Rechtfertigung für den „Schritt ins Ungewisse beim Aufstand gegen die obrigkeitliche Gewalt gab" und gelangte von daher zu größerer Vorsicht bei der Beurteilung der Rolle von Landesfürsten und „Bauernschutzpolitik"[39].

Ohne an dieser Stelle schon auf die Problematik und Widersprüchlichkeit solcher Wertungen einzugehen, soll zunächst der Tatbestand festgehalten werden, daß der Weg nach Prag oder Wien keiner der in Auseinandersetzungen mit ihren Herren steckenden bäuerlichen Gemeinden zu weit oder zu beschwerlich war. Nach den vorliegenden Quellen muß es einer breiten Schicht der bäuerlichen Bevölkerung gewissermaßen eine Selbstverständlichkeit gewesen sein, in einem solchen Konfliktfall drei oder vier ihrer Dorfgenossen mit genügend Zehrgeld und einer von Schulmeistern oder Advokaten geschriebenen Supplikationsschrift auf den Weg nach Prag oder Wien zu schicken. Diese Bauernvertreter versuchten am Hofe zum Kaiser vorzudringen oder zumindest einem Sekretär des Reichshofrats ihre Bittschrift zu überreichen. Schon im späten 16. Jahrhundert führte diese „persönliche" Form der Supplikation zu Gegenmaßnahmen. Bauernvertreter wurden sofort wieder nach Hause gewiesen. Im 18. Jahrhundert scheint der Andrang am

Hofe in Wien schon so stark gewesen zu sein, daß rigoros gegen Bauerngesandtschaften vorgegangen wurde. Sie unterlagen besonderer Kontrolle durch die Ordnungskräfte und wurden in Einzelfällen auch vorübergehend verhaftet. Johann Jakob Moser wies darauf hin, daß bäuerliche Deputierte in Wien „ungleiche fata" hatten. Im August und November 1731 wurden Bauern aus Kempten und aus Schwarzburg-Rudolstadt verurteilt, binnen 3 Tagen nach Hause zu reisen[40]. Für die Bauern des von habsburgischem Streubesitz durchsetzten Oberschwabens genoß um die Wende vom 16. zum 17. Jahrhundert der Sitz der vorderösterreichischen Regierung ein ähnliches Vertrauen wie der Kaiser selbst. Dieses Vertrauen und die daraus resultierende Beanspruchung der Innsbrucker Regierung in Streitigkeiten zwischen Untertanen und Obrigkeiten dieses Raums wundert dann nicht, wenn man die Stellungnahmen sowohl der vorderösterreichischen Beamten vor Ort als auch der Regierung in Innsbruck liest. Darüber hinaus stand auch Erzherzog Maximilian, der nach dem Tode Erzherzogs Ferdinands 1595 die Regierung Tirols und der Vorlande übernommen hatte, zu Recht in dem Ruf, ein „bauernfreudlicher" Fürst zu sein. Eine Vielzahl von Empfehlungsschreiben Maximilians an die betreffenden Fürsten, an Untersuchungskommissionen oder an den Kaiserhof sind ein beredtes Zeugnis für eine Haltung, die in diesen Jahren besonders auffallen mußte[41]. Es ist unschwer zu erkennen, das Maximilian – etwa im Fall des Rettenberger Tigens gegen den Bischof von Augsburg – die Berechtigung vieler bäuerlicher Beschwerden einsah und folglich versuchte, zu einer friedlichen Lösung beizutragen[42]. Natürlich lassen sich aus der konkreten Politik der Höfe in Prag oder Innsbruck viele relativierende Einsichten gewinnen, die uns zur Vorsicht in der Beurteilung der Bauernpolitik dieser Stellen zwingen. Wer wollte hier klares politisches Kalkül übersehen, das auf die Stärkung der kaiserlichen Position, die ungehinderte Einnahme der Reichssteuern und die Mehrung des Einflusses des Hauses Habsburg hin orientiert war? Dies sind jedoch die relevanten Gesichtspunkte, die besonders betont werden müssen, weil hier jener Spielraum entsteht, der erst den Untertanen Widerstand in unterschiedlichen Formen möglich machte. Ein zweiter Gesichtspunkt, der für eine Neubewertung der Rolle des Kaisers spricht, ist schließlich die Reaktion der Bauern selbst. Wenn ich einmal von Ausnahmen absehe, die noch erwähnt werden müssen, dann läßt sich die Position des Kaisers aus der Sicht der Untertanen durch folgende Zitate charakterisieren. 1580 schlossen die Untertanen des Schertlin von Burtenbach eine Bittschrift an den Kaiser mit den Worten: „So fliehen wir arme betrangte und eusserst verfolgte zu Euer Kay. Mjt. als refugium et asylum innocentium."[43]

Im Februar 1602 kam es zwischen Philipp Eduard Fugger und seinen Untertanen in Buech zum Streit über das Nutzungsrecht am Gemeindewald. Während der Auseinandersetzung schreit ein Bauer: „Ir. Kay. Mt. werd inen ire gemaindhölzer nit verbieten und sy lassen dieselben auch nit verbieten . . . Ir. Mt. seyen ir aller-

gnedigster Herr und vatter, werden sy nit also in verderben geraten lassen, wie etliche sy begeren in bluetbad zu stürzen."[44]
Das Amt des Kaisers stellte sich als nie versiegende „Quelle der Gerechtigkeit" dar. Für die bäuerliche Bevölkerung bot sich der Rekurs an den Kaiser und eine vage kaiserliche Gerechtigkeit wohl deshalb so leicht an, weil sie damit einen Machtfaktor ins Spiel bringen konnten, eine politische Potenz außerhalb der Konfliktkonstellation, eine „external power" im Sinne Eric Wolfs, die ihnen nützlich sein konnte.
Für rebellierende Gemeinden – so scheint es nach dieser Analyse – bot sich der Weg nach Prag, Wien oder auch Innsbruck nicht deshalb an, weil hier Gerechtigkeit verbürgt gewesen wäre. Vielmehr kam es den Untertanen darauf an, den Konflikt aus der Enge des Kleinterritoriums herauszubringen, ihn damit reichspolitisch zu relativieren. Klug genug einzusehen, daß einfache Gewaltanwendung gegenüber dem verhaßten Amtmann oder Forstknecht des eigenen Landesherrn nichts einbrachte, bedienten sich die bäuerlichen Gemeinden ihrer meist ganz unreflektierten Einsicht, daß das Reich als Ganzes andere Interessen verfolgte als ihr eigener Landesfürst. Die Berufung auf den Kaiser, mehr noch ein Schreiben des Kaisers – wenn auch allgemein und unverbindlich beide Teile ermahnend – gab den Untertanen eine neue Legitimationsbasis und neue Kraft und verschaffte ihnen damit Handlungsspielraum, den man insgesamt zu nutzen verstand.
Freilich darf diese Kaisergläubigkeit nicht ohne Abstriche gesehen werden. Es lassen sich in den erforschten Konflikten des oberdeutschen Raums auch gewisse Anzeichen für eine zumindest differenzierte Haltung finden. In der Auseinandersetzung der Haigerlochischen Dörfer mit der hohenzollernschen Vormundschaft weigerten sich im März 1600 die Untertanen, eine kaiserliche Resolution zu befolgen, die ihnen bis zum rechtlichen Austrag des Streits (um die Verteilung der Reichssteuern zwischen Herrschaft und Untertanen) den alten Anteil zu bezahlen gebot. Als die beauftragten Kommissare den Untertanen das kaiserliche Siegel des Schreibens zeigten, schrien einige „Rädelsführer", man solle nichts darum geben, man habe das kaiserliche Siegel „in Meersburg, Konstanz, Freyburg und anderstwo". Dort könne man „von Kay. Majestät wegen schreiben und siegeln", was man wolle. Es paßt vielleicht zu dieser Äußerung, wenn nach einem Bericht der Vormundschaft im Verlauf dieser Auseinandersetzungen am 23. Mai 1597 von einem Untertanen aus Gruol herrschaftlichen Beamten gegenüber die Meinung geäußert worden war, „und wann der Türck selbst keme, dann sie denselbigen lieber als uns, so inen das irig nemen"[45]. Es scheint, als ob hier die Verbitterung der Untertanen gegenüber Herrschaft und kaiserlichem Amt besonders hoch war.
Auch die Tatsache, daß kaiserliche Mandate von rebellischen Bauern oft genug nicht beachtet wurden oder sogar sich bald nach dem Anschlag in der Tränke am Dorfbrunnen wiederfanden, mag zeigen, daß man auch dem Kaiser durchaus kri-

tisch gegenüberstand, falls dessen Maßnahmen denen der Bauern entgegenstanden. Auch die Entscheidung der Gemeinden von Haigerloch im Jahre 1599, die Ergebnisse einer kaiserlichen Kommission und einen vom Kaiser sanktionierten Kompromißvertrag nicht anzuerkennen und stattdessen das Recht weiter am Kammergericht zu suchen, zeigt, daß der Kaiser bei den Bauern nicht als sakrosankt galt[46]. Vielmehr legen diese Beobachtungen den Schluß nahe, daß der Kaiser so lange hochgeschätzt wurde, wie er im konkreten Streit für die Bauern nützlich war, also etwa um den eigenen Herrn öffentlich anzuklagen und ihn zu Verhandlungen zu zwingen. Sobald der Kaiser jedoch diese Funktion erfüllt hatte, konnte auch er zur Gegenpartei werden, und er konnte sogar so weit vernachlässigt werden, daß die Bauern den gerichtlichen Austrag in Speyer dem kaiserlichen Kompromiß vorzogen. Auch hier wird deutlich, daß der Rekurs an den Kaiser nicht als „naiver Monarchismus" abgewertet werden darf.
Mit diesen letzten Bemerkungen wurde bereits die prozessuale Form des bäuerlichen Widerstands angesprochen. Damit kommen wir zu einer Stufe bäuerlicher Aktivitäten, die lange Zeit vernachlässigt worden ist und bislang nur wenig erforscht wurde. Mit Ausnahme verstreuter Beobachtungen in monographischen Abhandlungen über einzelne territoriale oder regionale Untertanenverbände und knapper Hinweise z. B. von Friedrich Hertz, Karl Siegfried Bader und Günther Franz gibt es bislang noch keine spezielle Untersuchung dieses Phänomens[47], das doch schon – wie wir weiter oben bei der Analyse der rechtlichen Bedingungen des Widerstands gesehen haben – den Reichsjuristen des 18. Jahrhunderts eigene Abhandlungen wert war. Insbesonders die marxistische Forschung hat sich mit der prozessualen Widerstandsform außerordentlich schwer getan. Obwohl Poršnev im Rahmen des „Teilwiderstands" auch den Rechtsstreit erwähnte[47], konnte diese Form des Widerstands in einer nur negativen Sicht des „Feudalstaates" keinen eigenen Platz finden. Dies führte manchmal – so etwa bei P. Stulz 1956 – zu einem offenen Mißverhältnis zwischen der Feststellung einer Vielzahl von Prozessen einerseits und einer Charakterisierung des „Feudalstaats" andererseits, die die Existenz von Prozessen eigentlich gar nicht zuließ. Warum aber sollten Bauern die judikativen Instanzen mit Klagen überhäufen, wenn „natürlich" hier kein Recht zu finden war?[48]
Die intensive Aufarbeitung der Quellenbestände etwa des sächsischen Oberappellationsgerichts durch Reißner, auf dessen Bedeutung für diese Prozeßgattung schon K. H. Blaschke hingewiesen hatte[49], oder des brandenburgischen Kammergerichts durch H. Harnisch[50], hat in der Geschichtsforschung der DDR zu einer erkennbaren Neubewertung des prozessualen Widerstands geführt. Reißner betonte die positive Rolle des erstarkenden absolutistischen Staats, der die „freiwillige Anerkennung der Massen" gewinnen konnte[51], nachdem schon Kosminski in der Kritik an Poršnev die Frage gestellt hatte, ob „denn der Feudal-

staat . . . wirklich nur eine reaktionäre Rolle in der Geschichte gespielt und nur das eine . . . Ziel gehabt" habe, die Bauernaufstände zu unterdrücken[52]. Und Gerhard Heitz kam nach ersten Einblicken in das Aktengut des Reichskammergerichts (im Staatsarchiv Münster) zu dem Ergebnis, „daß die Prozesse zwischen Bauer und Feudalherr, Gemeinde und Herrschaft den Charakter des Klassenkampfs im Spätfeudalismus wesentlich bestimmen"[53]. Wenn auch die marxistische Forschung sich scheut, die notwendige Grundlage dieser Entwicklung – Heitz erwähnt nur institutionelle und wirtschaftliche Vorbedingungen – nämlich eine tendenzielle Veränderung der Rolle des Staates gegenüber den divergierenden Schichten der Gesellschaft deutlich zu benennen, so kann man davon ausgehen, daß das prozessuale Quellenmaterial die wesentliche Erweiterung der Quellenbasis bedeutet, die uns in die Lage versetzt, bäuerlichen Widerstand als solchen überhaupt erst zu eruieren. Es wurde bereits erwähnt, welche Bedeutung dem Aktenmaterial des Reichshofrats und des Reichskammergerichts für die Erforschung der oberdeutschen Revolten des späten 16. und frühen 17. Jahrhunderts zukommt. In noch stärkerem Maß gilt dies für das gesamte 18. Jahrhundert, dessen überbordende Aktenfülle uns große, noch unerforschte Materialmengen bereitstellte. Diese Bemerkung zur überreichen Materiallage in den territorialen und Reichsarchiven erfordert auch eine kritische Bemerkung gegenüber Auffassungen, die den Konfliktcharakter der Beziehungen zwischen Grundherren und Untertanen leugnen oder als „unverständlichen" Sonderfall erscheinen lassen wollen. Wenn z. B. Friedrich Lütge „auf Seiten der Gutsbesitzer jede böse Absicht" bei der Erhöhung der bäuerlichen Belastungen in Abrede stellte, andererseits aber auf „unzählige Bände von Prozeßakten, die durchaus gerechte Entscheidungen auch gegen die Grund- und Gutsbesitzer enthalten", hinwies, dann ist hier eine erhebliche Diskrepanz zwischen beiden Aussagen unübersehbar[54].

Die Grundlagen des prozessualen Widerstands wurden bereits bei der Darlegung der rechtlichen Bedingungen von Widerstand formuliert. Es war dies – thesenartig formuliert – das Bemühen der territorialen Obrigkeiten und der Reichsgerichte, den notwendigen Spielraum für den Austrag von sozialen Konflikten überhaupt erst zu schaffen und damit die gefährliche Alternative von Zusehen oder Zuschlagen zu überwinden.

Der prozessuale Widerstand wurde historisch erst möglich durch die Übernahme der territorialen Friedensgarantie durch die Territorialstaaten und den entsprechenden institutionellen Ausbau dieser Staaten. Auf der anderen Seite setzte er eine untertänige Bevölkerung mit bestimmten rechtlichen und wirtschaftlichen Möglichkeiten voraus, die wir charakterisieren können als Schutz vor willkürlicher Behandlung durch die Grundherren und als Garantie der jeweiligen ökonomischen Position gegenüber den Grundherren. Diese allgemein-historischen Bedingungen waren um die Wende vom 15. zum 16. Jahrhundert in einem weiten

Sinne sicherlich erfüllt, zumindest waren die wichtigsten Grundlagen für eine solche Entwicklung gelegt. Verstärkt wurde diese Entwicklung, wie oben bereits zu zeigen versucht wurde, durch den Eindruck des Bauernkrieges. Neben allen anderen Wirkungen hat der Bauernkrieg sicher auch die Wirkung ausgeübt, daß er die Existenz bestimmter grundlegender Interessenwidersprüche offenlegte, hinter denen alle anderen Koalitionsmöglichkeiten zurücktreten mußten. In England und Frankreich überrascht im Vergleich zu Deutschland, daß noch im 16. und sogar 17. Jahrhundert Koalitionen von Bauern und Grundherren gegen die erstarkenden Zentralgewalten möglich waren. Diese Möglichkeit scheidet für das Gebiet des Reiches völlig aus[55]. Der Bauernkrieg mußte jeden Zweifel am zentralen Konflikt zwischen dem intermediären Adel und der untertänigen Bauernschaft beseitigt haben. Wenn nach dem Bauernkrieg ein thüringischer Adeliger rückblikkend bekannte, „und wir sahen in der erst alle zu, gefiel uns auch wol, das es über pfaffen und mönch ginge, wusten aber nit, das uns das unglück auch als nahend war", so wurde diese Möglichkeit der Fehlinterpretation durch den Bauernkrieg zunichte gemacht[56]. Als 1572 rivalisierende Adelsfamilien im Königreich Kroatien bei Zagreb ihre Bauern für ihre Zwecke auszuspielen versuchten, wurden sie selbst das Opfer der dadurch mitausgelösten Bewegung des Windischen Bauernaufstands[57]. Selbst in den österreichischen Ländern, in denen am Ende des 16. Jahrhunderts ein fast ganz protestantischer Adel und eine weitgehend protestantische Bauernschaft den Rekatholisierungsversuchen ihrer Landesfürsten gegenüberstehen, kam es zu keinem ernsthaften Versuch eines Zusammengehens gegen die Landesfürsten. Der protestantische Adel Oberösterreichs – theoretisch im Widerstandsdenken sicher am weitesten fortgeschritten – zog eine solche Koalition nicht in den Bereich der ernsthaft zu erwägenden Handlungsalternativen[58].

Mit den Bauernkriegen des 15. und 16. Jahrhunderts waren im Reich somit für Landesfürsten, Grundherren und Untertanen Möglichkeiten und Grenzen sozialen Handelns neu bestimmt worden. Eine neue Stufe von Nachdenken über gesellschaftliche Wirkungszusammenhänge war möglich und notwendig geworden und zeigte bald Ergebnisse. Der dem Absolutismus implizite Trend einer umfassenden „Sozialdisziplinierung"[59] begann wirksam zu werden und erzwang sich neue Formen des Konfliktaustrags, die durch rechtlich zugemessene Positionen und vorgeschriebene Prozeduren im Konfliktfall bestimmt wurden. So wie das Fehderecht durch den Landfrieden obsolet wurde, so verschwand – wenn auch sichtlich langsamer – die adelige Selbsthilfe gegen ungehorsame Untertanen, um im 18. Jahrhundert unter dem Eindruck einer scharfen Kontrolle von Rechtsgrund und Verfahren praktisch zu verschwinden.

Wenn wir so festgestellt haben, daß das Gewaltmonopol des frühmodernen Staates den Konfliktaustrag durch rechtlich geregeltes „Verfahren" (im Sinne Niklas Luhmanns) notwendig machte[60], dann muß die nächste Frage darauf abzielen, ob diese neue Strategie des Konfliktaustrags von denen akzeptiert wurde, für die sie neu, ungewohnt und mit Lernen verbunden war. Die Frage verdient nicht nur im Zusammenhang unserer speziellen Fragestellung Interesse, sondern auch im Kontext der vieldiskutierten – und wohl noch nicht befriedigend beantworteten – Frage nach den Auswirkungen der Rezeption des römischen Rechts auf die Lage der untertänigen Bevölkerung. Diese Frage ausschließlich von der Status- und Besitzrechtsproblematik angehen zu wollen, hieße die ganze Breite der Rezeptionswirkungen außer acht zu lassen und übersähe vor allem den wesentlichen Bereich der funktionalen Auswirkung der Rezeption[61].

Das bislang bekannte oder ausgewertete Quellenmaterial läßt einige Schlußfolgerungen zu, die zunächst zu diskutieren sind. Es liegen keine Anzeichen für eine bäuerliche Haltung vor, die etwa die Prozeßführung pauschal abgelehnt hätte. In der Grafschaft Rotenfels können wir 1597 zwar die mangelnde Bereitschaft der Bauern feststellen, mit ihrem Herrn am Kammergericht zu prozessieren, doch erfolgte diese Äußerung unter dem Vorbehalt einer anderslautenden Weisung des Kaisers. „Sie wölten auch mit ihrem herren nicht rechten, sie wölten zuvor wider an den keiser schicken. Wann sie der keiser heissen würd, das sie mit ihrem herrn zu Speyer sollen rechten, so wölen sie dos thun und wo der keiser sie das nicht heissen würd, so wöllen (sie) dos auch nicht thun. Wöllen auch zu Speyer gar kein antwort geben ohn des keisers bevelich." Eine noch weitergehende Verächtlichmachung des Kammergerichts durch einen Bauern wurde durch seine Genossen verhindert, die ihn am Reden hinderten[62].Hier ist jedoch zu bedenken, daß die Untertanen von ihrem Landesherrn am Kammergericht verklagt worden waren. Die späteren Verhandlungen am Kammergericht ergaben zweifelsfrei, daß der Graf von Königsegg seine Untertanen ungerechtfertigt mit höheren als erlaubten Steuern belegt hatte, so daß gerade hier die Bedeutung des Kammergerichts für die Untertanen belegt werden konnte. Die auch in anderen Fällen zu beobachtende Aversion von Untertanen gegen das Kammergericht in Fällen, in denen sie von ihrer Herrschaft beklagt worden und zunächst einmal – wie allgemein üblich – zum Gehorsam ermahnt worden waren, ist eher eine Reaktion gegen den Verdacht, am Kammergericht als Aufrührer hingestellt zu werden, als für eine grundsätzliche Abneigung gegen das Kammergericht. Gerade das Beispiel Rotenfels zeigt, daß die Untertanen einige Jahre später mit Hilfe Kemptener Advokaten alle Möglichkeiten der gerichtlichen Auseinandersetzung nutzten.

Die Nachrichten über die „Prozessiersucht" der Bauern sind so vielfältig, daß allein hierin ein Beweis für die weitgehende Akzeptierung dieses Mittels gesehen werden muß, ebenso wie in den Klagen darüber, daß die Sollizitatur am Kammergericht des 18. Jahrhunderts von Bauern überlaufen sei[63]. Auch die Charakterisierung der Bauern unserer Epoche als „schlau, listig und arrogant", die Feststellung ihrer „maliz" deuten auf diese Tatsache hin[64].

Schon im Verlauf des 16. Jahrhunderts deuten sowohl die Maßnahmen zur Eindämmung und Kontrolle der Untertanenklagen, über die bereits gesprochen wurde, als auch einige klassische „Prozeßketten" von bäuerlichen Untertanen gegen ihre Herren vor Reichsgerichten auf die neue Bedeutung dieser Instanzen hin. Eine gewisse Berühmtheit erlangte in der Rechtsliteratur des 16. Jahrhunderts der Konflikt zwischen den Untertanen von vier Dörfern im Hattgau (Hatten, Rittershofen, Ober- und Niederbezdorf) gegen ihren Landesherrn, den Grafen von Hanau-Lichtenberg-Ochsenstein. Als hier am Ende des 16. Jahrhunderts ein Streit über die Verteilung der Reichssteuern ausbrach, d. h. die Untertanen wegen Nichtbezahlung von ihrem Landesherrn verklagt wurden, blickte das Dorf schon auf mehrere Jahrzehnte des Rechststreits zurück, der sich – und das ist besonders interessant – an den herrschaftlichen Strafmaßnahmen nach dem Bauernkrieg entzündet hatte. 1532 hatte ein Kammergerichtsurteil den Untertanen die Waldnutzung zugesprochen, „inmassen sie denselbigen vor zeit des baurischen aufruhr innegehabt". Zwei weitere Mandate bestätigten die Rechte der Untertanen in der Ablage der Waldrechnung. Ein viertes Mandat erwirkten die Untertanen, um sich vor ungerechten Frohndiensten zu schützen, ein fünftes bestätigte ihre Ungeldfreiheit gegen entsprechende Versuche ihrer Herrschaft, ein sechstes Mandat verurteilte den Grafen zur Wahrung der Untertanenrechte hinsichtlich der Allmendennutzung. Insgesamt kam es zwischen 1532 und 1567 zu zehn Auseinandersetzungen zwischen den Dörfern und der Landesherrschaft, die im Kern alle die Rechtsposition der Untertanen stärkten und damit hier ein gesteigertes Maß an Rechtsbewußtsein bewirkten, das es verständlich macht, wenn seit 1594 diese Untertanen sich gegen die ungerechte Steuerverteilung wehren wollten. Ganz selbstverständlich bedienten sich diese Gemeinden des prozessualen Widerstands gegen ihre Herrschaft, der sich in den vergangenen Generationen so wirksam erwiesen hatte, daß damit dem Rückschlag des Bauernkrieges hatte begegnet werden können.

Mit den Urteilen dieser Hattgauer Prozeßkette waren zugleich einige unverrückbare Grundsätze der Kammergerichtsjudikatur angesprochen: Neue Dienste wurden grundsätzlich für ungültig und „odios" angesehen, wurden sie trotzdem geleistet, so ist die „praesumptio juris", daß die Untertanen dies aus Furcht und nicht aus Schuldigkeit getan haben. Die rechtliche Beschwerdemöglichkeit wurde mehrfach festgeschrieben und durch die Praxis belegt[65].

Ein weiteres wichtiges Indiz für die Akzeptierung der prozessualen Möglichkeiten müssen auch alle jene Aktivitäten sein, durch die die Bauern sich über ihre eigene Rechtsposition und daraus sich eventuell ergebende Verfahrensschritte zu informieren suchten. Gerade angesichts der bekannten Abneigung gegen gelehrte Doktoren, Juristen und „Schadvokaten" (so nennt Fischart sie noch) muß es überraschen, daß wir seit dem späten 16. Jahrhundert in allen bekannten Bauernbewegungen Indizien dafür finden können, daß Bauern den Rat der Juristen suchten, um sich über ihre juristischen Möglichkeiten zu informieren. Die 1584 aus Owingen in Hohenzollern ausgetretenen Untertanen suchten bei der Juristischen Fakultät in Tübingen um Rat, deren „lutherische doctores" dafür von Graf Karl von Hohenzollern als Anstifter bezeichnet wurden[66]. Die Rotenfelser Bauern ließen sich von Memminger und Kemptener Advokaten beraten, zuweilen wollten Gemeinden auch einen bestimmten Rechtsberater. Es scheint durchaus zum üblichen Verhalten von Gemeinden gehört zu haben, den Rat eines Juristen zu suchen, wenn sich Differenzen mit ihren Herrschaften anbahnten. Dabei war es auch selbstverständlich, daß man diesen Juristen relativ teuer bezahlen mußte. Mit großem Selbstbewußtsein wiesen die Gemeinden darauf hin, daß ein guter „Ratgeber" für sie das viele Geld wert sei. Natürlich vollzog sich die Kontaktaufnahme mit einem Juristen im 16. Jahrhundert noch in einer Weise, die für beide Seiten ein Abenteuer darstellen konnte. Im 18. Jahrhundert war das Verfahren schon stärker eingespielt, oft genug zeigen sich jetzt negative Begleiterscheinungen, wie betrügerische Winkeladvokaten, die an bäuerlichen Prozessen verdienen wollten[67]. Erfreulicherweise ist uns eine Quelle aus dem Jahre 1598 erhalten, die uns die Schwierigkeiten für beide Seiten illustrieren kann. Der Regensburger Advokat Dr. Stemper erhielt im Frühjahr 1598 den Besuch einiger Bauern aus dem Klettgau, die von ihm die Höhe der Reichssteuern wissen wollten, die auf der Landgrafschaft Klettgau lasteten. Der Jurist sah keinen Grund, diese Auskunft zu verweigern, da dies mit dem Abschied des gerade abgeschlossenen Reichstags konform war. Er war auch so freundlich, den Bauern den Steuerbetrag und sogar den halben Betrag für den Fall aufzuschreiben, daß die Landgrafschaft – wie die Bauern glaubten – nur den halben Betrag zu zahlen habe. Als zwei Jahre später Dr. Stemper am Kammergericht in Speyer einen Freund des Herrn dieser Untertanen traf, mußte er sich von diesem den von wilden Drohungen begleiteten Vorwurf hören lassen, daß er die Klettgauer Untertanen aufgehetzt habe, nur die halbe Steuer zu bezahlen. Eine offizielle Untersuchung des Reichshofrats bot Dr. Stemper schließlich die Gelegenheit, sich vom Vorwurf der „Anreizung" zum Ungehorsam zu befreien[68]. Weniger glimpflich kam der Advokat Samuel Letscher davon, der die Gemeinde Böhmenkirch gegen den Freiherrn von Rechberg seit 1581 juristisch beriet und darüber von der Gemeinde eine ordentliche Bestallungsurkunde erhielt, die ein Tageshonorar von 12 Batzen und die „Zehrung" festlegte. Letscher wurde in einer umfänglichen Anklageschrift u. a. beschuldigt, „den Bemenkirchern mandata und proces wider die herren kayserliche commissarios per falsa narrata sub et obreptie ausgebracht" zu haben. Dieser Vorwurf macht zugleich auf die höchst unterschiedlichen Rechtsformen aufmerksam, mit denen solche Konflikte beigelegt werden konnten. Während der Kaiser auf Bitten Böhmenkirchens eine Kommission ernannt hatte, die gütlich traktieren und entscheiden sollte, hatte die Gemeinde auf Anraten Letschers nach ungünstigem Ausgang der Kommissionsentscheidung am Kammergericht geklagt und damit dieses Schlichtungsverfahren unterlaufen wollen. Letscher wurde schließlich in Speyer, am Ort seiner Anwaltstätigkeit also, festgenommen und kam nach langer Haft und Prozeß nur frei, weil er „überm Rhein" ziehen wollte. Natürlich waren Advokaten den Obrigkeiten der so juristisch beratenen Untertanen ein besonderer Dorn im Auge. Zu welchen Ausfällen dies führen konnte, zeigt eine Widerlegungsschrift des Fürstabts von Kempten, die hauptsächlich den Advokaten Dr. Müller aus Ulm zu diskreditieren versuchte und ihn als „Blasebalg der Asche des Bauernkriegs" bezeichnete[69]. Johann Ulrich von Cramer, der erfahrene Reichsjurist des späten 18. Jahrhunderts, stellte fest, daß nach seiner Erfahrung „die Reichsgerichte selbsten keineswegs billigen, wenn Advocati et Notarii subditorum durch behutsames Schreiben und Verfahren des Landesherrn gebührenden Respect zu nahe treten und damit den halsstarrigen Uebermuth der Bauren vergrössern"[70].

Neben diesem Herantreten an Advokaten, das für beide Seiten nicht risikofrei war, entwickelte sich noch eine andere Form der juristischen Beratung bäuerlicher Gemeinden, die Anfrage an juristische Fakultäten der Universitäten im Reich. Zwar finden sich Vorgänge dieser Art keinesfalls als Normalfall, trotzdem aber geben sie einen sichtbaren Ausdruck von der Selbstverständlichkeit, mit der sich Untertanenverbände oder einzelne Gemeinden des Rechtssystems bedienten.

Hervorzuheben sind hier als Beispiele die Anfrage der bäuerlichen Landschaft des Stifts Kempten an die Fakultät zu Ingolstadt von 1666 über die Berechtigung der landesfürstlichen Forderungen, um bei den bevorstehenden Verhandlungen „der sachen nit zu vil oder wenig" zu tun oder die Anfrage der Untertanen des Klosters Salem an die Freiburger Juristische Fakultät von 1734, die Probleme der Besteuerung betraf[71]. Ein anderes Beispiel zeigt, daß diese Art von Beratung von Untertanen keineswegs auf Kleinterritorien beschränkt blieb. 1660 fragten die Untertanen der Freiherrn von Schurff in Bayern bei der Juristischen Fakultät in Tübingen an, „ob sie nemlich in Rechten dergestalt fundiret und gegründet, daß . . . sie in ordinario processu oder auf andere rechtliche Wege den Sieg Rechtens zu hoffen hätten?"[72]

Wenn man den Prozeß an den höchsten Reichsgerichten unter dem Gesichtspunkt der Effektivität bei der schnellen Beilegung von Untertanenrevolten sieht, so war natürlich das Prozeßverfahren langwierig und – was noch wichtiger ist – es brachte keine wirkliche Ruhe und Stabilität in das betroffene Territorium. Obwohl zu Prozeßbeginn beide Parteien zur Einhaltung des status quo ermahnt wurden, lag gerade in der sich lang hinziehenden Prozeßführung eine nicht zu unterschätzende Möglichkeit für die Untertanen, ihren Widerstand zu organisieren und zu konsolidieren. Der Reichshofrat entwickelte schon in der 2. Hälfte des 16. Jahrhunderts eine besondere Institution, um die Vorteile des prozessualen Verfahrens vor dem

Reichsgericht mit den Vorteilen einer direkten, außergerichtlichen Konfliktbeilegung zu verknüpfen. Diese Institution war eine kaiserliche Kommission – wie sie in der Praxis hießen – bzw. eine „commissio caesarea ad tentandam amicabilem compositionem“ oder „ad austregas“. Die Bedeutung dieser Kommissionen wurde schon von den zeitgenössischen Kommentatoren erkannt, wenn man zuweilen vom „Kommissionsunwesen“ sprach[73], sie ist aber auch in neueren rechtshistorischen Untersuchungen behandelt worden, so daß hier zur rechtssystematischen Einordnung nicht mehr viel gesagt werden braucht[74].

Der politische Vorteil der Kommissionen in Untertanensachen lag für den Kaiserhof auf der Hand. Prinzipiell griff er in einen schwebenden Konflikt ein, bestimmte durch die Auswahl der Mitglieder und durch deren Berichtspflicht den weiteren Gang des Verfahrens und behielt sich schließlich die Sanktionierung eventuell abgeschlossener Vergleiche vor. Zum anderen war der Kaiser selbst nicht betroffen, seine Reputation blieb aus jeder Diskussion. Zudem sorgte die Orts- und Sachkenntnis der Kommissionsmitglieder dafür, daß Betrugsmanöver der streitenden Parteien schnell ans Licht kamen. Unter dem übergeordneten Aspekt der Konfliktbeilegung bot die Kommission gleichfalls evidente Vorteile. Nach der Ernennung der Mitglieder und der Bestimmung eventueller Subdelegierter (das war der Fall, wenn fürstliche Personen zu Mitgliedern ernannt wurden) konnte den Parteien relativ schnell ein erster Kommissionstag angekündigt werden, meist in unmittelbarer Nähe des Territoriums gelegen, das durch den Widerstand betroffen war. Damit wurde die Energie der klagenden oder beklagten Untertanen auf die Erarbeitung einer Rechtsposition hin- und von einer Ausweitung des Widerstands abgelenkt. Auch für die betroffene Obrigkeit bedeutete das Nahen eines Kommissionstermins den Zwang, die eigene rechtliche Lage zu überdenken. In jedem Falle war das Auftreten der Kommission ein Verfahren, das zwar mit kaiserlicher Autorität ausgestattet war, trotzdem jedoch erfolglos bleiben konnte, ohne einen Kollaps dieser Autorität zu bedeuten.

Charakterisiert man so die Vorteile des Kommissionsverfahrens, so wird verständlich, warum die kaiserliche Kommission in den vielen Konflikten zwischen Reichsständen und deren Untertanen das klassische Mittel wurde. In allen untersuchten Revolten zwischen 1580 und 1615 waren kaiserliche Kommissionen tätig, wobei es praktisch ohne jede Bedeutung war, ob hier im Rahmen des Reichskammergerichtsprozesses oder im Rahmen des Austrägalverfahrens prozediert wurde. Als Mitglieder wurden in der Regel drei Personen herangezogen, ein benachbarter Fürst (z. B. Bischof von Konstanz, Erzherzog von Tirol, Herzog von Württemberg, Probst von Ellwangen, Abt von Kempten), hinzu kam eine als unparteiisch geachtete Persönlichkeit, die zwar Reichsstand war, aber keinen der großen territorialen Machtfaktoren repräsentierte. Dafür prädestiniert waren z. B. die Landkommenthuren des Deutschen Ordens. In den 90er Jahren des 16. Jahrhunderts wurden z. B. im oberschwäbischen Raum Kommissionen so terminiert, um den vielbeschäftigten Kommenthur von Altshausen zur Mitarbeit zu gewinnen. Hinzugezogen wurden auch bürgerliche Räte oder Reichsritter, Personen also, die aufgrund ihrer juristischen Qualifikation und ihres guten Rufes für ein solches Geschäft qualifiziert waren (Dr. Gall Hager, Dr. Schachtner, Zacharias Geizkofler, Licentiat Adam Keller).

Das Verfahren dieser Kommissionen war relativ einfach und juristisch überschaubar, so daß die betroffenen Gemeinden bzw. deren Ausschüsse, selbst an den Kommissionstagen teilnehmen konnten. Obrigkeit und Untertanen wurden schriftlich aufgefordert, den Kommissionstag (oft im Rats- oder Wirtshaus einer größeren Stadt der näheren Umgebung) zu besuchen und dort ihre Beschwerden vorzutragen. Die Kommissionsmitglieder verglichen dann Forderungen und Beschwerden, überprüften sie anhand der vorliegenden Beweise (wie Urbare, Fronverträge etc.) und versuchten, einen Kompromiß zu erzielen. Diese eventuell erzielte ,,Vergleichung" wurde dann mit einem ausführlichen Bericht und allen angefallenen Akten dem Reichshofrat zugesandt, der dann die letzte Entscheidung zu fällen hatte, eventuell andere schärfere Mittel gegen Obrigkeit oder Untertanen zu ergreifen hatte, wenn der Vergleich nicht zustandegekommen war. So fand sich z. B. im Archiv des Stifts Ellwangen ein Verzeichnis der Akten, die im Verlauf der Kommissionstätigkeit in Sachen der Gemeinde Böhmenkirch ca. von Rechberg angefallen und nach Prag geschickt worden waren. Die so spezifizierten Akten konnten im Bestand der Reichshofratsakten im Haus-, Hof- und Staatsarchiv in Wien benutzt werden[75].

Die letzten Bemerkungen deuten darauf hin, daß die Kommissionsarbeit nie diesem Idealverlauf entsprach. Insofern ist es auch berechtigt, die Kommissionsverhandlung im Rahmen der Widerstandsformen abzuhandeln, denn in vielen Fällen wurde dieses Verfahren ja durch die Bitte von Untertanen ausgelöst, ,,auf eine Kommission zu erkennen". Das heißt, neben dem Prozeßweg (dann meist am Reichskammergericht) galt die Kommissionsverhandlung den bäuerlichen Untertanen als eigene und spezifische Form des Widerstands, die man nach Interessenabwägung auswählte.

Die Praxis der Kommission zeigt nun in aller Eindeutigkeit, daß sich für die bäuerlichen Gemeinden ein zuweilen erstaunlicher Spielraum für Widerstand auftat, dessen Ausmaß, Hartnäckigkeit und Dauer denjenigen überraschen muß, dem das traditionelle Bild von der politischen Apathie der Bauern nach 1525 bislang vertraut ist. Die Entscheidung zur Beauftragung einer kaiserlichen Kommission war aus der Sicht des Kaiserhofs eine Entscheidung für einen politischen Vermittlungsversuch und eine eindeutige Absage an eine denkbare gewaltsame Niederschlagung des Widerstands. Wenn die vorderösterreichische Regierung im Juli 1598 über die Klettgauer Revolte gutachtete, die Untertanen seien hart ,,oneriert" und man solle nur keine „extrema" anwenden, gleichzeitig aber der betroffene Landesfürst sich beim Kaiser wiederholt über seine Untertanen beschwerte und erfolglos um die Genehmigung zur Werbung von Soldaten gegen seine Untertanen bat, dann ergab sich für die Klettgauer Untertanen ein beachtlicher Handlungsspielraum. Der Konflikt, der 1595 begonnen hatte, dauerte trotz mehrerer Kommissionstage und Vergleichsentwürfe 1608 immer noch an. Im April dieses Jahres beantragte Carl Ludwig von Sulz wieder die militärische Exekution. Der Reichshofrat hielt es jedoch immer noch für richtig, im September 1608 in Oberlauchingen den 6. Kommissionstag beginnen zu lassen und auch danach war dieses Gremium nur dazu bereit, Achtmandate gegen die Rädelsführer auszusprechen, wie sie sich gerade bei der Beilegung des Rettenberger Aufstands bewährt hatten. Es ist überraschend, daß sich die Untertanen in diesen Fällen offensichtlich auf die lange Dauer der rechtlichen Auseinandersetzungen eingerichtet hatten. Im Jahre 1602, also nach beinahe siebenjähriger Dauer des Konfliktes, erklärten die Untertanen ihrem Landesfürsten, der angefangene Prozeß werde 8 oder 10 Jahre dauern und sie würden schließlich doch dabei gewinnen. Während des oft jahrelang sich hinziehenden Schwebezustands der laufenden Kommissionsverhandlungen, durch Tod oder Verhinderung einzelner Mitglieder zuweilen verzögert, ergab sich in den betreffenden Gemeinden oft die schon erwähnte Selbstorganisation und eine Verkehrung der dörflichen Hierarchie. Der Truchseß von Waldburg beschwerte sich 1606 darüber, daß in den Gemeinden „Habenichtse" das Sagen hätten und daß seinem Beamten „unverholen" erklärt worden sei, daß sie wohl schärfer durchgreifen würden, wenn sie (die Untertanen) dem Truchseß Gehorsam schuldig wären, „aber meine verrichtungen seyen ganz nichts". 1610 beschwerte sich der gleiche Landesherr, daß die kaiserliche Kommission ihn an seiner Obrigkeit „laedire".

Die Kommissionspraxis des späten 16. und frühen 17. Jahrhunderts, die der Reichshofrat im Reich (hier vor allem im oberdeutschen Raum) gegenüber den kleineren Reichsständen und in den österreichischen und böhmischen Landen entwickelte, war insgesamt ein von den Kriterien politischer Zweckmäßigkeit diktiertes Verhalten gegenüber dem bäuerlichen Ungehorsam. Vor allem gilt dies gegenüber dem Ungehorsam beim Bezahlen der enorm hoch gestiegenen Reichssteuern, die jedoch angesichts der Türkengefahr notwendig waren. Da sich in den habsburgischen Erblanden und in Oberdeutschland am Ende des 16. Jahrhunderts ein beträchtliches Potential an bäuerlicher Unruhe angesammelt hatte, das am Kaiserhof sehr genau erkannt worden war, bot sich die Kommissionspolitik mit ihrer auf Kompromiß ausgerichteten Strategie an, um hier die notwendige innere Ruhe aufrechtzuerhalten. Für die Untertanen bedeutete diese flexible Strategie die Möglichkeit, die Zwangslage des Kaiserhofs und dessen Absage an schnelle militärische Exekution zu langfristigem Widerstand auszunützen, der sich ausgehend von der

Reichssteuerfrage bald auf alle Bereiche der Leistungen an die Herrschaft ausdehnte und in dieser Breite der Forderungen auch für die Existenz der Kleinterritorien gefährlich werden konnte.
Auch die äußeren Umstände des Kommissionsverfahren müssen beachtet werden, ja in ihnen muß vor allem ein Ansatzpunkt für eine neue Haltung der Herrschaft gegenüber gesehen werden. Schon die gleichzeitige Ladung an Landesherren und Untertanen zum Kommissionstag, der Zwang, sich vor einer Kommission rechtfertigen zu müssen, stellte für die stolzen reichsunmittelbaren Grafen und Herren eine schwer zu ertragende Einbuße an Reputation dar. Was mußte es für den Freiherrn von Rechberg bedeuten, wenn dieser auf dem Weg zum Kommissionstag seinen ebenfalls dorthin wandernden Untertanen begegnete und diese ihre Schadenfreude deutlich erkennen ließen. Da mochten dem Freiherr und dessen Bruder schon die Nerven durchgehen und ihn zu Schimpfworten und sogar zum Gewehr greifen lassen. Man versteht es dann gut, wenn Karl von Hohenzollern resignierend an seinen Bruder Eitelfriedrich schrieb: „Was dann die wehrsteinischen (unterthanen) betrifft, vernimm ich von hier zu gern, daß sie sich etwas demietigers als die Haigerlocher erzaigen. Gott well, daß sie von den anderen sich nit verfieren lassen. *Es ist ein starker eingang, daß man alwegs den underthanen von ihren vermainten beschwerden soll und muaß abhelfen oder der erbhuldigung mangeln. Weil es mir aber ergers daraus zu erwarten, so muß man wol ein uberiges thun.*"
Und Johann Graf von Rechberg, Herr von Illereichen, schrieb 1661, als sich seine rebellischen Untertanen endlich „gietlich accomodiert" hatten, dankbar auf das Aktenfaszikel über diesen Streit: „Der hegste Gott beware alle obrigkeiten fohr derogleichen. Dann niemand weiß one erfahrenheit was es for ain creuz ist."
Wenn so die rechtlichen Widerstandsformen relativ breit beschrieben worden sind, so darf dabei jedoch nicht der Eindruck entstehen, als sei die Strategie der „Verrechtlichung" sozialer Konflikte problemlos aufgegangen und habe die Formen gewaltsamen Widerstands völlig verdrängt. Insgesamt muß aber zwischen zwei Stufen der Gewaltanwendung unterschieden werden. Für die überwiegende Mehrzahl der Revolten im deutschen Bereich scheint mir charakteristisch, daß, abgesehen von wenigen Ausnahmen, Gewalt i. a. defensiv angewendet wurde. Diese defensive Gewalt äußerte sich z. B. darin, daß das ganze Dorf zusammenlief, wenn die landesherrlichen Amtsleute den Steuer- oder Fronverweigern die Kuh aus dem Stall pfänden oder einen vermeintlichen Rädelsführer festnehmen wollten. Schnell läuteten die Glocken Sturm, das Volk lief zusammen und ließ sich mit den hoffnungslos unterlegenen Beamten in eine Rauferei ein, so daß diese unverrichteter Dinge abziehen mußten. Die Rettenberger Bauern nahmen 1607 7 Soldaten gefangen, die gegen sie aufgeboten worden waren[76]. Als 1612 Johann Pleikart von Freyberg einen Untertan, der verbotenerweise Holz geschlagen hatte, anhielt und ihm im Verlauf einer Auseinandersetzung eine Ohrfeige versetzte,

liefen auf dessen Geschrei die Bewohner von Justingen, Gundershofen und Ingstetten zusammen, so daß sich der Freiherr verschanzen mußte. Als die Untertanen endlich abgezogen und der Freiherr zurück zum Schloß reiten konnte, wurde er unterwegs überfallen. Die Untertanen der Vogtei Elsoff des Grafen von Sayn-Wittgenstein bereiteten 1725 ihren Ort, als sie das Eintreffen von Exekutionstruppen fürchteten, auf die Verteidigung vor. Die Zufahrten wurden gesperrt, die waffenfähigen Männer versammelten sich und standen Wache. Auch die berühmte Jerisauer „Bauernschlacht" von 1675 ergab sich aus einer Fronverweigerung und einem darauffolgenden Versuch, die Bauern durch Einquartierung von 200 Reitern zum Gehorsam zu bringen[77]. Als in der Grafschaft Wied-Kriechingen 1758 ein „verstärktes Commando" eintraf, „konnte solchem nicht einmal die Einquartierung verschafft werden. Der Hauptmann ließ zwar einen Deputierten . . . die Hausthür mit Axten aufhauen, der Tumult nahm aber dermassen zu, daß er es viel zu bedenklich hielt, seine Mannschaft der Überlegenheit auszustellen: bey dem Abzug verwandelte sich dieser Auftritt in ein Gespött, mit dem Zuruf: bon voyage."[78]

Wenn wir ferner bedenken, daß – wie in Hohenzollern-Hechingen – die Untertanen zur Selbsthilfe griffen, um eine für sie günstige Entscheidung des Kammergerichts durchzusetzen, so zeigen die hier erwähnten Beispiele defensiver Gewalt, daß eine gradualistische Differenzierung von legalem Widerstand und Gewaltausübung unter dem Gesichtspunkt „niederer" und „höherer" Formen kaum der Realität entsprach. Vielmehr muß davon ausgegangen werden, daß die Strategie der Verrechtlichung von den Untertanen aus mehreren Gründen akzeptiert wurde: Das gerichtliche oder Kommissionsverfahren bot wegen der Rücksichtnahme auf übergeordnete politische Gesichtspunkte erhebliche Erfolgschancen, die wahrgenommen wurden, selbst wenn der Prozeßweg als langwierig und kostspielig bekannt war und oft auch die ganze Gemeinde ruinierte. Daneben jedoch bot der Prozeßweg den Untertanen eine Rechtsposition an, die sich auch für die weitere Interessenvertretung nutzen ließ. So wurde es trotz gegenteiliger Mahnungen durch den Kaiserhof schon früh üblich, während der Dauer des Prozesses die strittigen Abgaben zu verweigern. Die Untertanen des Grafen von Schlitz verweigerten von 1732 bis 1766 alle Frondienste und oft genug bot der laufende Prozeß den Anlaß, eine Huldigung zu verweigern[79]. Es lassen sich auch Anzeichen dafür finden, daß während des Prozesses die Untertanen das normale territoriale Herrschaftssystem als aufgehoben ansahen und sie sich in einer Art rechtlichem „Ausnahmezustand" sahen. In der Grafschaft Rotenfels hatten wir bereits gesehen, wie die Untertanen nur das tun wollten, was ihnen der Kaiser befehlen würde. In Hohenzollern-Hechingen erklärten die Gemeinden ihren Landesfürsten, er solle ihnen eventuelle Einlassungen „zu Wetzlar" mitteilen. Erklärt werden kann diese Forderung nur mit der bereits erwähnten Vorstellung, daß durch die „saevitia domini" dessen Herrschaftsanspruch verwirkt sei, zumindest so lange, bis durch einen Prozeß das erlittene Unrecht wieder ausgeräumt war. Man könnte die Vorstellung vom rechtlichen Ausnahmezustand während des Prozesses als eine modernisierte Fassung des eingangs zitierten Schwabenspiegelsatzes verstehen. Angesichts größerer gesellschaftlicher Komplexität konnte ein Dissens zwischen Herrschaft und Untertanen nicht mehr der Selbstregelung überlassen werden. Das prozessuale Verfahren regelte diesen grundlegenden Konfliktfall zumindest insoweit, als damit die Verweigerung der jeweiligen Pflichten von Herrschaft und Untertanen bestimmten rechtlichen und prozessualen Kriterien unterworfen wurde. Damit wurde der prozessuale „Ausnahmezustand" für die bäuerliche Gemeinde, die sich ungerecht behandelt fühlte, zu einem durchaus attraktiven Zustand, in jedem Fall zu einer Phase denkbarer Neuordnung der Verhältnisse. Er behob jedenfalls teilweise die allgegenwärtige, bedrückende Legitimationsnot der Bauern, deren abstrakte altrechtliche Vorstellungen nur schwer gerichtsrelevant zu machen waren, deren göttlich-rechtliche Vorstellungen aber diskreditiert worden waren. Demgegenüber implizierte der Prozeß eine formale Gleichheit der Gegner, signalisierte die grundsätzliche Achtung der Position der Untertanen, kurz, er eröffnete neue Handlungsmöglichkeiten für die Untertanen. War der Prozeß erst einmal eröffnet, bot der „rechtliche Ausnahmezustand" weitere Chancen, neue Dokumente konnten gefunden werden, das einmal erregte Interesse der Behörden weiter genutzt werden und deshalb ist es kein Wunder, wenn Moser feststellte, die Untertanen ergriffen gleich die ganze Hand, wenn man ihnen nur einen kleinen Finger böte[80]. Folglich ergab sich für die Reichsgerichte ein letztlich nicht auflösbares Dilemma in Untertanenprozessen, das von Zwierlein so sah: „Giebt man dem Fürsten zu viel Gehör, so leiden die Unterthanen dabei: finden die Untertanen zu vielen Beistand, dann geben sie den Fürsten weder das, was sie nicht schuldig, noch das, was sie schuldig sind."[81]

4.4. Der gewaltsame Widerstand

Die bislang behandelten Formen des Widerstands wurden unter dem Aspekt einer Differenzierung von latentem und manifestem Widerstand behandelt. Damit sollte deutlich gemacht werden, daß das entscheidende Kriterium des Widerstands darin lag, daß er die Stille des Dorfes überschritt und zu einem gesellschaftlichen Problem wurde, wobei zweitrangig ist, ob diese Manifestation durch Supplikationen, Prozesse oder die einfache Verweigerung der Leistungen erreicht wurde.
Es wurde bereits mehrfach betont, daß ultima ratio des bäuerlichen Widerstands der gewaltsame Aufstand blieb, im Bereich des Heiligen Römischen Reichs immer assoziiert mit der Erinnerung an den Bauernkrieg von 1524–26. Vor allen Dingen

bei den Obrigkeiten blieb die Erinnerung an diese Jahre hellwach, der Bauernkrieg wurde zum Trauma der territorialen Obrigkeiten. So ist es auch kein Wunder, wenn um die Wende vom 16. zum 17. Jahrhundert mitten in einer Kette sich überschneidender Revolten die Erinnerung an 1525 wach wurde. 1597 erinnerte Christoph Truchseß von Waldburg an die vergleichbaren Entwicklungen von 1525 und 1597. Auch damals sei aus kleinen Anfängen ein großer, allgemeiner Aufruhr entstanden. „Weil sie hernachher ein Thoman Müncer, wie anietzo die meinigen einen verfuererischen bößartig advocaten gefunden, der sie in iren fürnemen gesterkt, ist auß sollichem geringen Anfang der sehr gefehrliche bauernkrieg . . . erweckt und angezettelt worden."[82]

Das Ausbleiben bauernkriegsartiger Ereignisse nach 1525 ist von der Forschung vielfach festgestellt worden und hat – wie im einleitenden Kapitel gezeigt wurde – den Grundstein für eine Fehlinterpretation des bäuerlichen Verhaltens nach dem Bauernkrieg gelegt. Die wenigen Fälle, in denen es trotzdem zu einem gewaltsamen Aufstand kam, der als Bauernkrieg zu begreifen wäre, sind auf den österreichischen Raum und auf Bayern beschränkt. Wenn wir einmal vom Windischen Bauernaufstand von 1573 absehen, dessen Zentrum außerhalb der Reichsgrenzen lag, kommen hier vor allem der ober- und niederösterreichische Bauernkrieg von 1595–97 in Frage, der oberösterreichische Bauernkrieg von 1626 sowie der bayerische Bauernkrieg von 1705–1706. In den Kategorien unserer bisherigen Untersuchung der Widerstandsformen zeichnen sich diese Ereignisse dadurch aus, daß die bäuerliche Bevölkerung ihren Widerstand nicht durch Leistungsverweigerung, Supplikation, Prozeßführung oder Kommissionsforderung manifest machte, sondern ihren Widerstand durch den bewaffneten Angriff auf Adelssitze oder Städte dokumentierte, sich schließlich militärisch organisierte und damit definitiv das Gewaltmonopol des Landesfürsten in Frage stellte.

Die hier erwähnten Ereignisse haben in der historischen Forschung genügende Beachtung erfahren. Gerade die österreichischen Bauernkriege haben sich in der Landesgeschichte besonderer Aufmerksamkeit erfreut. Als spezifische Problematik dieser Ereignisse gilt das Verwobensein von religiösen und wirtschaftlich-politischen Motiven[83]. Schon die zeitgenössischen Beobachter stritten sich aus naheliegenden Gründen um die Gründe für die Bauernkriege, da die Aufstandsereignisse ihren Platz in einem konfessionellen Konflikt fanden, in dem sich katholische Prälaten und Landesfürst auf der einen Seite und protestantischer Adel und Bauernschaft auf der anderen Seite gegenüberstanden. Für den oberösterreichischen Adeligen Georg Erasmus Tschernembl galt es als ausgemacht, daß die Bauern – „die tropfen" – wirtschaftliche Beschwerden gegen ihre Grundherren nur vorschoben, um damit beim Kaiserhof in Prag besser anzukommen[84]. In Wahrheit sei dies jedoch ein Kampf gegen die religiöse Bedrückung der Untertanen. Für Kardinal Khlesl dagegen rührte die Rebellion eindeutig aus der „laidigen concession" der Augsburgischen Konfession her, womit alle Unordnung im Lande erst begonnen habe[85].

Daß sowohl der oberösterreichische Bauernkrieg von 1626 wie auch der bayerische Bauernaufstand von 1705/06 in Ländern stattfinden, die von fremden Herrschern besetzt waren, mag ein Hinweis sein auf die notwendigen Vorbedingungen für einen umfassenden, militärisch organisierten Aufstand. In beiden Ereignissen handelte es sich um einen vorausgegangenen Kollaps des traditionellen Herrschaftssystems. Ob aus eigener Schwäche oder aus übergeordnetem politischem Kalkül waren diese Länder unter Militärverwaltung gestellt worden, die in beiden Fällen den Ländern rücksichtslos hohe Lasten aufbürdeten. Für die Untertanen waren die jeweiligen neuen Regimente Zwangsinstitute, denen sie sich nicht verpflichtet fühlten. Der Zusammenbruch des traditionellen Herrschaftssystems wurde in beiden Fällen mit der Verweigerung der tradierten Verpflichtung der Untertanen beantwortet. In den so entstandenen Regimenten stand dem Widerstand der Untertanen nicht die normale Sperre entgegen, die in der angestammten „christlichen obrigkeit" begründet war.

Auch die österreichischen Verhältnisse des späten 16. Jahrhunderts passen in dieses Erklärungsmuster hinein. Die schwere Belastung der habsburgischen Erblande im 16. Jahrhundert – besonders im letzten Jahrzehnt – durch die türkische Bedrohung stellte in den Augen der Untertanen ein Versagen elementarer Herrschaftsfunktionen dar. Mehrfach finden sich in den Quellen Hinweise auf dieses Gefühl, daß der Schutz des Landes nicht gewährleistet sei: Damit ergab sich für die Untertanen im Grunde wieder jener „Ausnahmezustand", eine krisenhafte Relativierung der angestammten Obrigkeit. Trat bei den Revolten in Oberdeutschland in einem solchen Falle substituierend das Reichssystem in Kraft, das dann den Konflikt auffangen konnte, so ergab sich diese Möglichkeit in den habsburgischen Erbländern nicht. Hier wirkte sich der Konflikt unmittelbar aus und wurde verstärkt durch konfessionelle und wirtschaftliche Probleme, so daß angesichts dieser Sonderbedingungen die spezifische Dichte von Bauernkriegen in Österreich erklärbar erscheint.

Überblicken wir noch einmal die Formen des Widerstands, so muß die Abhängigkeit des Widerstands von den Existenzbedingungen der bäuerlichen Gemeinden einerseits und der Entwicklungstufe staatlicher Herrschaft hervorgehoben werden. Beide Faktoren koinzidieren nach dem Bauernkrieg in der Weise, daß sich die Gemeindemitglieder rechtlich und wirtschaftlich in die Lage versetzt sehen, Auseinandersetzungen mit ihren Grundherren auf die Ebene der territorialen oder der Reichsgerichtsbarkeit zu bringen. Damit gewannen geregelte Verfahren für die Lösung von Konflikten an Bedeutung. Entscheidend wurde damit für den Widerstand der bäuerlichen Untertanen jener Schritt ihres Widerstands, der den Konflikt manifest, d. h. zum Gegenstand rechtlich-politischer Bemühungen der übergeordneten Instanzen machte. Alle Zeichen deuten darauf hin, daß die bäuerliche Bevölkerung diese Strategie der „Verrechtlichung" der Konflikte akzeptierte, freilich nicht in dem pazifizierenden Sinne der territorialen Obrigkeiten und der Reichsgerichte, den diese ursprünglich im Auge hatten. Vielmehr wurde auch der rechtliche Widerstand einbezogen in den allgemeinen Kampf der Bauern für einen von Belastungen, Abgaben und Eingriffen möglichst freien Existenzbereich.

5. Motive und Ziele des Widerstands in der Sicht der Bauern

„. . . . und also diesen pauren vielleicht nichts liebers, dann daß sie die in ihren gemütern steckende allgemeine rebellion dermalen ainist zu völligem werk richten könnten."
Bischof von Konstanz im Mai 1605 über den Aufstand der Rettenberger Bauern.

„Alß langt an E. F. G. unser ganz underthänigst . . . und flehentlich bitten, . . . uns als gehorsamen underthanen mit gnaden zu erscheinen, uns bey unserm alten wohlhergebrachten auch thails per viam contractus erlangten rechten, gerechtigkaiten, alten bräuchen und gewonhaiten gnediglich und ruewig verbleiben zu lassen."
Die Rettenberger Bauern im April 1605

Lesen wir die beiden vorangestellten Zitate nacheinander, dann können wir ermessen, welche Schwierigkeiten der historischen Analyse entgegenstehen, die sich um Aussagen zu den Motiven und Zielen des bäuerlichen Widerstands bemüht. Beide Zitate, höchst aufschlußreich über die Wirkung des Widerstands auf die betroffenen Obrigkeiten und das taktische Vorgehen der Bauern, verweigern uns im Grunde den Einblick in die bäuerliche Bewußtseinslage.
Trotzdem darf auf den Versuch eines analytischen Zugriffs nicht verzichtet werden. Zu groß ist die Lücke zwischen der wirtschaftlich-rechtlichen Lage der Bauern einerseits und den Reaktionen der betroffenen Obrigkeiten andererseits, über die wir quellenmäßig gut informiert sind, als daß wir darauf verzichten könnten, das kollektive Bewußtsein rebellischer Gemeinden zu erschließen.
Wenn vom kollektiven Bewußtsein rebellischer Gemeinden gesprochen wird, dann ist damit jene zentrale Handlungseinheit angesprochen, die uns in fast allen Formen des Widerstands als Träger der Bewegung auffällt. Im Rahmen der Gemeinde spielen sich zuallererst die Vorgänge ab, die zum Beginn und zur Manifestation des Widerstands führen. Um Pfingsten 1580 kommt es in Böhmenkirch zu ersten Diskussionen über möglichen Widerstand gegen die neuen Belastungen durch den Freiherrn von Rechberg. Bei der Fronarbeit im Steinbruch habe David Klein geraten, daß man nach Innsbruck und Prag gehe. Brentz habe gesagt, es werde die Gemeinde hinwegziehen. Nach der Aussage eines anderen Rädelsfüh-

rers sei die Verpflichtung der Gemeinde zur Zahlung eines „Handlohns“ von 78 fl., um damit die Fronarbeiter zu bezahlen, der letzte Anstoß gewesen. „Sie alle gesagt hätten, sie könnten es nicht geben.“ Über ihre Bedeutung als kleinste Einheit des Widerstands hinaus ist die Gemeinde auch in den Fällen, in denen sich der Widerstand weiträumiger organisiert – also auf der Ebene eines Gerichts, eines Amts oder gar einer kleineren Herrschaft – für die Willensbildung der Bewegung unentbehrlich. Die Ausschüsse, d. h. gewählte Vertreter einer solchen größeren Einheit, wurden wiederum in den einzelnen Gemeinden gewählt und waren dort ihren Auftraggebern verantwortlich.

Doch würde eine zu starke Betonung des Gemeindecharakters jeder bäuerlichen Bewegung ein zu zersplittertes Bild des Widerstands ergeben. Betrachten wir die Konflikte, die seit dem späten 16. Jahrhundert an die Reichsgerichte gingen, so sind hier im allgemeinen größere Einheiten als Grundlage der Bewegung auszumachen. Gegen den Truchseß von Waldburg prozessierte das Amt Hohentengen mit über 10 Dörfern, gegen den Grafen Karl von Hohenzollern-Sigmaringen die sieben Haigerlocher Dörfer Gruol, Zimmern, Weildorf, Bietenhausen, Hardt, Bittelsbronn, Hefendorf, gegen Johann Pleikart von Freyberg die Dörfer Justingen, Gunderhofen und Ingstetten, gegen den Grafen von Königsegg die Herrschaft Rotenfels mit 11 Gemeinden und dem Städtchen Immenstadt und gegen die Grafen zu Sulz revoltierten im Klettgau die Bauern von ca. 15 Gemeinden, gegen die vorderösterreichische Regierung im Amt Waldkirch die gleiche Zahl. Mit Ausnahme der Gemeinde Böhmenkirch waren alle Revolten von mehreren Dörfern getragen, und diese Beobachtung gilt auch für die vielen Prozesse vor den Reichsgerichten im 18. Jahrhundert, über die wir aufgrund gedruckter Quellen informiert sind, also in Solms-Braunfels, Wittgenstein, Isenburg-Meerholz, Kriechingen, Nassau-Siegen und anderen Kleinterritorien.

Diese über die Gemeinde hinausgehende Organisationsform des Widerstands muß betont werden angesichts oftmaliger Hinweise auf die „Lokalborniertheit“ bäuerlicher Bewegungen oder deren lokale Zersplitterung. Angesichts einer örtlich oder herrschaftlich begrenzten Steuer- und Wirtschaftsordnung wäre es grotesk, diese Bewegungen an einem nationalen Bezugsrahmen von politischem Handeln zu messen. Andererseits läßt sich beobachten, wie die Organisation des Widerstands selbst über wenige Gemeinden hin erhebliche Schwierigkeiten machte. Das Problem der politischen Willensbildung stellte sich auf allen Stufen des Widerstands. Die Bestellung eines Advokaten, der eine gemeinsame Supplikationsschrift aufsetzen sollte, mußte abgestimmt werden, Ausgaben mußten umgelegt werden. Um überhaupt handlungsfähig zu werden, mußten sogenannte „Ausschüsse“ gewählt werden, die die Gesamtvertretung übernahmen. Besonders die Phase des manifesten Widerstands brachte große Schwierigkeiten für die Bewegung mit sich. Einmal verlangte etwa ein Kommissionstag eine durch wenige

Ausschußmitglieder handlungsfähige Bauernschaft. Selten jedoch war die revoltierende Bauernschaft bereit, vier oder fünf ,,Ausschüsser" alleine die Verhandlungen führen zu lassen. In der Praxis sah das dann meistens so aus, daß zwar wenige ,,Ausschüsser" meist mit einem Advokaten die direkten Verhandlungen führten, jedoch keine verbindlichen Zusagen geben konnten. Entweder mußten sie bei einer größeren Anzahl von einzelnen Dorfvertretern zurückfragen oder die Verhandlungen mußten unterbrochen werden, um die ganze Gemeinde zu befragen. Als z. B. den Ausschüssen des Amts Hohentengen am 28. Juli 1596 ein kaiserliches Mandat vorgelesen worden und sie dazu aufgefordert worden waren, am nächsten Tag mit der Fronmahd anzufangen, wurde den Unteramtmännern geboten, in ihren Gemeinden Versammlungen einzuberufen und über diese Frage entscheiden zu lassen. Das Ergebnis dieser Versammlungen war höchst unterschiedlich und reichte von strikter Verweigerung bis zur Bereitschaft, soviel zu tun, wie andere tun. Im Protokoll der Ulmer Kommissionsverhandlung der gleichen Untertanen mit den beauftragten Kommissaren wurde deutlich unterschieden zwischen den 4 beauftragten ,,Ausschüß" und ,,der gemainen paurschaft", also 2–5 Vertretern aus jedem Dorf des Amtes.

Die durchgängig zu beachtende Wahl der ,,Ausschüsse" für die Phase des manifesten Widerstands deutet auf die besondere Schwierigkeit hin, daß die Gemeinde oder das Amt in der Auseinandersetzung mit Obrigkeit oder Reichsgerichten eine möglichst einheitliche Position zu vertreten hatte. Es wurde bereits darauf hingewiesen, daß der Schritt in den offenen Widerstand endgültig ,,Gehorsame" und ,,Rebellanten" trennte. Hatte sich in der Gemeinde nun eine revelante Mehrheit für den Widerstand ergeben, so mußte dieser Mehrheit daran gelegen sein, im Namen der Gesamtgemeinde zu sprechen[1], denn individuelle Klagen oder Leistungsverweigerungen wären ohne Aussicht auf Erfolg gewesen. Dieses Problem wurde verschärft dadurch, daß sich im Widerstand in der Gemeindeführung oft Personen durchsetzten, die normalerweise nicht zur Führungsgruppe gehörten. In Hohentengen beschwerten sich einige gehorsame Untertanen beim Truchseß, die Rebellen würden ihren Rat aus denen zusammenlesen, die ,,gar nichts an der gemeind haben und diß allein darumben, daß mit sye uns als den gehorsamen als den wenigern thail in allen der gemaind sachen mit gewalt zurücktreiben und überstimmen". Auch verkauften die Rebellen die ,,schönsten Aichen" des Gemeindewalds, während sie für das Gemeindeholz bezahlen müßten.

Umso eher mußte der Mehrheit an der Einstimmigkeit des Widerstands gelegen sein. Um dies zu erreichen, griff die Mehrheit auf das übliche Mittel zurück, diejenigen, die sich nicht dem Widerstand anschlossen, aus der Nutzungsgemeinschaft der Gemeinde auszuschließen, d. h. Wiesen und Weide, Schmiede und Ofen zu verbieten. Zuweilen wurden auch schärfere Sanktionen ergriffen, wie etwa im Klettgau, wo man alle Gemeindeleute, die nicht die Revolte unterstützten, von jeglichem Verkehr ausschloß („mit kaufen noch verkaufen noch auch anderen Handlungen nichts zu schaffen"). Dieser Konsens aller Gemeindegenossen war offensichtlich ein Problem der bäuerlichen Bewegungen. Zufällig hat sich ein Bericht darüber erhalten, daß ein Anführer der Bauern aus Unlengen im Amt Hohentengen mit den ebenfalls rebellierenden Untertanen des Grafen Karl von Hohenzollern in Langenenslingen in Verbindung trat und eine Besprechung mit dem dortigen Schulmeister führte, der hier als Anführer galt: „und sind in ihrem colloguo so weit procedirt, daß der Schenk ferners gefragt, wie sie (bei) ihnen doch thun, das sie Langenenslinger alle so einhellig mit vermelden, die zu Unlengen nit so ainig seind." Die Antwort des Schulmeisters ließ keinen Zweifel, daß man in Langenenslingen zum bewährten Mittel des Weideverbotes gegriffen habe. Schenk selber habe in Unlengen und Altheim das Regiment übernommen und werde dort als „halber Abgott" verehrt, den man mit Trommeln und Pfeifen empfangen habe. Er habe die herrschaftlichen Wappen abgerissen und in die Ecke geworfen, ja er habe dem Pfarrer sogar die Fürbitte für den Truchseß von Waldburg verboten. Schließlich berichtet die Quelle – die auf detaillierte Einzelberichte gestützte artikulierte Klage gegen Schenk – er habe die zögernden Untertanen gezwungen, mit ihm ins Wirtshaus zu gehen und Wein „in signum foederis" zu trinken.

Damit ist die Frage der Ritualisierung des Widerstands angesprochen. Offensichtlich bedurfte der offene Widerstand in den Gemeinden einer inneren Absicherung, die über die einfache Zustimmung hinausging. Man wußte, daß es bei solchen Aktionen „um Gut und Blut" ging und schwor deshalb, beieinander zu bleiben, einer für den anderen zu stehen und sich nicht zertrennen zu lassen. Um dies zu bekräftigen wurden verschiedene Rituale gewählt. Als man im Mai 1581 die Böhmenkircher Untertanen in Schwäbisch Gmünd mit Waffen nicht einlassen wollte und diese daraufhin den Kommissionstag boykottierten, haben „sy alle widerum auf ein neues zusammengeschworen und in einem circulo, zween aus ihnen gegeneinanderübergestölt, die einen spieß überzwerch gehalten, dardurch ein jeder aus inen auf zuvor gegeben handgelübd und empfangen gelt . . . hetten gehn müssen". Schon vorher hatte man in der Gemeinde gedroht, Unwillige „an den turmen grün" zu hängen. In Hohentengen hatten die Rädelsführer alle Untertanen durch eine Gasse aus 2 Seilen gehen lassen „als durch ein musterung". Mit offensichtlich besonderer Aufmerksamkeit registrierten die Amtsträger der Obrigkeiten „vor Ort" die ungewöhnlichen Formen der bäuerlichen Solidarisierung. Aus dem Tigen Rettenberg berichtete man, die Untertanen hätten „mit gleichsam unsinnigem zusammenlaufen und vergadern auch aufgereckten handen und huetten, neue verbindung gemacht".

Die Bauern von Kemnitz in der Oberlausitz verpflichteten sich 1592 zu einheitlichem Vorgehen, indem sie alle durch einen – Einheit symbolisierenden – Reifen hindurchkrochen und dabei zwei Finger zum Gelübde hochstreckten. Im böhmischen Aufstand von 1680 schworen die Bauern an einer Stange, in die man ein Kreuz gekerbt hatte, zusammenzustehen, „es komdt gutt oder Böss.“[1a].

Die ritualisierten Formen des Zusammenschlusses der Gemeinden zum Widerstand schafften augenfällig eine neue Form der Genossenschaft. Die damit gewonnene enge Verbindung sollte auch Schutz bieten vor der herrschaftlichen Taktik, Rädelsführer herauszugreifen und diese alleine zu bestrafen. Diese „rebellischen cerimonia“ – wie dies von Seiten der Obrigkeiten genannt wurde – banden die aufständischen Gemeinden enger zusammen und schufen auch für die Dauer der Bewegung neue Hierarchien in der Gemeinschaft. Keineswegs herrschte während der Phase des durch Leistungsverweigerung oder Prozeßführung artikulierten Widerstands eine dörfliche Anarchie. Vielmehr übten die gewählten bäuerlichen Führer ein oft strenges Regiment aus und nahmen Haus- und Waffenmusterungen vor wie etwa im Klettgau, wo die Administratoren der Grafschaft entsetzt berichteten, es gebe „kein exempel im ganzen kaisertum und an der türkischen grenze, mit dem diese miseria zu vergleichen sei“. Auch Strafen gegenüber denjenigen, die die eigene Bewegung diskreditierten, waren üblich und auch durchsetzbar.

Man wird die innere Organisation und Willensbildung der aufständischen Gemeinden als eine intensivierte Stufe des normalen Zusammengehörigkeitsgefühls bewerten können, das zusätzlich durch den Druck von außen verstärkt wurde. Die Entscheidungsfindung über wichtige Schritte im Fortgang der Bewegung verlief demokratisch durch Mehrheitsentscheidung. Die übliche Form der Beratung der bäuerlichen Gemeinde vor allem außerhalb des Dorfes war der Ring, d. h. eine kreisförmige Aufstellung der Bauern mit einem Sprecher in der Mitte. Im Tigen Rettenberg, wo wir die Beratungsform sehr klar beschrieben sehen, löste sich der Ring zur intensiven Beratung eines Vorschlags der Herrschaft darüber hinaus „in vier underschiedliche haufen“ auf, die getrennt berieten und dann wieder zusammentraten, um einen „Schluß“ zu formulieren. Als dies geschah, traten einige „schreyer“ vor und überzeugten die Versammlung davon, nicht weiter zu verhandeln. Durch Aufheben der Hüte bekräftigte man diesen Entschluß, fiel auf die Knie nieder und bekräftigte „gleichsam mit einem gebet“ diese Meinung. Der 1. Kommissionsbericht über die Klettgauer Rebellion berichtete, daß die Untertanen sich insgesamt geweigert hätten, in gütliche Verhandlungen einzutreten. Zwar wären drei Gemeinden bereit gewesen, aber sie seien „übermehret“ worden. Es ist ohne Zweifel ein Indiz für ein relativ stark entwickeltes Bewußtsein der gemeinsamen Lage der gesamten Landschaft, wenn diese Gemeinden jetzt nicht – wie eigentlich zu erwarten gewesen wäre – aus dem Verband der Ungehorsamen ausscherten, sondern die Politik der Mehrheit weiter unterstützten.

Die Beschreibung des rituell abgesicherten Zusammenhangs der bäuerlichen Widerstandsbewegungen, der Schwur, lieber sterben zu wollen, als eine bestimmte

Verschlechterung der Position hinnehmen zu wollen[2], scheint auf den ersten Blick nicht frei von Theatralik. Tatsächlich aber beeindruckt insgesamt die Bereitschaft der Gemeinden, einen Konflikt bis zum bitteren Ende durchstehen zu wollen. Man ist sich bewußt, daß ein Prozeß zehn Jahre dauern wird, man läßt sich unbeeindruckt vorhalten, wie schwach die Gemeinde doch sei, die Drohung mit „schärferen Mitteln" hat meist nur den Effekt, den Widerstand zu verstärken. Auch das sich oft über Generationen hinziehende Prozessieren einzelner Gemeinden, ein oft fatalistisch anmutendes Hinnehmen des eigenen Ruins beim negativen Ausgang eines Rechtsstreits, all dies deutet darauf hin, daß wir es hier nicht mit theatralischen Gebärden zu tun haben, sondern mit einem auf lange Zeiträume berechneten Rechtsverständnis. So wie die bäuerliche Position ihre Begründung ganz allgemein in alten, hergebrachten Zuständen findet, eine neue Belastung als „ungebreuchlich" abgelehnt wird, genauso will man der „Posterität" nicht eine Verschlechterung der Rechtsposition zumuten. Überraschend dabei ist in jedem Falle, in wie starkem Maße das bäuerliche Denken von der eigenen Lage abzuheben bereit war und für zukünftige Generationen mitkämpfte. „Under das knechtische und gleich haidnische joch und ewige servitut" wollten sich die Böhmenkircher Untertanen nicht bringen lassen, wie sie in einer Supplikation vom Dezember 1581 an den Herzog von Württemberg formulierten. Ein Gutachten der Tübinger Juristenfakultät über die Rebellion dieser Gemeinde hielt ihr strafmindernd zugute, daß die Kommissionsverhandlungen „zu des herren vortail und zu der underthanen auch irer nachkommen ohnüberwindlichen schaden und verderben gerichtet werden".

Dieses auf die Zukunft hin orientierte Rechtsbewußtsein der Bauern, das den Lebenden außerordentliche Belastungen zugunsten der nachkommenden Generationen zumutete, fand seine Entsprechung in einer Handlungsmotivation, die durch die Tradition bestimmt wurde. Wenn wir die Widerstandsbewegungen unserer Epoche durchgehen, so ist unübersehbar, daß in einer großen Zahl dieser Bewegungen bereits eine Tradition des Widerstands existierte. Das Gericht Gründau in der Grafschaft Isenburg-Meerholz, das sich seit 1720 das ganze 18. Jahrhundert hindurch in prozessualem und gewaltsamem Widerstand gegen seinen Herrn befand, hatte schon kurz nach dem Dreißigjährigen Krieg die ersten Auseinandersetzungen über die Fronbelastung. In Hohenzollern ist die Widerstandstradition ebenso evident wie im Fürststift Kempten. Schließlich ist der oberdeutsche Revoltengürtel zwischen Oberrhein und Allgäu, in dem sich die Mehrzahl der hier behandelten Konflikte abspielt, durch eine lange Kette von Aufständen geprägt. Ein darüber hinausgehender Vergleich der verschiedenen kleineren Widerstandsaktionen des 16.–18. Jahrhunderts ergibt die Tatsache, daß eine ganze Reihe von Gemeinden mehrfach in den Akten der Reichsgerichte aufscheinen. So etwa die Herrschaft Illereichen zwischen 1649–1658 und erneut 1729, die Gemeinde Michelfeld 1570 und 1706–1723, das Gericht Altenstein 1603 und 1720, die Gemeinde Lich, die dem Grafen von Solms gehörte, 1613 und 1725, die Afterlehensleute zu Hirschberg 1595 und 1723 und die Reichsdörfer Gochsheim und Sennfeld, die sich schon 1594 über die zu hohe Besteuerung durch den Bischof von Würzburg beklagten, prozessierten zwischen 1716 und 1727 am Reichshofrat wegen zu hoher Kreissteuern und deren militärische Eintreibung wiederum gegen den Bischof[3].

Fehlte eine direkte Widerstandstradition, so konnte die Vorstellung einer alten Freiheit, die nur gerüchtweise bekannte Existenz einer alten Urkunde den gleichen motivierenden Effekt für den Widerstand haben. Die Gemeinde Böhmenkirch erkannte den Freiherrn von Rechberg nicht als Eigentumsherrn, sondern nur als Schutz- und Schirmherrn an, da sie selbst „auf lauter erb und aigen gütern“ säßen. Böhmenkirch sei ein „gefreiter reichsmarkt“, das sei ihnen in Innsbruck bestätigt worden und deshalb habe man sie dort nach Prag verwiesen. Ihren alten Freiheitsbrief hätten sie dem von Rechberg zur Aufbewahrung gegeben. Die Gemeinde Odenheim beanspruchte für sich, eine reichsunmittelbare Vogtei zu sein, die in Wald und Feld Gebot und Verbot habe. Diese Vorstellungen hatten für die Gemeinden die gleiche motivierende Kraft wie für die Bauern im Tigen Rettenberg die vermeintliche Existenz eines alten Freiheitsbriefes. Conrad Vogler aus Oberstdorf gab an, „er habe von dem vorigen landamman . . . vor vielen jaren vernomen, daß ein brief vorhanden, welchen er den zaiger nennet, darinnen stande lauter geschrieben, daß in ganzer teutscher nation kain sollicher siz seye wie in dißem tigew Röttenberg und daß sy von leibaigenschaft frey“ seien.

Wenn auch bei der von den Untertanen erzwungenen Nachsuche im Gewölbe von Burg Fluchenstein kein solcher Brief gefunden wurde und aus dem Bericht deutlich das Erschrecken der Bauern über die „paucität“ der gefundenen Briefe zu erkennen ist, so war doch damit keine Aufgabe ihrer Forderungen verbunden. Die Vorstellung ihrer alten Freiheit blieb erhalten und trug den hartnäckigen Widerstand noch drei Jahre weiter.

Der Begriff der „alten Freiheit“ erweist sich als Schlüsselbegriff der Revolten vor allem im ober- und mitteldeutschen Raum[4]. In der Auseinandersetzung der Dörfer Odenheim und Rohrbach gegen das Stift Bruchsal wurde 1610 von Seiten der Obrigkeit formuliert, „jetzt sey die rechte zeit des bißher gedulteten jochs sich zu entledigen und allgemaine freyhait zu erlangen“. Wie kann man diesen Freiheitsbegriff der Bauern präziser abstecken? Zunächst scheint es mir notwendig, zwischen zwei Vorstellungen von Freiheit zu differenzieren. In allen bäuerlichen Gemeinden gab es die Vorstellung einer Welt ohne Herren, ohne Abgaben, Dienste und Zwänge, einer bäuerlichen und selbstverwalteten Welt. In diese Vorstellung von Freiheit flossen göttlich-rechtliche Vorstellungen von der Gleichheit aller Menschen ebenso ein wie das relativ stark entwickelte ökonomische Autarkiedenken der Gemeinden. Diese Freiheitsvorstellung könnte man den Traum von Freiheit nennen, real schwer zu greifen, aber unterschwellig immer vorhanden und quellenmäßig nur in spontanen Ausbrüchen bäuerlichen Denkens zu erfassen. Mit diesem Traum war die radikale Infragestellung von Herrschaft direkt verbunden, sie wird deutlich, wenn Bauern sich in ihrer Erregung den Türken herbeiwünschen oder daran erinnern, daß es einen Adel nicht unbedingt geben müsse. Im Amt Waldkirch wurde 1598 geäußert, ,,man bedürfe keiner oberkeit und man könde wohl ohn ein oberkeit wie im Schweizerland leben". In Vorarlberg fand das bäuerliche Bewußtsein der eigenen Stärke 1664 seinen Ausdruck in dem Satz: ,,Wan die Bauren zue Samen stehn wie die Schwein, wer Ier ob Herr wolle Sein."[5] Dieser ,,Traum von Freiheit" war auch der Kern aller potentiellen bäuerlichen Gewalt, wie sie am klarsten von den Herrschaften selbst erkannt wurde. Wenn Graf Johann von Zollern im Januar 1627 an den bayerischen Geheimen Rat Richel schrieb, ,,es seint die untertanen sonsten allenthalben schwierig genug und bedürfen nur des pfeifers, wurden sonsten am danzen nicht erwinden lassen", dann war damit jene traumatische Angst des Adels vor dem großen Aufstand der Untertanen angesprochen[6].

Neben diesem immer wieder aufscheinenden Traum bäuerlicher Freiheit können wir eine Vorstellung von praktischer Freiheit ausmachen, wie sie im konkreten Verhältnis von Bauer, Grundherr und Landesfürst zu realisieren war. Dies ist der Raum, wo es um die Restitution alter Rechte und Befreiungen, hergebrachter Nutzungsrechte und Immunitäten oder der gemeindlichen Selbstverwaltung ging. Im Amt Waldkirch ging es den Bauern folglich darum, ,,das man sie bei irem alten thalbrauch und herkommen verpleiben lasse" und die Böhmenkircher Untertanen ,,haben eben dis vorhaben gehabt, sie wöllen hierdurch zu ir fürgebenen alte gerechtsame widerkommen".

In diesem Bereich praktischer Freiheit sind die Konflikte angesiedelt, die wir hier behandelt haben. Sie beziehen sich auf konkrete – ja wie Friedrich Lütge einmal meinte – ,,lächerliche" Punkte von oft kaum bezifferbarem Wert, dem es gar unverständlich erschien, warum die Gemeinden wegen solcher unbedeutender Forderungen endlos prozessierten[7]. Hier ergibt sich dann die Verbindung zwischen ,,Traum" und praktischer Freiheit. Jeder Kampf um ein Stück ,,altes Recht" stand für die bäuerlichen Gemeinden in der Perspektive vom Traum der Freiheit. Jedes Stück geretteter oder neu erkämpfter praktischer Freiheit war ein Stück des großen Traums und gewann damit für die Gemeinden eine für uns schwer zu verstehende Bedeutung.

Insofern muß eine Antwort auf die Frage nach der motivierenden Kraft dieses Widerstands notwendigerweise eine doppelte sein. Die Bauern wußten sehr gut, daß keine Aussicht auf Realisierung des Traums von Freiheit bestand und deshalb galt ihr Kampf der praktischen Freiheit. Dieser Kampf wäre in seinem Ausmaß aber unmöglich gewesen, wenn dahinter nicht die Vorstellung des Traums gestanden hätte. Diese Freiheitsutopie erst gab dem Widerstand seine so schwer nachvollziehbare Beharrlichkeit. Für die Praxis des Widerstands aber galt für die Bauern die Einsicht in die festgefügte Herrschaftsordnung, angesichts der nur um konkrete Verbesserungen gekämpft werden konnte. Diese Einsicht wurde 1582 von den Anführern der Böhmenkircher Revolte ganz eindeutig formuliert, wenn sie schrieben: „und deren meinung gar nicht, sich allerdings frey zu machen , *dan sie selbsten die rechnung wol machen könden, daß inen diß nimmer passiert oder guet gehaissen würde mögen.*"

Das damit angesprochene Kalkül der Bauern betrifft die politischen Bedingungen ihres Widerstands. Da der rechtliche Kontext schon angesprochen wurde, ist jetzt aus der Perspektive der Bauern her zu fragen, wie sich Herrschaft auf ihren unterschiedlichen Stufen für die Bauern darstellte und wo ein Ansatzpunkt für Widerstand zu finden war. Explizite Aussagen lassen sich hierzu kaum finden, doch können beiläufige Bemerkungen in Kommissionsverhandlungen und Beschwerdeschriften insofern weiterhelfen, als uns daraus eine Einschätzung von Herrschaft vor Augen geführt wird, die Herrschaft auf ihre funktionale Notwendigkeit reduziert. Herrschaft in diesem Verständnis schützt die Untertanen in ihren alten Freiheiten, setzt Ordnungen und Gericht zum Wohl der Untertanen und bestraft Vergehen gegen die öffentliche Ordnung. Diese Ausübung von Herrschaft gemäß den Rechten und Freiheiten der Untertanen wird zugleich relativiert durch die vage, aber wirksame Vorstellung einer Welt ohne Obrigkeit, wie sie oben schon einmal belegt wurde. Zum andern wird sie im Verständnis der Untertanen begrenzt durch die Berechtigung zur Aufkündigung des Herrschaftsverhältnisses, zumindest zur Kontrolle der Herrschaft durch Huldigungsverweigerung oder Beschwerde an die übergeordnete Obrigkeit. Obwohl den Bauern keine eigentliche, präzis formulierbare Vorstellung vom Recht auf Widerstand zur Verfügung stand, besaßen sie ein erstaunlich hoch entwickeltes praktisches Widerstandsdenken, das sich vor allem die Hierarchie der feudalen Herrschaftsträger zunutze machte. Samuel Letscher, der Advokat der Böhmenkircher Rebellen, spricht einmal im Verhältnis Untertan-Obrigkeit von einer „mutua et reciproca obligatio", aus der das Grundrecht der Untertanen abzuleiten sei, „superioris officium impune implorare, si dominus ab ipsis iniusta servitia exigat". Obwohl wir hier den von der Kammergerichtsjudikatur im 16. Jahrhundert entwickelten Grundsatz auf der Ebene der Gemeinde aus der Feder eines Juristen wiederfinden, so dürfen wir doch in dieser Formulierung das Selbstverständnis der Gemeinden selbst sehen. Es ist auffallend und muß deshalb besonders betont werden, daß die Bauern ein außerordentlich stark entwickeltes Bewußtsein der Möglichkeiten haben, die ihnen die Hierarchie der Herrschaftsträger bot. Wie selbstverständlich nutzen vorderösterreichische Untertanen im Amt Waldkirch die verschiedenen Zuständigkeiten des

Regiments in Ensisheim, der vorderösterreichischen Regierung in Innsbruck und des Prager Kaiserhofs. Die Verteidigungsstrategie der Anführer der Böhmenkircher Revolte baute ganz auf dieser Version des Widerstandsrechts auf und erfuhr in deren Verteidigungsschrift eine ausführliche Begründung. Sie halten sich für berechtigt, „diß eusseriste mitel, dessen sie lieber uberhoben gewesen", zu ergreifen, nachdem all ihr Bitten bei ihrem Herrn ohne Erfolg gewesen sei. Auch erwähnten sie – hierbei zweifellos juristisch beraten – daß ein Vasall seines Lehens entsetzt werden könne, wenn er seine Untertanen „übel halte". „So haben sie die Böhmenkircher hoffentlich nicht unrecht gethan, daß sie dise ir eusserste betrengnus bey der hohen oberkeit clagend angepracht." Bemerkenswert bei dieser Aussage ist vor allem die Selbstbeschränkung der bäuerlichen Widerstandsmöglichkeiten gegenüber der verhörenden Obrigkeit. Die Klage bei der höheren Obrigkeit wird als „äußerstes" Mittel hingestellt.

Widerstand gegen unbillige Herrschaftsausübung gehörte somit zum Selbstverständnis der untersuchten Gemeinden, freilich nicht Widerstand im Sinne einer „force aveugle" (R. Mandrou), sondern Widerstand im Rahmen des bestehenden politischen Systems, getragen aber von der unausrottbaren Vorstellung einer allgemeinen bäuerlichen Freiheit ohne adelige Herrschaft.

Diese Bereitschaft zum Widerstand muß jedoch eingeordnet werden in den allgemeinen Bewußseinsstand der bäuerlichen Bevölkerung in der frühen Neuzeit. Die Erforschung spezifisch bäuerlicher Mentalitäten zeitspezifischer Bewußseinsstrukturen steckt für den deutschen Bereich noch viel zu sehr in den Anfängen, als daß sich hier schon Ergebnisse verarbeiten ließen, die für die Untersuchung des Widerstands bedeutsam wären. Ganz ohne Zweifel liegt jedoch in der Rekonstruktion zeitspezifischer Bewußtseinsstrukturen und Denkmuster eine unabdingbare Voraussetzung für die Analyse des sozialen Handelns einzelner Gruppen und insofern kann auf diesen Ansatz nur unschwer verzichtet werden. Die französische Forschung zur Entwicklung spezifisch bäuerlicher Mentalität hat insgesamt schon zu beachtliche Ergebnisse erzielt[8], als daß dieser Untersuchungsbereich nicht mit in das Deutungsverfahren des Widerstands einbezogen werden müßte. Das im Rahmen dieser Untersuchung verarbeitete Quellenmaterial bietet natürlich vielfache Ansatzmöglichkeiten für mentalitätshistorische Untersuchungen. Da Fragestellungen dieser Art jedoch sehr viel gründlicherer, quantitativ-serieller Auswertung der Quellen bedürfen, als dies zum jetzigen Zeitpunkt geleistet werden konnte, sollen hier einige Beobachtungen zusammengetragen werden, die vor allem die religiöse Einstellung der rebellischen Gemeinden betreffen.

Auffallend war zunächst, daß für einige Aufstandsgemeinden zusätzliche konfessionspolitische Kontroversen zwischen Untertanen und Obrigkeit festgestellt werden konnten. Im Tigen Rettenberg ging dem Ausbruch des Aufstands ein Religionsmandat des Jahres 1603 voraus, in dem der Bischof von Augsburg die katholische Konfession zum verbindlichen Bekenntnis erklärte und jede Ketzerei unter Strafe stellte. Auch sollte die Erziehung oder Verheiratung der Kinder in ,,sektischen Orten" verboten sein. Besonders interessant an dem Mandat ist die Tatsache, daß es indirekt einen Beleg für die Existenz von Aberglauben liefert.

> ,,Als uns dann auch mehrfeltig fürkommen, was massen an etlichen orthen unsers stiffts, heroob auf dem Land die underthanen sich allerhandt verbottner aberglaubischer Segen gebrauchen, auch in ihren fürfallenden nöthen und zuständen anstatt der natürlichen von Gott verordneten Mittel bey den Zauberer und Wahrsagern hülf und rath suchen, . . . also soll hiermit solcher aberglaubischer mißbrauch deß segensprechens bey unserm underthanen gäntzlich abgethan, auch dabey den amptleuthen bevohlen sein, auf solche zauberer Segensprecher und wahrsagern manns- oder weibspersonen ewer fleissiges aufmerken . . . zu haben."[9]

Dieses Mandat, das mit seinen anderen Bestimmungen als Indiz dafür gewertet werden kann, daß in der bäuerlichen Bevölkerung ein beachtliches Maß von Irreligiösität und Widerstand gegen die ,,Obrigkeitskirche" vorhanden war, erhält besonderes Gewicht auch dadurch, daß wir in der jenseits der Iller gelegenen Grafschaft Rotenfels Nachrichten von Wiedertäufern vorliegen haben. Der Freiherr von Königsegg ließ 1595 in der Grafschaft eine Visitation durchführen und schon vorher hatte er seinen Untertanen den Besitz ,,ketzerischer" Bücher verboten. Die Visitation zeigte, daß ,,die Wiedertaufferischen widerumb eingewurzelt, Auch Bücher und Schriften In unser Obrigkeit geschickt und sie selbst schon und Schlauff (also Schonung und Unterschlupf) von den Unsrigen gehabt haben". Insgesamt wurden 280 zwinglische, schwenckfeldische und wiedertäuferische Schriften festgestellt und gegen Strafe eingezogen[10]. Auch auf andere der von Aufständen betroffenen Herrschaften trifft das Charakteristikum religöser Kontroversität oder Irreligiösität zu, zumindest soweit wir den vorliegenden Quellenzeugnissen Glauben schenken. In der Herrschaft Justingen des Johann Pleikart von Freyberg sehen wir ein Zentrum des Schwenckfeldianismus vor uns, in dem Kaspar Schwenckfeld bis zu seinem Tode 1561 selbst gelebt hatte. Aus den Berichten des lutherischen Pfarrers in Justingen an den Herzog von Württemberg wissen wir, daß die Bauern in Justingen, Ingstetten und Hütten in Wirklichkeit ,,papistisch", teilweise schwenckfeldisch, ja sogar ,,abgöttisch und heidnisch" waren. Die Herrschaft war selbst religiös gespalten (die Frau Johann Pleikarts von Freyberg war katholisch, er selbst ein toleranter Schwenckfeldanhänger) und ließ den Untertanen Gewissens- und Kultusfreiheit[11].

Auch aus anderen Aufstandsgebieten liegen Nachrichten darüber vor, daß sich Irreligiösität, Sektenbildung und Aufstandsbereitschaft offensichtlich begleiten. Dem Bericht der Kommissare über die Rebellion im Amt Waldkirch nach habe ein Bauer in der Herberge öffentlich erklärt, es gebe ,,weder Himmel noch Hölle nach diesem leben". Ein anderer habe, als man ihn wegen seiner Spielleidenschaft bestraft hatte, „gotteslesterlich" geredet, „Gott seye auch ein spieler gewest, habe selbstent kegelt". Solches Verhalten führten die Kommissare auf mangelnden Kirchenbesuch zurück und schlugen deshalb entsprechendes Vorgehen der Obrigkeit vor. Aus der Gemeinde Odenheim liegt die Nachricht vor, daß der Streit zwischen dem Dorf und dem Stift Bruchsal 1593 deshalb entstanden sei, daß zwei der Hexerei beschuldigte Frauen von der Herrschaft als unschuldig freigelassen wurden. Dies rief in der Gemeinde große Aufregung und Widerspruch hervor, die Untertanen verweigerten den Frauen die Dorfgemeinschaft und verboten ihnen, aus dem Haus zu gehen.

Beobachtungen dieser Art reichen nicht aus, um daraus einen deutlichen Zusammenhang zwischen Irreligiösität, Sektenbildung, Aberglauben und Widerstand zu konstruieren. Offensichtlich ist freilich, daß an der Wende vom 16. zum 17. Jahrhundert im oberdeutschen Raum noch vielfältige religiöse Strömungen und Sektenbildungen zu beobachten sind, die zumindest den Verdacht nahelegen, daß dieser Faktor den Widerstand der Gemeinden mit beeinflußt hat. Darüber hinaus scheinen die Anzeichen von Hexen- und Aberglauben ein Indiz dafür zu sein, daß die konfessionelle Bindung katholischer oder protestantischer Richtung noch längst nicht definitiv im Bewußtsein der bäuerlichen Schichten verankert war.[11a]

Von besonderem Interesse ist natürlich die Frage nach dem Zusammenhang von täuferischer Gesinnung und Widerstandsbereitschaft. Es ist immerhin auffallend, daß sich in einigen der Aufstandsgemeinden des späten 16. und frühen 17. Jahrhunderts die Spuren täuferischer Gesinnung finden. Neben der bereits erwähnten Grafschaft Rotenfels ist belegt, daß in der Schwenckfeld-Herrschaft Justingen 1594 von Johann Pleikart von Freyberg ein Wiedertäufer aufgenommen worden war[12]. Die rebellische Gemeinde Böhmenkirch lag in unmittelbarer Nachbarschaft des württembergischen Amtes Göppingen, das in den 60er und 70er Jahren des 16. Jahrhunderts als relativ stark täuferdurchsetzt galt. Der ebenfalls in den Täuferakten genannte Ort Waldstetten verweigerte 1578 der Vormundschaft Albrechts von Rechberg die Huldigung, um das Wort „dienstbar" aus dem Huldigungseid zu entfernen[13]. In der Gemeinde Michelfeld derer von Gemmingen, die sich 1570 am Reichshofrat über ihre Herren beschwerte, lebte ein täuferischer Prediger als herrschaflicher Diener. Schließlich lagen die Gemeinden Odenheim und Rohrbach in der stark täuferischen Gegend des Bruerains um Bruchsal herum in der unmittelbaren Nachbarschaft der Gemeinde Bauerbach, die sich während des ganzen 16. Jahrhunderts in einer Odenheim vergleichbaren Weise in endlosen Prozessen mit dem Stift Speyer auseinandersetzte[14].

Obwohl – mit Ausnahme der Grafschaft Rotenfels – die hier untersuchten Quellen keine Belege für täuferische Aktivitäten enthalten, so ist doch die Koinzidenz zumindest von Spuren der Täufer und aufständischen Gemeinden bemerkenswert und sicher nicht nur zufällig[15]. In jedem Fall ergibt sich eine Bestätigung der von Claus-Peter Clasen entwickelten These, daß ungeachtet der durchaus entgegengesetzten Ziele von bäuerlichem Widerstand und täuferischer Gesinnung eine starke Sympathie der Bauern für das täuferische Sozialverhalten bestand[15]. Es wurde bereits festgestellt, daß im Bauerntum eine doppelte Vorstellung von Freiheit und Herrschaft existierte, dessen eine Komponente als Traum von Freiheit und Herrschaftslosigkeit zu verstehen ist, dessen andere Komponente Herrschaft anerkannte und praktische Freiheit anstrebte. Das Täufertum – so wird man feststellen müssen – rührte in seiner Negierung von Herrschaft, seiner unerschrockenen Kritik an der Herrschaftsausübung, seinem uneigennützigen Sozialverhalten und in seiner bewundernswerten Standhaftigkeit an verborgene Grundzüge bäuerlichen Denkens und konnte in dieser Hinsicht auf Verständnis und Sympathie rechnen[16]. Vielleicht wird man sagen dürfen, daß das Täufertum den unterschwelligen Traum der Bauern von Freiheit zu realisieren versuchte und von daher der Zusammenhang zwischen beiden Bewegungen zu bestimmen ist.

6. Bäuerlicher Widerstand in Politik und Politikwissenschaft

Bereits die Untersuchung des rechtlichen Bedingungsrahmens für den bäuerlichen Widerstand hat die unterschiedlichen Interessen aufgezeigt, die von adeligen Grundherren, Territorialfürsten oder dem Kaiserhof in der Bekämpfung von Revolten verfolgt wurden. Es wurde dabei herausgearbeitet, daß eine wesentliche Voraussetzung bäuerlichen Widerstands in solchen Interessendivergenzen gesehen werden muß. In diesem Zusammenhang wurde die These entwickelt, daß nach dem Bauernkrieg in verstärktem Maße und institutionell abgesichert eine Politik eingeleitet wurde, die für den Austrag von sozialen Konflikten bestimmte Verfahren entwickelte. Ihr Charakteristikum war darin zu sehen, daß sie den Austrag von Konflikten wenn nicht völlig legalisierten, so doch de facto ermöglichten. Notwendigerweise legte diese Betrachtungsweise ein besonderes Gewicht auf den rechtlich-prozeduralen Aspekt, weniger auf die politische Bewertung, die diesen Maßnahmen institutioneller Art zugrundelagen.

Diese politische Bewertung bäuerlichen Widerstands nahm ihren Ausgangspunkt vom Faktum des Bauernkriegs, dem traumatischen Erlebnis der Adelswelt des 16. Jahrhunderts[1]. Von hier aus nahm eine Politik ihren Ausgangspunkt, die bäuerlichen Widerstand in zunehmendem Maße als rational kalkulierbaren Faktor des politischen Geschehens bewertete. Sie leitete Maßnahmen in die Wege, die auf eine Beilegung von Konflikten durch Kontrolle und Machtbeschränkung der kleinen Adelsherrschaften abzielte, gleichgültig, ob es sich dabei um landständische, reichsritterschaftliche oder reichsunmittelbare Herrschaften handelte. Diese These mag deshalb problematisch erscheinen, weil ihr die nicht abreißende Kette von Prozessen und Revolten entgegensteht, die das Gegenteil zu belegen scheinen. Tatsächlich kann man jedoch den deutlichen Trend zur Überlagerung der grundlegenden Konflikte zwischen Untertanen-Grundherren oder Landesherren durch übergeordnete Territorial- oder Reichsinstanzen nicht übersehen.

Wie meist in solchen Fällen legt auch hier die Reaktion der direkt durch den bäuerlichen Widerstand betroffenen Obrigkeiten das deutlichste Zeugnis ab. Beginnen wir auf der untersten Ebene der landständischen Grundherren oder der kleinen reichsunmittelbaren Herrschaften, so entspricht hier die Reaktion auf den Widerstand dem natürlichen Interesse desjenigen, dessen unmittelbare Existenz gefährdet ist. Man mag die Angst eines kleinen Grafen mit 200–300 Untertanen verstehen, wenn dessen Gemeinde ein Jahr lang die Abgaben und Dienste verweigerten. Johann Pleikart von Freyberg fürchtete ins „exilium verstoßen" zu werden und die flehentlichen Bitten der Grafen von Sulz an den Kaiser, die rebellische Landgrafschaft Klettgau zur Ruhe zu bringen, wird verständlicher, wenn man die drükkende Schuldenlast dieses Geschlechts und die Zahl der Gläubiger kennt, die argwöhnisch auf den Klettgau schauten. Für den Truchseß von Waldburg, der große Steuerrückstände beim Reich hatte und sich vor dem fiskalischen Prozeß fürchtete, war es deshalb der natürlichste Weg, dem Kaiser den Widerstand seiner Untertanen zu klagen und von ihm Abhilfe zu verlangen. Im Januar 1600 wies er darauf hin, daß der Kaiser doch auch schon im Klettgau, in Haigerloch, in der Grafschaft Rotenfels und anderswo durch eine Kommission geholfen habe, den Streit zu schlichten. Die gleiche Tendenz zur Bitte an die nächsthöhere Instanz, d. h. den Landesfürsten, kennen wir auch aus vielen größeren Territorialstaaten. Der Rekurs an den Landesfürsten im Falle von Ungehorsam oder Widerstand der Untertanen war schon im 16. Jahrhundert so selbstverständlich geworden, daß man dem territorialen Friedens- und Rechtssystem größere Bedeutung zumaß als dem adeligen Recht auf Selbsthilfe. Die „via juris" trug den Sieg über die „via facti" davon[2]. Der Bischof von Augsburg bat 1605 den Kaiser, „nach ausweisung gemainer kaiserlicher rechte und deß heil. röm. reichs abschieden" zu verfahren und trug sofort nach Beginn des Rettenberger Aufstands sein Gesuch um Einrichtung einer Kommission vor: „Petit comissionen an die oberösterreichische regierung und Abt zu Kempten zu gut und recht et interea sibi mandatum decernendum uf abschaffung aller ungepür." In gleicher Weise suchte der landständische Adel die Hilfe des Landesfürstentums, wenn ein Aufstand der Untertanen drohte oder wenn sich die Bauern nur ungehorsam und widerspenstig zeigten. Alle Anzeichen deuten darauf hin, daß die Unfähigkeit des intermediären Adels zur Beilegung sozialer Konflikte einen wesentlichen Schritt zur Stärkung des Landesfürstentums bedeuteten. Gerade der Vergleich zwischen der Steuerbewilligung und -einnahme als den klassischen Domänen des landständischen Adels mit seiner unselbständigen Seditionspolitik zeigt eine erstaunliche Diskrepanz der Verhaltensformen auf. Der gleiche Adel, der, wie in Österreich, eine eigene umfangreiche Landschaftsverwaltung aufbaute, eine dem Landesfürsten widersprechende Konfessionspolitik betrieb, flüchtete an die Seite des Landesfürsten, wenn sich die Bauern als schwierig erwiesen oder gar revoltierten. In gleicher Weise gilt dies für die kleinen Reichsherrschaften, die beim Kaiser, bei ihren Lehnshöfen oder bei benachbarten großen Fürsten um Hilfe ansuchten. Schon 1579 und später noch mehrfach weisen die schwäbischen Reichsgrafen den Kaiser auf die möglichen Konsequenzen hin, wenn dem wachsenden Ungehorsam der Untertanen nicht Einhalt geboten würde, und einer der ihren, Graf Karl von Hohenzollern, schrieb 1592 seinem Bruder Eitelfriedrich, daß bei seinen Untertanen der Herrschaft Wehrstein „einige guetlichkeit nit mehr zu hoffen, darum ist kain ander mittel bey mir, dan sich beim lehensherrn zu beschweren". Dies gilt auch für den Freiherrn von Königsegg, der an den Herzog von Bayern Schreiben um Hilfe richtete. In welchem Maße selbst ein Fürst wie der Bischof von Augsburg auf den Kaiserhof angewiesen war, zeigen die

Überlegungen des Kaiserhofs selbst, der sein eigenes Eingreifen mit der inneren Schwäche der benachbarten Fürsten begründete, die eigentlich (Reichsabschied 1526) hätten helfen sollen. Der Bischof von Augsburg versuchte auch, im Jahre 1607 seine Lehnsleute aufzumahnen. Die Antwortschreiben der betroffenen meist kleinen Lehensträger, die auf ihre geringen Güter oder ihr Unvermögen verwiesen, sich bestenfalls in das Unvermeidliche schicken wollten, mochten dem Bischof zeigen, daß mit deren Hilfe ernsthaft nicht zu rechnen war[3].

Diese Beobachtungen können freilich nicht bedeuten, daß der betroffene Adel die so prinzipiell gewünschten Eingriffe immer und überall akzeptiert hätte oder mit deren Intensität einverstanden gewesen wäre. Es konnte natürlich nicht ausbleiben, daß die vom Kaiserhof oder von der vorderösterreichischen Regierung (wenn österreichische Lehensinteressen berührt waren) eingesetzten Kommissionen Eingriffe in die landesherrliche Gerechtsame vornahmen. Sie geboten und verboten Landesfürst und Untertanen in gleicher Weise, prüften Rechnungen und deckten Mißwirtschaft und Unordnung auf. Sie ließen es an Deutlichkeit nicht fehlen, wenn sie – wie 1706 eine hessisch-hohenlohische Kommission dem Freiherrn von Gemmingen – vorwarfen, „eine starke und enorm Saeviz notoria ac libera grassans oppressio subditorum ac inustitia“ begangen zu haben und den „statum civilem“ seiner Untertanen „ganz verderbt“ zu haben[4]. Sie erkannten, mit welchen Tricks die kleinen Herren dieses Gebiets arbeiteten, wie sie temporäre Ungeldprivilegien perpetuierten, wie sie die doppelte Steuer einnahmen, wie sie eine Bestrafung ihrer Untertanen aus pekuniärem Interesse vornahmen. Diese unangenehmen Eingriffe fürchteten die betroffenen Herren, man sprach von „laedierter reputation“ und sah die eigene Autorität geschwächt wie etwa Schertlin von Burtenbach, der 1583 meinte, es sei nicht gut, seinen ohnehin unruhigen Untertanen durch Einsetzung einer Kommission neuen Stoff zur Unruhe zu geben, wo doch gerade durch das Achtmandat gegen die Untertanen des Philipp von Bicken in Thannhausen die Autorität gestärkt worden sei (diese Gemeinde in der Nähe von Burtenbach war am 17. November 1580 in die Acht erklärt worden)[5].

Beschwerden dieser Art kennzeichnen vom 16. bis zum 18. Jahrhundert den Eingriff der höheren Obrigkeit in die Beziehungen von niederen Obrigkeiten und ihren Untertanen. Besonders die Reichshofratsconclusa des 18. Jahrhunderts, soweit sie bislang durch vereinzelte zeitgenössische Drucke zugänglich gemacht worden sind, belegen diese Problematik. Fürst Friedrich von Anhalt-Bernburg beschwerte sich bei der Reichskammergerichtsvisitation über die Einsetzung einer Kommission, die die strittige Verteilung der Kriegskontributionsgelder zwischen 1773 und 1775 untersuchte[6]. Hier sammelten sich Beschwerden dieser Art und führten dann zu den bereits geschilderten Versuchen, die Eingriffsmöglichkeiten des Kaiserhofs durch die Neuformulierung der Wahlkapitulation zu beschränken. Der Kaiserhof und die Reichsgerichte versuchten, die hier auftauchende Problematik durch ein Verfahren zu bewältigen, das man als politische Reaktion auf Herrschaftskonflikte der beschriebenen Art bezeichnen muß. Vor die Alternative gestellt, entweder den mit Recht klagenden Untertanen zu helfen oder die Autorität des bedrängten Landesfürsten zu stärken, entschied sich vor allem der Reichshofrat für eine Zwischenlösung, die die schlimmsten Ungerechtigkeiten für die Untertanen beseitigte, ihnen aber nicht in allen Punkten Recht gab und zusätzlich eine verbale Stärkung der Stellung der Obrigkeiten enthielt. Untertanen und Herr der Grafschaft Wied-Runckel wurden z. B. aufgefordert,

> „daß dieselbe die verweigerte Abtragung der Herrschaftlichen Schuldigkeien ohne längeren Anstand praestiren, auch ihrem Landesherrn den schuldigen Gehorsam leisten sollen, dahingegen der Graf seine Unterthanen mit allzu harter Gefängniß und übermäßigen Geldstraffen nicht zu überstößen, noch ihnen den an den Kayserlichen Hof genommenen Recurs entgelten zu lassen . . .“[7]

Der Reichsjurist von Berg faßte diese „Beruhigungsstrategie“ des Reichshofrats in folgende Aussage zusammen: „Bisweilen streiten Landesherren und Unterthanen miteinander, kein Theil will nachgeben, die Unterthanen fehlen, wie gewöhnlich, in der Form, ohne in der Sache so ganz unrecht zu haben. Das Reichsgericht verweist sie zur Ordnung, ermahnt aber zugleich ihren Landesherrn, die Ursachen ihrer Unzufriedenheit aus dem Weg zu räumen und sucht eben dadurch neue Ausbrüche unruhiger Bewegungen für die Zukunft zu verhindern“[8].

Können wir so auf der Ebene des Reichshofrats eine bewußte Politik des Ausgleichs zwischen Untertanen und Herren feststellen, so muß noch auf für unsere Widerstandsbewegungen wichtige Instanzen eingegangen werden, in deren Arbeit sich die stärker an den Kriterien der inneren Stabilität orientierte Politik dem bäuerlichen Widerstand gegenüber deutlich zeigte. Es sind dies einmal die vorderösterreichische Regierung in Innsbruck, zum anderen die Juristischen Fakultäten des oberdeutschen Raums.

Es wurde bereits mehrfach auf die vielfältigen Eingriffe der Regierung in Innsbruck hingewiesen und auch die Tatsache erwähnt, daß Innsbruck – vor allem seit der Übernahme des Regiments durch den Deutschmeister Erzherzog Maximilian – in den bäuerlichen Gemeinden Oberschwabens im Rufe besonderer „Bauernfreundlichkeit“ stand. Die Rolle der Regierung, der es um die Sicherung der vielfältigen Herrschaftsrechte des Hauses Habsburg im schwäbischen Raum ging[9], mag exemplarisch belegen, wie die Konkurrenz der verschiedenen Herrschaftsträger und die besondere Verantwortung des Hauses Habsburg für die Sicherheit und Stabilität dieses Raumes eine Politik gegenüber bäuerlichem Widerstand ermöglichten, die auf Ausgleich bedacht war und dabei die Berechtigung des Widerstands oftmals anerkannte, solange jedenfalls das Haus Habsburg selbst nicht betroffen war. In der Klettgauer Revolte sah das Regiment in Ensisheim, daß die Un-

tertanen „hart oneriert“ wurden und Grund hatten, sich zu beschweren. Der Rauchgulden z. B., der begrenzt für 6 Jahre eingeführt wurde, sei darüber hinaus erhoben worden. Von militärischen Maßnahmen riet man ab. 1606 berichtete Erzherzog Maximilian über Mängel in der Steuereinnahme und der Justizverwaltung des Truchsessen von Waldburg. Wenn den Untertanen gleichmäßige Justiz geschehe, bedürfe es anderer Maßnahmen nicht. Als die Böhmenkircher Untertanen nach Innsbruck zogen, klärte man sie dort – das ergibt sich aus den Verhörprotokollen – über die Rechtslage des Ortes auf und wies sie an den Kaiserhof.
Die Haltung der Regierung in Innsbruck gegenüber den schwäbischen Grafen wurde besonders deutlich, als Karl von Hohenzollern 1601 den Vorschlag machte, die Grafschaft Veringen (die österreichisches Lehen war) ihm „zu eigen“ zu geben, dafür nach einem eventuellen Aussterben des hohenzollernschen Mannesstamms Veringen und Sigmaringen (das hohenzollernsches Eigengut war) an Österreich fallen zu lassen. Für die Regimentsräte war dies jedoch ein durchsichtiger Vorschlag, mit dem sich Graf Karl der Oberaufsicht Innsbrucks entziehen wolle, um „mit den armen unterthanen nach begirde und gefallen umzugeen“. Der Graf wolle ja keine Einigung mit seinen Untertanen, sondern lieber einen „blutigen vertrag“[10]. In einer Kommission, die 1597 die Beeinträchtigung österreichischer Untertanen durch den Truchseß von Waldburg untersuchte, wurde festgestellt, daß dieser die Untertanen „über alle maß und gebühr“ mit Reichssteuern belege und sie auch daran hindere, sich in Innsbruck zu beschweren. Die Untertanen seien zum Verkauf von Gütern gezwungen worden, die sie dann in Fronarbeit hätten bebauen müssen. Fände man diese Schrift nicht als Bericht einer Regierungskommission, so könnte man glauben, eine Beschwerdeschrift der Bauern zu lesen. Natürlich müssen solche Urteile als Produkte einer harten Auseinandersetzung zwischen Österreich und den schwäbischen Grafen um eine schärfere Abgrenzung der Herrschaftsrechte gesehen werden, insofern wäre es unangebracht, in den Innsbrucker Regierungsräten Moralisten zu sehen. Bedeutsam für unseren Zusammenhang ist diese Politik freilich dann, wenn wir sehen, daß es hier zu zeitweiligen Koalitionen der Innsbrucker Regierung mit revoltierenden Bauern kommen konnte. Innsbruck tat nichts, um bei der bäuerlichen Bevölkerung dieses Gebiets nicht den Eindruck aufkommen zu lassen, in Innsbruck helfe man den bedrängten Untertanen kleiner Herrschaften. Die Empfehlung der Räte im Fall der klagenden Untertanen von Langenenslingen (gegen Graf Hans von Hohenzollern) kann als typisch für die hier entwickelte Politik gelten: „also hat man bey so beschaffenen dingen wol ursach, disfals den armen unterthanen hilf zu erzaigen und die sachen dahin zu richten, daß man bei dem vertrag bleibt.“
Die Tatsache, daß Innsbruck gerade in diesem Gebiet auf der Grundlage österreichischer Lehnshoheit eingreifen konnte und seine Jurisdiktion als nicht „fundiert“ ansah, wenn es sich (wie bei Haigerloch) um hohenzollernschen Eigenbesitz

handelte, verweist auf das Problem der Konkurrenz von kaiserlicher und lehnsherrlicher Verantwortung für die Beilegung von Streitigkeiten zwischen Reichsrittern und deren Untertanen. Schon im 16. Jahrhundert bildete sich ein besonderer Zusammenhang zwischen Lehnshöfen und den reichsritterschaftlichen Herrschaften heraus[11], der natürlich auch dann genutzt wurde, wenn Untertanenklagen über einzelne Herren vorfielen. Dem Lehnshof mußte dies als willkommene Gelegenheit dienen, seine Schutzfunktion über den Lehnsträger zu einer Urform von Landeshoheit umzuformen. Auf diese Versuche reagierte der Kaiserhof mit aller Schärfe. Sobald ein Prozeß in einer nicht lehnsrechtlichen Angelegenheit an den Lehnshof kam, schritt der Kaiserhof ein und zog den Prozeß an sich, d. h. den Reichshofrat. Den Untertanen des Freiherrn von Weiler wurde 1717 der „ungebürliche Rekurs an den Württembergischen Lehen-Hof als Forum incompetens" ebenso verboten[11] wie der Gemeinde Michelfeld (ca. von Gemmingen) 1710 der Rekurs an Hessen-Darmstadt und Hohenlohe[12] und den Marschalken von Ostheim, die sich 1717 an den Bischof von Würzburg um Hilfe gegen ihre Untertanen gewandt hatten[13].

Eine politische Bewertung des bäuerlichen Widerstands mußte auch die Sprengkraft dieser Bewegungen abschätzen, mußte denkbare Weiterungen und mögliche Zusammenhänge von Aufstandsbewegungen kalkulieren. Die zur Verfügung stehenden Quellenzeugnisse liefern insgesamt den Beweis dafür, daß von einer Unterschätzung des bäuerlichen Widerstands durch die Herrschaftsträger der verschiedenen Ebenen keine Rede sein kann. Ganz im Gegenteil deuten alle Äußerungen darauf hin, daß jeder bäuerliche Widerstand ernst genommen wurde dadurch, daß er in den Kontext einer möglichen allgemeinen Erhebung gestellt wurde. Für den besonders evidenten Fall der Revoltenkette gegen Ende des 16. Jahrhunderts zwischen Oberrhein und Allgäu ist diese Sehweise besonders gut zu belegen. Zusammenhänge zwischen einzelnen Bewegungen finden wir dabei sowohl bei den Bauern selbst wie auch bei den Obrigkeiten, denen solche Äußerungen der Bauern natürlich besonders gefährlich erschienen.

Die rebellischen Bauern von Haigerloch hatten ihren Aufstand im Frühjahr 1597 begonnen, „zu dem sie von den paurn ob der Enns ein gutes exempel nehmen". Der Truchseß von Waldburg meldete 1595 dem Kaiser, „das sie meine unterthanen ir stark aufsehen ietzo auch auf der tirolischen pauren aufruhr sezen und sich offentlichen verlauten lassen haben, das die tirolischen pauren einen starken rukken und nun mehr besser ir furhaben dann die meinigen durchdrucken werden". Im Rettenberg begründete der Kaiser sein Eingreifen mit der Gefahr für die Ruhe des gesamten Gebietes. Rotenfelser und Rettenberger steckten schon unter einer Decke und angesichts der Reizbarkeit der Kemptener und anderer österreichischer Untertanen müsse schnell für Ruhe gesorgt werden. Aus dem Tannheimer Tal berichtete ein österreichischer Beamter, daß man von Rettenberg aus Verbindung mit Tannheim habe.

Auch in späteren Bewegungen ist die mögliche Ausweitung einer Revolte ein wichtiges Problem betroffener Regierungen. Besonders aufschlußreich sind hierbei die entsprechenden Maßnahmen der bayerischen Herzöge. Seit dem späten 16. Jahrhundert achtete man hier auf Widerstandsbewegungen im weiteren Umkreis (Salzburg, Steiermark, Tirol, Rettenberg und Rotenfels) und ergriff Schutzmaßnahmen. Während des böhmischen Bauernaufstands von 1680 berichteten die Räte aus Amberg detailliert nach München, wo man über Einzelheiten der Bewegung genauestens Bescheid wissen wollte[14]. Die Reichshofratskonklusa des 18. Jahrhunderts warfen rebellischen Untertanen regelmäßig das ,,böse Exempel" vor, so wie den Klettgauern schon 1598 ihr ,,exemplum pernitiosissimum" vorgeworfen worden war. In den gerichtlichen Untersuchungen dieser Bewegungen galt das Interesse der untersuchenden Beamten immer auch dem Nachweis des Echos von Aufstandshandlungen, um damit die besondere Gefährlichkeit einer Bewegung nachzuweisen.

Eine an politischen Zweckmäßigkeiten ausgerichtete Betrachtungsweise kennzeichnet ganz generell die Behandlung von Revolten. Der vorderösterreichischen Regierung schien der sofortige Einsatz von Militär im Klettgau zu gefährlich im Hinblick auf die benachbarten Schweizer Bauern. Selbst wenn die direkt betroffene Obrigkeit natürlich eher dazu neigte, den Gehorsam mit militärischer Gewalt wiederherzustellen, so war es doch der Einfluß benachbarter Fürsten, die nach den Regeln des Reichsabschieds von 1526 eigentlich zur Hilfe verpflichtet gewesen wären, der sich im allgemeinen hier mäßigend bemerkbar machte. Dabei war vor allem die Überlegung ausschlaggebend, daß ein Truppeneinsatz im allgemeinen einen eskalierenden Einfluß auf die bäuerlichen Bewegungen ausübte und auch die Nachbarn mißtrauisch machte. Der Einsatz von Truppen war mit nicht zu kalkulierenden Risiken verbunden, die man nur im Notfall einging. Wenn überhaupt, kam der Einsatz von Exekutionstruppen nur in Frage, wenn eine entsprechend lange Phase der Kommissionsverhandlungen oder der Prozeßführung vorausgegangen war. Hierbei sind freilich regionale Unterschiede zu beobachten. Im oberdeutschen Bereich erwies sich eine Kombination von Kommissionsverhandlungs- und Prozeßtaktik als erfolgreich. Nach einer ausreichend langen Zeit, in der diese Mittel angewandt wurden und damit bestimmte Rädelsführer oder Führungsgemeinden erkennbar geworden waren, wurde versucht, ,,Gehorsame" und ,,Ungehorsame" voneinander zu trennen. Dabei konnte man davon ausgehen, daß nach mehrjährigem Verhandeln oder Prozessieren und nach dem Erreichen bestimmter Teilziele die Bewegung zersplitterte. So wurde es schließlich relativ leicht möglich, durch Achtmandate gegen die letzten Reste des Widerstands oder die Gefangennahme der Anführer, die Bewegung zu ersticken.

Dabei ergänzten sich zwei Verhaltensweisen in besonders günstiger Weise. Zum einen bestand für die Obrigkeiten ein sehr weitreichender Spielraum bei der Aburteilung von bäuerlichem Widerstand. Die zeitgenössische Rechtslehre war sich hier einig, daß nach den jeweiligen Umständen entschieden werden müsse[15]. Mit Ausnahme der Anführer des Widerstands gibt es eigentlich keine durchgreifende Bestrafung der Teilnehmer an kollektiven Widerstandsaktionen im juristischen Sinne. Zum anderen hatten die betroffenen Bauern die immer wieder genutzte Möglichkeit, sich als ,,verführte ainfeltige bauersleuth" auszugeben, wie ihnen dies in aller Deutlichkeit von den Untersuchungsbehörden nahegelegt wurde. Diese beiden Strategien kamen überdies dem Bedürfnis der Obrigkeiten entgegen, den bäuerlichen Widerstand als individuelle Verirrung, als Werk einzelner Verführer hinzustellen und damit das allgemeine Bild einer eigentlich harmonischen Ordnung der Gesellschaft zu bewahren.

Wenn so gezeigt werden kann, daß übergeordnete und benachbarte Obrigkeiten ein relativierendes Element in der Beurteilung von bäuerlichem Widerstand darstellten und tendenziell eine Kontrolle des einzelnen Fürsten darstellten, so muß noch auf eine andere Gruppe von Institutionen eingegangen werden, die in vergleichbarer Weise den konkreten Einzelfall von bäuerlichem Ungehorsam zu relativieren vermochten: die juristischen Fakultäten der Universitäten. Die bisherigen Untersuchungen der Fakultätskonsiliensammlungen sind noch zu unspezifisch, um schon generelle Aussagen über die Haltung der Fakultäten zu Problemen des bäuerlichen Widerstands treffen zu können[16]. Immerhin ist schon aus dem bislang Gesagten deutlich geworden, daß Untertanen selbst an die Fakultäten herantraten, um sich beraten zu lassen und, wie im Falle der Kemptener Untertanen, auch eine Bestätigung ihrer Rechtsposition erhielten. Im Mai 1631 berichtete der Freiherr von Tattenbach an die kurfürstlich-bayerische Regierung, daß seine rebellischen Untertanen an der Grenze zu Oberösterreich sich ,,von Tag zu Tag je länger je mehr trutziger und rebellischer sich erzeigen, seit sie von der Universität von Ingolstadt kommen". Deren ,,Consilium" sei dahingegangen, bei der Regierung um eine Tagessatzung anzuhalten, um über eine gütliche Einigung zu verhandeln, da sie sich der ,,scharwerk nit verwidern" könnten[17].

Eine gründliche Untersuchung der hier verfügbaren Quellen wird sicher noch eine stärkere Beschäftigung der Fakultäten mit Problemen des bäuerlichen Widerstands an den Tag bringen, wobei das Institut der ,,Aktenversendung", d. h. die Bitte um einen Entscheidungstenor an eine fremde Fakultät, schon eine prinzipielle Relativierung des Sachverhalts bedeutete. Für Freiburg z. B. ist durch eine einschlägige Untersuchung nachgewiesen worden, daß die Fakultät in Untertanensachen sowohl von Obrigkeiten wie von Gemeinden befragt wurde[18], gleiches galt für Tübingen, Altdorf, Duisburg, Erlangen und Ingolstadt[19].

Einige Beobachtungen zur Tübinger Fakultät sollen die Wirkungen der Einschal-

tung der Fakultäten belegen[20]. Nachdem die rebellischen Untertanen von Böhmenkirch gerichtlich befragt worden waren, wurden die Fakultäten von Ingolstadt und Tübingen um einen Urteilstenor gebeten. Während die Ingolstädter Fakultät auf Todesstrafe für die vier Anführer und den Advokaten erkannte, war die Tübinger Entscheidung dem genau entgegengesetzt. Sie sprach von „ohnwidersprechlichen Gründen" der Bauern, sich gegen ihren Herrn zu beschweren. „Allein haben sie ihr gutes spiel hernach mit ihrer anmaß- und beharrten widersetzung" gegen die kaiserlichen Kommissare „verderbt". Bei der ersten Unterhandlung seien die Untertanen benachteiligt worden, die einzelnen Vorschläge seien „vast durchaus sogar zu des herren vortheil und zu der underthanen auch irer nachkommen ohnüberwindlichen schaden und verderben gerichtet" worden. Die Tübinger Fakultät verneinte folglich „finem malum" und bezeichnete den Untertanen als „culposi aber nicht dolosi", „welche culpa zur endtlichen todtstraf nicht genugsam". Schließlich fragten sich die Tübinger Gelehrten, die nach den Ingolstädtern befragt wurden und deren Tenor bereits kannten, aus welchen Gründen die Ingolstädter auf eine solche Strafe erkannt hatten. Ohne jetzt schon eine Bewertung der Spruchtätigkeit der Fakultäten in Untertanensachen versuchen zu wollen, scheint es doch insgesamt angebracht, in der Heranziehung unbeteiligter Rechtsgelehrter, die eine notwendigerweise andere Sicht über die hier einschlägigen Straftaten implizierte, ein Mittel zu sehen, das die Tendenz zur politischen, d. h. an übergeordneten Kriterien orientierten Bewertung in sich trug.
Ein letztes Problem innerhalb des weiten Felds der politischen Bewertung bäuerlichen Widerstands soll schließlich mit der Behandlung und Wertung angeschnitten werden, die das Phänomen bäuerlichen Widerstands in der zeitgenössischen Öffentlichkeit und in der juristischen und politikwissenschaftlichen Literatur erfuhr. Hier soll keine umfassende Analyse dieses Sachverhalts entwickelt werden, vielmehr sollen einige Quellengattungen kommentiert und Tendenzen der Behandlung unseres Problems festgestellt werden[21].
Natürlich fanden Bauernrevolten in der zeitgenössischen, noch wenig entwickelten Publizistik ihren gebührenden Platz. Ereignisse wie der Windische Bauernaufstand von 1573, die österreichischen Bauernaufstände vom Ende des 16. Jahrhunderts, der österreichische Bauernkrieg von 1626, der bayerische Bauernkrieg 1705/06 fanden starke Beachtung und wurden in „Neuen Zeitungen" behandelt[22]. Freilich waren diese Veröffentlichungen keine Nachrichten im eigentlichen Sinne, vielmehr nutzten sie die meist übertriebenen Berichte über Widerstandsbewegungen als Exempel für die Konsequenzen von bäuerlichem Ungehorsam. Ein Bericht über die Alarmordnung der oberösterreichischen Bauern von 1626 schloß mit den Worten:

> „Woraus dann unschwer zu ersehen, was der rebellischen Rott meinung sey und wie der zorn auch bey denen, so gute Christen geheissen sein wol-

len, in eine unsinnige weiß hinauß zu lauffen pflege. Gott gebe, daß alle Untertanen, die ihnen von Gott vorgesetzte Obrigkeit in schuldigsten Ehren halten, darmit beyder theil ein friedlich und geruhig Leben inn aller Gottseligkeit gegen Gott und Erbarkeit gegen jedermann führen möge. Amen."[23]

Auch im Volkslied fand der bäuerliche Widerstand seinen Niederschlag. Das Lied der aufständischen Zillertaler Bauern vom Jahre 1645 ist ein gutes Beispiel für diese Möglichkeit und belegt zugleich[24], daß solche – den Widerstand glorifizierenden Lieder – nur im Geheimen überliefert werden konnten. Die Überlieferung von Bauernrevolten durch Beteiligte der Bewegung in Form von Chroniken oder für die Nachwelt gedachten Berichten ist ein verständlicherweise selten gebrauchtes Mittel und verdient in jedem Falle besondere Beachtung als Quellengrundlage. Besonders bemerkenswert sind hierbei Martin Harlandters Chronik des eben erwähnten Zillertaler Aufstands[25], die „Kurze und einfeltig, doch wahrhaffte Beschreibung" der Rebellion in Vorarlberg zwischen 1691 und 1710 durch einen ihrer führenden Köpfe, den Maurer und Schanzmeister Hans Bader von Hittisau[26], sowie schließlich der Bericht des Eignungsmeisters Josef Tröndlin über die Hauensteiner Unruhen zwischen 1720 bis 1730[27]. Tröndlin war zwar in dieser Auseinandersetzung auf der Seite der „gehorsamen" Untertanen, trotzdem ist sein Bericht als aus der Perspektive der bäuerlichen Untertanen geschriebener besonders aufschlußreich.
Eine besonders interessante Quellengattung, die uns über bäuerlichen Widerstand informieren kann, sind die bereits mehrfach erwähnten gedruckten Berichte und Dokumentensammlungen. Diese Drucke entstanden zunächst als leichter und in größerer Zahl verfügbare Prozeßschriften für den Reichshofrat. Darüber hinaus ist jedoch deutlich zu beobachten, daß diese Schriften sehr bald auch für die breitere Öffentlichkeit gedruckt werden und ihnen somit eine bestimmte Funktion zugemessen wird[28]. Die meisten Schriften dieser Art waren von den betreffenden Obrigkeiten in Auftrag gegeben und sollten nicht nur die rechtliche Position, sondern auch die moralische Berechtigung der Obrigkeit belegen. Zweifelsohne kam es den Obrigkeiten darauf an, dem Kaiserhof, den kreisausschreibenden Fürsten, der Kreisversammlung, dem Reichstag oder den eigenen Nachbarn eine Rechtfertigung der eigenen Politik vorzulegen, wohl auch ein Indiz für eine sich verstärkende Kontrolle der genannten Instanzen über die kleineren Territorien. Es ist jedoch deutlich zu beobachten, wie sich diese Schriften mehr und mehr von juristischen Beweisführungen abwandten und in zunehmendem Maße an die „Öffentlichkeit" appellierten, wobei dieser Begriff von Öffentlichkeit sicher nicht sehr weit über den eben erwähnten Kreis der Institutionen bzw. die sie tragende soziale Schicht hinausgeht. Die Untertanen reagierten erst relativ spät auf diese Möglichkeit. Die in Frage kommenden Bestände sind noch zu wenig bekannt, als daß

man schon sagen könnte, seit wann die Untertanen auf diese Deduktionen mit eigenen gedruckten Schriften antworteten. Aufschlußreich in dieser Hinsicht ist vielleicht die Entwicklung dieser gedruckten Streitschriften in der Isenburg-Meerholz'schen Auseinandersetzung mit den Untertanen des Gerichts Gründau. Hier waren seit 1718 insgesamt 5 gedruckte Schriften erschienen, in denen die Herrschaft ihre Rechtsposition mit den entsprechend ausgewählten Urkunden begründete. Die Lage der Untertanen gegenüber diesen publizistisch-rechtlichen Bemühungen nach dem Reichshofratskonklusum von 1773 beschrieb der Advokat Kopp 1790 so, daß erst Ende der 80er Jahre die Untertanen für sie günstige Urkunden ausfindig machten und diese in gleicher Weise publizierten. So erschien 1790 eine von Kopp redigierte „Unbefangene Darlegung des warhafften Bestands und Verfassung des jezo Gräflich-Ysenburg-Büdingen-Meerholzischen Gerichts Gründau und desselben Einwoner nebst beiläufiger Geschichte und Erzälung derselben langwierigen Rechtsstreites über verschiedene Beschwerden entgegen ihre jezige und vorherige gnädigste Landesherrschaft zu Meerholz und dessen Rechtsanhängigkeit bei höchstpreislichen kaiserlichen Reichshofrath zu Wien."[29] Auch der Abt von Kempten glaubte sich durch den Bauernanwalt Dr. Müller „bey dem Publico" verächtlich gemacht[30]. Schließlich ist zu bedenken, daß die Reichshofratskonklusa in zunehmendem Maße der Öffentlichkeit bekannt gemacht wurden, so daß die betroffenen Landesherrschaften umso eher den Weg an die Öffentlichkeit gingen[31].

Neben dieser Tendenz zur öffentlichen Erörterung des Widerstands der Untertanen, über deren Begleitumstände gerade im 18. Jahrhundert wir noch sehr wenig wissen, ist es schließlich noch der Aspekt der juristischen und politikwissenschaftlichen Literatur, der hier hinzugefügt werden muß. Unsere Überlegungen müssen hier von der Tatsache ausgehen, daß in der ständischen Gesellschaft unserer Epoche kein explizites Verständnis von sozialen Konflikten zur Verfügung stand. Das Selbstverständnis dieser Gesellschaft war letztlich das einer konfliktfreien, weil an hergebrachten Rechten und Freiheiten orientierten Gesellschaft. Die Wahrung der höchst unterschiedlichen Rechte und Freiheiten, Immunitäten und Privilegien schuf im Verständnis der Zeit genau abgrenzbare Nutzungsbereiche dieser Privilegien[32], Überschreitungen der Rechte anderer wurden als individuelle Verfehlungen, nicht aber als systemnotwendige Auseinandersetzungen betrachtet. In dieser Sicht von Gesellschaft konnte für den bäuerlichen Widerstand und die sich daraus entwickelnden Konfliktsituationen kein Raum sein.

Es ist demgegenüber nun von besonderem Interesse zu beobachten, wie sich seit dem 16. Jahrhundert in zunehmendem Maße eine Literatur entwickelte, die den sozialen Konflikt thematisierte, so daß man hier von einer Seditionsliteratur zu sprechen berechtigt ist. Da an anderer Stelle bereits auf diese Literatur hingewiesen und eine Reihe einschlägiger Titel genannt und charakterisiert wurden, brauchen hier nur einige Grundzüge dieser Seditionsliteratur formuliert zu werden[33]. Die Ausgangspunkte der Behandlung des Seditionsproblems sind durchaus verschiedenartig. Es ist dies einmal die juristische Dissertationsliteratur, die in der Kommentierung der römisch-rechtlichen Tatbestände von „seditio", „rebellio" oder „crimen laesae maiestatis" auch zur Erörterung aktueller Sachverhalte kam, ja oft durch diese erst zur Behandlung angeregt wurde. Es war dies zum anderen die Kommentarliteratur zum Aufruhrparagraphen der Carolina oder anderer einschlägiger territorialer Bestimmungen. Auch die klassische politikwissenschaftliche Thematik der „mutatio rerumpublicarum" widmete sich dem Phänomen der „querelae internae" als Vorstufe der Veränderung oder des Untergangs einzelner Formen der Regierung. Es war dies schließlich eine schwer einzuordnende Literaturgattung, deren didaktische Intentionen nicht zu übersehen sind. Andreas Dallners Traktat von „Aufruhr und Empörungen", dem „gemeynen mann zu gutem" ins Deutsche übersetzt[34], zählt hier ebenso dazu wie Johann Wilhelm Neumair von Ramslas Buch „Vom Aufstand der Untern wider ihre Regenten und Obern"[35]. Letzterer unternahm es wohl zum erstenmal, die Ursachen und Folgewirkungen gesellschaftlicher Art für Revolten und Aufstände umfassend zusammenzustellen und aus der Perspektive von Obrigkeit und Untertanen zu behandeln. Das Thema des Widerstands fand jedoch noch weiterreichende Beachtung. Es tauchte auch vermehrt in der feudalrechtlichen Literatur auf, deren Umfang und Thematik in Deutschland bislang kaum bekannt sind. Diese Literatur, die sich mit den statusrechtlichen Fragen der Bauern und Dörfer, der Natur und dem Ausmaß der Abgaben, den Besitzrechten, Zehntverpflichtungen und der Leibeigenschaft beschäftigte[36], widmete ihre Aufmerksamkeit notwendigerweise auch der Frage kollidierender Ansprüche von Grundherren und Untertanen und dem rechtlich gebotenen Verfahren in diesen Fällen[37]. Schließlich finden sich auch Abhandlungen zum Verhältnis von Adel und Untertanen, die deutlich machen, daß hier neue Reibungsflächen und Konflikte entstanden waren, die einer breiteren Thematisierung und öffentlichen Behandlung bedurften[38]. Es läßt sich in diesen verschiedenen Literaturgruppen deutlich erkennen, daß die ständische Gesellschaft der frühen Neuzeit sich ihrer Antagonismen bewußt wurde, die gegebenen Ausgangspositionen der konfligierenden Gruppen neu überprüfte und eben auch den evidenten Interessengegensatz und die daraus folgenden Konflikte in ihr Kalkül einbezog. Wie anders sollte man es bewerten, wenn 1681 sich in einer Abhandlung über die Rechtsgrundlagen der Leibeigenschaft im oberdeutschen Raum von einem in der Praxis stehenden reichsstädtischen Juristen ein Kapitel fand, in dem die verschiedenen Klagemöglichkeiten von Herren *und* Untertanen in Leibeigenschaftsfragen abgehandelt werden, wenn gewissermaßen als praktische Anleitung in diesem Kapitel die Widerlegungsschrift einer Gemeinde publiziert wurde, die sich in einer gerichtlichen Auseinandersetzung dagegen verwahrte, für leibeigen gehalten zu werden[39]. Die Befunde in dieser Literaturgattung sind eindeutig. Das bislang nicht erforschte Anschwellen einer feudalrechtlichen Literatur vor allem über die Leistungen im Verhältnis von Herrschaft und Bauer nimmt seinen Ausgangspunkt von den „controversiae frequentissimae" vor den Gerichten dieser Epoche, wie es im Vorwort einer dieser Arbeiten hieß[40]. So konnte es nicht verwundern, wenn auch der Konfliktfall in diesem Verhältnis zu einem Standardproblem dieser Literatur wurde und dies in einer Weise, die ihn für Herren wie für Untertanen kalkulierbar machte. Aus diesem Diskussionsprozeß heraus kam es dann schließlich auch zu einer Neubewertung der rechtlichen Position des Bauern in der feudalen Gesellschaft, die von der grundsätzlichen Freiheit aller bäuerlichen Untertanen ausging und die traditionelle Position von der „praesumptio pro servitute rusticorum" überwinden konnte[41]. Die dem entgegengesetzte „praesumptio pro libertate" hatte weitreichende Konsequenzen für die bäuerlichen Verhältnisse, weil dieses neue Axiom die ungemessenen Dienstbarkeiten der Bauern auch in den Fällen unmöglich machte, in denen sie die ausdrückliche Befreiung von den Diensten nicht beweisen konnten. Ging man jetzt von der Vermutung der natürlichen Freiheit der Bauern aus, dann kam nicht mehr den Bauern die Beweislast zu, sondern der Grundherr mußte die Berechtigung jedes Dienstes beweisen, die Beweislage kehrte sich also um. Im Kontext dieser grundsätzlichen Überlegungen konnte dann eine spezifische juristische Abhandlung über das Problem der „besten Abfassung der rechtlichen Klagen derer Bauern wider ihre Gutsherrschaften in Dienst-Sachen und wie dabey die ihnen zu kommende Vermuthung der natürlichen Freiheit nutzbar zum Gebrauch zu machen" entstehen und seinen Weg in die Kreise der Advokaten nehmen[42]. Den Bauernstand „an seinen Rechten der Menschheit anzugreifen", wurde jetzt auch rechtstheoretisch problematisch, wie es Johann Leonhard Hauschild, der hier zitierte Autor, schon 1738 in seinen Schriften zu beweisen versuchte[43]. Diese abschließenden Bemerkungen können den damit berührten feudalrechtlichen Diskussionsprozeß nur kurz beleuchten. Es sollte jedoch deutlich geworden sein, daß die vielfältigen Bemühungen zur Abgrenzung der Rechte von Grundherren und Untertanen, die rechtliche und politische Neubewertung innergesellschaftlicher Antagonismen und Konflikte, eine Denktradition entwickeln halfen, die aus sich selbst heraus und unabhängig vom westeuropäischen Entwicklungsgang zum bürgerlichen Rechtsstaat hinführte. Der bäuerliche Widerstand auf allen seinen Ebenen nimmt in dieser Entwicklung einen hervorragenden Platz ein.

Schluß: Bäuerlicher Widerstand – Tendenzen und Wirkungen

Die historische Forschung hatte sich insgesamt daran gewöhnt, als Ergebnisse bäuerlichen Widerstands Vergeltung und Unterdrückung zu folgern. Es ist unbestreitbar, daß nicht eine bäuerliche Erhebung völlig zum erwünschten Erfolg geführt hat, zu stark überwog das Bild harter Bestrafung, militärischer Exekutionen und planvoller Rache der Sieger. Und maß die Forschung einmal einer Aufstandsbewegung historische Auswirkungen zu, so waren andere Schichten oder Gruppen die Nutznießer bäuerlichen Kampfes. Der deutsche Bauernkrieg von 1525 ist hierfür das beste Beispiel.

Diesen stereoptypen Urteilen zu entkommen, fällt schwer und bedarf erheblicher Anstrengungen. Sieht man einmal von politischen Impulsen ab, die Erforschung historischer Widerstandsbewegungen zu verstärken, waren es vor allem Überlegungen zur vertieften Analyse der ständischen Gesellschaft, die notwendigerweise auch die politische Bedeutung bäuerlicher Untertanen neu thematisierten. Angesichts der weitgehenden Abhängigkeit der frühmodernen Staaten von der Ertragskraft der bäuerlichen Produzenten mußte auch deren Widerstand gegen staatliche Mehrforderungen und grundherrliche Rentensteigerung in den Mittelpunkt des Interesses rücken. Damit war ein Gesichtspunkt gewonnen, der die bislang übliche Verengung auf die großen, spektakulären Bauernrevolten oder -kriege zugunsten eines breiter angelegten Untersuchungsspektrums aufgab. Damit gerieten auch Phänomene des bäuerlichen Widerstands in den Blick, die der historischen Forschung lange Zeit entgangen waren. Angesichts der von allen Seiten bestätigten Prozessiersucht der bäuerlichen Bevölkerung, der durch das Aktenmaterial bestätigten Fälle von zeitlich außerordentlich langwierigen Auseinandersetzungen wird kaum mehr daran zu zweifeln sein, daß das vielfältig existente Konfliktpotential verstärkt durch gerichtliche Instanzen der Territorien oder des Reiches kanalisiert und somit eine tendenzielle Verrechtlichung sozialer Konflikte erreicht wurde. Dies war letztlich ein Ergebnis des Bauernkrieges von 1525, dessen Ausgang für die deutsche Adelswelt ein unauslöschliches Trauma darstellte. Die bäuerliche Bevölkerung ihrerseits nutzte die vermehrt gebotenen rechtlichen Möglichkeiten des Widerstands in einer so hartnäckigen Weise, daß darin – jedenfalls auf der Grundlage eines ersten Vergleichs – ein deutlicher Unterschied zu anderen europäischen Ländern gesehen werden muß. Die bislang für bäuerliche Bewegungen verwendeten Begriffe wie „blinde Kraft", „irrational", „wild", „fureur paysanne" scheinen mir die deutschen Verhältnisse nicht zu treffen.

Es wäre freilich ein Irrtum, wenn man aus dieser ersten Beobachtung einen vollen

Erfolg dieser Strategie im Sinne einer Pazifizierung der Bauern folgern würde. Vielmehr muß gesehen werden, daß zwar soziale Konflikte verstärkt durch Institutionen kanalisiert wurden, zugleich jedoch damit auch der Konflikt als solcher institutionalisiert wurde. Die nur noch in vierstelligen Zahlen zu messende Tätigkeit gerichtlicher Instanzen zur Beilegung von Konflikten schuf ein nicht zu unterschätzendes Bewußtsein rechtlicher Statussicherung, verstärkte damit wiederum die Bereitschaft zum Widerstand und löste damit eine langfristig wirksame Anspruchshaltung der untertänigen Schichten aus, die letztlich mit den Grundprinzipien der feudalen Gesellschaftsordnung nicht in Einklang zu bringen war. Die im Umkreis der Reichs- und Territorialgerichte nachgewiesene Rechtsstatusdiskussion zugunsten der Bauern seit dem frühen 18. Jahrhundert muß als Indiz dafür gesehen werden, daß der bäuerliche Widerstand mit dazu beitrug, Beurteilungskriterien zu entwickeln, die den feudal strukturierten Staat in Frage stellten. Für den Reichsjuristen Johann Jakob Schmauß war es deshalb in der Mitte des 18. Jahrhunderts keine Frage, daß die Bauernkriege zu einer vertraglichen Absicherung der Dienstleistungen der untertänigen Bauern führten, damit einklagbar und am sich wandelnden Maßstab der Billigkeit durch die Rechtssprechung korrigierbar wurden[44]. Bäuerlicher Widerstand in der Epoche zwischen Bauernkrieg und Französischer Revolution wird deshalb nicht nach den Erfolgskriterien der Tagespolitik zu messen sein. Er muß vielmehr eingebracht werden in das Ensemble jener Faktoren, die langfristig den Übergang von der feudalen zur bürgerlichen Ordnung bewirkt haben. In der Diskussion um die Problematik dieses Übergangs ist neuerdings zu beobachten, wie gerade von westeuropäischen marxistischen Historikern die tradierte Übergewichtung von ökonomischen Faktoren in diesem Übergang – also die bekannte Überlagerungsthese feudaler durch kapitalistische Produktionsweisen - einer Revision unterzogen wird. Historiker wie Albert Soboul und Eric J. Hobsbawm treffen sich in der differenzierten Herausarbeitung eines bislang verkannten Weges aus der Feudalordnung in das kapitalistische Zeitalter[45], einer „voie paysanne“, wie es etwa Hobsbawm formulierte. Wenn auch eine solche Betonung des bäuerlichen Widerstands nicht zu einem neuen Ungleichgewicht der Erklärungsmomente führen darf, so scheinen doch insgesamt damit neue Voraussetzungen gegeben, um den bäuerlichen Widerstand angemessener zu bewerten als dies bislang geschehen ist. Darüber hinaus darf der bäuerliche Widerstand nicht nur als „antimoderne“ Bewegung verstanden werden (gegen die Kapitalisierung der Landwirtschaft, gegen die zunehmende Besteuerung), sondern muß seinerseits als Faktor einer qualitativen Veränderung der staatlichen Ordnung gesehen werden[46]. In dieser Perspektive kann der Kampf der Bauern in unserer Epoche neue Beachtung gewinnen, ohne ständig auf die für die historische Forschung problematischen Kategorien des bedauernden Mitleids angewiesen zu sein.

Anmerkungen zum 1. Kapitel

1 Vgl. dazu Kapitel 6 und *Schulze*, Veränderte Bedeutung S. 291ff. als erste Skizze dieses Problems. Einblicke in die einschlägige Literatur vermittelt auch *Steinmetz*, Müntzerbild, im Zusammenhang der Literatur über Th. Müntzer. Wegen des knappen Raums werden die Anmerkungen auf die notwendigsten Belege beschränkt.

2 *Wehner*, Metamorphosis, S. 175f.

3 *Hoffmann*, Rusticus seditiosus, § 1–31.

4 *Fleischmann*, Dissertatio de tumultibus, erwähnt bei *Steinmetz*, Müntzerbild, S. 307f.

5 *Hoffmann*, Rusticus seditiosus, Proemium, S. 3.

6 *Waldschmidt*, De jure imperantium, S. 19ff. Wilchingen war die Heimatstadt Waldschmidts. Zur Wilchinger Rebellion vgl. *Felder*, Ansätze, S. 358.

7 Darüber berichtet *Wille*, Fürstbischof von Limburg-Stirum, S. 69.

8 Vgl. dazu am Beispiel der Geschichtsschreibung über den Bauernkrieg und Th. Müntzer *Vahle*, Der deutsche Bauernkrieg, S. 257 und *Steinmetz*, Müntzerbild, S. 347ff.

9 *Hoscher*, Geschichte, S. 46f.

10 *Kurz*, Beyträge Bd. 1, S. V, XIIf.

11 *Heckenast*, Ostmitteleuropäische Bauernbewegungen, S. 516.

12 *Meindl*, Schützenobrist Meindl, S. 7.

13 *Zimmermann*, Geschichte Bd. 2. Über Zimmermann vgl. jetzt *Friesen*, Reformation, S. 76ff.

14 *Haggenmüller*, Kempten Bd. 2, S. 1.

15 Handwörterbuch der Staatswissenschaften Bd. 1, 3. Aufl. 1909, S. 196–206.

16 *Stolze*, Der deutsche Bauernkrieg, S. VIf.

16a Vgl. dazu den Überblick bei *Neuhold*, Bauernerhebungen im Lande ob der Enns.

17 Vgl. allgemein dazu *Fraunhofer*, Ideengeschichte Bd. 1, S. 430ff.

18 *Fuchs*, Epochen, S. 2.

19 Haseliers Arbeit entstand unter Gerhard Ritters Betreuung an der Universität Freiburg, vgl. Vorwort.

20 *Schiff*, Bauernaufstände, S. 189–209.

21 *J. Janssen*, Geschichte Bd. 8, S. 117f.

22 *Schiff*, Bauernaufstände, S. 208.

23 Bauer im Klassenkampf,. S. 451.

24 *Poršnev*, Formen und Wege.

25 *Kosminski*, Probleme des Klassenkampfes, S. 466.

26 *Heitz*, Zusammenhang und *ders.*, Volksmassen und Fortschritt; *ders.*, Bäuerliche Klassenkämpfe; *ders.*, Überlegungen und Aspekte; *Schulz*, Bäuerliche Klassenkämpfe.

27 *Poršnev*, Die Volksaufstände. Die russische Ausgabe dieses Buches war 1948 erschienen, während die franz. Übersetzung erst 1963 erscheinen konnte.

28 *Ders.*, Formen und Wege. S. 441 (Meine Hervorhebung – W. Sch.).

29 Vgl. vorläufig die Überblicke über die Agrargeschichtsforschung in der DDR in den Sonderheften der ZfG von 1965, 1970 und 1975.

30 *Harnisch*, Klassenkampf und *ders.*, Bäuerliche Klassenkämpfe. *Wernicke*, Untersuchungen zu den niederen Formen und *ders.*, Der bäuerliche Klassenkampf; *Vogler*, Probleme und seine Diss. von 1962. In diesem Zusammenhang ist darauf hinzuweisen, daß das Rostocker Institut als Leitinstitut für die Agrargeschichtsforschung der DDR fungiert. Das folgende Zitat bei *Heitz*, Probleme des bäuerlichen Klassenkampfs, S. 513.

31 *Heitz*, Probleme des bäuerlichen Klassenkampfes, S. 513.

32 *Čistožvonov*, Genesis des Kapitalismus, S. 26. Hinzuweisen ist hier auch auf eine früher in der ZfG publizierte Studie des gleichen Autors, Stadional – regionale Methode.

33 *Heckenast* (Hg.), Ostmitteleuropäische Bauernbewegungen, vgl. dazu meine Rezension in Südost-Forschungen 37, 1978, S. 214–218.

34 Vgl. dazu *Schulze*, Windischer Bauernaufstand, besonders S. 23f., sowie den Sammelband, der als Bd. 5 der Radovi des Instituta za hrvatsku povijest Sveucilista u Zagrebu 1973 in Zagreb erschien.

35 Vgl. hierzu den Literaturbericht von *R. Wohlfeil*, in: Geschichte und Gesellschaft, Sonderheft 1, S. 330–354.

36 Vgl. hierzu *J. Petran*, Nevolnické povstani 1775, und den umfangreichen Quellenband Prameny k nevolnickému povstanu v Cechachu na Morave v von 1775, der 1975 erschien.

37 *Stulz-Opitz*, Volksbewegungen in Kursachsen, S. 9.

38 *Kosminski*, Probleme des Klassenkampfs, S. 447.

39 *Czok*, Charakter und Entwicklung, S. 949.

40 *M. Reißner*, Bauer und Advokat, S. 38. Das folgende Zitat von *G. Heitz*, Zusammenhang, S. 83.

41 *Heitz*, Probleme des bäuerlichen Klassenkampfs, S. 524.

42 Vgl. hierzu den Vortrag *R. Wohlfeils* auf der Leipziger Tagung vom Februar 1975 in *M. Steinmetz* (Hg.), Der deutsche Bauernkrieg und Thomas Müntzer, Leipzig 1976, S. 85–91 und meine eigene Stellungnahme Reformation oder frühbürgerliche Revolution? Überlegungen zum Modellfall einer Forschungskontroverse, in: Jahrb. für die Geschichte Mittel- und Ostdeutschlands 22, 1973, S. 267ff.

43 Vgl. hierzu *Duggett*, Marx on Peasants, S. 159–182, hier S. 169ff. Die Äußerung von Marx in Der achtzehnte Brumaire des Louis Bonaparte, in: *Marx-Engels*, Ausgew. Schriften in zwei Bänden, Berlin 1970, Bd. 1, S. 307. Vgl. hierzu auch *Hobsbawm*, Peasants and Politics, S. 3ff. und als Gegensatz etwa *Wolf*, Peasant rebellion and revolution (Anm. 89).

44 *Bobinska*, Propriété feódale, S. 279–293.

45 Hier zu nennen vor allem *Franz*, Deutscher Bauernkrieg und *ders.* Geschichte des deutschen Bauernstandes, die 1976 in 2. Auflage erschien. Vgl. auch seine Skizze Der Bauer in der politischen Welt von 1964 sowie den von ihm herausgegebenen Sammelband Bauernschaft und Bauernstand 1500–1970. Knappe Skizze des Forschungsstands jetzt bei *Gerteis*, Regionale Bauernrevolten.

46 *Franz*, Geschichte des deutschen Bauernstandes, S. 179–197.

47 *Aubin-Zorn*, Handbuch der deutschen Wirtschafts- und Sozialgeschichte Bd. 1, Stuttgart 1971, S. 479 und S. 596f. Die Charakterisierung als „staatsfern" bei *F. Lütge*, Deutsche Sozial- und Wirtschaftsgeschichte. Ein Überblick, 3. Aufl. Berlin – Heidelberg – New York 1976, S. 328.

48 *G. Oestreich* in: Handbuch der europäischen Geschichte Bd. 4, Stuttgart 1968, S. 411.

49 Vgl. jetzt seine Geschichte des Hotzenwalds von 1973, die in dem einschlägigen Kapitel auf der Arbeit von 1940 aufbaut.

50 *Bader*, Dorfgenossenschaft, hier Bd. 2, S. 408–426, besonders S. 411 und die Bemerkung über *Brunner* ebd. Anm. 87. Vgl. auch Bd. 3, S. 318. Hinzuweisen ist auch auf die Bemerkungen *W. Grubes* über den Widerstand württembergischer Ämter im 18. Jahrhundert in: *ders.*, Vogteien, Ämter, Landkreise in Baden-Württemberg Bd. 1, Stuttgart 1975, S. 25.

51 *Blickle*, Landschaften sowie das Schlußkapitel seines Buches über die Revolution von 1525 und *ders.*, Die politische Entmündigung.

52 *Press*, Herrschaft, Landschaft und „Gemeiner Mann", *ders.*, Französische Volkserhebungen, S. 76ff. und *ders.*, Landschaft Solms, S. 37ff. Inzwischen bearbeitet Press die Rolle des Kaiserhofs gegenüber den territorialen Herrschaftskonflikten auf der Grundlage der Wiener Reichshofratsakten.

53 Vgl. etwa die Übersicht bei *Strobel*, Agrarverfassung, S. 14–18.

54 *Schulze*, Politische Bedeutung.

55 *Ders.*, Windischer Bauernaufstand und *ders.* jetzt Reich und Türkengefahr, bes. S. 270ff.

56 *Ders.*, Veränderte Bedeutung.

57 *Press*, Landschaft Solms, S. 38.

58 *Mommsen*, in: Objektivität und Parteilichkeit, München 1977, S. 441–468.

59 Vgl. dazu meinen Vortrag über die rechtliche Absicherung bäuerlichen Widerstands auf dem Trierer Symposion über die Menschenrechte im Frühjahr 1979.

60 Vgl. etwa *Lavisse*, Histoire de France, Bd. 6/2, S. 431ff. u. 7/1, S. 345ff.

61 *R. Mousnier*, Recherches sur les soulèvements populaires en France avant la Fronde. Diese 1958 erstmals vorgetragene Kritik an Poršnev enthält das Grundmuster von Mousniers Argumentation gegen dessen Interpretationen.

62 *Mousnier*, La Vénalité des offices sous Henri IV et Louis XIII, 2. Aufl. Paris 1971.

63 *Salmon*, Venality and popular sedition, *Mandrou*, Vingt ans après, *Vivanti*, Le rivolte populari in Francia und *Lublinskaya*, Popular masses. Stärker auf Mousnier selbst ist bezogen *Rotelli*, La structure sociale.

64 Vgl. dazu *Schulze*, Theoretische Probleme bei der Untersuchung vorrevolutionärer Gesellschaften, in: GG, Sonderheft 3, Göttingen 1977, S. 55–85, bes. S. 62ff.

65 Vgl. dazu die Arbeiten von *Bercé*, *Foisil*, *Pillorget*.

66 Von Le Roy Ladurie mehrfach vorgetragen in Bauernaufstände in Frankreich und Révoltes et contestations rurales und auch in den von ihm verfaßten Kapiteln der Histoire de la France rurale, Bd. 2, S. 556.

67 Vgl. *L. Tilly*, Food Riot und *Rudé*, Popular protest and ideology, mit Hinweisen auf seine älteren Arbeiten.

68 *Davies*, Peasant revolt in France and England, *ders.*, Les révoltes populaires en Angleterre.

69 *Ders.*, Peasant revolt, S. 134.

70 Ebd., S. 132.

71 *Clark*, Popular protest. Vgl. dazu auch die neueste Einordnung der Revolten bei *Davies*, Peace, print and protestantism 1450–1558, Fraymore 1977, S. 323 oder *W. G. Hoskins*, The age of plunder, London 1976, S. 229ff.
Die Erforschung der engl. Bauernrevolten hat in den letzten Jahren stark zugenommen. Neben *Anthony Fletchers* Tudor Rebellions, London 1968, sind vor allem zwei neue Studien über die Revolten von 1549 zu nennen, nämlich *Stephen K. Land*, Kett's Rebellion. The Norfolk Rising of 1549, Ipswich 1977 und *J. Cornwall*, Revolt of the Peasantry 1549, London 1977, sowie die Arbeiten von *Roger B. Manning*. Auch die lange unbeachtete Rolle der Bauern während der Revolution ist jetzt thematisiert worden bei *B. Manning*, The English People and the English Revolution, London 1976.

72 Vgl. dazu u. a. *Lublinskaya*, Popular masses, S. 344. Über die „Schriftlosigkeit" der Bauern auch *Unger*, Dokumente, S. 244. Generell zum Problem ist heranzuziehen *H. Booms*, Gesellschaftsordnung und Überlieferungsbildung. Zur Theorie archivalischer Quellenbewertung, in: Archiv. Zs. 68, 1972, S. 3–40.

73 *Furet*, Pour une définition des classes inférieures, S. 459.

74 *H. Helbig*, Ständische Einigungsversuche in mitteldeutschen Territorien, in: Album Helen Maud Cam, Studies presented 24, 1961, S. 187–209, hier S. 193.

75 Gesamtübersicht der Bestände des GLA Karlsruhe, Teil 1, S. 17f.
76 *Lötzke/Kluge*, Quellen zur Geschichte.
77 *Unger*, Dokumente.
78 Im übrigen muß hier auf die wichtigen gedruckten Verzeichnisse der Prozeßakten des Reichskammergerichts in den STA Münster und Koblenz aufmerksam gemacht werden.
79 Zusammengefaßt in *F. Lütge*, Geschichte der deutschen Agrarverfassung, 2. Aufl. Stuttgart 1967.
80 *O. Brunner*, Land und Herrschaft, S. 346.
81 *Schulze*, Windischer Bauernaufstand, S. 18.
82 *Starn*, Historians and „Crisis".
83 *Bercé*, Histoire des croquants, 2 Bde. Die Zitate aus *Bercé*, Croquants et Nu-Pieds, S. 223f.
84 *Sabean*, Communal Basis.
85 *Tilly*, Hauptformen kollektiver Aktion.
86 *Rudé*, Popular protest and ideology, S. 434f.
87 Vgl. dazu *Shanin*, Peasants and Peasant Societies, hier vor allem die Einleitung S. 11–19 und *Mendras*, Sociétés paysannes, um mir die Aufzählung weiterer Literatur zu ersparen.
88 Ebd., S. 120.
89 *Wolf*, Peasant rebellion and revolution, S. 66.
90 *Landsberger*, Rural protest, S. 18–64 und *ders.*, Role of peasant movements, S. 22–61.
91 *J. Wiener*, Review of Reviews, in: History and Theory 15, 1976, S. 146»175 und *H. Mey*, Der Beitrag von Barrington Moore zur soziologisch orientierten Sozialgeschichte, in: Soziologie und Sozialgeschichte, Sonderheft 16 der Kölner Zs. für Soziologie und Sozialpsychologie, 1972, S. 473–490.

Anmerkungen zum 2. Kapitel

1 Dies ist der Hauptmangel der nützlichen Übersicht über die Folgen des Bauernkriegs bei *Klein*, Folgen des Bauernkriegs. Vgl. dagegen schon früher die behutsame Kritik an Franz bei *Rössler*, Über die Wirkungen von 1525, S. 104–114 sowie die Ansicht des Wirtschaftshistorikers *G. Caro* in: VSWG 5, 1907, S. 433ff., bes. S. 455.
2 Vgl. gegenüber dieser Beschränkung der Folgendiskussion von 1525 auf „quantifizierbare" Tatbestände die Ansätze bei *Schulze*, Windischer Bauernaufstand, S. 16, *ders.*, Veränderte Bedeutung, S. 277ff., *Press*, Bauernkrieg als Problem, S. 176, der thesenhaft formulierte: „Die deutsche Agrargesellschaft blieb über den Bauernkrieg hinaus labil – dieser war somit Höhepunkt, nicht Abschluß einer Folge von Krisensituationen zwischen Herren und Untertanen, die jedoch nach 1525 regional beschränkt blieben." Schließlich sind zu nennen *Blickle*, Revolution von 1525, S. 215ff. und *Wunder*, Altes Recht – Göttliches Recht, S. 62ff.
3 Darüber *Vogler*, Auswirkungen der Niederlage, S. 413ff. mit Quellenverweisen.
4 *Brankačk-Metšk*, Geschichte der Sorben Bd. 1, S. 187 und *Mölke*, Bauernerhebung in der Herrschaft Hoyerswerda, S. 3–17 sowie *Fuchs*, Akten zur Geschichte des Bauernkriegs in Mitteldeutschland Bd. 2, Jena 1942, S. 890.
5 *Metz* (Hg.), Vorderösterreich, S. 485.
6 *Ludwig*, Ergebung und Widerstand. S. 126ff. Herrn Professor Dr. K. H. Ludwig (Bremen) danke ich sehr herzlich für die Überlassung einschlägigen Quellenmaterials zu dieser Revolte.

7 Vgl. *Grüll,* Bauer, Herr und Landesfürst, S. 3 und *Eder,* Glaubensspaltung, S. 235.
8 *Brankačk-Metšk,* Geschichte der Sorben Bd. 1, S. 188f. und *Stulz-Opitz,* Volksbewegungen in Kursachsen, S. 32.
9 Geschichte der Sorben Bd. 1, S. 189f. sowie *Metšk,* Zur urkundlichen Tradition, S. 46–57 und *Plaschnick,* Bauernaufstand zu Uckro, S. 33–40.
10 Neue Sammlung II, S. 32, § 92 (RT 1530).
11 Nach *Press,* Kaiser Karl V. S. 33, A. 53.
12 Dies beruht auf der Untersuchung einschlägiger Zeugenverhörsprotokolle aus der 2. Hälfte des 16. Jahrhunderts.
13 *Harnisch,* Klassenkämpfe, S. 161 und *Spahn,* Pommern, S. 126.
14 *Holländer,* Zu den Bauernunruhen, 384ff. und *Ladurner,* Barthlmä Dosser, S. 261–310.
15 Geh. Staatsarchiv Berlin, Pr. Rep. 17 B, Nr. 31. Vgl. auch Geschichte der Sorben Bd. 1, S. 210, *Palm,* Beiträge zur Geschichte, S. 44 und *Boelcke,* Zur Lage der Oberlausitzer Bauern, S. 73.
16 *Köchl,* Bauernunruhen und Gegenreformation, S. 109ff.
17 *Schulze,* Windischer Bauernaufstand mit allen Literaturangaben; *Karaman,* Bauernbewegung, S. 491ff. sowie als Standardwerk *Adamček,* Seljačka buna 1573.
18 *Grüll,* Robot, S. 67ff.
19 *Reischl,* Volkskundliches, S. 72ff.
20 Für Oberösterreich ist *Eder,* Glaubensspaltung und Landstände, S. 235, immer noch am besten heranzuziehen, für Niederösterreich *Feigl,* Der niederösterreichische Bauernaufstand, der die älteren Arbeiten von *Haselbach* und *Friess* verwertet. Für den ökonomischen Hintergrund des oberösterreichischen Aufstands ist vor allem *Grüll,* Der Bauer im Lande ob der Enns, wichtig.
21 Vgl. dazu das Standardwerk von *Stieve* und für die neueren Forschungen den Ausstellungskatalog der Linzer Ausstellung 1976 sowie *Sturmberger,* Herberstorff, S. 259–307.
22 *Burgstaller,* M. Laimbauer sowie *ders.,* Der letzte oberösterreichische Bauernkrieg.
23 *Pferschy,* Ursachen und Folgen sowie seine anderen einschlägigen Aufsätze.
24 *Eder,* Glaubensspaltung und Landstände, S. 231.
25 HHSTA Wien, APA T 1 und Gratialia et Feudalia, Mandate, Fasz. 3 sowie *Landes,* Achtverfahren, S. 67.
26 *Clasen,* Widertäufer, S. 165.
27 HHSTA Wien, APA B 1 10 (7) und B 2 15 (10, 11) sowie *Müller,* Reichsstadt und schwäbischer Kreis, S. 192.
28 HHSTA Wien, APA B ad 1,8 (6) und STA Ludwigsburg, Stiftsarchiv Ellwangen, Bü. 445 A und B.
29 *Kraus,* Freibirsch S. 4f., *Cramer,* Grafschaft Hohenzollern, S. 287ff. und STA Sigmaringen Ho 1, C II, Nr. 4 und *Riegger,* Ein Fuchs, S. 13f.
30 HHSTA Wien, APA R 6 157 (141).
31 Ebd. Z. 212 (187).
32 Ebd. T 1 197 (174). Vgl. auch *Vochezer,* Geschichte des Hauses Waldburg, Bd. 3, S. 109–120, 124–130, 204–208.
33 HHSTA Wien APA S 5 180 (160) und GLA Karlsruhe, Abt. 116, Nr. 1639–1645.
34 Ebd. APA B 3a 20 (14), 3b 21 (14) und *Landes,* Achtverfahren, S. 139f. sowie *Hodecker,* Odenheim, S. 141ff. und GLA Karlsruhe Abt. 94, Fasz. 390–392.
35 *Erhard,* Aufstand und HSTA München, Königsegg – Rothenfels, Urkunden 371–393,

Baumann, Allgäu Bd. 3, S. 158ff. und *Waibel*, Reichsgrafschaft Königsegg – Rothenfels, S. 61ff.

36 *Stieve*, Bauernaufstand, *Blickle*, Personalgenossenschaften, S. 209ff. mit den wichtigsten Archivbeständen. Hinzuzufügen sind die Bestände im STA Neuburg, Adel u. Lehen Nr. 1980 und Adel Königsegg – Rothenfels Lit. 11/18, im HHSTA Wien, APA A 2 5 (3), im HSTA München, RKG 7775–7779 und im GSTA München Kasten schwarz 1905.

37 HHSTA Wien APA Z 212 (187) und STA Sigmaringen Ho 177, Nr. 37, 38 sowie F 70, Lit. H. Nr. 397–401.

38 GLA Karlsruhe, Abt. 186, Nr. 180, 182, 183.

39 HHSTA Wien, APA H 4 79 (61/62).

40 *Walschner*, Rappenkrieg, *Schib*, Möhlin, S. 155–165 *Metz* (Hg.), Vorderösterreich S. 417–419, *Albert*, Radolfzell, S. 345 und vor allem GLA Karlsruhe, Abt. 79, Nr. 1806, 1807, 3394, 3395, 3396.

41 Ebd. Abt. 83, Fasz. 25a und *Schilling*, Reichsherrschaft Justingen, S. 86–92.

42 *Bergemann*, S. 109, Aktenmäßige Erzählung, § 6, und der Schlußvergleich in WN 77, S. 35ff. Als Nachwirkung ist noch auf die Frohnstetter Rebellion von 1625 zu verweisen, vgl. *Kraus*, Frohnstetter Rebellion, S. 58f.

43 *Gothein*, Oberrheinische Lande, S. 3 und *ders.*, Hofverfassung, S. 306. Über einen parallelen Streit der Bauern von St. Blasien um die Leibeigenschaft zwischen 1576 berichtet *Böhler*, Leibeigenschaft der Talleute.

44 *Croon*, Landständische Verfassung, S. 59ff.

45 *Peschel*, Geschichte von Kemnitz, S. 99f.

46 *Hirn*, Erzherzog Maximilian Bd. 1, S. 6.

47 *Strauß*, Bauernelend, S. 38.

48 HHSTA Wien, APA H 3 77 (60).

49 *Mayenschein*, Rebellion der Stadt Wenigs.

50 *Riezler*, Geschichte Bayerns Bd. 4, S. 675f.

51 HHSTA Wien, APA H 4 78 (61), H 5 82 (64).

52 Ebd. H 5 81 (63).

53 *Martin*, Zur Geschichte Erzbischofs Wolf Dietrich.

54 *Stulz-Opitz*, Volksbewegungen in Kursachsen, S. 32.

55 Ebd.

56 *Blau*, Geschichte der Kunischen Freibauern, S. 118ff. und *Loserth*, Bauernschinderisches, S. 186ff.

57 *Gaul*, Verhältnisse des Bauernstandes, S. 51 und *Wieber*, Greifensteiner Rebellion.

58 *Langer*, Zum bäuerlichen Klassenkampf.

59 *Riezler*, Aufstand der bayerischen Bauern.

60 Vgl. den Überblick bei *Steinmetz*, Deutschland 1476–1648, S. 362f. und *Lötzke-Kluge*, Quellen zur Geschichte, S. 568.

61 *Leszcynski*, Klassenkampf der Oberlausitzer Bauern.

62 *Mayr*, Bauernunruhen in Salzburg.

63 *Bader*, Triberg, S. 207ff.

64 Vgl. dazu *Lohmann*, Das Reichsgesetz vom Jahre 1654.

65 HSTA München, Fürststift Kempten Nr. 427, 428, 429. *Baumann-Rottenkolber*, Allgäu Bd. 3, S. 286ff. und *Haggenmüller*, Kempten Bd. E2, S. 216ff.

66 Ebd., S. 227f.

67 STA Neuburg, Lehen und Adel 2913 I, II.

67a Freundl. Hinweis von Prof. Dr. Peter Blickle auf seinen Beitrag in der Ortschronik Laupheim, Weissenhorn 1979, S. 221–226.
68 *Evertz*, Revolte der Bauern, S. 26ff.
69 *Stulz-Opitz*, Volksbewegungen in Kursachsen, S. 33ff., *Blauhut*, Beschwerdeartikel, S. 170 und *Schaller*, Der große schönburgische Fronaufstand.
70 *Grüll*, Bauer, Herr und Landesfürst.
71 Vgl. H. *Valentinitsch*, Die Meuterei der kaiserlichen Söldner in Kärnten und Steiermark 1656 (= Militärhistorische Schriftenreihe H. 29), 1975, S. 17
72 *Schmidt*, Amthauptmann Georg Abraham von Grünberg, S. 27ff. und *Metšk*, Sorbenpolitik, S. 28f.
73 *Herzfeld*, Klassenkämpfe, S. 339ff. (für 1675) und *Schultze*, Die Prignitz, S. 201–204.
74 *Eisele*, Die Ostracher Rebellion, S. 33f.
75 GSTA München, Kasten schwarz 1267.
76 *Klein*, Studien zur Wirtschafts- und Sozialgeschichte, S. 139.
77 *Riezler-Wallmenich*, Akten (als Quellengrundlage) und die neueste Behandlung bei *Hüttl*, Max Emanuel, S. 429–473 mit der älteren Literatur und *Probst*, Lieber bayrisch sterben, München 1978.
78 *Gaul*, Verhältnisse des Bauernstandes, S. 51–53, und HHSTA Wien.
79 *Lindenstruth*, Streit um das Busecker Tal.
80 *Schramm*, Greizer Bauernprozeß und *ders.*, Ein Bauernaufstand.
81 *Kunze*, Bauernunruhen im Kreis Cottbus, *Metšk*, Sorbenpolitik, S. 33ff. und *Brankačk-Metšk*, Geschichte der Sorben Bd. 1, S. 260ff.
82 *v. Ranke*, Fürstentum Schwarzburg-Rudolstadt.
83 *Baumann-Rottenkolber* Bd. 3, S. 290ff. und *Haggenmüller* Bd. 2, S. 264ff. und HSTA München, Fürststift Kempten, Nr. 434.
84 *Haselier*, Streitigkeiten der Hauensteiner und *ders.*, Geschichte des Hotzenwaldes, S. 45ff. an Stelle der älteren Literatur.
85 GLA Karlsruhe, Abt. 51, Fasz. 1513.
86 *Lötzke-Kluge*, Quellen zur Geschichte, S. 571 und *Lehmann*, Quellen, S. 98–120.
87 *Lötzke-Kluge*, Quellen zur Geschichte, S. 570.
88 *v. Cramer*, WN 84, S. 117ff.
89 GLA Karlsruhe, Abt. 122, Fasz. 382–396, 402.
90 *Reinalter*, Zwei Quellendokumente, S. 104ff. und *ders.*, Historische Entwicklung Tirols, S. 147ff. und *Kollmann*, Der Zentralismus Maria Theresias (Hs. 5788 im LRA Innsbruck).
91 *Lehmann*, Verhältnisse, S. 33.
92 *Lötzke-Kluge*, Quellen zur Geschichte, S. 570.
93 *Keinemann*, Unruhen und Krisen, S. 339ff.
94 *Hauptmeyer*, Bauernunruhen in Schaumburg-Lippe, S. 149ff.
95 *Schmidt*, Sächsische Bauernunruhen und *Stulz-Opitz*, Volksbewegungen in Kursachsen.
96 *Bergemann*, Geschichte der landesherrlichen Jagdhoheit, S. 123ff. und *Cramer*, Grafschaft Hohenzollern und die Aktenmäßige Erzählung sowie zahlreiche zeitgenössische Publikationen.
97 *Brandt*, Kampf der bremischen Marschbauern, S. 148–160 und *Klock*, Consilia Bd. 1, Nürnberg 1673, S. 424–71.
98 *Ludwig*, Der badische Bauer, S. 76ff. und Merkwürdige RHR-Conclusa I, S. 262f.
99 *Buri*, Zuverlässige Ausführung und Merkwürdige RHR-Conclusa III, S. 527ff. und Auserlesene, S. 829ff.

100 *v. Cramer,* WN 98, S. 128ff. 99, S. 87ff. 100, S. 38ff.
101 Ebd. 5, S. 66ff.
102 *Hertz,* Rechtsprechung, S. 339.
103 Ebd. S. 338 und *v. Cramer,* WN 22, S. 137ff.
104 *Hincker,* Les Français devant l'impôt, S. 64ff. für die einhellige Meinung der einschlägigen Literatur.
105 Vgl. dazu die Überblicke bei *Franz,* Geschichte des deutschen Bauernstandes, S. 179–198 und *Schiff,* Deutsche Bauernaufstände.
106 Vgl. dazu den ersten Versuch von *Hertz,* Rechtsprechung, S. 331ff. und als erster Niederschlag entsprechender Forschung *Troßbach,* Landesherr und Bauer.
107 Vgl. *Lehmann,* Quellen.
108 Ich benutze hier den von *G. Oestreich* geprägten Begriff, vgl. *ders.,* Geist und Gestalt des frühmodernen Staates, S. 279 und *ders.:* Zur Vorgeschichte des Parlamentarismus, in: Zs. für für Historische Forschung 6, 1979, S. 63–80, hier S. 75ff. zum Problem der deutschen Kleinstterritorien.
109 Vgl. dazu Kap. 3.4!
110 *Schulze* (Hg.), Europäische Bauernrevolten der frühen Neuzeit, geplant für 1980, Einleitung.

Anmerkungen zum 3. Kapitel

1 *Brunner,* Neue Wege der Verfassungs- und Sozialgeschichte, S. 199–212.
2 Ich beziehe mich hier auf *ders.,* Land und Herrschaft, besonders S. 258ff., 343–348, 425–437.
3 *F. L. A. Lassberg* (Hg.), Der Schwabenspiegel, 1840, S. 133. Vgl. dazu *Brunner,* Land und Herrschaft, S. 263ff.
4 Vgl. dazu meine Bemerkungen in: Theoretische Probleme bei der Untersuchung vorrevolutionärer Gesellschaften, Geschichte und Gesellschaft Sonderheft 3, Göttingen 1977, S. 55–85, hier S. 57ff.
5 *Brunner,* Land und Herrschaft, S. 348.
6 Ebd., S. 346.
7 *Brunner* in: Zeitschrift für Agrargeschichte und Agrarsoziologie 11, 1963, S. 236f.
8 Vgl. dazu die treffende Charakterisierung bei *Nabholz,* Zur Frage nach den Ursachen, S. 241, der auch schon früh die Auffassung vertrat, „daß der Bauernkrieg eine Episode in dem langen und zähen Ringen zwischen Landvolk und Obrigkeit" bildete. Ebd., S. 253, Anm. 33.
9 *Mitteis-Lieberich,* Rechtsgeschichte, 9. Aufl. München-Berlin 1965, S. 180.
10 Dazu *E. Patzelt,* Entstehung und Charakter der Weistümer in Österreich, Baden-Wien-Leipzig-Brünn 1924, S. 67. Einen guten Überblick über die neuere Weistumsforschung bietet jetzt *P. Blickle* (Hg.), Deutsche ländliche Rechtsquellen. Probleme und Wege der Weistumsforschung, Stuttgart 1977.
11 *Stulz-Opitz,* Volksbewegungen in Kursachsen, S. 59.
12 Vgl. dazu die neuere Problemskizze von *Ch. Link,* Jus resistendi – Zum Widerstandsrecht in deutschem Staatsdenken, in: A. Dordett zum 60. Geburtstag, Wien 1976, S. 55–68.
13 Vgl. w. u. Anm. 82–86
14 *Wolf,* Peasant wars, S. 230.

15 Ich verweise für den hier angesprochenen Prozeß auf meine neue Arbeit Reich und Türkengefahr, S. 223ff. und Reichstage und Reichssteuern im späten 16. Jahrhundert, in: Zeitschr. f. hist. Forschung 2, 1975, S. 43–58.
16 *Franz*, Quellen zur Geschichte des Bauernkrieges, S. 156.
17 *E. Brandenburg* (Hg.), Politische Korrespondenz des Herzogs und Kurfürsten Moritz v. Sachsen, Bd. 1, Leipzig 1904, S. 151.
18 *A. Loebl*, Der Sieg des Fürstenrechts auch auf dem Gebiet der Finanzen – vor dem 30jährigen Krieg, München-Leipzig 1916. Vgl. zusammenfassend *Th. Mayer* in Handbuch der Finanzwissenschaft Bd. 1, 2. Aufl. Tübingen 1952, S. 236–272.
19 Nach *E. Troß*, Der oberdeutsche Bauer, S. 95f. (Exkurs).
20 Trutina status, S. 62.
21 HHSTA Wien, APA, T 1 197 (174).
22 *Bloch*, Charactères originaux de l'histoire rurale française Bd. 1, Paris 1952, S. 175. Zu den methodischen Implikationen dieser Bemerkung vgl. *R. Hilton*, Bond men made free, London 1973, S. 11ff.
23 *Heitz*, Agrarischer Dualismus, S. 306f.
24 Als Beispiel: *Illemann*, Bäuerliche Besitzrechte im Bistum Hildesheim, S. 29ff. Allgemein *Hoetzsch*, Bauernschutz; *Patzelt*, Bauernschutz und *Kamcke*, Bauernschutzgesetzgebung.
25 Davor warnt zu Recht auch *Heitz*, Differenzierung der Agrarstruktur, S. 917f.
26 Es ist von besonderem Interesse zu beobachten, daß die rechtspraktische Literatur des 17. und 18. Jahrhunderts, die sich mit dem Verhältnis von Grundherren und Untertanen befaßte, vor allem die Palette der Konflikte berücksichtigte, die sich aus der Beeinträchtigung des individuellen Produzierens und Vermarktens ergaben. Vgl. etwa *A. W. Ertel*, Praxis aurea de jurisdictione, passim.
26a Nach *Vochezer*, Geschichte des Hauses Waldburg Bd. 3, S. 951
27 So *v. Hippel*, Bauernbefreiung in Württemberg, S. 81, der das bäuerliche Einkommen für „konstant" seit dem 16. Jahrhundert hält.
28 *Henning*, Dienste und Abgaben, S. 172f. sowie die Übersicht über die regional unterschiedliche Belastung, bes. S. 7–98 ebd.
29 *Lütge*, Mitteldeutsche Grundherrschaft, S. 156.
30 *Pütter*, Auserlesene Rechtsfälle, S. 245.
31 Als Beispiel *Mayer*, Die rechtliche Behandlung.
32 Neue Sammlung II, S. 274ff.
33 Ebd., S. 259 (§ 14) und S. 316 (§ 70).
34 Vgl. dazu vor allem den 10. Artikel der Kapitulationsbestimmungen des Schwäbischen Bundes, zit. bei *Franz*, Quellen zur Geschichte des Bauernkriegs, S. 578f. Zur Praxis dieser Bestimmungen vgl. *Sea*, Schwäbischer Bund, S. 162ff. Das Zitat aus RTA JR Bd. 7, S. 90.
35 Gedruckt in: Gülich- und Bergischen Policey-Ordnung, Düsseldorf 1696, hier S. 5.
36 *Kern*, Policei-Ordnung des Gotteshauses St. Peter, S. 221. Vgl. auch die Aufruhrverbote in *F. Wintterlin*, (Hg.), Württemb. Ländliche Rechtsquellen Bd. 1, Stuttgart 1910, S. 380, 429, 643.
37 STA Neuburg, Adel, Königsegg-Rotenfels, Lit. Nr. 11, fol. 101b.
38 Neue Sammlung II, S. 531f. und ebd. III, S. 22f.
39 *Gnodalius*, Der Peurisch und Protestierende Krieg, Basel 1573, fol. ii b und cxxxvff. Vgl. jetzt auch *R. Kolb*, The Theologians and the Peasants, S. 103ff.
40 *A. Dalner*, Ein Tractat von Aufruhr oder Empörungen, Ingolstadt 1601.

41 Wahrhafftige Newe Zeitung, von den Aufständischen Pauren, so sich diß 1573. Jar . . . aufempört haben, Salzburg 1573 (Exemplar des Germ. Nat. Museums Nürnberg).

42 *A. Neser,* Wie man den schlimmen Wüterich und christlichen bluetsdurstigen tyrannen in allweg widerstand thuen möchte, Ingolstadt 1566 (StB München) Vorrede fol. Aiii

43 Leipzig 1585.

44 Nürnberg 1685, Fritsch war Kanzler in Schwarzburg-Rudolstadt.

45 Altenburg 1642, 48. Frage.

46 *Besold,* Thesaurus practicus adauctus, Artikel „Aufruhr", 4. Aufl. Nürnberg 1697, S. 58–60. Vgl. den ausführlicheren Nachweis einschlägiger Bestimmungen u. Interpretationen bei *Schulze,* Veränderte Bedeutung, S. 284f.

47 *Besold,* Discursus de aerario publico, Frankfurt/M. 1626, S. 74.

48 Diese These entwickelt in: *Schulze,* Veränderte Bedeutung.

49 *Blickle,* Revolution von 1525, S. 222f.

50 Diesen Vergleich unternimmt *Vogler,* Auswirkungen der Niederlage, bes. S. 413, ohne jedoch m. E. die Differenz zwischen Deutschland und Ungarn deutlich genug herauszuarbeiten. Für Ungarn vgl. die Beiträge von *Varga* u. *Bonis* in: *Heckenast* (Hg.), Ostmitteleuropäische Bauernbewegungen, S. 309–316 und S. 407–412.

51 Diese Schlußfolgerung ziehe ich vorläufig aufgrund der mir zugänglichen Literatur. Sie wird jedoch noch Gegenstand näherer Untersuchung im Rahmen des in der „Vorbemerkung" genannten Forschungsprojekts sein.

52 Neue Sammlung II, S. 320f. (§ 92).

53 *Mensi,* Geschichte der direkten Steuern in Steiermark bis zum Regierungsantritt Maria Theresias, Forschungen z. Verfassungs- und Verwaltungsgeschichte der Steiermark Bd. 7, Graz-Wien 1910, S. 246f. und Steiermärk. Landesarchiv Graz, Patentenreihe, Patent v. 15. Mai 1579.

54 Vgl. dazu *Blaschke,* Das kursächsische Appellationsgericht 1559–1835 und sein Archiv, in: ZRG GA 84, 1967, S. 329–54.

55 Neue Sammlung III, S. 474ff., hier S. 476, § 15, 16.

56 Ebd. und Artikel, Aktenversendung in HRG I, S. 84–87.

57 *Weisse,* Über die Berichterstattung, S. 9. Vgl. auch w. u. S. 142.

58 Vgl. dazu vorläufig *Diestelkamp*, Reichskammergericht, S. 465f. und die Quellenhinweise bei *Heitz,* Probleme des Klassenkampfes, S. 515ff. Alles bislang vorliegende Quellenmaterial stützt diese These.

59 *Diestelkamp,* Reichskammergericht, S. 448f.

60 STA Köln, Köln und das Reich, Bd. 178.

61 Neue Sammlung III, S. 434.

62 Der Entwurf zitiert nach *v. Cramer,* WN 2, S. 124.

63 Grundlegend formuliert bei *Gail,* Practicarum observationum I, Köln 1621, S. 35: „quia regulariter praesumptio militat pro magistratu."

64 Zur Vorgeschichte der Bestimmung von 1654 vgl. die Quellen bei *v. Meiern,* Acta comitalia Ratisbonensia Bd. 2, Leipzig-Göttingen 1738, S. 165, 204, 416, 441 und die Zusammenstellung bei *Reuß*, Staats-Canzley Bd. 19, 1791, S. 198ff. Der Text des Jüngsten Reichsabschieds in Neue Sammlung III, S. 660, hier § 105.

65 *Diestelkamp,* Reichskammergericht, S. 467f.

66 Vgl. dazu Anm. 51 und 34 zum 2. Kapitel!

67 Vgl. *J. Weitzel,* Der Kampf um die Appellation ans Reichskammergericht, Köln-Wien 1976, S. 87ff.

68 Vgl. die Quellen bei *Ludolf,* Symphorema, Symph. III.

69 *Weisse,* Über die Berichterstattung.
70 WN 2, S. 124
71 *v. Zwierlein,* Vermischte Briefe 1, S. 108, Anm. 42 und *Schellhaß*, Über die Gerichtsbarkeit, S. 182 und 186.
72 Ich verdanke hier der Staatsexamensarbeit meines Schülers Werner Troßbach über die rechtlichen Möglichkeiten bäuerlichen Widerstands manche hilfreiche Vorklärung und eine Reihe wertvoller Materialhinweise.
73 *Laufs,* Reichskammergerichtsordnung, S. 183.
74 Ebd., S. 175, 178. Teil II, Titel 4, § 18 und Tit. 8, § 3 + 4.
75 Vgl. die Bemerkungen bei *Westphal,* Teutsches Staatsrecht, S. 349ff.
76 *Schellhaß,* Über die Gerichtsbarkeit, S. 32.
77 Ebd., S. 291ff. Diese Regelung der Appellationsmöglichkeit von der Austrägalinstanz an das Reichskammergericht überwand auch die bekannten Appellationsprivilegien.
78 Tit. 8, S. 4, 5, bei *Laufs*, Reichskammergerichtsordnung, S. 179.
79 *Schellhaß,* Über die Gerichsbarkeit, S. 80.
80 Vgl. dazu *Sellert,* Prozeßgrundsätze, S. 194ff. und als zeitgenössisches Standardwerk *Ruland,* Tractatus de commissionibus.
81 RKGO Teil II, Tit. 23, *Laufs,* Reichskammergerichtsordnung, S. 200. Vgl. die Kommentierung bei *Gail,* Practicarum observationum 1 S. 26f. – Zum Mandatsprozeß vgl. die ungedruckte Arbeit von *Hinz,* Mandatsprozeß.
82 *Gail,* Practicarum observationum I, hier zitiert nach der deutschen Übersetzung Hamburg 1601, S. 37f.
83 *Rosenthal,* Tractatus et synopsis totius juris feudalis, Bd. 2, S. 182ff.
84 Dieser Topos fand auch seinen Niederschlag in der für den praktischen Gebrauch von niederen Gerichtsbarkeiten gedachten Praxis aurea de jurisdictione inferiore, vulgo von der Niedergerichtsbarkeit des *Anton Wilhelm Ertel*, die 1713 in Marburg in deutscher Übersetzung erschien. Hier heißt es (3. Teil, S. 3): „Und wo die Offension unrechtmäßig, da ist die Defension zugelassen. Cessiert also in dergleichen Fall die gute Vermuthung vor den Gerichts-Herrn und kan demselben, wann er die Gräntzen seiner Gewalt überschreitet, resistirt werden.“
85 *Franck,* De saevitia dominorum, S. 54ff. und 81f.
86 *Ludolf,* De jure camerali, S. 129.
87 Neue Sammlung, Zugabe S. 20, § 8 und 9.
88 *Gail,* Practicarum observationum, S. 260 (De arrestis imperii, cap. X).
89 *Stryk,* De via facti principibus imperii permissa, Halle 1695, S. 375.
90 Insbesondere die klassischen dt. Verfassungsgeschichten schweigen sich über diesen Komplex aus. Erste Hinweise bei *Hertz,* Rechtsprechung.
91 Dies muß gegen die fast durchgängige Interpretation der einschlägigen Äußerungen der DDR-Geschichtsforschung gesagt werden. Vorsichtige Differenzierungsbemühungen bei *Heitz,* Probleme des bäuerlichen Klassenkampfes, S. 518.
92 Dieser Gefahr ist *Hinz,* Mandatsprozeß nicht entgangen, wenn er S. 391 die Kammergerichtsassessoren in Wetzlar als „liberalistisch“ einstufte.
93 So *Schellhaß,* Über die Gerichtsbarkeit, S. 1.
94 *Hoscher,* Beyträge, S. 46f.
95 So etwa der Bischof v. Würzburg in einem Edikt vom 26. Dez. 1792, in dem er auf die Landesverfassung hinwies, die „unter dem Schutz der Gesetze eine vernünftige Freiheit“ gewähre und „einen jeden, auch den Geringsten, gegen unrechtmäßigen Druck“ sichere. Sammlung der hochfürstl. Würzburgischen Landesverordnungen 1771–1800, Würzburg 1801, S. 561.

1 *O. Hintze*, Feudalismus-Kapitalismus, hg. *G. Oestreich*, Göttingen 1970, S. 7 (Einltg. des Herausgebers).
2 *Hintze*, ebd., S. 22f. (Wesen und Verbreitung des Feudalismus).
3 Natürlich ließe sich über die Adäquanz von Begriffen wie „sozialer Protest" oder „popular protest" noch mehr sagen. Für den Zweck dieser Untersuchung scheinen mir diese Begriffe insgesamt als zu unspezifisch, um damit dem gegebenen Quellenmaterial gerecht zu werden. Eine nützliche Diskussion des „Sozialer-Protest"-Begriffs bei *H. Volkmann*, Kategorien des sozialen Protests im dt. Vormärz, in: GG 3, 1977, S. 164ff. Generelle Einwände formulierte ebd., S. 257–263 *Karin Hausen*.
4 *Petran*, Höhepunkt, S. 126f. und auch *ders.*, Typologie, S. 463, ähnliche Warnung auch bei *Maczak,* La paysannerie et les luttes des classes.
5 Vgl. dazu auch die treffenden Bemerkungen Petrans ebd.
6 In: ZAA 23, 1975, S. 165ff.
7 *Blickle*, Landschaften im Alten Reich, S. 435ff.
8 *Bader*, Dorfgenossenschaft Bd. 2, S. 412 mit vielen Beispielen.
9 *Mousnier*, Fureurs paysannes.
10 *Mandrou*, Vingt ans après, S. 40 („révoltes sauvages") und *J. Petran*, Höhepunkt, S. 122. Mandrou grenzt sich dabei jedoch von Poršnevs Gebrauch des Begriffs der „blinden Kraft" ab.
11 *Heitz*, Probleme des bäuerlichen Klassenkampfes, S. 513.
12 Vgl. etwa *Petran*, Typologie der Bauernbewegungen, S. 462ff. und *Heitz*, Bäuerliche Klassenkämpfe, S. 219 aber auch *Tilly*, Hauptformen, S. 153ff.
13 *Poršnev*, Formen und Wege, S. 441.
14 *Heitz*, Überlegungen, S. 71.
15 *Kosminski*, Probleme des Klassenkampfs, S. 469.
16 *Wernicke*, Untersuchungen zu den niederen Formen und *Heitz,* Zusammenhang.
17 *Petran*, Typologie der Bauernbewegungen, S. 464f. *J. Topolski*, in: Acta Universitatis Carolinae – Phil. et Historica 3, Prag 1969, S. 153–161, hier S. 155, und *Leszczynski*, Ergebnisse der polnischen Historiographie, S. 495–507, hier S. 502.
18 *v. Cramer*, WN 98, S. 132ff. Das folgende danach.
19 Vgl. *Buri*, Zuverlässige Ausführung, S. 57ff.
20 Arch. dep. Colmar, C 6/26.
21 HHSTA Wien, APA S 5 180 (160).
22 Vgl. *Gail*, De pignorationibus, S. 194 (Teil von Practicarum observationum libri duo) oder *Ertel,* Praxis aurea 8. 2. Teil, S. 108.
23 Diese Beobachtungen gelten praktisch für alle untersuchten Widerstandsbewegungen.
24 *Heitz*, Bäuerliche Klassenkämpfe, S. 220f., *ders.*, Probleme des bäuerlichen Klassenkampfes, S. 519, *ders.* Überlegungen, S. 71.
25 *Schultz*, Klassenkampf, S. 400. Vgl. *Petran*, Typologie der Bauernbewegungen, S. 463f.
26 *Wernicke*, Der bäuerliche Klassenkampf, S. 289.
27 HHSTA Wien APA B ad 1, 8 (6).
28 STA Sigmaringen Ho 1, C, II, 2b, Nr. 5, fol. 145b ff. Dazu jetzt *E. Elbs*, Owingen 1584 – Der erste Aufstand in der Grafschaft Hohenzollern-Hechingen. Wiss. Hausarbeit Konstanz 1979, hier S. 83.
29 Aktenmäßige Erzählung, § 34–36.

30 LRA Innsbruck, Oö. Hofregistratur, Fasz. 61.
31 STA Sigmaringen, Friedberg-Scheer, Nr. 653.
32 HHSTA Wien, APA T 2, 199 (176), fol. 560f.
33 *Leszczynski*, Ergebnisse der polnischen Historiographie, S. 502.
34 *Crusius*, Schwäbische Chronik Bd. 2. 1733, S. 479.
35 HHSTA Wien, APA Z 212.
36 STA Neuburg, Lehen und Adel 2913 I.
37 *Leszczynski*, Forschungsergebnisse, S. 483.
38 *Schultz*, Klassenkampf, S. 397.
39 *Petran*, Typologie der Bauernbewegungen, S. 458.
40 *Moser*, Einleitung Bd. 4, S. 340. Einschlägige Urteile bei *v. Cramer*, Observationes juris universi Bd. 1, Wetzlar 1758, S. 272f.
41 Vgl. *Hirn*, Erzherzog Maximilian 1, S. 177.
42 Dies geht aus HHSTA Wien, APA A 2, 5 (2) hervor.
43 Ebd. B ad 1, 9 (6).
44 LRA Innsbruck, Oö. Hofregistratur, Fasz. 23.
45 HHSTA Wien, APA Z 212 (187).
46 Ebd.
47 *Poršnev*, Formen und Wege, S. 441.
48 *Stulz-Opitz*, Volksbewegungen in Kursachsen, S. 34 in Anspielung auf das Reichskammergericht.
49 *Blaschke*, Das Kursächsische Oberappellationsgericht.
50 *Harnisch*, Klassenkämpfe und *ders.*, Bäuerliche Klassenkämpfe.
51 *Reißner*, Bauer und Advokat, S. 38.
52 *Kosminski*, Probleme des Klassenkampfes, S. 477.
53 *Heitz*, Probleme des Klassenkampfes, S. 518.
54 *Lütge*, Mitteldeutsche Grundherrschaft, S. 155ff.
55 So wunderte sich *J. Schultze*, Die Prignitz, S. 203, daß es selbst in der schweren Zeit häufiger Truppendurchmärsche gegen Ende des 30jährigen Krieges, als sich die Bauern der Prignitz kollektiv zu wehren versuchten, zu keiner Koalition zwischen Adel und Bauern kam. Nach New Cambridge Modern History Bd. 4, S. 56 beruhte dieser Unterschied darauf, daß der „staatliche Integrations- und administrative Nivellierungsprozeß in Deutschland weiter fortgeschritten war als in England und Frankreich".
56 *Fuchs*, Akten zur Geschichte des Bauernkriegs in Mitteldeutschland, Bd. 1/2, S. 652.
57 *Schulze*, Windischer Bauernaufstand, S. 31ff.
58 Vgl. *Sturmberger*, Tschernembl, S. 99.
59 Nach *Oestreich*, Geist und Gestalt des frühmodernen Staates, S. 188ff. und 236.
60 *N. Luhmann*, Legitimation durch Verfahren, 2. Aufl. Darmstadt-Neuwied 1975, vor allem S. 100ff.
61 Vgl. dazu die zusammenfassende Wertung bei *F. Wieacker*, Privatrechtsgeschichte der Neuzeit unter besonderer Berücksichtigung der deutschen Entwicklung, 2. Aufl. Göttingen, S. 1976, S. 229f. und 243ff.
62 HSTA München, Reichskammergericht Nr. 7778.
63 *v. Zwierlein*, Vermischte Briefe 1, S. 105.
64 *Klocks* Charakterisierung in: Tractatus nomico-politicus de contributionibus, Frankfurt/M. 1676, S. 53.
65 Die Entscheidungen gedruckt bei *A. Gylmann*, Decisionum sive rerum in camera imperiali judicatarum libri duo, Frankfurt/M. 1602, hier S. 1–59. Für den Konfliktverlauf seit

1594 HHSTA Wien, APA H 4, 78 (61) und H 5 82 (64), 83 (65). Vgl. auch Merckelbachs Gutachten über den Hattgauer Fall, Fasciculus, S. 89–94.

66 Ich verzichte i. f. bei den bereits erwähnten und quellenmäßig nachgewiesenen Widerstandsbewegungen auf erneute Belegung, falls kein neues Quellenmaterial herangezogen wird. Ich verweise grundsätzlich auf die Anmerkungen 4–103 zum 2. Kapitel.

67 Aufschlußreich hierfür die Rolle des Advokaten Bulisius im Schwarzburg-Rudolstädter Bauernprozeß, vgl. Endliche und letztere palbable Demonstration, und *v. Ranke*, Landstreit, S. 129f. Vgl. auch *Schramm*, Obergreizer Bauernprozeß, S. 95–97.

68 HHSTA Wien, APA, R 7 160 (143).

69 HSTA München, Fürststift Kempten, Münchener Bestand Lit. Nr. 434.

70 *v. Cramer*, WN 99, S. 104.

71 Nach *Schott*, Rat und Spruch, S. 245.

72 Consilia Tubingensia, Bd. 2, S. 140ff.

73 So *Moser*, Einleitung Bd. 1. S. 423f.

74 *Sellert*, Prozeßgrundsätze, S. 194ff. und *Landes*, Achtverfahren, S. 85.

75 STA Ludwigsburg, B 397, Bü. 445, Paket A.

76 HSTA München, Kasten schwarz 1905.

77 *Schaller*, Jerisauer Bauernschlacht, S. 264.

78 *v. Cramer*, WN 98, S. 139.

79 Auserlesene RHR–Conclusa, S. 458.

80 *Moser*, Einleitung Bd. 1, S. 81f.

81 *v. Zwierlein*, Vermischte Briefe 1, S. 107f.

82 HHSTA Wien, APA T 2 199 (176), fol. 241a f.

83 Zuletzt *Zinnhobler*, Der oberösterreichische Bauernkrieg, S. 107ff.

84 Die beiden Bauernkriegsgutachten Tschernembls in HHSTA Wien, Handschrift 381, fol. 238a–249b.

85 *Hammer-Purgstall*, Khlesl's Leben Bd. 1, Wien 1847, S. 311ff.

Anmerkungen zum 5. Kapitel

1 Zu den damit berührten Rechtsfragen vgl. *Bader*, Dorfgenossenschaft Bd. 2, S. 385ff.

1a Vgl. *Sieber*, Zeichen und Gebärden der Konspiration, S. 215ff.

2 In der Rebellion im Amt Waldkirch sagte Thomas Laube, „er habe ain aydt zue der gemaindt geschworen, darbey wolle er leben und sterben". GLA Karlsruhe, Abt. 183, Nr. 182.

3 Zu den bislang nicht nachgewiesenen Reichsdörfern vgl. *Schulze*, Reich und Türkengefahr, S. 259f. und Merkwürdige RHR-Conclusa V, S. 831–9, VI, S. 402–421.

4 Vgl. zum damit angeschnittenen Fragenkomplex des „alten Rechts" *Wunder*, Göttliches Recht – Altes Recht, bes. S. 58ff.

5 *Bilgeri*, Vorarlberg Bd. 3, S. 507, Anm. 9.

6 *W. Goetz* (Hg.), Briefe u. Akten zur Geschichte des 30jährigen Krieges, NF II/3, 1942, S. 339.

7 *Lütge*, Mitteldeutsche Grundherrschaft, S. 156.

8 Vgl. dazu die Übersichtsartikel von *W. H. Beik*, Searching for popular culture in early modern France, in: Journal of Modern History 49, 1977, S. 266–281 und von *R. Reichardt*, „Histoire des mentalités". Eine neue Dimension der Sozialgeschichte am Beispiel des französischen Ancien Régime, in: Intern. Archiv für Sozialgeschichte der dt. Li-

teratur 3, 1978, S. 130–166. – In diesem Zusammenhang scheint es mir angebracht, vor einer Überschätzung der hier vorgelegten Forschungen zu warnen, deren quellenmäßige Fundierung oft genug hinter den dort entwickelten, sehr interessanten und wichtigen Thesen zurückbleibt. Gleichwohl bleibt das Verdienst der Thematisierung neuer, bislang ausgelassener Forschungsfelder; als Beispiel verweise ich auf *Bercé*, Fête et révolte.

9 Druck des Mandats in GSTA München, Kasten schwarz 1905, 1603 März 10.

10 *Erhard*, Aufstand der Rotenfelser Bauern, S. 18.

11 *Weber*, Schwenckfeldianismus, S. 145.

12 Diese Angaben nach der Auswertung der Täuferakten bei *Clasen*, Wiedertäufer, passim.

13 HHSTA Wien, APA R 6 157 (141).

14 *Clasen*, Wiedertäufer, S. 171 und *Hodecker*, Odenheim, S. 141ff. In Odenheim standen sich zudem eine mehrheitlich protestantische Bevölkerung und ein katholischer Pfarrer und Grundherr (Stift Bruchsal) gegenüber.

15 Nach *M. Huber*, Die Durchführung der tridentinischen Reform in Hohenzollern (1567–1648), Phil. Diss. Tübingen 1963, S. 13f. entsteht 1585/6 zwischen Graf Christoph von Hohenzollern-Haigerloch und der vorderösterreichischen Regierung ein Streit, weil der Graf württembergische Wiedertäufer aufgenommen hatte. Mehr als die bloße Parallelität von Aufstandsgebiet und Nachweis von Wiedertäufern ist jedoch nicht festzustellen.

16 Zum „späten" Täufertum jetzt *R. van Dülmen*, Das Täufertum als sozialreligiöse Bewegung, in: Zs. für Historische Forschung 6, 1979, hier S. 195f.

Anmerkungen zum 6. Kapitel

1 Dieser Eindruck, der sich für mich aus einer Fülle von Äußerungen gerade des späten 16. und frühen 17. Jahrhunderts ergibt und als solcher hier schwer zu belegen ist, scheint mir eine wesentliche Voraussetzung der landesfürstlichen Politik gegenüber dem landständischen Adel bzw. der kaiserlichen Politik gegenüber den kleineren Territorialfürsten zu sein.

2 Diese Begriffe nach *Stryk*, Disputatio de via facti principibus imperii permissa, 1695 und *Boehmer*, Princeps S.R.I. ius suum vi atque armis tuens, 1745.

3 Im STA Neuburg, Lehenakten 1980.

4 *Ludwig*, Der badische Bauer, S. 80.

5 HHSTA Wien, Gratialia et Feudalia, Mandate Fasz. 3. Vgl. *Landes*, Achtverfahren, S. 67.

6 Inventar des GLA Karlsruhe, Bd. 3, 1908, S. 82, Nr. 253 (Fasz. 1087).

7 Reichsfama, Bd. 13, S. 399.

8 *v. Berg*, Handbuch Bd. 1, S. 223.

9 Vgl. dazu *Metz* (Hg.), Vorderösterreich, S. 608 (gegenüber Hohenzollern). Guten Einblick in diese Politik geben die Bestände der oberösterreichischen Hofregistratur im LRA Innsbruck. Reiches Material zum gespannten Verhältnis Habsburg–Waldburg bei *Vochezer*, Geschichte des Hauses Waldburg.

10 *Erhard*, Aufstand der Rotenfelser Bauern, S. 18.

11 So *Press*, Reichsritterschaft, S. 122.

12 Merkwürdige RHR-Conclusa I, S. 63–65 (für v. Weyler) und *Ludwig*, Der badische Bauer, S. 181.

13 Merkwürdige RHR-Conclusa I, S. 292–96.

14 GSTA München, Kasten schwarz 1267. Das folgende Zitat bei *Moser*, Einleitung Bd. 4, S. 476.

15 Vgl. etwa *J. Damhouder*, Praxis rerum criminalium, Antwerpen 1616, S. 102ff. und *J. Brunnemann*, Tractatus juridicus de inquisitionis processu, Wittenberg 1672, S. 203, der die Aburteilung ,,ratione causa, ratione facti, ratione modi et dammi dati" empfahl, sowie *D. Clasen*, Commentarius in Constitutiones Criminales Caroli V imperatoris, Frankfurt/M. 1693, S. 457.

16 Einzelhinweise auf bäuerliche Gemeinden in vielen einschlägigen Studien über die Fakultäten, doch fehlt bislang eine zusammenfassende Untersuchung.

17 *Riezler*, Aufstand der Bauern, S. 36, Anm. 1.

18 *Schott*, Rat und Spruch, S. 224 (1598) und S. 245 (1743–47).

19 Von diesen Fakultäten konnten Gutachten in Untertanenangelegenheiten festgestellt und benutzt werden.

20 Für Tübingen liegen seit 1600 die Consilia gesammelt vor, vgl. Universitätsarchiv Tübingen, wo Dr. E. Weyrauch freundlicherweise für mich die Bestände durchsah. Das hier herangezogene Gutachten wurde jedoch in den bereits genannten Quellenbeständen zu der Böhmenkircher Revolte benutzt. Vgl. *J. Geipel*, Die Konsiliarpraxis der Eberhard-Karls-Universität u. d. Behandlung der Ehrverletzung in den Tübinger Konsilien, Stuttgart 1965, S. 1ff.

21 Erste Beobachtungen bei *Schulze*, Veränderte Bedeutung, S. 293ff., freilich ohne die einschlägige zeitgenössische Flugschriften- und Zeitungsliteratur zu berücksichtigen.

22 Viele Hinweise für Oberösterreich bei *Stieve*, Oberösterreichischer Bauernkrieg Bd. 2, S. 267–277 (34 Drucke) und bei *Strnadt*, Oberösterreichischer Bauernkrieg, passim. Auf Berichte in den zeitgenössischen Zeitungen hat jetzt *P. Ukena* in: Presse und Geschichte, München 1977, S. 47 hingewiesen. Zum bayerischen Bauernaufstand 1705/06 ist auf die Bibliographie bei *Riezler-Wallmenich*, Akten, S. XVII–XX zu verweisen.

23 Abgedruckt bei *Strnadt*, Oberösterr. Bauernkrieg, vor S. 161, Original in der Österr. Nationalbibliothek.

24 Gedruckt bei *A. Hartmann*, Historische Volkslieder und Zeitgeschichte Bd. 1, München 1907, S. 324–28, über den oberösterr. Aufstand 1626 ebd. S. 175–254. Ohne direkten Bezug zu einer Revolte sind die Bauernklagen aus Schwaben, gedruckt bei *Strobach*, Bauernklagen, S. 12–17 u. S. 80–95.

25 Gedruckt in: Mitteilungen der Gesellschaft für Salzburger Landeskunde 2, 1862, S. 182-190.

26 Hinweis darauf bei *Bilgeri*, Vorarlberg Bd. 3, S. 228 und S. 523f., Anm. 151.

27 Herausgegeben von *Bader*, Briefe über das badische Oberland, S. 86–107.

28 Gedruckte Prozeßschriften lagen mir vor über Hohenzollern-Hechingen, Schwarzburg-Rudolstadt, Isenburg-Meerholz, Kempten. Vgl. dazu *J. Chr. Lünig*, Bibliotheca deductionum S.R.I. durchaus verbessert und anschaulich vermehrt von *G. A. Jenichen*, Leipzig 1745, mit vielen Hinweisen auf Material dieser Art.

29 *Kopp*, Unbefangene Darlegung des wahrhafften Bestands, Vorrede.

30 Erhebliche in jure et facto wohlbegründete Motiva, S. 11.

31 Vgl. etwa *Mosers* Merkwürdige RHR-Conclusa, *v. Cramers* Wetzlarische Nebenstunden oder *Mosers* Reichs-Fama, die unzählige Conclusa abdruckten, oder auch die Publikation in Mandatform, so ein Mandat des Grafen Philipp Reinhard v. Hanau-Zweibrükken an die sieben Dörfer der Solms-Braunfelser Herrschaft Hungen v. 14. Februar 1707, in dem 2 kaiserliche Reskripte bekanntgegeben wurden. STA Kassel, Lfürstl. Verordnungen. Nach *v. Ranke*, Landstreit, S. 107 wurde über das – für den Landesfürsten harte

– RHR-Conclusum v. 1726 auch in allgemeinen Zeitungen berichtet.

32 Grundsätzlich dazu *v. Raumer*, Absoluter Staat, kooperative Libertät, persönliche Freiheit, in: *H. H. Hofmann* (Hg.), Die Entstehung des modernen souveränen Staats, Köln-Berlin 1967, S. 173–197, mit vielen weiterführenden Beobachtungen.

33 *Schulze*, Veränderte Bedeutung, S. 293ff. Eine eigene Untersuchung dieser Literatur ist vom Verf. geplant.

34 Ingolstadt 1601.

35 Jena 1633.

36 Es gibt bislang offensichtlich keine zusammenhängende Untersuchung dieser feudalrechtlichen Literatur, deren Praxisbezogenheit sie nicht nur für die Rechtsdogmatik interessant macht. Einige Beobachtungen dazu bei *Bader*, Dorf und Dorfgemeinde im Naturrecht. Vgl. die Bemerkung in Anm. 33!

37 Ich verweise exemplarisch auf *Th. Maul*, De homagio reverentia, obsequio, operis, auxilio et aliis juribus, quae sunt inter dominos et subditos, 2. Auflage Marburg 1632 (zuerst 1614) oder *Franz T. Nolden*, Operas subditorum et maxime rusticorum, Gießen 1691.

37 Discurs zweyer vom Adel, 1670 und wie sich ein adelich Mitglied halten soll gegen seine Unterthanen, in: *J. C. Kreydenmann*, Kurtzer Tractatus Von deß Teutschen Adels . . . Staat, Stand, Ehren . . ., Tübingen 1646, S. 131–133.

38 *J. Otto*, Siebenfache Stück, absonderlichen zu beobachten in Vorstellung der Leibeigenschaft, Frankfurt/M. 1681, S. 80–95.

40 So bei *J. A. Frommann*, Disceptatio inauguralis de subditorum et maxime rusticorum operis. Von Frohn-Diensten, Tübingen 1671, in der Praefatio.

41 Auslöser dieser Debatte, die natürlich auf den klassischen Abhandlungen von *Chr. Thomasius* und *J. H. Boehmer* aufbaute, war der sächsische Jurist *Johann Leonhard Hauschild*, dessen Schrift Opusculum pro libertate naturale in causis rusticorum, (Dresden 1738) die traditionelle Position der Vermutung „pro servitute" angriff. Die daran von *J. J. Reineccius* (Commentatio de rustico quondam servo, Jena 1745) und *J. G. Estor* (Commentatio de praesumptione contra rusticos in causis operarum harumque redemtione licita, Jena 1742) wurde von *Hauschild* in der Neuausgabe seiner Schriften kritisch kommentiert (Juristische Abhandlungen von Bauern und deren Frohndiensten auch der in Rechten gegründeten Vermuthung ihrer natürlichen Freyheit, Dresden-Leipzig 1771).

42 Ebd., S. 37ff.

43 Ebd., S. 72.

44 *J. J. Schmauß*, Academische Vorlesungen und Reden über das teutsche Staatsrecht, hg. von *J. A. Heldmann*, Lemgo 1766, S. 664f.

45 Vgl. *A. Soboul*, Contributions und *E. J. Hobsbawm*, Agriculture et capitalisme en Ecosse au XVIIIe siècle, in: Annales ESC 33, 1978, S. 580–601, der versichert, „daß vom 16. bis zum 18. Jahrhundert der erfolgreiche bäuerliche Widerstand tatsächlich die Entwicklung hin zum Kapitalismus verlangsamt habe".

46 In diese Richtung zielt auch *Rodney Hilton*, Bond men made free. Medieval peasant movements and the English Rising of 1381, London 1973, S. 235, der davon ausgeht, daß die „Vorstellung des freien, keinem Herrn verpflichteten Mannes eines der kostbarsten Vermächtnisse der mittelalterlichen Bauern an die moderne Welt ist".

B. Dokumente

Vorbemerkungen zur Zusammenstellung und Edition

Die Dokumentation bäuerlichen Widerstands im hier behandelten Zeitraum zwischen Bauernkrieg und Französischer Revolution gilt als schwierig und ist, wie in Kapitel 1.3. der Darstellung erläutert wurde, zuweilen als schwer realisierbar bezeichnet worden. Die vorliegende Zusammenstellung von Quellenstücken verfolgt deshalb zwei Absichten: Einmal soll die ganze Breite bäuerlichen Widerstandsverhaltens dokumentiert werden. Deshalb reicht das Spektrum der Quellen von Klagen der Bauern über ihre schlechte wirtschaftliche Lage, über Fronbeschwerden und -verweigerung, Prozeßakten und Gerichtsurteile bis zu den Berichten über Ausbrüche bäuerlicher Gewalt. Zum zweiten soll dokumentiert werden, aus welcher Vielfalt von Quellen Aussagen über den bäuerlichen Widerstand gewonnen werden können. Diese reichen von den höchsten Instanzen des Reiches (Reichstage, Reichsgerichte) über die vielfältig differenzierten territorialen Instanzen bis zu den Verwaltungs- und Gerichtsakten kleiner Grundherrschaften, von den Gutachten der Juristischen Fakultäten im Reich bis zu den Äußerungen einzelner Advokaten, die den Bauern halfen. Wenn auch die Quellenlage auf den herrschaftlichen Blickwinkel beschränkt bleiben muß, so werden doch Möglichkeiten aufgezeigt, auch die Perspektive der Betroffenen zu entdecken. Insgesamt soll der Beweis angetreten werden, daß das zur Verfügung stehende Quellenmaterial, das bislang noch nicht hinreichend erschlossen ist, eine Basis für notwendige Forschungen darstellt, die unser Bild von der Rolle des „gemeinen Mannes" in der ständischen Gesellschaft ergänzen und differenzieren mögen.

Es wird auffallen, daß die hier vorgelegte Dokumentensammlung kaum die großen „Bauernkriege" berücksichtigt, etwa den oberösterreichischen Bauernkrieg von 1626 oder den bayerischen Bauernaufstand von 1705/06. Der Grund dafür ist in der Tatsache zu sehen, daß zu diesen Ereignissen bereits mehr oder weniger ausführliche Quellendokumentationen vorliegen. Dies gilt auch etwa für die österreichischen Bauernkriege am Ende des 16. Jahrhunderts, über deren Verlauf manches Quellenstück gebracht wurde. Da es dem Herausgeber auch darauf ankam, bislang wenig bekanntes oder unbekanntes Material zu publizieren, wurde i. a. auch nicht auf neuere Quellenpublikationen zurückgegriffen (R. Lehmann, E. Palm, F. Metšk u. a.). Auf diese Arbeiten wird deshalb an dieser Stelle noch einmal ausdrücklich verwiesen.

Die einzelnen Quellenstücke wurden mit Überschriften und kurzen Einleitungen versehen, die den Inhalt zusammenfassen. Hier finden sich auch eventuell notwendige Literaturhinweise. Gedruckte Vorlagen wurden unverändert übernommen – Ausnahmen von dieser Regel werden jeweils einzeln aufgezeigt – Kürzungen der Vorlage wurden nach den üblichen Regeln kenntlich gemacht.

Die Transkriptionen archivalischer Quellen erfolgten nach den Regeln, die von

Johannes Schultze (Blätter für deutsche Landesgeschichte 98, 1963, S. 1–11) aufgestellt worden sind, doch wurden die hier angedeuteten Möglichkeiten zur Herstellung einer besseren Lesbarkeit der Texte weitgehend genutzt. Dabei wurden offensichtliche Fehler der Vorlagen stillschweigend verbessert. Insgesamt konnte es wegen der ungleichen Textqualität der archivalischen und gedruckten Texte nicht um eine nach einheitlichen Gesichtspunkten veranstaltete kritische Edition gehen. Angesichts des Ziels der Dokumentensammlung, einem möglichst großen Interessenkreis ein bislang unbekanntes Quellenmaterial in seiner ganzen Breite zu erschließen, schien das hier gewählte Verfahren vertretbar zu sein. Erklärende Zusätze des Herausgebers wurden in eckige Klammern gesetzt.

Verzeichnis der Abkürzungen

Annales ESC	= Annales. Economies – Societés – Civilisations
APA	= Alte Prager Akten
ARG	= Archiv für Reformationsgeschichte
EcHR	= Economic History Review
EHR	= English Historical Review
GLA	= Generallandesarchiv
GSTA	= Geheimes Staatsarchiv
HHSTA	= Haus-, Hof- u. Staatsarchiv
HSTA	= Hauptstaatsarchiv
HZ	= Historische Zeitschrift
JGGPÖ	= Jahrbuch der Gesellschaft für die Geschichte des Protestantismus in Österreich
JMH	= Journal of Modern History
JPS	= Journal of Peasant Studies
JWG	= Jahrbuch für Wirtschaftsgeschichte
LRA	= Landesregierungsarchiv
MGSL	= Mitt. der Gesellschaft für Salzburger Landeskunde
NF	= Neue Folge
PaP	= Past and Present
PSN	= Peasant Studies Newsletter (ab 1977 Peasant Studies)
RHR	= Reichshofrat
RTA JR	= Reichstagsakten, Jüngere Reihe
SB	= Sitzungsberichte
SOF	= Südost-Forschungen
STA	= Staatsarchiv
VSWG	= Vierteljahrschrift für Sozial- und Wirtschaftsgeschichte
WN	= Wetzlarische Nebenstunden, hg. J. U. v. Cramer
WZ	= Wissenschaftliche Zeitschrift
ZAA	= Zeitschrift für Agrargeschichte und Agrarsoziologie
ZBLG	= Zeitschrift für Bayerische Landesgeschichte
ZfG	= Zeitschrift für Geschichtswissenschaft
ZGO	= Zeitschrift für Geschichte des Oberrheins
ZRG GA	= Zeitschrift der Savigny Stiftung für Rechtsgeschichte/ Germanistische Abteilung

1

Aussage des salzburgischen Untertanen Leonhart Mittermüllner nach der Niederschlagung einer Rebellion des Gerichts Hüttenstein bei St. Gilgen über Gründe und Organisation der Bewegung vom 18. Januar 1532.

HSTA München, Abt. I, Erzstift Salzburg Lit. 4, fol. 769ff. Zum Verlauf der Revolte vgl. Ludwig, Ergebung und Widerstand, S. 126ff.

Auf pfintztag [Donnerstag] den 18. tag des monats januarii anno im 32. hat man mit Leonharten Mittermullner gehandelt mit der streng und hat bekennt und gesagt wie hernach:

Erstlich bekennt und gesagt, als sy sich des pflegers entsezt haben, seyen da gewesen er Mittermullner, Pfeifer, der Weibl in der Zebensau, Hayholzer Lienhart in der Gschwendt, Friessel daselbs, Frawendienst, Schuster Hans zu Vorchern, Jerg im Gschwendt, Jeerg Schwartzpeck, der Hämpel an der vorsthub, Spitzwölfl, Hämpl Schwander, Christoff an der vorsthub, der Werntzl zu Klein Hayholzen und Stof zu Prun, Wolfgang Gaul, der Mertl zu Veyt.

Under denen seyen die maister er Mittermullner und Hayholzer, die haben gesagt, sy sollen sich [durch] die obrigkayt nit strafen lassen, sy wellen inen all ein beystandt thain und hilflich sein.

Mer sagt er, etliche nachtpaurn haben gered, wann der Scharff pfleger wurdt wellten sy inen erschlagen.

Mer gesagt, wann sy aining waren underainand wolten sy sich der obrigkayt wol erwern, das man kain neuerung auf sy pracht oder bringen sold. Darbey sein gewesen Fudhamerl und ander mer nachtpaurn, da er Mittermullner solchs gered hat.

Mer gesagt und bekennt Mittermullner, Hans am Layen, Anderl daselbs, pfeyfer an der Kyelenth (?) und ander sein mer dagewesen, der namen er nit all weyß. Hat er gesagt und gesprochen, wann mer ain aufstandt oder aufruer wurde, soll man nun fluchs für die stat Salzburg ziehen und nymer so nachlässig darmit umgeen als vor beschehen.

Er sagt, er wis nit was die Faystnauer darauf geredt haben, es hat ainer hin geredt, der ander heer.

Der Hans an der Leuten, der von den pauren hinuber in das talgew gefallen und zwen haubtleut ain brief hinuber gen S. Gilgen gepracht und aufgefordert, darauf der Mittermullner gesagt, ir seyt uns sölhs nit schuldig.

Und des morgens bey der kirchen hat der alt Kleuber geschrien, sy sollen zu den pauren ziehen, ist aber nyemant gezogen, indem ist der Kleuber abweg gangen.

Mer gesagt und bekennt Mittermullner und die vorgemelten nachtpaurn zu inen gesagt, lasst euch die obrigkeit nit strafen. Wann wir ainig underainander wären und ain genain hielten, wollten uns der obrigkayt wol entsezen und erweren megen und damit eer einlegen und das sein zu vorgeer er Mittermullner, Kleuber der alt, Hayholzer, Haydniger und der Wölfl in der Zebensau.
Mer bekent und gesagt er Mittermullner, wo sy zusamen seyen kumen bey den kirchen und vor den schrannen haben sy zusamen gered und besprochen, wann mer etwas auskön, wie sy wollten der obrigkayt ain widerstand thain.
Er Mittermullner und ander mer haben zu den Kleubern gesagt, sy sollen sich nit strafen lassen, wellen inen ain beystand thain und hilflich sein.
Mer gesagt und bekennt auf die fragstug darauf er Mittermullner gefragt ist worden.
Mer gesagt, man hab alles sorg gehabt, wann nur etwas auskäme, soll man die gericht zusamen vordern und für Salzburg und ander mehr stetten ziehen und auf sein.
Mer wann ain aufstand wär worden, wollten sy ander gericht auch under sy pracht und eingenomen haben und nur für Salzburg ziehen.
Mer gesagt, sy haben noch nit zu kainem gericht geschickt, sonder wann etwas außkäm, die nechsten die pesten. Und hab zu solhelm aufstand nyemants mer und pesser geraten als der alt Kleuber, sey auch noch dem aufstand in fluchten gegangen. Der obrigkayt halben weiß er nichts, dann mans vertreyben soll oder ir furnemen gewesen sey.
Mer gesagt, bey dem ehaften thädnigen, schrannen und andern orten haben sy von solhen gemelten sachen und handlungen gered auch sey die gemain der sachen angehangen.

2

Beschwerde der Untertanen der drei Dörfer Trebbus, Arenzhain und Lichtenau bei Dobrilugk an König Maximilian II. vom Januar 1564.

Preuß. Geh. Staatsarchiv Berlin-Dahlem, Pr. Br., Rep. 17 B, Nr. 31 Dobrilugk, (Kopie)

Im Januar des Jahres 1564 übergaben die Untertanen von drei Dörfern der Pfandherrschaft Dobrilugk eine ausführliche Beschwerdeschrift an König Maximilian II., der sich anläßlich der Huldigung der Niederlausitzer Stände in Lübben auf-

hielt. Am 18. Januar forderte der Landvogt Felix v. Lobkowiz den beklagten Pfandherren Rudolf v. Gersdorf und seine Untertanen zum Verhör nach Lübben, nachdem er vom König am 13. 1. dazu angewiesen worden war. Weil die Bedrükkungen durch v. Gersdorf trotz dieser Schritte des Kaisers nicht aufhörten, wandten sich die Untertanen im folgenden Schreiben erneut an König Maximilian. (Vgl. dazu allgemein R. Lehmann, Geschichte der Niederlausitz, S. 175 und 200.)

Allerdurchlauchtigster Großmechtiger Romischer auch zu Hungern und Behmen konig. E. R. K. M. seint unsere pflichtschuldige und gehorsame dinst mit ganz treuen fleiß in aller unterthenigkeit zuvorn. Allergnedigster konig und herr, E. R. K. M. konnen wir armen erbsunterthanen der dreyen dörfer Trebs, Ahrnzain und Lichtenau aus hochster unvermeidlicher not mit ganz bekummerten herzen abermals ganz klagend nicht zu verhalten, das E. R. K. M. wir in wenig und verruckten tagen zu Lueben eine supplication belangend der grosen auflage und beschwerungen, damit uns unser pfandsjunker Rudolf von Gersdorff wider alle recht und billigkeit auch wider unser alt verjarten privilegien und erbregister nicht alleine bedrangt besundern auch den vertrag, so der edle und wohlgeborne herr Albrecht Schlick... gotselig der zeit R. K. M. cammerrat und landvoigt in Niderlausitz, beineben der gestreng und ernvesten Nickeln Szirrenhaus zu Kislingswalde, Christoff von Stutterheim auf Bolosen, Hans von Maxen zu Gersdorff und Gergn von der Schullenburg auf Lubenau zwischen unsern Pfandsjunkern Heinrichn von Gersdorff auf Dobrilugk seligen an einem und uns als seine pfandsunterthanen am anderen theil anno 53 behandelt und verglichen worden, zu wider gehandelt underthenigist überreichet.
So seind wir gleichwohl bis auf disen tag dieser ursachen, weyl dieselbige unser uberreichte supplication vorleget und verruet, unbeantwortet blieben. Doch von E. R. K. M. hochloplichen hofrechten, das wir unsere gebrechen und notwendigkeit aufs neue in schriften verfassen laßen, sollen gewiesen werden. Weil dan uns armen nicht wenig daran gelegen, als wolden E. R. K. M. wir armen nochmals in underthenigkeit nicht verhalten, nachdeme unser pfandsjunker uns über unser gesezten furn, als Trebs acht furn, Ahrnzain acht furen und Lichtenau vier furn, vermuge desselben vertrags ferner bedranget und uns beschweren wollen, seind wir auf den vertrag, so zwischen seinem vatern seligen und uns, wie erzelt, ge... (?) und berufen und in keine ferner auflage willig und aus dem selbigen vertrag nyt schreyten wollen. Dardurch er unbilliche gewalt an uns armen zu gebrauchen unterstanden, uns erstlichen bey nechtlicher weil ganz tedlichen uberfallen und welche er bekommen und erhascht, die hat er gefenglich angenommen. Diejenigen aber, die flüchtig worden, denselbigen hat er die turn zugemacht, die fenster ausgeschlagen und also mit ihnen gewaltsamer und tyranischer, das es zu erbarmen. Und da nicht ein gnedigs einsehen geschicht, werden wir neben ihnen in grunt ver-

terbet. Denn sie ihre felder und ecker weyl sie fluchtig, die nicht besehen und noturftiglich bestellen konnen.

Zum andern will er uns zwingen, das wir unser gesind ufs neue jahr jerlichen vorstellen sollen, weil wir uns dessen in weigerung gestelt, hat er unter uns zehn menner und zwo witfrauen gefenglichen eingenommen, darinnen er uns ganzer drey wochen gefenglichen gehalten. Weil wir aber die auferlegte straf zu geben in weigerung gestelt, hat er uns 50 stuck rintvihs, die er noch heutigen tages wider Gott und alle recht vorenthalten tut, jezkunftig mitfasten ein jar mit gewalt genummen, folgendes zwen alte menner unter uns gleicher weis gefenglichen eingezogen. Und do sie anders [nit] des schlosses banden und schweren gefengnus entledigt werden, haben sie bey verlust 50 schock, das sie verkeufen wollen, burgen setzen mußen.

Zum dritten hat er unser gesind an ein teich arbeit genotiget, dieselbigen mit etzlichen pferden uberfallen, auf sie geschossen und geschlagen, einsteils die berte ausgerauft, darbey ers aber nochmals nicht bleiben lassen, sondern sie mit gewalt ins schloß getrieben, die genotigt und gezwungen, das sie schweren und hulden mußen, das sie die teicharbeit unweigerlichen tun wolten. Und also mit unserem gesinde und dinstboten freventlichen mutwillen und gewalt, welchs zu erbarmen und in den heiligen geist vor Gott und der welt sünde und schande ist, geübt und gebraucht.

Item weil E. R. K. M. zu Lueben wir die supplication überricht, hat er unser nachtbar vier abermals gefenglichen eingenommen, die er noch heutigs tages gefenglich halten tut. Und wiewohl wir solche erzelte frevel und geubte gewalt erstlich F. D. ertzherzogen Ferdinandi, E. R. K. M. hern brudern, item der R. K. M., E. R. K. M. allergnedigsten herrn und vater selber folgends in abwesen K. M. und der F. D. an die cammerrethe gelangen lassen, die uns Gott lop in ewigkeit gesagt, allemahl wie E. R. K. M. aus beygelegten copien derselben bevelich gnedigst zu ersehen, mit gnaden beantwort worden. Soe haben wir doch uber ausgebrachte bevelich weder ruhe noch gemach und bey unser alter gerechtigkeit bleiben können, tut unser noch darzu spotten und sagen, wann gleich zehn bevelich ergingen, so hett er nach seinem gefallen zu tun und zu lassen.

Daraus E. R. K. M. was für hochmut und gewalt er an uns gebraucht und begangen, allergnedigst schlissen konnen. Domit aber gnedigster konig und herr wir arme nu so erbermlichen zugleich um unser nahrung und wolfart kommen mechten, auch unser vieh, so wir fast ein jar lang entperen habhaftig und die gefangene entledigt mochten werden. Demnach gelanget an E. R. K. M. unser ganz demütigs und um Gottes willen bitten, E. R. K. M. die wolten sich unser zu dem wir negst Gott all unser hoffnung und zuflucht tragn, gnedigst erbarmen, schützen und hanthaben, damit der hochbeschwerlichen auflage und gewalt, sowir die zeit her, welchs nicht genugsam zu erzelen, ertragen von unserm Pfandsjunkern entledigt, frey und sicher unser narung treyben und bey obermelten vertrage nochmals

mochten genuglichen bleiben geschutzt und erhalten werden auch allergnedigst ordenen, das die gefangene ihres gefengnus entledigt und allenthalben claglos mechten gemacht werden, wie wir dann in keinem Zweifel stellen, E. R. K. M. die werden sich in allen gnaden gegen uns armen gnedigst einlassen.
Solchs um E. R. K. M. glucksehlige regierung, wolfart und langs leben gegen Gott mit unserm gebet zu erbitten seind wir alzeit willig und pflichtschuldig.

E. R. K. M.
underthenigste gehorsame
der dreyer dorfe Trebs,
Arnzain und Lichtenau

3

Bericht eines steirischen Adeligen an den Erzbischof von Salzburg über die Niederschlagung des Windischen Bauernaufstands und Erörterung der Ursachen des Aufstands vom 20. Februar 1573.

HSTA München, Ausw. Staaten, Österreich, Tom. 11, fol. 64–66 (Kopie), vgl. W. Schulze, Der Windische Bauernaufstand 1573, S. 15–61

Und stet noch finaliter diser paurnkrieg an dem, das die rebellischen an allen orten, wo sy angegriffen worden sind, mit der hilf Gottes zertrent, erschlagen, erhengt, gespiest, ertrenkt worden sind, und aus sonderer verhengnus und schickung des Allmechtigen ir peses fürnemen zuruck geschlagen worden. Hierinnen Gott sonderlich das mitl geschickt, das man die sachen nit lang cunctiert, und wie groß sich das feur gähling erzaigt hat, also hat celeritas tinguendi et conatus properans fürtrefflich großen nuz geschafft, dann man sy zu kainen vorstreich hindert komen lassen, ungeacht das ir practiken sich alberait weit erstreckt hat. Sy haben auch dem windischen adl zu grossen unbarmherzigkait dise ursach geben, das sy derselben höf und siz, welche nur zur wohnung und nit zur gegenwehr von holz erpaut, gar in grund zerschlaift und mit inen grob genueg umgangen. Daraus dann ervolgt ist, das sy auch subiectis et debellatis quine arma et corpora ad pedes prostraverunt, und um genad angehalten nit verschont, sonder vill hundert sambt weib und kind jämerlich umbracht worden. Der merer thail haubtleut ist auch bliben, und zum tail gefangen. Wiewol der principal Elia, oder Ali Schrakhoritsch, der ist entwischt, aber man stellt im vleissig nach. Sonst werden E. F. G. der principalhaubtleut, wie sy die ämbter unter inen getailt aus beyligender verzeichnus hieneben signo A genedigst vernemen, was auch ir fürnemen gewesen aus dem postscripta hieneben signo B sehen. Man hat gleichwol die rüstung und aufpot also auch die aufgenomenen knecht gestern abziehen lassen. Aber baldt darauf komen kundschaft, wie das der Türk in starker versamlung bey Cruz sey das willens die crobatisch gränizen zu überziehen, gleichfals das fürstentum Crain. Er hat auch an jezo vor gar wenig tagen ein zimlich festes haus Getschen genant, so dem Thay Ferenzen zuegehörig, durch verräterei eingenomen. Also das seine leut selbst, im solches schloß guetwillig eingeben. Darauf hat er nun auf Canisa um eine grosse meil wegs nahenter als zuvor und weil Canisa ein schlechter flecken, ist zu besorgen, der negste schwal, so herein komt, wird nit allain bemelten flecken sonder dem virtl, voran in disem land, das verderben zuefüegen, Gott welle es genedig verhüeten.

Das genedigster fürst und herr kan ich nit unangezaigt lassen, das diser gottlos man der Thay, an disem ganzen tumult ein ursacher ist. Inmassen dann die underthonen erbärmliche clagen über in füren. Und überschicke E. F. G. hiemit ein abschrift etlicher articl, welche die underthonen hiervor lengst den kayserlichen comissarien übergeben und an yezo gleichfals vor wenig tagen alhero überschickt worden, Signo C. Also get es hernach, wann die obrigkait nit gebürlich einsehung tut so will man ja volgents solche handlungen fatalia nennen. Aber mit zeitlichem rath und gueter einsehung gegen dem herrn so woll als den underthonen soll die obrigkait nit unterlassen zu handlen. Wiewol man darunter pese pueben auch gefunden, die nit ursach gehabt, wider ir obrigkait aufzusteen. Jedoch so kan der teufel baldt ein fund erdenken, in multum mali ex parvis principiis eveniat. Hirneben werden E. F. G. auch abschrift aines schreibens genedigist sehen, so die rebellischen, den herrn von Thurn zuegeschriben. Item was Gregorianiz ime von Thurn tut schreiben, signo D. Gott hat sonderlich verhüetet, das die Türgen disen tumult spat erindert und das die rebellischen eher geschlagen worden ehe sy mit dem Türgen correspondenz gehabt. Dann gewis, so ist er dises vortls halben zusamen gerückt, und sein hail etwo versuchen wellen.

Ob sich verer etwas zuetregt, E. F. G. will ich ganz gehorsamlich berichten. Und weil ich kain andere gelegenhait nit gehabt, dise avisierung, auf E. F. G. begern zu schreiben, hab ich solhes mit aignem poten, der sein potenlohn von mir alberait empfangen, gehorsamist nit unterlassen wollen. E. F. G. ich mich hieneben, in aller unterthenigkait ganz gehorsamist thue bevelhen. Datum Gräz, den 20. februarii ao. 73.

4

Auszüge aus der Replikschrift der Gemeinde Böhmenkirch (bei Göppingen) gegen die Beschuldigung der Rebellion, die Haug von Rechberg in seiner Schrift gegen die Gemeinde vorgebracht hatte. Die Böhmenkircher werfen ihrerseits ihrem Herrn u. a. vor, der Gemeinde das Gerichtsrecht entzogen zu haben und ihnen ihren alten „Freiheitsbrief" vorzuenthalten.

HHSTA Wien, APA, B ad 1, 8 (6) (Kopie)

Geben wir (wiß Gott) in hechster warhait disen grundtlichen bericht, daß wir und gemainer marktfleck Bemenkirchen als die von uraltem hero der Römischen Kayserlichen Majestät unserem allergnedigsten herren und dem römischen reich als ein mitglidt desselben on alles mittel incorporiert, zugethan und underworfen, auch noch sein, ainen alten freyhaitbrief gehabt, denselben aber in kriegsleufen dem alt junker gen Weissenstain zu versorgen und zu getrewen handen zu verwahren gegeben haben. Aber diesen freyhaitbriefe haben wir bis anhero von hievorigen junkern und jetzigem herren von Rechberg nit mer künden zuwegen bringen, sonder derselb wüert uns noch auf dise stundt de facto fürgehalten ... Wie dann der vorige junker zu Weyssenstain sich mermaln heren und vernemen lassen, wann die Bemenkircher sollichen freyhaitbrief wider hetten, das sy inen den junkern nit vill guter wort geben wurden. Darauß nun (laider Gott erbarms) ervolgt, daß sich jetziger herr Haug – unangesehen das wir hievor auch seit hero und noch die gewendliche reichsteuer jerlich bezalen und geben muessen, die man auch jederzeit gutwillig von uns genommen hat – und noch gantz unbefuegter, mer dann nachtailiger weise understanden, uns mit aller jurisdiction und habenden alten gerechtigkayten gentzlichen zu entsetzen, selbsten seines gefallens zu administriern und zu verwalten. Wie dann S. G. unsere alt gehabt burgerlich gericht und stab, eben mit gantzem aigenem gewalt von uns zu Bemenkirchen hinweg gen Weissenstein (allda hin es gar nit gehert, sonder zuvor daselbsten aines mit hoch und niederen gerichten hat) zu sich genomen und zertrennt, seithero und anjetzo sich understanden, da man hievor und allwegen urkund eelicher gepurt, auch andere notturftige briefe vor ordenlichen gericht bey uns zu Bemenkirchen auf derselben begeren geben sollen, hat es vor uns, unserm schulthaissen und gantzen gericht daselbst durch den genomen ordenlichen fürsprechen gerichtlich fürpringend beschehen müssen. Jetzund, so dergleichen sachen fürfallen, lassen I. G. die brief nit mer bey uns zu Bemenkirchen vor gericht, wie von altem hero gewest, sondern zu Weyssenstain in unser, des schulthaissen und gantzen gerichts zu Bemenkirchen namen aufrichten und besigelt dieselbst. Lasst auch under anderm in solliche brief setzen, das dasselbig durch den zu recht angedingten fürsprechen in gericht fürgebracht und begert worden sei. Welchs aber vor uns und dem gericht zu Bemenkirchen gar nit, wie fürgeben, geschehen, sonder alles ain erdicht ding, aber uns zum höchsten nachtaillig ist, wie wir dann derselben brief etlich für- und aufzulegen haben. Das aber wolgedachter herr von Rechberg letztlich zu ainem vermainten behelf, wie auch in anderen puncten, schließlichen abschrift aines aidts, so wir seinem vatter Georg von Rechberg selig geschworen haben solten, fürgibt, daß wir aber gesetzter und fürgegebner massen geschehen sein uns gar nit zu erinnern wissen. Hingegen aber ist notarium und offenbars wissen, als der alt junker Wolff von Rechberg, gottseliger gerdechtnus, seinem vettern Georg von Rechberg, jetzigem herren Haugen vatter seeligen, den sitz Weissenstein mit desselben zugeherde neben unserm gefreyten marktflecken Bemenkirchen, ime herren von Rechberg aber gar nit aigentumblich, mit aller jurisdiction und alt herkommen, recht und gerechtigkayten, wie sie jetziger herr Haug sich understeet, sonder allain als damalen selbst angenomen schirmherr anstatt der Kay. Majt. und des römischen reichs underworfen gewest, eingeraumt und gegeben hat, das er junker Wolff vor meniglichen mit wainenden augen gesagt, vetter, ich hab dir mainen sitz samt meinen underthanen zu kaufen gegeben, welchs mich seer übel gerawen hat, du wierdst mir alda schweren ainen hohen aidt zu Gott und mit hoher stimm, das es ain jeder heern mege, das du diese underthanen zu Bemenkirchen bey iren alten freyhayten recht und gerechtigkayten bleyben lassen willst inmassen und gestalten, wie sie es bey mir gehabt haben oder der kauf soll nichts sein. Auf solliches hat auch gedachter junker Wolf dem junker Georgen den aidt fürlesen lassen. Darauf denselben alsbaldt in beysein etlicher unpartheyischer gezeugen, so darbey gestanden, geschworen. Es hat aber gedachter junker Georg jetzigen herrn Haugen vatter seliger solliches (salvo honore) davon protestierende gar wenig gehalten noch in acht genommen. Wie auch jetzt regierender herr Haug gleichfals reverendo thut und sich doch gegen etlichen personen, so es gehert, selbst aigens mundts vernemen lassen, er hab auch ainen hertten aidt geschworen, das er unsern marktflecken Bemenkirchen wolle bessern und nit schwechen, aber es ist und wierdt uns laider Gott erbarms im wenigst nit gehalten.

Ein weiterer Vorwurf gegen von Rechberg betraf die Verpflichtung zur Fronarbeit auf den von Rechberg eingezogenen Äckern.

An disem ist er herr von Rechberg nit ersettiget gewest [Ungelt zu Unrecht eingehoben, Gebühren für Hausbau und Besitzwechsel, Einziehung von Bauernland zu seinen Gunsten], sonder will uns darzu gewaltiglich dahin tringen und zwingen, das wir arme leuth solliche wider alle recht und gepür abgetrungene und zu sich gezogene aber unsere aigenen acker S. G. auf unseren aignen costen (das doch ein unerhert ding und wider die vernunft aller velker ist) dienstweise mit aller derselben zugehere ainig bawen, ja über das alles die frucht bis in die scheuren heimfuren, darzu auch unseren aignen vieh und hierten solliche acker seinen gnaden allain pferchen und thüngen muessen, welches wir zuvor von alters hero one einiglichen eintrag oder verhinderung zu unsern ackern und gütern gebraucht, genutzt und genossen und jetzo dessen alles das wir zu unser und unsers vieh notturft nit mer er bauen künden, sonder laider eintraten und manglen, auch über das sollich außgetroschen getraidt, ime herren von Rechberg ain halben mail wegs biß gen Weyssenstein fueren on alles essen, trinken noch lon geben. Und das ist eben nit die geringste ursach, darumben wir solliche und andere beschwerden nit mer laiden künden und deswegen zu der Römischen Kayserlichen Majestät unserm allergnedigsten herren gezogen.

Nach der Beilegung der Rebellion in Böhmenkirch schildern die gefangenen sechs Anführer die Stimmung der Gemeinde, die zur Beschwerde in Innsbruck und Prag führte:

Weil dann bei irem gnedigen herrn weder durch anderer intercession und fürbitt noch auch ir selbs nachlaufen und bitten sie durchaus nichts erhalten oder zuewegen bringen mögen, sondern erst dise wort von ambtleuten, der fleck hab vier gassen und stee einem jeden offen, möge also einer hinziehen, wo oder wenn er wolle, hören miessen, da seie under ganzer gemaind, wie sie samentlich in fronen und an der arbeit gewesen, dis geschrai erschollen, weil inen dann nit welle geholfen werden, so haben sie ursach, solches einer höhern obrigkeit zu klagen und um hilf anzusuchen, auch derhalben ain lang hernach sich samentlich erhebt und gleichwol Innsprugg zuzogen, weil sie vermeint, der fleck Bemenkirchen stand I. D. als lehenherrn aigentumlich zu. Als sie aber selbst hinkommen und die sach anderst geschaffen befunden, haben sie gleichwol nach überraichter irer beschwerden um furschriften an die K. Mt. angelangt und selbige zuwegen gebracht auch damit auf Prag zuzogen, daselbst aber nichts anderst dann ir obligende beschwerd unterthenigst geclagt und um furderlichiste hilf gebetten.
(...)
Sagen die beklagten, daß sie in warhait darum auszogen, obenerzelte... und andere beschwerden bei der F. D. also auch hernacher bey K. Mt. underthenigist anzubringen und um Gottes und seiner barmherzigkait willen, wa nit um helfung jedoch milterung der antreglichen beschwerden zu bitten und der mainung gar nit, sich allerdings frei zu machen. Dann sie selbsten die rechnung wol machen könnden, das inen dis nimmer passiret oder guethaissen wurde mögen. Das sie sich aber in dero D. oder anderer herrschaften schutz und schirm ergeben wellen, seie das

nicht dero mainung beschehen, sich allerdings von irem angeborenen herren zu entledigen oder gar zu freyen und sich immediate der F. D. oder anderen herrschaften allerdings underwirflich zu machen, sondern vilmehr dero mainung (gewesen), da sie von irem herrn mit beschwerden also uberlegt, I. G. einen oberen, den sie entsizen und scheyen, sie aber einen in der nehe, dem sie ir not und anligen klagen, sänderlich aber die zeit, in deren sie mit irem herren spennig, vor gewalt schutzen und schirmen möchte und das solches war.

5

Aus der Vorrede zu Johann Schuwardt, Spiegel der Unterthanen (1585), in der er vier Arten von Untertanen hinsichtlich ihres Verhaltens gegenüber der Obrigkeit unterscheidet und die Stellung der Untertanen in der Gesellschaft bestimmt. Der Abdruck verzichtet auf die Marginaltitel.

Weil aber auff Erden gemeiniglich gefunden werden und seind Viererley Leute, die unter der Obrigkeit botmeßigkeit sitzen / wohnen und leben.

1. Etliche / und derer nicht ein geringer hauffe / Welche von der Obrigkeit standt nichts halten / können keinen zwang leiden / achten keine Gesetz / sondern wollen semperfrey / und ihre selbst eigene Herren sein / Ungeachtet / ob sie gleich gute fromme Herrschafft haben / die sie billich lieben solten.

Diese muß man leren / das Obrigkeit Gottes ordnung sey: Und daneben trewlich vermanen / Das sie dieselb erkennen / mit gebürlicher demut ehren / Umb erhaltung guter Regiement fleißig bitten / und für dieselbigen hertzlich dancken.

2. Die Andern / Ob sie wol nicht begeren gentzlich frey zu sein / sondern wissen / das sie Obrigkeit haben müssen / klagen doch teglich uber scharffe und geschwinde Regierung / murren und sind ungedültig / geben und thun alles mit unwillen / schelten vnd fluchen / zancken / sind wiederspenstig / und werden auffrhürisch / etc.

Denen thut not wehren / und sie straffen aus Gotteswort / Und jnen untersagen / Wie sie aus irem schuldigen gehorsam nicht schreiten / das ihre thun / und das ander Gott richten lassen sollen.

3. Die Dritten / Verstehen Gottes Ordnung fein / ehren und lieben dieselbige / thun auch willig vnd gern / was sie gegen jrer Obrigkeit zu thun schuldig sind / und dancken Gott für ihre Herrschafft / unter welcher guten zeitlichen Regierung si haben was zu ihrem gedeyen dienlich.

Weil aber in Geistlichen sachen ihre ewige Seligkeit belangend / jhnen wird aufferlegt / das zu thun / welches sie für Gott in ihrem gewissen nicht verantworten können / So bedürffen diese Warnung / Das sie umb zeitlicher vergenglicher wolfart willen / das ewige nicht ubergeben: Und Trost / Wenn sie in gefahr kommen / und etwas hartes darüber ausstehen müssen / Das sie nicht kleinmütig werden / sondern bey deß Obersten HErrn befehl bleiben / und auff seine verheissung sich verlassen.

4. Die Vierdten / haben in Geistlichen sachen nicht allein keine hinderung / sondern viel mehr alle beförderung zu ihrem heil und Seligkeit / durch ihre liebe Obrigkeit / Und sitzen daneben in guter ruhe und friede / Sie erkennens aber nicht mit danck und mißbrauchens sehr übel.

Solche muß man erinnern / Was endlich drauff folgen und jnen begegnen möchte.

Das also unterschiedliche erklerung dieser Lehre hoch von nöten ist.

Neben diesem allen ist auch wol zu mercken: Das alle die im Unterthanen stande sind / auff Dreyerley stets haben bedechtiglich zu sehen:

Uber sich: Neben sich: Und Unter sich.

Nemlich also:

Erstlich und zuförderst / Uber sich / Auff Gott den obersten Herrscher / und in richtiger Ordnung auff ihre Regenten / die seine / deß ewigen Gottes / Stadthalter sind.

Darnach: Neben sich / Auff die / so sampt ihnen gleich / unter Gott und seiner ordnung der Weltlichen Regierung und Herrschafft leben auff Erden.

Folgends: Unter sich / Auff die so nicht gleiches / sondern geringers wesens und standes sein / Denn unter dem Namen der Unterthanen sind mancherley Leute begrieffen / die wol alle der Obrigkeit / aber doch ein jeder nach seiner masse / unterworffen sind.

Da lerne nu ein jeder sein Lection.

Dem Obersten HErrn muß ohn alle condition oder exception / in seinen Geboten gehorsam geleistet werden: Seiner Ordnung aber und allen Weltlichen Regenten / allein nach den Regeln / die er / als der uber alle ein HErr ist und bleibt / gegeben hat.

Doch muß keiner die Liebe / Ehre und gehorsam / so er der Obrigkeit nach Gottesbefehl schuldig ist / jemand zu schaden und nachteil richten / der neben ihm wohnet und lebet / in dieser Welt.

So müssen auch die / so bey Herrschaft einen vorzug und nahen zutritt haben / die andern geringern derwegen nicht untertretten / Sondern ihnen gerne gönnen und darzu beförderlich sein / das sie auch deß Nutzes / so man von der Obrigkeit haben sol / zugleich mit geniessen. (. . .)

6

Zusammenfassender Bericht über die Revolte der Owinger Untertanen gegen Graf Eitelfriedrich von Hohenzollern-Haigerloch zwischen 1584–1590 aus der Sicht der Landesherrschaft und über die verschiedenen Versuche zur Beilegung der Revolte.

Vgl. J. Cramer, Die Grafschaft Hohenzollern, S. 287f. und J. Riegger, Ein Fuchs mit einem staatspolitischen Schwanz, in: Hohenzollerische Heimat 4, 1954, S. 13f. und 27f. Die Revolte der Owinger Untertanen wurde erst 1596 durch einen Vergleich beigelegt, der die Fronbelastung neu regelte. STA Sigmaringen Ho 1 C II 2b Nr. 5, fol. 145a–154b

Die lehentragende und leibeigene paurschafft zu Owingen der grafschaft Hohenzollern aigentumlichen zustendig an die zwey- oder dreyundsibenzig mann sein mit zusammenverbindung, vorhin beschlossnem rat und haimlicher conspiration am 23. augustii deß jahrs 84 bey nächtlicher weyl einmüetiglich von irer angeborner herrschaft, von weib und kind außgerissen und entloffen, auch ain aufrüerische person Conradt Fritz genannt die dann in deren zollerischen abgeordneter hand und gewalt gefenngklich gewesen und beigehalten mit gewerter hand und gwaltätiglich auß iren der abgeordneter handen gerissen, entfüert und mit sich hinweg genommen, nit allain sich zue irem grossesten und eussersten verderben, sonder auch wolbemelter irer oberkait und herrschaft zu mehrerm spott und unverschultem nachtheil.
Haben auch zu beschönigung ires aigentätlichen außtritts und mainaidigen muetwilligen entlaufens der R. K. M., unserm allergnedigisten herrn, durch iren darzue bestelten außschuß ain supplication, darin vier puncta oder ursachen ires außziehens und entweichen vornemlich vermelt, gegen iren erb- lehen- und landherrn graven zu Hohenzollern, deß stammes den eltern herrn graf Eytelfriderichen alßpalde undertenigist übergeben lassen, darauf dann ain kayserlich decret ervolgt, innhalts wie ab diser beylag nr. 1 zuesehen ist.
Unnd sein also bemelte underthonen zu Owingen am 8. november selbigen jahrs 84 zu irer heußlichen wohnung wider einkommen und zugelassen, alles vermög aines offnen instruments darüber in optima forma uffgericht.
Demnegsten auch herr graf Eytelfriderich zue Hohenzollern der ganzen verlaufenheit und grossen unleidenlichen mainaidigen ungehorsams und widersetzlichkeit diser Owinger bauren, gegen irer ordenlichen von Gott gesetzten oberkait undertenigsten bericht der R. K. M. außfüerlich gethon hat mit angeheffter pitt, ihre K. M. irer gnaden allergnedigst vergonnen wellen, gegen dises uffrüerischen handels wissentliche anstifter und authores das ordentlich kay. recht vorzunemen, darbey inen anders oder mehr nit widerfahren sollte, dann daß bey unparthey-

ischen unverwentlichen richtern oder universiteten mit oder gegen sy außgesprochen und ertailt werden sollte, dann ire g. dessen execution und coercion per exemplum et in terrorem caeterorum nit wol vorüber gehen künd, wovern nit baldt durch die ganze grafschaft ain gmainer ufflauf und grössere sedition zu befahren sein sollte.
Hernacher bald die bauren auch in andere irer supplication newe und mehrere clagen einwenden, auch solche oberkait und potestats puncta gegen iren lanthern streitig und zweifenlich machen wellen, so ire gnaden nit allain bey inen selbst sonder auch durch die ganze grafschaft und bey allen deroselben underthonen und flegken in quieta et tranquilla possessione ein lange weil gewest sein und noch. Uff diß dann der Owinger supplication die R. K. M. dem wolgebornen herrn Wilhelmen graven und herrn zu Zimmern und der statt Rotweil alß irer mayestat commissarios um solche clagen und gegenclagen anzuhören und wo möglich in der güete zu vergleichen in communi forma allergnedigst verordnet haben.
Wie nun darzwischen ain commissiontag unfruchtbar abgangen auch der ander tag gegen dem 9. novembris anno 87 zue Schemberg einzukommen abermals angesetzt worden und wolbemelt herr graf Eytelfriederich vermerkt, daß diser underthonen rat und anschlag bey inen nit allain bestund, sonder sy die pauren durch etliche irer g. besonders unbefreundte und mißginstige anstifter in irer rebellion und widersetzlichkeit besterkt und ie lenger je mehrere newe und unerhöbliche puncta, der hohen oberkait anhengig, in disputation malo exemplo zu ziehen, auch gegen der andern jetzt ruehigen deroselben grafschaft underthonen, um etwas befahrlichs zu erwecken, sorglich verursacht und angeblasen werden möchten. Derhalb I. G. sich entschlossen, uf den bevorstehenden tag nit allain in der person selbst zu erscheinen, sonder auch der hauptpuncten halb allergestaltsame gants schidlich und moderate sich vertragen zu lassen.
Aber in denen puncten so anfangs dises werks nit vorkommen, drüber auch erstlich nit suppliciert und sy zu irem muetwilligen außtritt sich nit verursacht zu sein referieren oder beclagen können, auch selbige puncten bey der grafschaft Zollern und den anderen underthonen allen also quiete et sine contradictione herkommen und je und alzeit Ire G. in possessione gewesen. Darumben so wollte I. G. vil lieber das allgemain kayserlich recht und dessen ausschlag alß ainiche güetliche vergleichung mit irer gnaden underthonen annemen und erwarten als solche hochebefarte consequents und bestreitungh dessen ordinari oberkait und potestats sich ufbinden unnd . . . (?) machen lassen welten. Was nun I. G. vor ein bedenken und ursachen hierzu gehapt und noch haben, das werden nit allain die so deß hochloblichen churfürstlichen haus Brandenburg mit der uralten und loblichen grafschaft Zollern convenients und interesse guet wissens haben, sondern auch die so über solliche trennige und wüetende paurschaft oberkaits regiment füeren und verwalten sollen leichtsam behaupten und ermessen können.

Unnd hat wolbemelter graf Eytelfriderich der zeit gwiß und unzweifenlich vermaint gehapt, solliches alßwol bey denen pauren, wie auch wol und ehrenbemelten herrn commissaris also angenommen und der billichheit nach recessiert werden solte, in sonderer bewegung, dieweil diese paurschafft uff negstvorigem commissiontag sich expresse vernemen lassen und verwilliget gehapt, wovern sy bey dem alten fronbrief gantzem inhalt ohne eintrag gelassen, daß inen nit zuwider sein werde, allein der übrigen erster irer supplication puncten halb, güetliche handlung zu pflegen und die noch weiter habende beschwerden diser zeit suspendirt und uffgeschoben, inen auch alle gepür rechtens deßwegen zu suchen vorbehalten und unbenommen sein sollte, wie diß außtruckenlich zu beweisen ist, mit dem derzeit ergangenem receß de dato 6. aprilis anno 87.

Aber unangesehen wolbemelt herr graf Eytelfriderich des frons halb uf disem tag den herren commissaris zur hand gangen und inen pauren das frongelt und nit frondiensten bewilliget, auch deren 2000 Pfd. Heller mit urtel und recht erhaltener straf, sich uf ain moderation (nemblich dieselbe bis uff 700 schwinden und fallen zu lassen) bereden und also die hauptpuncten schier vertragen: sy pauren bey anfang desselben tags abermals auch verwilliget gehapt, wenn sy dis wie obenbemelt erhalten möchten, alßdann der übrigen anderer irer supplication beschwerd halb das ordenlich recht wo es je anders nit gesein könte zu versuchen und zu erwarten, deme aber zugegen haben sy pauren nach erhaltenem from und doch bis zu recht moderierter straf, über die andere alle ire beschwer, kurz um nit allain handlung haben wellen, sonder auch nach und nach bis zu jetziger stund zu mehr und mehr scrapulierens clagens und weiterung erwecken wellen.

Dann auch obwol dise paurschaft mit der warheit nit erhalten noch sagen können daß inen seithero hängender commission oder geendtem disem commissiontag, ainiche betrangnus zugefüegt, oder sy verrer und mehr als andere zollerische underthonen vilweniger gegen die gepür und herkommen beschwert sein, so haben sy doch wolbemelt iren gnädigen erb- lehen- und landherrn bey der R. K. M. selbst dermassen supplicando verunglimpft antragen und mit lauterer unwarheit verclagt und verclainert, daß solche wort auch inn wahren und beschaffnen sachen ehrliebende underthonen und so zu rechter außsöhnung gesinnet gegen irer oberkhait zu gebrauchen ain billich schewen und bedenckhen tragen solten indeme sy I. M. einbilden wellen, als wann sy mit unbillicher schwerer und verderblicher betrangnus zum creutz und eussersten trüebsal verrer außgemergelt ir weib und kind zum grossen herzlaid und traurigkeit verursacht seien.

Alß auch diser commissiontag wegen unbestendigen abfals und widerseumligkeit der bauren gegen wolbemelter herrn commissarien willen, vor I. G. graf Eytelfriderich augen sine effectu ab und zu wasser gehen müessen, allain daß der fronspunct seiner damals gehapter abred gemäß volnzogen und die underthonen durchaus darob befreyet sein und bleiben, darum, obwol die underthonen zu Owingen

nunmehr keine vernere erhöbliche ursachen irer beschwer anziehen können, auch kaine freyhait oder privilegia haben warum und woher sy dasjenig so andere grafschafts underthonen tun und laisten, nit auch tun und laisten sollten.
Hergegen aber wolbemelter herr graf Eytelfriderich vil mehrer ursach gehapt, sy wegen mit urtel und recht ertailter straf dern 2000 lb. executive stracks vorzunemen, dann auch wegen ires gwaltätigen außtritts und entfüerung oder abstrickung ainer gefangnen person auch bey nächtlicher weil haimlich gehaltner conventiculen und conspiration, sodann auch mit dem aydschwur gegen I. G. getonen anschlag und verbindnuß mit entsetzung oder abnemung irer lehengüeter (dann sy aigens nichts haben) und sonsten der gepür nach an leib und leben oder ainer schwerer jedoch wolverdienter urphedsverschreibung zu straffen, sonderlichen auch dieweil sy diß alles thails ipsa notoritate facti permanentis andertails auch mit offentlicher kundschaft überzeugt und selbst bekennen müssen, wie dann die und dergleichen untaten in dero uralter zollerischer landordnung auch weniger nit in den kay. allgemeinen rechten hoch- und leibstraflich sein verbotten, so haben gleichwol I. G. mit der scherpf rechtens nit stracks hindurch, sonder diser underthonen gehorsam und gleichs andern gebüerende obedients mit der zeit und allgemach an sy gewinnen wellen, dero zuversichtiger hoffnung, sy auch solches hingegen erkennen und I. G. verner beunruhiget lassen sollten. Diser aber aller inen mit recht bevorstehenden gefahr und I. G. gegen sy habenden potestats ungeachtet und hindangesetzt, so haben sy die R. K. M. mit iren schmachhaften und ehrenverletzlichen supplicationibus abermals unverschamter weis beunriebigen wellen, darinnen sy auch I. G. gegen die offentliche warheit hochlich verclainern um andere commissarios anhalten dörffen mit worten in irer supplication angezogen wie daroben ... dann auch wiewol zu sehen ist, und wiewol herr graf Eytelfriderich die R. K. M. darvor undertenigst gepeten, mit undertenigstem vermelden, daß dise jetzt geclagte puncten tails gefallen und ab, tails auch vermög der uralter zollerischer lantsordnung dero obrigkait und potestat, dermassen incorporirt und in yblichen gebrauch wären, daß I. G. ohne befahrte unruhe oder motion der anderer grafschafts underthonen vil weniger ohne consens der interessierten verwandten und besonderlich des hochloblichen haus Brandenburg weiters oder anders als zu recht gegen dise rebellische underthonen sich nit einlassen könnten, so haben doch die R. K. M. dise sachen zu abermahligem güetlichen verhör und willkürlicher entschaidung vil lieber als zu rechtlicher erkantnuß gelangen lassen wöllen, und darumben anstatt des wolgebornen herrn Wilhelmen gravens und herrn zu Zimmern den auch wolgebornen herrn Rudolfen graven zu Helfenstain mit und samt obiger statt Rothweil zu kayserlichen commissarien diser sachen nochmals allergnedigst verordnet und angesetzt.
Darauf wol- und ehrenbemelte herr commissarien zu verner güetlichem verhör den 25. tag jüngst verschinen monats junii in der statt Schemberg angesehen und

bestimt haben, dahin dann wolbemelt herr graf Eytelfriderich seine geordnete cum certa instructione hat geschickt und vermittelst fleissiger dern herrn commissarien underhandlung sich zuletst dahin (jedoch der R. K. M. nur allain zu underthenigisten ehren und gehorsam, wie auch wolgedachten herrn commissariis zu freund- und nachparlichem gefallen) weisen, behandeln und erpitten haben lassen, namlich wann und wovern dise I. G. lehentragende und leibaigne underthonen ires begangnen außtrits gwalthötiger entwöhrung und hinwegführung aines gefangnen manns und bey nacht gehaltner hochverbotner zusammenkunft und gegen I. G. mit dem aydschwur getoner conspiration auch anderen hochsträflichen untaten halb ain gepüerende urphedsverschreibung von sich geben und I. G. mit ainem offentlichen fußfal um gnad und verzeichung pitten wollten.

Die zugeurtailte 2000 lb. aber durch wolgedachte herrn commissarios uff 300 lb. moderierte und abgebetene straf, I. G. verschreiben und verzinsen, auch dasjenig I. G. alß irer von Gott vorgesetzter ordentlicher oberkait laisten und tun wollten, was andere grafschafts underthonen auch tun, dieweil sy in kainem mehr als mit dem fronbrief allainig befreyet sein, daß alßdann I. G. sy in continenti zu gnaden auch zu ihrem ehren- und gerichtsstand wider aufnehmen und guethaißen, ire verwückte lehen inen wider verleihen und restituieren auch in summa in allen unnd jeden sachen wie andere gehorsame underthanen der ganzen grafschaft sy durchaus gleichhalten, versprechen, tractieren unnd verwalten wollen.

Nun ist nit ohn sonder wolbemelter herr graf Eytelfriderich durch I. G. abgeordnete relative wolerstanden und mit gnaden vermerkt haben, daß vilberürte herrn subdelegierte unnd commissarii um dise underthonen zu obgedachtem gleichmässigem gehorsam anderer zollerischer underthonen zu bringen, wie dann auch zu obgemeldter urphedsverschreibung sich einzulassen und zu ergeben, (sonderlich weil die tat an ime selbsten mehr alß offenbar und kainer gestalt zu excusiren derhalb per exemplum daran nichts nachgesehen werden könte, sy auch in continenti und in selbiger schrift irer ehren, lehengüetern, wehren und gerichtsstand per totum wider restituirt wurden) an irem eussersten fleiß, müehe und costen nichts ermanglen noch betauren haben lassen.

Zudem so hat der wolgeborne herr grave rudolf zue Helfenstain alß kayserlicher commissarius nachgeends den 16. julii diser paurschaft außschuß und advocatos motu proprio a part gehen Wisenstaig zu sich fordern lassen in mainung und gewißer hofnung sy von irem steifen vornemen mehr und mehr abzuwenden auch daß angefangen werck vorhabender güetlicher außsöhnung ainmal zum end zu bringen. Daselbst aber in recessu et effectu vermerkt worden ist, daß dise zollerische noch rebellierende underthonen seithero jüngst gehaltnem commissiontag zu Schemberg durch andere mittelpersonen nit allein besterkt sein, sonder auch die vorhin durch sy nachgebene und gefallne puncta de novo scrupulieren, ains tails in quaestione revocirn anderthails in contrarium allegirn und moviren wellen, darbey

nit allain ire abermalige grosse unbestendigkait und contrarietet auch lauter zu vernemmen ist, daß dieweil inen alsovil gehengt und zugesehen würt sie jedesmahl mehr und unerhörte aber nichtswürdige und gants unerhebliche beschwerde (wie sy dann dißmal auch geton haben) abermals vorbringen und also wolgemelten herrn Eytelfriderichs potestat und schuldige subiection allgemach mehr und mehr streitig machen unnd unruwe (?) erwecken wellen, auch ursach geben, daß ander I. G. underthonen zu gleicher ungehorsame und widersetzlichkait angeraizt werden.
Damit gleichwol die pauren ires immerwehrenden newen und newen scrupulieren sich ein schein und fundament auch von dero erforderter allgemainer zollerischer subiection und gleichmessigem gehorsam abwendig und exempt machen kenten, so wenden sy jetzt zuletst für (welches sonsten diser gestallt und zu disem ende nie vorkommen ist) sy seyen nit alle zeit zollerisch gewest, sondern erst vor 50 jahren an daß hauß Zollern keuflich kommen und erwachsen, darum sy auch nit schuldig sein, all dasjenig zu tun und zu laisten, daß andere zollerische underthonen thun.

7

Die vorderösterreichischen Landstände beklagen sich auf dem Landtag in Freiburg i. B. (21. März 1594) u. a. über die wachsende Neigung der Untertanen, sich über herrschaftliche Strafen bei der Regierung zu beschweren, und über den daraus entstehenden Ungehorsam der Untertanen. (Auszug)

ADHR Colmar, C 6/10

Und dieweil man bey den underthonen ye zur zeiten etlichen andern ein unordnung und vortailige untrew in und bey dem zehendlüfern mit der zehendherren schäden und irer der baurleuten seeln gefahr gespürt, das fürohin besseren insehens vonnöten. Also pitten die ständ und deren interessierende glider demütigist und underthenigist um fürderliche erneuerung der deßhalben hievor ertailten zehendmandaten und scharpfes insehens.
Sodann wurdet gegen allen so oberkeiten in disen landen es also gehalten und noch mehr yeblich gebraucht, das namlichen, da ein underthon wider sein ehr und ayd und oberkeit geboth gehandlet und dahero die oberkeit befüegt und verursacht, darmit nit weib und künder gestraft, die gefenknuß fürzenemen und einen ynzuziehen, da begibt sich in vielen exemplis, das uf dessen anstiftung gleich bey der re-

gierung angehalten, den uf recht der gefenknuß zu erlassen. Daraufen dann gleich ein bevelch sine clausula ervolgt, da dann dene nit gleich pariert, sonder der sachen bericht gethan, daraufen der marschalk mit bevelch den gefangenen zu erledigen. Dahero erstlich der ungehorsam und dann das ervolget, daß die nehere Oberkeit nit mehr respectiert und iren frevel, so etwa nur ein turmstraf oder ain geringes an gelt were, mit recht suchen, dardurch den underthonen zum verderben, grosserer straf und costen geholfen, auch die oberkeit verursacht um ihres geringes frevels willen etwan dreymaln mehr costen dann der frevel ist anzuwenden. Und das noch beschwerlicher, so seyen nunmehr durch der regierung zu vil milt anhören und glauben mehrerteils underthonen dahin gefüret und den process gelernt. Wann sie wüssen, das sie wider ehren und ayd und also gehandlet, das sie sich der gefenknuß und straf besorgen, laufen sie gleich für die Regierung, pringen der oberkeit unglimpf und wie die mit ungrund wider sy dahin bewegt, das sie sich der gefenknus zu befahren. Uf solchs bringen sie gleich aber einen bevelch ohn allen anhang auß, daß der oberkeit uferlegt, ohn recht gegen dem supplicanten nicht fürgenommen und obgleich daraufen die oberkeit iren bericht mit grund thuet, so würdet dem underthonen doch so vil glauben geben, daß es beim ersten bevelch verbleibt. Alsdann ist underthon seines vermainens schon erquickt, stolz und trutzig, rüemt sich dessen, das sein oberkeit ine nit dörfe gefenklich inlegen, es reichet aber das nit allein zum ungehorsam, sondern dahin, das der underthon aber durch das unparteysch recht mehrmaln in solchen costen komt, das dardurch weib und kinder in das verderben gericht und doch die oberkeit aber (dann der costen wurdet vilmaln compensiert) zu vil grosseren costen getriben, dann das begeren der straf yemalen gewesen. Also müssen vilmaln die oberkeiten mit recht und grossen costen auch geringe frevel suechen und das mit grossen schaden auch der underthonen und in dem weib und kinder gestraft und dem muetwilligen aber ursachen zu irem verderben geben und müessen die oberkeiten eintweder das übel vilmaln ungestraft lassen oder garinge strafen mit 20, 30 und mehr gulden durch das recht suechen. Welches nit allein wider alt herkommen sunder bey lebzeiten noch also gehalten, das gleichwol den underthanen wider ir oberkeit zu supplicieren zugelassen. Wann die oberkeit aber der sachen bericht gethan, ist dann der underthan für sein nehere oberkeit gewisen und deren unbenommen gewesen, nach gestaltsame die ubel an gelt oder mit dem turm zu strafen. Der ursachen dann dieselbige zeit die schuldige underthonen das supplicïern underlassen. Anyezt aber den bösen und ungehorsamen die weg zu aller leichtfertigkeit aufgetan und der oberkeit ir gerechtsame und aller gehorsam genommen. Also das nun mehr die underthonen nichts mehr förchten, sunder sich genzlich auf der regierung hilf verlassen. Welches doch, wie gemelt, zu irem selbst eigenen verderben und nachteil weib und kinder reichet. Dann es tragen sich täglichen sachen fürnemlich bei den armen zu, das die oberkeit an gelt nit strafen kan, auch seyn etliche so leichtfertig, das sy die geltstrafen nicht achten und der gehorsam bey denen anderst nit, dann mit dem turm zu erhalten. Aber die künden durch angeregte der regierung bevelch der turm-und rechtstraf entfliehen, sich und die oberkeit in grossen costen und rechtliche process füren, die in allwegen abzustellen und vor allen dingen die nähere oberkeit doch zu hören und daran, wa nit mehr, doch so vil als den underthonen glauben geben und also den obrigkeiten ir gewalt und recht nit also abgestrickt oder gesperrt werden.

8

Zweites Gutachten des Georg Erasmus Tschernembl für die oberösterreichischen Stände zum weiteren Vorgehen der Landschaft im Bauernkrieg vom 3. Januar 1597, in dem er die politisch-juristische Begründung für ein hartes Vorgehen gegen die Aufständischen liefert.

HHSTA Wien, Handschrift B 381, fol. 243a–249b (Original), vgl. H. Sturmberger, Georg Erasmus Tschernembl, S. 58–68.

Bedenken und votum in den 4 stenden,
daß die löblichen stende sich mit thetlich
gegenwehr wider die bawerschaft gefast machen und
nach denen raidlführern greifen sollen.
Den 3. Januar des 1597.

Sonders libe herrn und freunde. Des bawernwesens izige beschaffenheit bedarf nunmehr keiner ausführung, damit die löblichen stende zu heilsamlich notwendiger vorsehung und zu abwendung künftiger allgemeiner unglücklicher verderbung zu persuadieren. Unser aigen noth ist laider vor der tür, gefahr und unglück helt sich vor unsern augen. Retten wir mit eyferiger zusammensezung nit uns selbsten, so müssen wir in unsern aigen heusern uns des besorglichen der untherthanen angriffs uns und unsern nachkommen zu ewigem unauslechlichem schimpf und unwiderbringlichem nachteil erwarten.

Denn ob wir wol bisher nach der landsfürstlichen obrigkeit, vermög der publicierten landgerichtsordnung, eine zeit herausgangnen edicten über die zwischen uns und unseren unterthanen sich haltende irrungen schleunigste gerechte resolution und urtheil ezliches verlangen getragen, berürte edicten in allem schuldigem gehorsam nachgelebet, ist doch offenbar, die zweifelsohne durch überheufte hochwichtigiste reichs- und andere geschefte verursachte saumseligkeit bey hof (darinnen wir Ihr M. ungern gedenken) unsere bisher schuldige getragene gedult und über das vileicht die wißentliche uneinsichtigkeit in defensionssachen habe das bauervolk in seinem groben unverstand nur trotziger gemacht und gleichsam dahin anlaß gegeben, daß sie unverursacht... allen kayserlichen bey höchster landesfürstlicher ungnad hochverpoten mandaten de non offendendo avocatoribus entgegen, die weren bey der landshaubtmanschaft zu überantworten, hintangesetzt, sich von mehrern bewehrt gemacht, verbunden, zusammenrotten, die gehorsamen aus ihren aid und pflichten in ihre gelübt benötigt, alle weg und straßen und gehülzen nit allein an gewiß sondern hin und wider in land verhauen und vergraben, die geschlöß, sitze, merkt und stett angriffen, die landleuth zu herausgebung der schein bezwingen, ezliche zu erschlochen betroht, geschweige denen obrigkeiten ainigen gehorsam laisten. Die herrn landshauptmannische berichten, ja wie auch neulich Ihr Dl. Erzherzog Matthias postilion zu Lambach begegnet, niderwerfen, die schreiben eröffnet, daher nit allein dises lands halben Ihr Mt. neben verschimpfung derselben hoheitlich majestet und augenscheinlicher befahrung des weitaussehenden uibels, sondern auch wir mit allen unsrigen, wo zu der sach nit eiferiger gethan wird, schendliche unterdruckung und austilgung mitlerweil empfinden müßen.

Wir haben bisher das unserige gethan, keinem unterthan ainige gewalt zugemutet, allein zu unserm angebornen erbherrn und landsfürsten unser schuldiges unterthenigistes vertrauen gesetzt, derselben, weil hie es also der gerechtigkeit und billigkeit gemeß befunden, das unparteiische urtheil haimgestellt, uns unseren unterthanen wider unser voreltern gewonheit und freyheit gleichsam zu partheyen außer lands durch unsere ansehenliche gesandte persönlich gestellt, der ins land abgeordneten commissarien handlung submittieret und uns des wolbefugten ernsts über unsere aufrurische unterthanen (cum punire semper licite possit dominus subditos suos inoboedientes contumaces, refractarios et rebelles etiam hostiliter et armata manu. Gail lib. 1 T. de pace publica ca. 2.) niemaln fürnemlich darum nit gebraucht, weil etliche aus den stenden durch unbillige übernemung und belegung ihrer unterthanen aller ort beschuldiget und beschrien gewesen, gedachte unser freyheit nit eine hinderung der gerechtigkeit scheine.

Solchs haben Ihr K. M. wir auß der etlich gnedigsten schreiben und resolutionen zu vermerken, mit gnaden erkannt, hierauf mandata de non offendo auch alle jenige linde mitlen, so zu frid und ruhe fürstendig geachtet worden, nit umgangen nebst dem zusatz, da Ihr M. mehr wußte aufzukommen, wolte sie auch den ernstlich weg fürzunemen nit underlaßen. Dessen die unterthanen erinnert, allen erdenklig gewalt und verbindung, wie oben gehört, fürgenommen, gleichsam wenn ihr gedanken allein zu umkerung des landes und verhinderung der allgemainen wider den erbfeind hailsamer und notwendiger praeparation aigentlich gerichtet. Und ob von ihrem scheinlich vorgeben wurde, sie begeren nur ihr ansag, zusammenlauf, benötigung allein Ihrer M. über die fürgebrachte beschwerungen schleiniges urtheil und hauptsechliche resolution, welches zwar die löblichen stende ja so hoch oder höher als sie wünschen und verlangen, so ist doch leicht zu erachten, daß wie sie die ergehung des urtheils und sentenz durch gewalt extorquieren, also werden sie keines widerwertiges urteil annemen, sondern es mit ebenmeßiger gewalt umzustoßen sich unterstehen, damit der sach wenig geholfen wird aber mehr als iemals zuvor von Irer Mt. so zu der ganzen christenheit nuz und wolfart wider den erbfeind mit volk nit aufzukommen wißen hülfloß unsern aignen unterthanen als inlendischen feind ihrem gewalt verlassen.

Woher sollen wir alsdann schuz erwarten, wann Ihr Mt. im krieg wieder den erbfeind verhindert, die unterösterreichischen in gleichem unheil stecken, daneben, wie auch Steyermark, den feind an der tür haben als eben von dem allmechtigen Got, der unser sünde mit sündt zu strafen und der nachleßigkeit, tregheit und...(?) nit zu...(?), sondern alsdann uns beyzuspringen pfleget, da wir auf die gerechte sach fundiert, in guter fürsichtiger beraitschaft wider alle unbefugte gewalt stehen und dasjenige, was unsern voreltern, so unser freyheiten mit redlichkeit und treue erworben, unsern nachkommenden, so von uns nit wenig erfordern werden, unsern weib und kinder wir von Got zu laisten schuldig sind, mit verstand, vernunft, treuherzigkeit und eyfer zeitlich beherzigen, für die hand nemen und vollziehen.

Denn dahin hat uns die natur selbst unterwisen, daß ieder mensch mit gewalt angegriffen durch gegenwehr wol retten und beschüzen darf, auch ohne einiges bedenken unglücklichen ausgangs sich wol schüzen und retten darf wie in der gewißheit, daß des gerechten sache ieder zeit oberhand behalt. Darauf hat Abraham mit 4 königen und die kinder Israels unzehlichmal mit feinden ganz glücklich gestritten: denn ihr gerechte sache kunte sich an dem schuldigen blut nicht versündigen. Abraham ward nit von denen königen angegriffen, noch nachgestellt, sondern daß sie seinen bruder Lot gefangen, weggeführet, enthilten, jagte er ihnen nach und schlug sie.

So uns nun unsere unterthanen auß dem schuldigen gehorsam und gelübt von unmeßigen leuten verführet und entzogen werden, was haben wir dabey der gegenwehr uns zu befürchten.

(...)

Daß aber etliche ihnen darüber ein gewissen machen, nachdem die unterthanen maistes theils unschuldig darzu in Christo getauft sind, mit denen selben zu streiten und also Christi blut zu vergießen, ist eine unzeitige sorg und in regimenten hochschedliche lindigkeit, weil dadurch das übl gehaidet und der gerechte des billichen schuzes manglen muß. Denn der ist ein christ, der Christi lehr und exempel nachvolget, in seinem leben Got fürchtet und seinen nechsten nit belaidiget. Psal. 15. Wer aber unrecht thut, der hat sich vor der obrigkeit schwert billich zu fürch-

ten, denn allein durch aufrechten wandl kan er demselben entgehen.
(...)
Darum hindangesetzt all dergleichen mitleidenheit. Gehen wir billich dem schleunigsten weg nach, so alle gemaine rechten und constitutionen uns fürschreiben. Doch will ich aus meinen ersten discursen uns obrigkeiten menniglich treulich und brüderlich um Gots willen ermahnet haben, ob wol ja denen rechten noch keine ursach wider den gemeinen friden zu embören genugsamlich, dieweil aber menschenblut haiß und etwa seinen fluch endlich nach sich ziehet, es wolte ieder in sein gewissen gehen und beherzigen, ob er auch iemanden unbillich beschwerd, daß er vor rechtlicher erkantnuß für sich selbsten solche abhelfe und gedenke, vor Gots augen seye kein list der menschen verborgen und werde das menschenblut, zu dessen vergießung er vil ursach gegeben hat, am jüngsten tag ihn unbeclagt nit laßen. Wo aber nun über solcher gewissensrainigung bey dem unterthan kein ruhe nit stad finden wolte, so lehren uns alle vernunft dessen alles ernst alsbald zu begegnen und hierinnen Got und den landesfürsten zu beystand zu zeugnuß unserer notdrungenheit zu nemen. Und frag, daß so rauber, mörder und ubeltäter durch schwert und feuer zu verfolgen, so sollens rebellische, ungehorsame unterthanen nit besser haben (...) Sind nun die werk derer gleich, so sind sie auch mit dem namen und der strafe gleichzusetzen. Der rauber oder mörder einer mir gelt und gut, so erb- oder keuflich auf mich mit gute vill ist erwachsen, da rebellische und ungehorsame einer mir mein einkommen und dasjehnige, davon ich meinem herrn die schuldige gebür zu leisten und ich zu leben hab, da raubet einer mir gelt und dergleichen, der rebellische entzeucht mir allen schuldigen gehorsam derjehnigen, die mir zugehören und nötiget sie wider ihr pflicht und treu maineidig an mir ihrer obrigkeit zu handlen. Ein rauber zwackt mir heimlich das meinige und fliehet, der rebellische einen meiner unterthanen und nötiget ihn mir nachzustellen. Daß also der rebellische iedem rauber und mörder nit allein gleich, sondern weit überlegen ist. Darumben wuste ich nit, wie aus fälliger notwendiger defension und billigkeit ainige rechtmäßige verweisung entstehen könnte, cum crimen fractae pacis atrocissimum.
(...)
Solches ist uns auch vermöge der reichsabschied unverwehret, welche wir dises orts mit vleiß davon recht hören und erwegen wollen. Sagen derhalben und sprechen die unterthanen in ihrem aufrürerischem fürnemen seien denselben stracks zuwider gangen, indem sie unter dem schein der vermainten unlaidenlichen auflag sich wider die obrigkeit miteinander verbunden, haufenweiß mit gewaltiger hand zusammenziehen, die geschlößer, merkt, stett zu heraußgebung der schein bezwingen, ihren schuldigen gehorsam und laistung der dienst, anlagen, robot, zins, zehenden und dergleichen forderungen genzlich unterlaßen, die gehorsamen und von ihren obrigkeiten niemaln beschwerte unterthanen zu gleichem ungehorsam

in ihre gelibdt benötigen, von disem unfug sich weder durch der obrigkeiten linderung noch den landshauptmann, noch kayserliche ernstliche mandata in keinerlay weiß oder weg davon wenden, sondern mehr denn zuvor auf ihr gewalt trachten und die justicia verwehren, wo sie denen zuwider verabschiedt wurde, tragen fehrliches benehmen und daher den heiligen landfrieden hochlich gebrochen haben, welchen im § Als weiland Kaiser Maximilianus also lautet:
[Folgt Textauszug des Landfriedens von 1495]
Aus welchen worten das kayserliche camergericht drei requisita zu fundierung der klag über den landfriedensbruch erzielet: denn erstlich lige dem kläger zu beweisen ob, daß der friedbruch vi publica, mit ofner gewalt, dann armata manu mit gewehrter hand, endlich dolo malo, frevenlich fürsezlich beschehen sey, also daß auf dise drei dargetane requisita der beklagte in den friedbruch erkennt wird, Gail lib. 1 de pace publica c. 7. weil dann dise drei requisita bey unsern bauern aufstand laider alle zuvil erscheinen, ist fürwar gegen fridbrüchige leute gebürlich einsehen alsbald fürzuwenden.
Da wird aber disputiert, cum in causis fractae pacis cum sua camera imperiali solis imperator fundatam jurisdictionen habeat, ob auch den stenden die gewaltige einsehung fürzunemen gebüren wolle? Darauf antwort ich, da Ihr Mt. als landsfürst solches der gebür nach tun wolte und könte, so werden die stende demselben mit fueg nit fürgreifen können. Wo aber der landsfürst nit defendiren kan, wie denn Ihr Mt. in derselben schreiben an landshauptman selbst bekennt, hat menniglich sich des natürlichen gesazes vim vi repellere zugebrauchen oder aber, so der landsfürst nit wolt, macht er sich dahin verdechtig, daß er den untergang deßen, so er schüzen solte, begeren tue und dawider ist nun aber die notwehr bey aller welt wol erlaubet. Sintemalen kein geringstes würml ohn krümmen sich töden lest. Hier ist die höchste gefahr vor der tür, uns ist nit um gelt, gut, sondern um unser wohnung und weib und kind, daß sie nit gewalt...(?) uns leiden, zu tun.
Darum mögen die verordneten des landes mit vleiß zusehen, wie sie ihr bevolhenes amt zu künftiger verantwortung mit vleiß administrieren, schützen, retten, helfen und ie eher, ie besser. Denn da sie zu solcher zeit ihnen die hende binden wolten ließen, zu was ende dienen sie der landschaft? Was nuzen uns die freyheiten? Nach unserm leben haben wir nichts als die freyheit als das ainige recht unsers adels. Wer sich da nit retten will, der muß nichts adeliches an ihm wissen, sondern ist einem sclavo gleich zu achten, auch ainiger adelicher freyheit nit wirdig. Doch mögen die stende die verordneten mit rath und hilf nit verlaßen, sondern wissen, daß auch die nachkommen dasiehnige, so unsere voreltern verlaßen, wider erfordern werden, zur sach zeitlich tun und dasiehnige nit lang disputieren, so mit keinen rechten streitet.
(...)
Wann dann zu stillung der aufrürischen unterthanen kein anders mitl vorhanden,

denn daß neben aufhebung der billich beschwerung, welche zwar zu entpörung genugsame ursach nit sein, gewalt mit gewalt widertreiben werde, solches auch vor Got und der welt zu verantworten ist, so laßt uns demnach, liebe herren, zur sach zeitlich tun, ehe das feuer durch etwa unversehten wind weiter einreisse und uns mit solcher eilender gegenwehr in der still eilend gefaßt machen, damit nur die raidlführer und aufwigler, anfenger, haubtsächer (vide reichsabschied zu Speyer anno 1526, § Es soll sich auch) des pöbels aufgehoben und stracks justificiert werden. Solches werden wir bey Got, bey uns und unsern nachkommen, bey unsern benachbarten und unsern armen unschuldig leuten, die ganz schuzlos bisher verlassen, billich daneben wissen und in der tat erfahren, daß sich alle trostlose daran spigeln und sich vor gleicher entpörung künftig hüten.
(...)

9

Mandatum sine clausula Kaiser Rudolphs II. vom 7. März 1597 gegen die Herren von Thüngen und den Pfarrer zu Burgsina (Burgsinn im Spessart), die klagende Gemeinde in ihrem Prozeß wegen neuer Dienste nicht zu behindern und einen Gefangenen freizulassen.

Druck: J. U. von Cramer, Wetzlarische Nebenstunden 16, S. 103–110.

Wir Rudolph der andere von GOttes Genaden erwählter Römischer Kayser etc. etc. entbieten unsern und des Reichs lieben Getreuen und andächtigen Melchiorn und Albrecht Ludwigen von Thüngen, sodann Johann N. Pfarrherrn zu Burgsina unsere Genad. Liebe Getreue und Andächtige! Unserm Kayserl. Cammer-Gericht haben unsere und des Reichs auch Getreue N. N. Dorfmeister und Gemeind zu bemeldtem Burgsina supplicirent zu erkennen gegeben, obwohl zu recht heilsamlich, Stadlich, und wohl fürsehen, auch bey ernster Straff gebothen und verbothen, daß keine hohe oder niedrige Stands-Obrigkeit, ihre Unterthanen wider alt Herbringen ad indebita servitia & operas, vel etiam novas & insolitas exactiones proprio motu ad libidinem suam cogendo beschwehren, Ihres Rechtens und Gerechtigkeit deren possession v. q. lite prasertim coram superiori pendente, de facto selbst eigenes Gewalts, und weniger dann mediante Justitia destituiren und entsetzen, vielweniger sie darüber gefänglich einziehen, von der Christlichen Kirchen und derselben heiligen hochwürdigen Sacramenten als Unchristen und öffentliche

Uebelthäter ausschliessen, noch in andere Weg betrüben und beleidigen, sondern dieselbe allerdings bey ordentlichen austräglichen Rechten und dem seinen strakken Lauf, auch dessen Entscheid und Ausschlags sich in allweg sättigen und begnügen lassen solle; wiewohl auch sie Kläger von Alters und weit über Menschen Gedencken, beneben der Frohn- und Schatzungs-Befreyung, auch gemeiner Fisch, Wasser, Wäld-Gehöltz und anders nicht weniger als ihr Beklagte von Thüngen berechtigt, dessen in possessione v. q. gewesen, und billig bis sie mit ordentlichen Rechten daraus gesetzt, dabey gelassen werden sollten;
Daß doch ihr von Thüngen, dessen allen auch unangesehen und erwogen, auch eine Zeithero unterschiedliche Kayserl. poenal-Mandata, darinnen euch nicht allein restitutio vi ablatorum demandirt, besonder auch offensio & turbatio in futurum gäntzlich verbotten, insinuiret und verkünd worden, bishero zu sonderer Verachtung unser im Heil. Reich höchster Justitien derselben keinem im wenigsten pariret, sondern vielmehr eure angefangene obstinatam saevitiam wider sie als arme unschuldige und bis aufs Marckt ausgesogene Supplicanten zu continuieren, daran nicht ersättiget, daß ihr ihnen die Liebe Frucht zu Feld und Dorff spoliando entzogen, besonder greiffet auch zu den Güthern, welchen sie den Flecken Fell, Wohnradt und Aura untergeben und verliehen, also hättet ihr jetzt Leonhardt Herold um deßwegen Er neulicher Zeit im Namen der Gemeind zu Beförderung ihrer Sache nach Speyer gangen, und zu seiner Wiederkunfft seinen Schwager Michel Krug, dem die Freundschafft ein gemein Erb und Hoff-Guth verkaufft, einziehen helffen, weil derselbe euch nicht beypflichtig, und also ex causa civili vel nulla potius sed mero Odio alterius in schwehre Gefängniß wider Verordnung der Rechte werffen, auch ihn derselben in einem Viertel Jahre nicht zu entledigen rund verlauten lassen. Wie nun sie Supplicanten uff der einen Seiten von gedachten von Thüngen an Leib und Guth hart bedrängt, als werden sie auf der andern Seiten aus ihrem Geheiß und Befehl von dir dem Pfarrer daselbst mit ungebührlichem anathematiziren und verfluchen, um deßwillen sie ihr Recht nicht fallen lassen, und sich unter das knechtische Joch intollerabilis servitutis geben wollen, nicht weniger angefochten, und uff offener Canzell nicht theologisch, deinem tragenden Ambt gemäß, sondern vielmehr cyclopisch, und uffrührisch so viel an der Ehren verletzig angegriffen, und für solche Gesellen proclamiret, die man mit rother Lauge zwagen und so und so tractiren soll, stössest und treibest sie auch unter solchem nichtigen praetextu angezogener Rechtfertigung, ungeachtet sie sich rund erklähret, und uff offener Canzell zu verkünden gebethen, daß sie weder Neid noch Haß tragen, sondern die Sache, die sie nicht könnten oder wißten fallen zu lassen, GOtt und dem Recht befehlen wollten, ab usu Sacramenti Corporis & Sanguinis Christi, quasi vero litigare & jure experiri, res sit homine Christiano indigna, welches dann nichts anders als die Liebe und von GOtt selbst geordnete und eingesetzte Obrigkeit mit allen Satz und Ordnungen offentlich vernichten und ab-

thun heißt: Gleichen Proceß führst du auch gegen Sie mit dem Heil. Ehestand und Einseegnung der versprochenen Eheleute.

Wann dann solch abscheulich, gantz unmenschlich Beginnen, Wüten und Toben nicht allein menschlichen Recht und Satzungen, sondern auch und zuforderst juri divino stracks zu wider, daraus endlich gewisser nichts dann allerley gefährliche Consequentien, Zerrüttung gemeiner Ruh und Friedens-Stands zu gewarten, in Summa also beschaffen, daß es nullo juris praetextu excusiret, und bemäntelt werden könne, und aber daselbst, wie und welcher Gestalt solchem und dergleichen Fällen dem beschwehrten Theil sowohl ex officio, als uff dessen Anruffen praesertim ad oblatam cautionem de judicio sisti & judicatum solvi, dazu sich Kläger damit in omnem eventum judicialiter offeriret und inscribiret haben wollten, contra saevitiam domini durch ersprießliche Mittel Rechtens verholffen werden soll, lauter Versehen; solchemnach und dieß unser Kayserl. Mandat und Ladung wider euch zu erkennen unterthänig bitten lassen, inmassen erlangt, daß ihnen gebettene Proceß anheut dato erkannt worden sind; Hierum so gepieten wir euch von Römisch Kayserl. Macht, bey Poen zehen Marcklöthigen Golds, halb in unser Kayserlich Cammer und den andern halben Theil ihnen Klägern ohnnachlässig zu bezahlen hiemit ernstlich, und wollen, daß ihr den Nächsten nach Ueberantwortung, oder Verkündung diß Briffs, ohne Verzug, Einred und Entgeld, den verstrickten Leonhard Herold auf ein alt gewöhnliche Urpfed relaxiret und uff freyen sichern Fuß stellt, auch die Kläger obangedeyther Massen an Vollführung ihres Rechtens durch Abstrickung der Heil. Sacramenten nicht verhindert, sondern sie bis zu rechtlichem Austrag der Sachen ruhig dabey bleiben lassen. Wir heischen und laden euch etc. etc. Geben in unser und des H. Reichs-Stadt Speyer am 7. Tag Monats Martii nach Christi unsers lieben HErrn Geburt 1597. unserer Reiche des Römisch- und Böheimischen im 22. des Hungarischen aber im 25. Jahre.

Ad Mandatum D. Electi
Imperatoris proprium.

Philipp Haegler L. Judicii Imperialis Camerae protonotarius.

10

Bericht der Haigerlocher Amtleute vom 28. Mai 1597 am die Hohenzollern-Haigerlochische Vormundschaftsregierung über ihren Versuch, in dem Dorf Gruol bei

Haigerloch Türkensteuern zu pfänden. Durch den gewaltsamen Widerstand der Dorfbewohner wurde dieser Versuch vereitelt.

HHSTA Wien APA Z 212 (187) (Kopie). Vgl. J. Vochezer, Geschichte des fürstl. Hauses Waldburg, Bd. 3, S. 109–130.

Gnedige herrn und gn. frau, E. G. uns jüngst den 14. huius auferlegten ernstlichen bevelch in puncto contributionis die pfandung fürzunehmen, haben wir schuldiger gehorsame underthenig pariert und verschinen freytag den 23. gemelts monats fünf schlossknecht doch allain mit iren seitenwörn zu uns genommen. Erstlichen . . . gen Gruol als dem hauptflecken geriten und das schazungbuch zu uns genomen, demselbig nach und nach von hauß zu hauß gehn und die schazung einziechen oder pfand begehren wöllen. Seind die paurn zuvor bey dem rathauß zusamen gewesen, den ausschuß von Weildorf, Pieckelprun und Zimbern zu sich erfordert und wie man jezund in erfarung bringt, da einicher gewald pfandung oder dergleichen mit inen fürgenomen werden sollte, sich zur gegenwehr zu stellen uns darnider zu schlagen und nichts folgen zu lassen. Darauf wir den torfschüzen zu inen geschickt, sy in ire heuser zu manen bevohlen und also geschehen vermaint. Als wir dem schazungbuch nach für Steffan Wollensecken des ersten hauß komen, ime dise verba formalia angezaigt, er hab sich zu erinnern, daß die reichs- und craiscontribution nunmehr durch die vögt und uns zum oftermalen an ine gefordert, dieweil aber solche biß anhero nit erlegt und sy nichts darauf geben wöllen, seyen E. G. verursacht uns mit ernst zu befehlen, solche bey inen selbs einzuziehen, derowegen er uns das gelt zu erlegen. Er gesagt, hab kain gelt. Wir gesagt, so soll er pfand geben, die sovil wert seyen. Er widerum gesagt, das wöll er nit tun, sy haben mit samt der stadt (Haigerloch) ein beschaid geben, bey dem er verbleibe und verhoff, wir werden ihne wider brief und sygel nit tringen, also in das haus gangen, die haustür zugespärrt. Wir ihme nochmaln zugerufen, diß sey unser ernstlicher bevelch, gelt oder pfand zu nemen, da er nit geben wölle. Auf solches der obervogt an die stalltür gestossen, ob dieselbige offen, aber sye auch geschlossen. Als der paur gehört, das man an der stalltüren ist, hat er widerum aufgetan und gesagt, das müeß Gott erparmen, das man mir das mein mit gewalt nemen will. Darauf wir geantwortet, wir nemen ime das seinig nit, sondern was dem kaiser und dem röm. reich vermög derselbigen abschied gehörig und zugelassen. Also hat er ein roß geben und heraus ziechen wöllen, aber andere seine nachborn und sein sohn das roß widerum hinder sich gerissen, wir aber das roß heraus genomen und des obervogts schreiber solches gefürt. Indem wir also fort und dem andern hauß zuziehen wöllen, haben die pawern, deren auf die hundert gewesen mit axten, hawen, häblen und was ein jeder erwischen mögen, gefast hinder den zeunen und ob dem plaz, alda sy gewartet, hinderrucks wie die unsinnigen wölff in den schreiber gefallen, das roß von ime haben wöllen. Da ich der obervogt solches gesehen, bin ich hinzu geritten, sy obzumanen, wie auch schulthaiß und rentmaister denselbigen zugeschrawen, kainen gewalt anzelegen, mit dem protestieren dises gewalts zu beclagen. Aber alles nichts verfächen mögen, sonder seind gleicher gestalt woll uff die dreissig stark mich den obervogt angefallen, mir das roß beim kopf und zaum, die andern mir die hend uff der sayten und wöhr gehalten, der übrige hauf aller mit aufgehobenen und zum straich gefasten hawen und axten ob und um mich, gleich einen oxen, den man schlagen wollen gestanden, fürnemlich aber Hanns Nadler, ein alter mit zuckter axt dieselbig alsgleich in den leib zu schlagen mit lesterlich fluchung des hayligen sacraments, sollen mich hemmen, ob ich ime das seinig nemen woll. Daruber zum tail geschrüen, schlag darauf, eines tails aber geschrauen, ey nit, schlag noch nit (aus welchen woll zu schliessen, das sie uns danider zu schlagen verainigt). Interim aber haben sye dem schreiber das roß genommen, in ein hauß gezogen und mich widerum gehn lassen. Nach welchen sye uns samentlich durch einen alten, Friedrich Epplin genannt, welcher ainmal sich zur herrschaft geben und wider abgefallen, lassen fürbringen, sy haben sych mit der statt verglichen und ir antwort geben, bey dem sy verbleiben und ehe(r) ir leib und leben lassen, dann davon zu weichen, wir werden sy auch davon und von iren freyheiten treiben. Darauf wir inen zu antwort geben, wann sie vermainen, (daß) inen zuvil geschehen oder vil gute brief haben, warum sie sich nit bey der K. M. beclagen und auflegen, wie inen dann ein decret deshalben zugestelt worden, mit solchem gewalt werden sy nichts erhalten, sy haben mit uns wider die kay. zugelassene und verordnete mittel gehandlet, ir nachgesezte oberkait gewalthaber gewalttettiger weiß zu schlagen begehrt und nichts auf unsern bevelch geben wöllen . . . und weil sy um uns nit geben wöllen, werde man inen sterker schicken müssen.

Darauf sy truzig geantwortet, was sy darnach fragen, es komme, wer der wölle, so wöllen sy leib und leben daran wagen und wan der türk selbst keme, dann sy denselbigen lieber als uns, so inen das irig nemen, haben wolten. Und zu denen ausschüß obgemelter dörfer gesagt, ob es auch also ir meinung sey, sollen nun das maul dapfer auftun, sy wissen woll, was sy mit der statt beschlossen. Welche darauf gesagt, ja das ist unser mainung und wir wellen dabey bleiben. Also haben wir besorgt, (sie) werden von neuem in uns fallen und niderschlagen, haben also heimgemüest und uber solche runde erclerung weder bey der statt, so in diser sach interessiert, nach andern orten nichts weiter fürnemen dörfen, ohn E. G. underthenigs zuvor berichten. Stehet derhalben nunmehr bey E. G. gnedig belieben, was sie uns hierüber zu befehln gedenken . . . Datum Haigerloch, den 28. mai ao. 97

E. G. underthenig pflichtschuldig
und gehorsame gravelich hohenzollerische oberamtleut daselbsten.

11

Bericht des Kammergerichtsboten Hans Hopp über die Ablieferung eines Mandats des Kammergerichts bei den Untertanen der Herrschaft Rothenfels am 3.4. Juli 1597.

Vgl. D. Erhard, Der Aufstand der Rothenfelser Bauern 1595–1598, S. 24ff. (HSTA München, Reichskammergericht Nr. 7778, Original auf der Rückseite des gesiegelten Mandats)

Ich Hans Hopp des hochlöblichen k. cammergerichts zu Speyer geschworner beybott bekenne hiemit disser meiner eigen handschrift auch bey dem aidt den ich derren halben zu dem hochermelter k. cammergerichts gethan hab, das ich dis k. mandat in dem jar monat und tag stundt und molstatt auch ort und end unterscheidlich verkünd hab wie hernacher folget.
Erstlich bekenne ich Hans Hopp bey dem aidt wie obstet, das ich ao. 97 den 3. tag monats julii zu Seifriedsberg im dorf bin ankummen, doselsten vormittag um acht uhren in der kürchen als die zwo gemeinen Bleichach und Seifriedsberg in der kürchen beieinander versamlet sind gewesen auch vor der prödich ich denselbigen underthanen dis k. mandat in originali verkünd und vorgelesen hab und nach verlesung dises besigleten orginal ich den selbigen gemeinsleiten zwo copeyen disem orginal gleichlaudenten überantworten wöllen. Es hot aber keiner dieselbigen von mir annemen wöllen. Hab ich zu inen gesagt, wo sie dos k. mandat nit annemen, werden sie nichts gutes aus der sachen machen. Darauf etliche antwort geben, die sach sey an im selbs beß genug, es könnte nicht wol böser werden. Und als ich inen den artücul von einem mann, so uber ein felsen sich abgelassen habe gelesen, haben ihren veil daruff geantwort, were er nunnen (?) zu tod gefallen, es wer ein kleiner schad gewesen, oder hetten dem zu tod geschlagen, es wer in einheinsgangen. Und ist dise verkündigung geschän wie obstöt in beisein Matheis Müller als den wolgebornen herren, herren Georgen Freyheren zu Kinigseck und Aulendorff stalmeister, welchen I. G. zu mährer versicherung mit mir zu reiten zu geben haben.
Zum zweiten bekenne ich Hans Hopp bei dem aid wie obstöt, das ich den 3. tag des monats julii ao. 97 in dem dorf Füschen genant mit dem Matheis Müller künigseckischen stalmeister bin ahnkummen, doselbsten nach 10 uhren vormittag alß die leut auß der kürchen sünd gangen und dieselbigen underthonen, so in dise pfarr gehören, noch alle beieinander sind gewesen, bin ich und der obgemelter stalmeister under deß kürchhofs dier uff dos eysengetter gestanden und den bauren ahngezeigt, wie das ich des k. cammergericht zu Speyer ein geschworner bot bin und

habe bevelich, inen von disen ein gleichlautend copey zu überantworten und als ich in zweiten blatt des mandats gelesen hob, ist ein bauer mit namen Caspar Rupprecht als hinder dem folk hin und her gangen und zu dem folk gesagt, lott uns gan, ich schüß in das gebot, es ist uff die alte mathergen (?). Uff dise wort sind viel von den bauren zurückgangen und doch wieder herbei kummen, do hat der Caspar Rupprecht weiters gesagt, get hinweg, wie möcht ir ihm doch zuhören, reissens beden von dem getter heraus und zerschlagens zum treck. Und als ich dos orginal gar verlesen hob, habe ich inen von disem orginal ein gleichlautende copey dargereicht, hot einer mit namen Ulrich Fogler zum Füschen die copey von mir angenommen und sagt, ich sol im den besigleten brief darzue geben, sie wölens gegen einander verlesen, ob einer dem anderen auch gleich sey und wölle mir alsdann den besigleten brief ohne verlag wüder zustelen und ins Würzhaus bringen. Uff sein begeren habe ich ime dos orginal sambt der copey überantwort. Und als mir bede von inen hinweggen wöllen, so hat ein anderer baur mit namen Hans Kresser uff dem schweinenberg zu dem stalmeister gesagt, was gebeit uns der herr viel mit seinen briefen, bringt uns allen tag etwas neigs auf, der kayser ist unser haupt, derselbig hot uns ein brief geben, demselben wöllen mir nachkumen. Auch hat ein ander baur mit namen Matheis Selos gesagt, mier müssen ein oberkeit hoben und wann mier keinen herren hetten, so wöllten mier ein herren kaufen. Und als ich das orginal von ime Ulrich Fogler wieder bekummen, sagt er zu mier, sie werden jez aus den fünf pfarren uff einen berg, der Tüffenberg genannt, zusamenkumen. Hete ich etwas weiters vorzubringen, so könde ichs duhn. Um drei uhren desselbigen nachmitags ich und der obgemelte stalmeister uff dem Tüffenberg als der uffrüerischen bauren ungefär bey dreyhundert mit ihren seitenwehren beieiander gewesen, bin ich mitten under die bauren in ihrem ring geritten und ist der stalmeister beneben zu halten geblieben, habe ich zu dem obgemelten Ulrich Fogler gesagt, er solle mier die anderen bauren aus den zweyen pfarren Dieffenbach und Ofterschwangen anzeigen und uff ein seit besunder nemen, so wil ich denselben dos K. mandat auch vorlesen und alsdann inen auch copeyen von dem mandat überantworten. Darauf hett der Ulrich Fogler und auch ihren viel under inen ja wol der möhren theil gesagt, sie wöllen keine copeyen haben, sundern den besigleten brief, den wöllen sie alle miteinander haben, den sie wöllen nit mit lumpensachen umgön. Darauff ich wiederum gesagt, sie solen mier fünf man aus den fünf pfarrdörfern und aus jedwederem dorf ein mann auf ein seit aus dem ring besunder stelen, die solen mier ihren namen und zunamen sagen, so wil dieselbigen ich uffschreiben, alsdann wil ich denselbigen vor anstatt aller underthanen aus den fünf pfarrdörfern das besiglet mandat orginal zustellen. Darauf er Ulrich Fogler ohn grunt bei die fünfzig man mit im uff ein seit genummen und mit denen einen raht beschlossen. Dornach haben sie mier soliches angezeigt und sogt der Ulrich Fogler, was sie sich miteinander unterred hetten das were, daß sie keinen brief weder den

besigleten noch ohnbesigleten annemen wölten, sundern sie hetten einen brief von dem Kaiser, dabei wölten sie bleiben und darvon nicht weichen. Sie wölten auch mit ihrem herren nicht rechten, sie wölten zuvor wüder ahn den keiser schücken. Wan sie der keiser heissen würd, dos sie mit ihrem herrn zu Speyer sollen rechten, so wölen sie das thun und wo der keiser sie dos nicht heissen würd, so wöllen (sie) dos auch nicht thun. Wöllen auch zu Speyer gar kein antwort geben ohn des keisers bevelich. Dos were ihr meinung. Darauf auch ein ander man mit namen Hans Weber zu Bergen gesagt, ich schüß auf das cammergericht, was hoben mier mit den briefen zu schaffen. Darauf ich im zorn gesagt, es begert kein curfürst im römischen reich ein soliches scheißhaus, darumb sie, zu das dier dise wort nicht zu schwer fallen, und du das mit dem kopf must bezalen. Do hoben in die andern die hend vor dos maul gehoben, daß er nicht möhr reden sol. Auch habe ich den bauren weiter angezeigt, wover sie dos mandat nicht annemen werden, so wölle ich die copeyen an die kürchdieren anschlagen. Darauf ihren viel geantwort, ich möchte das wol thun, die andern zwo copeyen ligen auch noch zum Seifriedsberg uff dem acker, ich möchte sie nemen und auch ahnschlagen. Darauf ich wüder von den bauren in dos dorf Füschen geridten und doselbsten nachmittag um sechs uhren von disem K. mandat ein gleich lautende copey mit vier negel an die kürchdüer angeschlagen in beisein des obgemelten stalmeisters und herrn michel pharherrs doselbsten.
(...)

Des andern tags den 4. julii bin ich und der stalmeister gän Diefenbach geriden. Doselbsten haben wier etliche menner angesprochen, sie solen mit uns bei die kürchen gän, doselbsten wöl ich inen ein mandat verlesen. Es hat aber keiner kumen wöllen, auch habe ich dem Michel Fogler hauptman zu Diefenbach soliches ahngezeigt. Der sagt, er möchte dos mandat wol hören verlesen, aber dieweil ich es nicht mit dene bauren, sundern mit meinem gnedigen herrn halt, darf ich dosselbige nicht ahnhören und dörfte auch nicht mit bei die kürchen gön, er fürchte sich, sie möchten in schlagen. So habe ich ime den inhalt des mandats erzelt, als nemlich, daß inen den rebellischen bauren ein frieden geboten würd und wover sihe inen daruber befriedigen würden, solle er soliches alsbald seinen gnedigen herren ahnzeigen. Dornach bin ich bei die kürch geridten und von disen k. besigleten mandat ein gleichlautende copey mit vier negel an die kürchdier ahngeschlagen.
(...)
Hopp nagelt in Ofterschwang das Mandat ebenfalls an die Kirchentür.

Den 4. tag julii dis 97 jars in dorf Füschen im wirzhaus als ich und der stalmeister auch im beisein herren Ulrich pharrherren zu diefenbach die suppen gessen haben, ist ein baur mit namen Hans Flaxmeyer zu Weiler, kinigseckischer forstknecht, zu uns kummen und angezeigt, wie das er den 3. julii dis 97 jars aus dem dorf Füschen heim gön Weiler wöllen gön, abents um 7 uhren und nachdem den rebellischen bauren das K. mandat schon insinuiert gewesen und als die rebellischen wüder von dem Tüffenberg gangen, het in sunderheit der Caspar Rupprecht zu Füschen in ahngered, was er da umgang, warumb er auch nicht gang wo ander leit gön. Darauf er gesagt, er gehe wo ander leit auch gehn, do sagt er Caspar Rupprecht, warumb er nicht gang, wo die ganze landschaft hiengang. Darauf er Flaxmeyer gesogt, ich hob meinem gnedichen herrn einen aid möhr geschworn als etwan ein anderer, es red etwan einer ein wort er kanns aber wüder schieben, das ich nit kann. Darauf er Rupprecht gesagt, du bist nit so gut als ander leut, weil ers mit ihrem herrn halt. Darauf er Flaxmeyer wüder gesagt, mein schwey still und laß mich bleiben, ich bin ein bidermann. Do het er Rupprecht sein wehr ausgezugt und in schlagen wöllen, alsbald hat er Flaxmeyer das keyserlich recht angerufen, dan er kein brotmesser noch anderer wehr bey sich getragen, het er Rupprecht wol gesagt, er wol in bei keyserlichen recht bleiben lassen, aber sobald er gesehen hat, daß noch zwen kummen, habe er wüder mit angefangen wie zuvor, do haben inen die andern zwen mit der that überfolen, über alns dos er key. recht ohngerufen und sich erboten, er wöl mit in vor den keyser oder vor dos cammergericht oder vor seinen gnedigen herren, wo sie hien wöllen, auch haben sie gehört, was vor ein brief von dem key. cammergericht sey kummen, darumb bitt er um Gottes willen, sie wöllen in bleiben lassen, welich alles nicht helfen wöllen, sundern in mit feysten und wehren geschlagen. Auch hat er uns die streich, beylen, lecher und cräz augenscheinlich gezeigt, dessen sich er alens gern verzeigen wolt, wan nur die schmachwort nit mitgeloffen weren, auf weliche er sich protostiert (!) haben wil und wan nicht noch andere zwen darzu kummen weren, wüste er nicht wie es im ergangen were. Den wer es mit dem herren helt, den wölen sie zu tod schlagen, auch het er mich gebeten, soliches in meine executcion (!) einzuverleiben, damit er inskünftich ein beweistumb habe.

Johann Kegele, botenmeister
Hans Hopp, cammergerichtsbeibot

12

Bericht Martin Schreibers, Pflegers in Nusplingen, an Christoph Truchseß von Waldburg vom 4. Juli 1597 über die Weigerung der Gemeinden Nusplingen und Oberhan (Obernheim), weitere Frondienste zu verrichten, und über ihre Verabredung, in Zukunft der Herrschaft keinen Gehorsam mehr zu leisten.

Fürstl. Waldburg-Zeil'sches Archiv Schloß Zeil, ZA Tr. 608 (Original). Vgl. J. Vochezer, Geschichte des fürstl. Hauses Waldburg, Bd. 3, S. 109–130

Hoch- und wolgeborner gnediger herr . . . soll E. G. ich hiemit underthenig berichten, daß verschienen donnerstags morgens in alle früe die beede gemeinden Nusplingen und Oberhan alhie uff dem rathaus ain gemaind gehalten und von wegen des vorstehenden hewets durch ihren redlinsführer und redman Geörg Bluomen dise antwort geben lassen:
Was E. G. habenden aigentumlichen wisen belangt, wöllen sy wie von alters hero und jeder ain tag darzu fronen, doch daß man inen zu essen geben soll.
Mit den hayligenwisen aber wöllen sy sauber nichts zu schaffen haben weder mit noch ohne des geld, dieselben hewen noch helfen einbringen und daß für den ersten puncten.
Am andern, so solle E. G. schefer alsbalden und ohne verzug die schaf hinwegtun und ab iren wun und wayd, die sie nun lang gnueg genossen haben und sy dadurch zu armen leiten geraten, abschlagen und mueßig stehn. Wa nit, wer man sehen, wer solche hinweg tue. Zum dritten, so sollen E. G. ich anverhalten lassen, daß sy hinfürter kain landgarb mehr aus den guetern, wie auch das kurzum nit mehr geben wöllen, dan es alles newerungen seyen. Und seye ain solches zu Insprugg erlangt und zu wegen gebracht, dann sye der sachen lang gnug nachgezogen seyen.
Zum vierten sollen E. G. alsbalden den Scherer, sein weib und kinden von Nusplingen ab- und ausschaffen, dann es hab ursachen. Wa nit, so mecht ain verstochen leben daraus werden.
So hat sich der burgermaister vernemen lassen, die sachen seye zu weit komen, dar inen sy für sich selbsten nit mehr mechtig noch waß . . . [Textverlust durch Beschädigung] dem alten Kesner (?) um das er vergangne wochen bey E. G. zur Scheer [Schloß Scheer] gewesen, wöllen sy um das geld nichts mehr schaffen, deß sy underrainandn auch zum höchsten verboten haben, ime nichtzit mehr zu tun. So haben sy widerumben von newen zusamen votiert und verlopt, da E. G. zu inen hinauf komen und sich einer oder der ander E. G. ergeben und beyfallen wurde, denselbigen alsbald zu umbringen und zu tod zerschlagen [wollen]. Dis alles E. G. ich underthenig und gehorsamlich überschreiben sollen. Raptim Nusplingen, den 4. julii ao. 97.

E. G. undertheniger und
gehorsamister diener
Martin Schreiber

13

Abschnitt aus Andreas Gails Handbuch der Reichskammergerichtspraxis „Deß kaiserlichen Kammergerichts sonderliche Gerichtsbreuche und Rechtsregeln“ über „die Tyrannei der Herren gegen ihre Unterthanen“ und die mögliche Abhilfe dagegen (deutsche Übersetzung Hamburg 1601).

Vgl. R. Stintzing, Geschichte der deutschen Rechtswissenschaft, 1. Abt., München-Leipzig 1880, S. 495–502.

Welcher gestalt die Tyranney der Herren kegen ihre Unterthane / durch Poenal Mandaten behindert und abgeschaffet werde.

Wann ein Herr allzusehr kegen und wieder seine Unterthane Tyrannisiret / wütet und tobet / und dieselben über die massen beschweret / und zu ungewöhnlichen Hoff und andern ungebreuchlichen Diensten / als Botschafften / Schildwachten und andern mit gewalt zwinget / in solchem fall mügen die Unterthane wol der hohen Obrigkeit hülff und Schutz anruffen und begeren / daß dem Herren bey höher Straffe aufferleget werde / sie über gebühr nicht zubeschweren: Und auff dem fall pflegen die mandata ohne eine iustificatori Clausul am Keyserlichen Cammer Gerichte zuerkennet werden / wann nemdlichen aus dem inhalt der Supplicationen solche trotzige gewalt / muthwille und Tyranney des Herren zuuernehmen / daß nemblichen ihm solches zubeginnen keines weges eigne oder gebühre: Als da ein Herr seine Unterthanen in ciuil sachen / wann sie sich zu genugsamer caution erboten / in schwere gefengnuß leget / welches ausdrücklichen in Rechten verboten ist / tex. not. in l. r. C. de cust. reor. Deßgleichen wann ein Herr / aus eigenen fürsatz und willen / ohne vorwissen und consens des Römischen Keysers seine Unterthanen mit newen schatzungen beschweret: Item / aus mangel / oder grossem geitz / unter dem schein der gebürlichen pflicht mit unmessigen / unträglichen Hoffdiensten täglichen beleget und martert / daß ihnen nicht so viel zeit übrigen / daß sie auch ihre noturfft bestellen / und sich und die ihrigen versorgen mügen / welches alles der verordnung der Rechte gantz zuwiedern / in l. cum patronus. & in §. fin. ff. de oper. liberr. Von welchen klagen und mißbrauch solcher Hofedienste / gar herrlichen zu lesen ist / bey dem Zasio sing. intellect. lib. I. c. 3 n. 70. cum seq & infra lib. 2. obs. 62. & laté Paris de Pureo in tract. de Syndicatu. tit. de Regum, Principium, Ducum & Baronum exceßibus. Ad hoc sunt tex. notabiles. in §. do-

minorum. Instit. de his qui sunt sui vel alien. iur tex. in l. 1. §. dispiciamus. & in l. 2. §. dominorum. ff. cod. An welchen orte vermüge des textus auch Baldus saget /
2. Daß wegen grosser und grewlicher beschwer oder Tyranney / einem Herren seine Iurisdiction oder Gerechtigkeit könne entzogen werden / tex. in l. I. C. de emendat. seru. l. fin. C. quemadmodum ciuilia munera. indic. lib. 10. Und Speculator in tit. de exacto. n. 3. spricht / daß ein Unterthaner darumb das Richterliche Ampt ersuchen könne / wo er von seinem Herren mit ungebreuchlichen diensten beleget würde. per tex. in d. l. fin. Idem Spec. in tit. de denunc. n. 13. Deßgleichen setzet Boer. dec. 132. part. I. per tot.
3. Daß ein Herr nicht macht habe die alten auffkünffte oder zinsen zuuerhöhen / ohne consens und willen der Unterthanen. per tex. not. in l. cum satis. §. caueant. C. de agirc. & cens. lib. II. Dauon auch sonsten der klare textus in l. 1. C. in quib. caus. col. cens. dom. accus. poss. cod. lib. vermeldet / daß die Unterthane uber alte gebreuche und herkommen nicht sollen ubernommen werden. tex. in l. vnica. C. ne operae à collatorib. exig. lib. 10. pulchrè Bald. de pac. ten. §. publici latrones. n. 2. Aluarot. ibi §. quincunq;. n. I. Schen. ibi. in fin. An welchen orten gesetzet wird /
4. Daß auch ein Herr wegen mißbrauch seiner Iurisdiction oder gewalt / seines habenden Lehns künne priuiret und entsetzet werden. Idem tenet Ias. in praelud. feud. n. 69. Vasq. illustr. controu. lib. I. cap. 8. n. 17. cum seq. quem omnino vide. Und also schreibet auch Rom. cons. 37. incip. viso puncto. n. I. Daß wegen des grossen wüten und tobens der Herrschafften / die Unterthanen seines gebietes können und mügen entnommen und gefreyet werden / sie auch ohne straffe oder entgelt mügen davon ziehen / und der Herr sie nicht wieder abfordern könne. vt tenet Lucas de Penna. in l. si coloni. in 12.q. C. de agric. & censit. lib. II. facit ad hoc elegans tex. in c. literas. §. fin de restit. spol. . . .
5. Anhero auch diß zuziehen / daß gemeinem wolstande daran viel gelegen / daß einer seiner dinge nicht ubel gebrauche. Ias. ubi supra. Und Gram. d. dec. 104. n. 13. & 14. spricht / daß auch ein Herr seinen Unterthanen solle trew beweisen / und ihn bey seinen habenden Gerechtigkeiten schützen und handhaben / denn so er darüber thu / sey er nicht werdt des namens / daß er ein Herr solle genennet werden. . . .
6. Es müssen aber in ausreichung solcher Mandaten ohne eine iustificatori Clausul den unterthanen kegen und wieder ihre Herren / alle und jede der thaten umbstende / mit fleiß examiniret und betrachtet werden / damit die Unterthane wieder ihre Obrigkeit nicht verhetzet / und ihnen zu mehrem ungehorsam / gelegenheit und vorschub gegeben würde: Derhalben sol die hohe Obrigkeit so leicht mit solchen Mandaten nicht verfahren / es sey dann / daß sie durch den scheinbarlichen freuel des Herren / darzu ursach hetten. tex. in l. praetor edixit. vers. nec patietur. ff. de iniur. Und wie Rom. d. cons. 30. saget / sol der Unterthanen bitt / umb erlas-

sung des unterthenigen gezwangs oder gehorsams / nicht leichtlich gehöret oder zugelassen werden / alldar er anzeuhet den § si tibi quoq; Auth. de mandat. princ. & §. si quis verò existimans. Auth. vt differentes iud.

7. Dann sonsten gemeiner Rechtslehr nach / hat ein jeder Magistratus oder Obrigkeit die praesumption oder statliche vermuthung vor sich / daß sie jedem gleich und recht wiederfahren zulassen geneiget. tex. in c. in praesentia. de renunciat. & in c. sicut nobis. de sent. & re iud. tex. not. in l. 2. C. de offic. ciuil. iudic. ibi. quod non arbitramur. Alciat. in. 3. reg. princ. praesumpt. 16. Es were dann / daß durch gewisse anzeigungen oder nachrichtung das kegenspiel könte bescheinet werden / daß einer solcher ungerechtigkeit sich zugebrauchen pflege. per not. Innocent. in c. diuersis. n. 3. de cleric. coniuga. Alciat. ubi supra n. 6. In welchem fall alsdann wieder den Magistratum praesumiret oder ein argwohn gemachet kan werden. tex. in c. conquerente. de restit. spoliac. & in I. prohibitum esse. C. de iure fisci, lib. 10. Dd. in l. fin. C. si. per vim vel alio modo.

Und dieser schluß oder meinung der Rechte / hat nicht alleine stat/ wann von den Unterthanen über solche beschwer der Herren Gerichtlich geklaget wird / besondern auch / wann gleich von denselben nichts geklaget oder gesuchet wird: Dann ein Richter oder Obrigkeit aus tragenden Ampte schuldig und pflichtig ist / in deme fürsorge der Unterthanen zu haben und zutragen / damit dieselben wieder gebühr nicht beschweret werden. tex. in l. illicitas. §. ne potentiores. ff. de offic. praesid. Gram. d. decis. 104. n. 15. Vasq. d. c. 8. n. 17.

8. Wie aber / so die Unterthanen Rebellisch und wiedersetzig würden / und nicht was frommen Unterthanen geeignet und zustehet / leisten / auch nicht das jenige / so ihre vorfahren gethan / beschaffen und ausrichten wolten? So ist in deme kein zweiffel / daß sie nach gemeiner lehr aller Rechten von ihren Herren sollen und mügen gestraffet / und ihnen ihre Güter so lange eingezogen werden / biß daß sie zum gebürlichen gehorsam gebracht und bezwungen. per tex. in l. si quis forte § si quis Comitum. ff. de poenis. facit tex. in l. unica. C. ne sine iussu Principum certis iudicib. liceat confisc. & in l. congruit. ff. de offic. praesid. Alex. cons. 13. n. 10. vol. 6. incip. consideratis his. Bald. in l. unica. n. 2. C. ne quis in sua causa iudic. Dd. ibid. Bald. in l. 2. n. 70. in fin. C. de seruit. & aqu. Derwegen sollen zuvorhero unverhörter sachen / es weren dann die ursachen so mechtigen und handgreifflichen / den Unterthanen alsbald keine mandata ohne eine Clausul wieder ihre Herrschafften zuerkennet und ausgereichet werden.

9. Allhier auch diß beyleufftig zubehalten / daß zu dem / daß einer vor einen Rebellischen zuachten und zuhalten sey / ein sonderliches erklerungs urtheil erheischen und erfordert werde. Davon nach der lenge setzet Corn. cons. 96. per tot. vol. 4. Dec. cons. 604. n. I. incip. in casu illustris. Idem, cons. 544. n. 2. incip. Carolus Quintus. Bart. in extravag. qui sint rebelles. in verb. rebellando. per tot. Alex. d. cons. 13. n. 7. An welchen orten allenthalben gelehret wird / welcher ei-

gentlichen vor ein Rebellischer zuachten und zuhalten sey. Dann keiner kan oder mag Rebellisch gescholten werden / es sey dann / daß er des mit urtheil und Recht überwunden und vortheilet worden. Dd. ubi supra. Philip. Por. lib. I. com. opin. concl. 2. n. I. Welches aber doch falliret, oder anders zuvernehmen / in einer solchen Rebellischen tath / welche sich ohne auffhören verfolget / welche zu Rechte genennet wird notoria facti permanentis. Gram. decis. 105. n. 57. cum seq. Port. ubi supra. Besiehe hievon ferner meinen sonderlichen tractatum von Keyserlichen Landfriedebruch / cap. 3. lib. 2.

14

Widerlegung der Anschuldigung gegen den Advokaten Dr. Caspar Stemper, er habe den Untertanen der Landgrafschaft Klettgau geraten, die Zahlung der Reichssteuern an ihre Landesherrschaft zu verweigern. Dr. Stemper berichtet in seiner Verantwortungsschrift an die Stadt Regensburg vom April 1601 über den Hergang der Ereignisse und über seine Haltung den Untertanen gegenüber. (Auszug)

HHStA Wien, APA R7 160 (193) (Kopie)

Nachdem in anno 98 der churfürsten, fürsten und stend gesandten nach publicierten reichsabschiedt albereit mehrer theils von hinnen gewichen, ist . . . angesessener burger und gastgeb Christoff Altschmidt, meines ohngefährlichen behalts im monath april in meine wohnung, so ich damaln bey doctor Zachariae Prügln Medico gehabt, zu mir kommen und ein drey oder vier mir ganz unbekannte paurn mit sich gebracht und vermeldt, daß sie bey einem rechtsgelehrten rahts zu suechen und er sie deswegen zu mir gewiesen hatte, bittendt, Ihnen als armen betrangten leuthen meinen trewen rath mitzutheilen. Darauf sie mir angefangen zu erzehlen, wie sie im Kleckhow [Landgrafschaft Klettgau] under dem herrn grafen von Sulz gesessen und sowohl in ander mehr weeg als sunderlich der türkensteuer halben so übermessig überlegt und betrangt wurden, daß sie, wo nicht hülf und rath zu finden, hauß und hof, auch weib und kind verlassen und davonziehen müeßen. Dieweil sie aber willens solches zuvor der K. M. allerundertenigst zu klagen und um allergnedigst einsehen anzulangen, so betten sie mich, ihnen zu solchem end ein supplication zu schreiben, welche sie mit sich nacher Prag verführen und allerundertenigst überraichen wolten. Hierauf ich ihnen zur antwort geben, obwohl iezigger zeit die anlagen zu hülf wider den türken groß, und etwan einem mehr als dem andern beschwerlich, so muß es doch und könne einmal anders nicht sein, sie seien so wohl als andere im reich angesessene ihrer herrschaft solche bürden tragen zu helfen schuldig, darfür werde sie nichts schuzen und wer sie darzu beredt, daß sie diese raiß, müh und uncosten auf sich geladen, der hab unrecht getan. Sie hinwider geredt, sie wolten ie sowohl als andere tun müssen, ihr gebürnus an der türkenhülf helfen richtig machen, aber sie befinden, daß es under andern herrschaften viel leidlicher zugehe und sie vor andern viel höher beschwert werden. Sie hetten auch albereit an der hülf de anno '94 etliche schazungen erlegt, aber es befinde sich, daß sie dem kayser nicht sey geraicht worden, dann der fiscal zu Speyer deßwegen noch immerdar wider iren gnedig herrn am cammergericht procedire und stehe darauf, daß sie alles von neuen wider zahlen sollen. Sie weren einhelliglich entschlossen, wann sie wusten, was ihr gnediger herr dem reich eigentlich mueste richtig machen, solches alles auf sich zu nemen, das die reichshülfen ihren Gnaden an ihren cammergfällen nicht geschehen solt, damit sie nur nicht ein mehrers bezahlen müessen, als sie oder auch ihr gn. herr schuldig. So wurden sie auch mit dem feuer- oder rauchgulden wider ihr herkommen und freyheiten, auch verbriefte vergleich gar hoch beschweret. Hierauf ich ihnen vermeldt, daß ich mich gleichwohl mit ihren sachen nicht gedächte zu beladen, were ihnen auch mit mir als einem weitentsessenen nicht gedient und gehöre viel darzu, waß sie deß rauchguldens und ihrer brieflichen documenten halben, die ich nicht gesehen, nach zu sehen noch zu lesen begerete, berechtiget, recht und wol fürzubringen und mit unz auszuführen. Was aber die türckensteuer betreffe, wann sie des erbietens seyen, sovil des heiligen reichs anschlag ihren gnedigen herren berürt, solchs völlig auf sich zu nemen und für ihre gn. richtig zu machen, so tetten sie der sachen genueg und köndten sie vermög des heilichen reichs jüngsten verabschiedung (in verso: dieweil dann nun die vorgesezte) nicht höher belegt werden [Reichsabschied 1598, § 11 der Neuen Sammlung der Reichsabschiede III, S. 454]. Derowegen were mein rath, sie solten sich nacher Speyer begeben, sich bey dem kay. fiscal anmelden und obermeltes erbieten thun, den selben fragen, wann sie als sulzische underthanen ihres gnedigen herrn angebühr uff sich allein nemen und alle angesetzte und bestimmte fristen die bezahlung verfuegten, ob er darmit zufriden und ihren gnedigen herrn ferner unangelangt sein lassen wölle. Bey dem wurden sie verhoffentlich und sonderlich auf erzehlung der ursachen, warum sie solches thun müesten, guten beschaid und gewißliche nachrichtung finden, wieviel sie iedesmals zu erlegen schuldig seyen und hetten also nicht noth, wider den herrn grafen als ihre natürliche oberkeit sich mit einiger klag bey der Kay. Maj. oder anderswo zu vertiefen und in ungemach zu bringen. Dann so bald sie bey der ordentlichen legstatt sich mit abrichtung der bestimbten ziel und fristen wurden einstellen, daselbst ein quittung nemen und dem fiscal fürzeigen, so werde der herr graf von ihme fiscaln weiter nicht molestirt werden.

Solches haben sie ihnen gefallen lassen und weiter nichts als allein und einig zu wissen begert, wie hoch [sich]doch eigentlich ihres gn. herrn gebürnus erstrecken möcht, dann das hetten sie noch niergends erfahren können: Darauf ich die jungstere moderirte matricul aufgesucht und dieweil bey erst verwichnen abschied insgemein für billich und recht constituirt worden, daß die underthanen dessen gewisse nachrichtung haben sollen, hab ich ihnen darauß für- und abgelesen, daß die grafen von Sulz dem reich in contributionen zwen mann zu roß und neun zu fueß zu halten schuldig. Solches treffe einfachen romzugs sechzig gulden, welche sie so oft erlegen müesten, als viel monat in anno 94 und 98 weren bewilligt worden. Sie mir hinwider alsbald die antwort geben, es treffe die Kleckauische underthanen allein zum halben thail, dann also sey es zwischen beiden herrn grafen von Sulz vergleichen und diß sey eben ihr größte beschwerung, daß man solche steuer ganz von ihnen haben wölle. Hierauf ich ihnen lauter und rund vermeld, wann dem also sein solte, so geschehe ihnen zuvil und hetten ursach sich zu beschweren. Ich aber wußte von der herrn grafen von Sulz graf- und herrschaften gelegenheit, auch dero tailung, einigung, vergleich und anderen umständen durchaus keinen bericht und grund, darum nochmaln mein rath seye, sie sich bey dem kay. fiscal eigentlichen beschaids erholeten, ob sie der verweigerung des ganzen anschlags befuegt und ob er die halbe contribution also zertailt wölle annemen, der wurde ihnen auch auf den notfall einen advocaten können zuweisen. Dann dieweil mir allerdings unwissent, ob die herrn grafen mit oberwendten anschlag allein die landtgrafschaft Klekkaw oder darunter auch andere herrschaften vertreten, so könte ich ie einmahl nicht wissen, was sie ihres thails zu tragen schuldig seyen. Sie abermahl vermeldt, sie wusten gar wohl, daß sie ein mehrers nicht als das halbe thail schuldig weren und wolten mich gebetten haben, daß ich ihnen darauf die rechnung machen wolte, wie hoch sich ihre gebürnus nach beiden reichs verwilligungen belaufen wurde, zu welcher zait und wieviel sie iedesmahls bis zu endtlicher entrichtung erlegen müesten. In dem allen ich ihnen bona fide in ansehung des jüngsten raichs abschiedts versi: und daß den underthanen zuvorderst aigentlich und außtrucklich diese hülf kundtbar gemacht, [ebd. § 12, S. 455] willfahret und sowohl was der ganze völlige anschlag, als auch das halbe thail, so sie schuldig zu sein vermeinen wolten computirt, in die ordenliche fristen außgethailt und nachgehendts ihnen fürgelesen. Darüber sie mich weiter gebetten, weil sie als unverstendige leuth solches so eben nicht behalten könten, daß ich ihnen darvon ein abschrift wolte zustellen und meinen namen underschreiben, auf daß sie ihre nachtbarn und gemeindten, im fall sie meines raths ferner bedörfen, mir zuzuschreiben wusten. Damit seindt sie davon gezogen und vermeldt, daß sie vor allen dingen sich nacher Speyer begeben und daselbst sich meiner anweisung gebrauchen wolten . . . Und wie ich erwenter sulzischen underthanen so mich consultirt mit namen keinen kenne, also weiß und kenne ich auch die dörfer nicht, dahero sie seindt, hab auch seithero von ihnen niemahl nichts gehört noch gesehen, bis ich verwichnen sommer gehn Speyer verschickt worden, da der wolgeborne herr, herr Friedrich Graf zu Fürstenberg meiner innen wo̧rden und mich beschickt auch fürgehalten, wie gedachte sulzische underthanen ihrer gn. herrn schwagern, dem auch wolgebornen herrn Ru̧dolphen Grafen zu Sulz ganz widersäßig die reichs gebür verweigerten, mit dem außtrucklichen verlauten, daß sie sich dessen bey mir raths erholt und ich sie lauter dahin solt angewiesen haben, sie seyen ihren gnaden mehr nicht als den halben anschlag schuldig, dahero es mit ihnen sehr gefährlich und darauf stehe, daß es endtlich ihre kopf kosten möcht. Dieweil ich dann solches alles angericht hätte, sie sich auch dessen auf mein eigne handtschrift berufen tetten. So köndte ich bey mir ermessen, in was gefährlichen terminis es auch um mich stündte, darumb dann ihre gnaden nicht hetten können underlassen, mir solches anzudeuten zu dem end, ob ich als beschuldigter author aller weiterung könte vorkommen und die underthanen wider zu gehorsam weisen, wo nicht, so mueste ich mein gefahr darüber bestehen. Hierauf I. G. ich mein obverstandene entschuldigung getan und zum höchsten beteuret, daß ich sie zu nichts anders angewiesen, dann sie bey dem kay. fiscal zu erkundigen, was ihres gnedigen herrn ratum der türkenhülf sey . . .

Ire gnaden mir darauf geantwortet, daß gleichwohl mit solcher außredt der sachen nicht geholfen, da ich aber die underthanen auf ein andern weeg und zu gehorsam bringen, auch mich bey ihrer gnaden herrn schwagern dessen was fürgangen schriftlich entschuldigen könt, möchtens ihre gnaden mir gönnen und gern sehen . . . Ich solte aber wissen, daß irer gnaden herr schwager also über mich ergrimt, da ich ihrer gnaden auf freyer straß solte aufstossen, daß es übel wurde mit mir außgehen. Als ihrer gnaden sich solcher und anderer noch mehr betrawungen oder vieleicht (wie ichs darfür halten will) gnediger warnungen gegen mir vernemmen lassen, komt eben herr Hans Ludwig von Ulm, K. M. reichshofrat darzu, so mir die handt gebotten und mich gegrüest, derowegen ich ihre gnaden nicht länger aufhalten wollen, sondern meinen abschiedt genommen mit vermelden, daß ich der sachen umbständt erkundigen und inmittels fleissig nachsinnen wölle, was mir hierzu zu thun sey.

So baldt ich wider in mein behausung komen, hab ich etlichen vornemen fürstlichen räthen, so damahln wegen einer revision zu Speyer tu thun gehabt und bey mir ihr herberg genommen, was mir gehörter maßen wunderlich fürkomen und begegnet, mit allen umbständten erzehlet, auch ihnen meine meinung erkläret, daß ich nicht wurde hinumb können, nicht allein ein mandatum de non offendendo am kay. cammergericht zu sollicitiren, sondern auch dem herrn grafen von Sulz, dieweil ihre gnaden mich für den verhezer der underthanen anziehen und diffamirten ex l. diffamari citiren zu lassen. Aber sie haben mir alles aus dem sinn geredt, daß ich mich nicht allein mit einigen schreiben gegen dem grafen weiter nicht solt verdächtig machen, sonder der ganzen sachen allerdings entschlagen und den advocaten dieselb verantworten lassen, sondern auch der weitleufigkeit fürhabender process müessig stehen, dann da wider mich klag fürkomme, wurde ich ja zur verantwortung müeßen gelassen werden. Und köndte ich mich bey meiner gehörter entschuldigung nichts zu befahren haben. Dabey hab ichs also bewenden lassen und die sach Gott befohlen.

Es ist aber über drey wochen nicht angestanden, daß mein negster nachbar zu Speyer und mein mit advocat am kay. cammergericht licentiat Carl Steibel zu mir in meine behausung komt, in meinung, mein new aufgerichten pau zu besichtigen. Der zeigt mir under andern reden, unfürsehener ding an, wie vor wenig tagen guete, arme pauresleutle weren bey ihm gewesen, so meiner am besten gedacht hetten. Ich gefragt, wer die gewesen. Er mir geantwortet, ich hätte mich zweifels ohn zu erinnern, daß in anno 98 etliche sulzische underthanen aus dem Kleckhaw weren bey mir zu Regenspurg gewesen und der türckensteuer halben wider ihren herrn hetten rath gesuecht. Die weren auf mein anweisung vorlängst gehn Speyer komen und sich umb ein advocaten beworben und also zu ihme Steiblin gewiesen worden, denen er bis dahero gedient. Hierauf ich ihm alsbalden zu verstehen geben, wie ich bericht worden, es hetten die underthanen gar ein böse bawfellige sach, dann sie fürgeben solten, sie seyen nur den halben anschlag, den die matricul auf die herren grafen von Sulz designirt für ihr ratum schuldig, wie sie dann von mir auf solchen halben thail ein rechnung begert, was sie daran iede fristen erlegen müesten. Ich hette aber von dem herrn Grafen von Fürstenberg verstanden, daß dem nicht also, und sie einmal den ganzen anschlag schuldig weren. Sie wolten sich aber nicht berichten lassen, sondern tetten sich auf obgedachte meine verzeichnuß referiren, alß solt ich sie darauf gesterkt haben, daran sie mir ganz und gar unrecht tetten. Dann eben darum, daß ich ihnen in solchem bloßen fürgeben, so sie mit einigem schein nicht belegt, kein glauben geben können, hette ich sie von mir ab und nacher Speyer zum kay. fiscal gewiesen, daselbsten sich ihrer angebür gewißlich zu erkundigen. Wolle ine derowegen gewarnet haben, daß er sich nicht von ihnen den paurn verführen laß mit erzehlung, was wohlermelter Graf von Fürstenberg meiner person halben mir gnedig zugemueth geführt. Und das gedachte pauren sich allein auß lauter halßstarrigkeit auf meine ihnen zugestellte designation bewerfen tetten, dadurch zubehaubten, daß sie zu mehrers nicht, dann was solche außweiset, verbunden sein. Licentiat Steibel mir hierauf geantwortet, es sey die sach viel anders beschaffen, dann die herrn grafen fürgeben. Es hetten die underthanen recht und wurden auch am cammergericht dabey gelassen werden. Ich hette mich hierüber nichts zu bekümmern, es seye an meiner designation nichts gelegen, es hetten die underthanen andere fundamenta und wuste er der sachen wol zu thun und obschon der herr Graf die underthanen am kay. hof heftig beklagt und process außgebracht, so werde doch der sachen auf bessern bericht baldt geholfen werden.

Ich hinwider vermeldt, es seye ihre sach guet oder böß, so geschehe mir doch ungüetlich, daß ich meinen namen herleichen mueß, es sey durch ihr advocaten oder seine principaln geschehen, wolt ich sie gebetten und gewarnet haben, sie wolten meiner mit solcher diffamation verschonen, dann ich umb die merita causa durchauß kein wissenschaft habe und sey mein designation, darauf sie sich berufen wöllen, nicht die matricul selbst, sondern auß der matricul allein auf das ratum gerechnet, welches sie ihrem fürgeben nach und dessen grundt und fundament mir unbewust, zu contribuiren schuldig sein . . .
Der verhezung der underthanen wider ihre oberichkeit weiß ich mich durchauß unschuldig. Kan aber das contrarium darthuen, daß ich aufgestandene und ausgetretene underthanen zur ruhe gewisen und wider zu recht gebracht, so hab ich auch den sulzischen underthanen, wie oben nachlengst vermeldt, widerrathen, sich mit außziehung verhaster process bey ihren Grafen und herrn in ungnadt zu verdieffen, sundern sollen mit williger darschiessung deßjenigen, was ihr gnediger her der R. K. M. vermög der matricul verbunden (wie sie sich selbst darzu erboten) solche weitleufigkeit umgehen. Diß ist mein ganze warhafte verhandlung mit den sulzischen underthanen und weil die röm. kay. Maj. in diesem fall auf edirung meiner handschrift gar wol tringen mag, darunter ich allerunderthenigst will angelangt haben, so bin ich gwiß und versichert, daß daraus das jenig, dessen ich bey ihrer Maj. beschuldiget worden, mit nichten zu bescheinen noch zu begründen. Wie ich dann auch einigen heller oder pfennig von den armen leuthen, mit denen ich auf ihr klagen und jammern ein christliches mitleiden getragen, nicht begeret noch haben wöllen.

Caspar Stemper Doctor

15

Schreiben Karls Grafen von Hohenzollern an Kaiser Rudolf II. vom 13. Februar 1602, in dem er auf die Belastung der schwäbischen Grafen und Herren durch den Widerstand der Unterthanen hinweist und um die Hilfe des Kaisers bittet, um einen allgemeinen Aufstand zu verhindern.

STA Sigmaringen, Ho 80, Nr. 141 aus Paket 38, (Konzept)

Allerdurchlaichtigster großmechtigster und unüberwindlicher röm. kaiser, E. K. M. seien meine allerundertenigste gehorsam schuldige willigste dienst nach eusserstem vermegen zuvor allergnedigister herr. Dero allergnedigster bevelch vom 28.

januari nechsthin, daß E. K. M. vorhabens, wegen etlicher gemainer wichtiger raissachen dero gesandten zu etlich underschiedlichen churfürsten, fürsten und stenden abzufertigen, darzu E. K. M. auch mich deputiert und forgenummen, derwegs ich mich zu haus verhalten soll, welches ich mit aller undertenigster gebürender referenz gesterigs tags woll empfangen. Wiewoll auch allergnedigster kaiser meine sachen also beschaffen, daß ich erhebliche ursachen meins erachtens gnug hette, bey E. K. M. mich allerundertenigst zu entschuldigen und für solche rais zu bitten, jedoch so erkler ich mich so wohl schuldig als von herzen berait und willig, E. K. M. mit darsetzung laib, guts und bluots, bis in mein tot zu dienen. Nachdem aber allergnedigster kaiser bei derselben zu fill underschidlichen malen, nit allein durch mich, sonder von allen schwebischen grafen und herren geklagt, bericht und allerundertenigst wider meine jetz etliche lange zeit und von tag zu tag je lenger je mer zunemende ungehorsame und rebellische underthanen, ain allergnedigistes doch ernstliches einsehens zu verschaffen und die redlsfierer zu notwendiger straf zu wenden oder uns solches zu tun und bei dem unseren selbs handzuhaben allergnedigst zu vergunnen, flehentlich gebeten worden. Weil die einkummene schriften und schreiben, darauf ich mich kürze halber allerundertenigst referieren tue, ferners inhalts mit sich bringen, wan uns aber darauf noch einiger beschaid nit zukummen so tut sich das, von meiner widerwertigen williglich angezüntes feur nit allein bei den mainigen, sondern fast ganzer nachbarschaft teglich erstrecken und mehren. Also wan von E. K. M. nit unverzuglich ernstliches einsehens beschiht, das anders nichts dan ein gemainer aufstand der underthanen zu erwarten ist. Bitt demnach E. K. M., damit ich mit waib, kind, beamten und anderen noch gehorsamen underthanen durch mein abwesenhait in höchster gefar hinderlassen miesse oder wegen derselben gar abgehalten mecht werden, die geruhen sich allergnedigist dahin zu resolviern, wie in den angezognen schriften und schraiben allerundertenigist gebeten ist worden. Das um E. K. M. nach meinem eusseristen vermegen mit darsetzung laib, guts und bluts zu verdienen, bin ich jeder zait willig und berait. Dero zu allen kaiserlichen gnaden ich mich allerundertenigst hiemit bevelhen tue . . Datum Sigmaringen den 13. februari ao. 1602

E. K. M. allerundertenigster
und gehorsamer diener

Karl Graf zu Zollern

16

Schreiben Johann Georgs Grafen von Hohenzollern an Christoph Truchseß von Waldburg vom 9. Mai 1605 über sein Verhältnis zu seinen Untertanen und Nachbarn. Der Abdruck verzichtet auf die Grußformeln, die Empfangsbestätigung früherer Briefe sowie auf die abschließenden Mitteilungen über Besitzangelegenheiten.

STA Sigmaringen, Dep. 30, Rep. I, Erg. Paket 20, (Konzept)

. . . Belangend meine unterthanen seind D. L. nit wol recht bericht worden, daß sy sich solten zum aufstand geneigt erzeigen, dan ich nichts als alle underthenigen gehorsam bey inen verspier. Haben sich auch einhelliglich gegen mir erklärt, ihr leib, gut und bluet bey mir aufzusetzen und sich, wie getreuen underthanen gebürt, zu verhalten. Sy haben auch anderst nit ursach, dan sy mit einigen beschwerden nit beladen, außer etlich wenigen, die sy mir in schriften underthenig geklagt. Die seind aber so geringer importanz, daß ich mit ihnen derselben halber in wenig stunden übereinkommen kan. So sy auch schon sich etwas ungebürliches erzeigen wollten, hat die herrschaft gute mittel, sy zu der gehorsame zu bringen. Und solches umsovielmehr, dieweilen die Grafschaft Zollern ganz frey und kein Lehensherrn auf dieser welt hat, darumben dan auch die underthanen keinen solchen haben künden. So hab ich keinen nachbauren alß Österreich, Wirtenberg, Zollern und Fürstenberg. Österreich seind meine gnedigste herren, haben da nichts zu suchen. Wirtenberg, mit diesen hat man kein einig streit und haben sich I. F. G. erpoten, wie D. L. auß beyliegender copia zu vernemen. Mit Fürstenberg stehe ich gar wol. Verhoff also mein leben in guter rue und einigkeit mit beystand Gottes zuzubringen. Darzu hilft mir die schöne und fürtreffliche ordnung, in welcher mein geliebter und getreuester herr vater seelig alle sachen hergebracht und hinderlassen, also, daß ich und die meinen uns nun mit nichts fernerem zu bemühen, dan allesamt in angedeuter ordnung zu erhalten.
Daß dan D. L. sich so freundlich erpieten, da es vonnötten wäre und sich dergleichen spennung zutragen sollten, es höstermaßen bey hof anzubringen, tue . . . (?) ich mich abermals ganz freundlich zum hochsten bedanken und gefreut mich von herzen dieweilen ich gute zuneygung gegen mir derauß verspüren tue. Dieweilen aber die sachen obbemeltermassen gewend und die grafschaft also conditionirt, daß es nur nit rathsam wäre, woschon wider verhoffen sich was mit den underthanen zutragen sollte, da ich die mittel zu Prag suchen tät, weiln ich dieselbigen mehr als sol allhir habe, so zweiflet mir nit, D. L. werden solches von meinertwegen

gern vernemen. Inmassen ich auch von herzen wünschen thue, daß D. L. mit den ihrigen auch einmal in bessere richtigkeit kommen möchte. Den mir nit zweiflet, es werde D. L. seer beschwerlich fallen, so lang und weit von hauß sich daniden aufzuhalten. Des würd aber verhoffentlich auch noch einest ein glückselige endschaft erreichen, welches dann D. L. ich von grund meines herzens als mir selbsten wünschen thue . . .

D. L. dienstwilliger und von herzen
affectionirter vätter und gehorsamer
son
Johann Georg Graf v. Zollern

17

Bericht der Beauftragten des Bischofs von Augsburg über ihre Verhandlungen mit den Untertanen des Tigens Rettenberg im Allgäu zur Beilegung der Streitigkeiten zwischen Bischof und den Untertanen vom 17. bis 19. Mai 1605.

HHSTA Wien, RHR APA A 2, 5 (3) Vgl. F. Stieve, Ein Bauernaufstand in der Herrschaft Rettenberg, S. 32 ff. und P. Blickle, Personalgenossenschaften und Territorialgenossenschaften im Allgäu, S. 209-13.

Am Aftermontag [Dienstag] den 17. may anno 1605 haben sich anfangs die pauren ungevar in 2000 mann stark zu Altstetten zwischen Obersdorf und Sunthoven aufm freyen veld zu zusamen versamlet und ainen advokaten von Kempten der statt doctor David Megerlin sambt ainen k. notario Martin Geiger genannt auch aus der statt Kempten bey sich gehabt und hat dieser conventus der pauren sich verzogen bis auf ungevar drey uhren nachmittag, von wellichem sie zween pauren an uns herauf gen Fluchenstein gesandt anzuzeigen, daß sie 32 mann zu ainem ausschuß erkuest und verordnet, welliche sambt dem advokaten und notario vor uns erscheinen und ihr begern vorbringen, von uns beschaid erfordern und volgens der ganzen landschaft anzeigen solle, wie dann besagte landschaft darauf zu warten und under dem schloß Fluchenstein auf einer wysen bey der mühlin, dahin sie in voriger anzahl sich zusamen getan zuverbleiben endschlossen sein.
Wiewohl wir uns nun gegen obgedachten ihrer beiden abgesandten ganz freundlich erklärt, daß wir dessen zufrieden auch darum allhie seyen und disen ganzen tag gewartet haben sie anzuhören. Die 32 verordnete ausschuß auch in anzug gewesen

herauf in das schloß zu kommen, jedoch als sie den schloßberg unden an der straß mit dem advocaten und notario sich wiederum versamlet in willen, ihren aufgetragenen bevelch zu vollziehen, so haben sich doch etliche aus der paurschaft, darunter sonderlich der würt zu Obersdorf Georg Erb und Hans Manner zu Berghoven die aufwigler gewesen, von neuem zusammengerottet, die ausschuß von ihrem heraufziehen abgehalten, mit dem truzigen vermelden, daß ain ganze gesamte landschaft vor allem handlung ihre allhie in Fluchenstein ligende privilegia selbsten und unabgesöndert anzuhören auch von dannen nit zu weichen bis ihnen hierinnen willfahrung ervolget, endlich bedacht seyen. Und obwoln der advocat ihnen stark zugesprochen, sie des hievor alberait gemachten einhelligen schlußes und ausgeschußnen 32 männer erinnert, so seyen sie doch auf ihrem fürnehmen beharret. Und darüber der advocat und notarius mit unwillen von ihnen hinweg und auf Sundhoven zugangen. Deme gleichwol zween auß den Außschussen nachgeeylet, ihne widerumb zuruck zu vermögen. Als aber hier zwischen die pauren aus anordnung obgedachten würts zu Oberßdorff und seines gesellen einen ring gemacht, der würt ihnen mit heller stim etwas fürgehalten, zuvor seinen huet auf den boden nidergeworffen und auf beschehen umbfragen und aufgehebte hand den schluß gemacht, daß sie nochmalen die ablößung ihrer privilegien sambtliche und unabgesöndert haben wölln, ist es dabey gebliben. Gleichwol ainen weg als den andern und nachdem die ubrigen pauren im rüng zimblich lang tumultuirt, die auschuß allein ohne den advocaten und notario, welliche wie oben gemellt, beraits darvon und nacher Sundhoven gangen, herauf für das schloß Fluchenstein auf die brugg kommen, des landschreybers zu Rötenberg, Michael Föhlins begert zu denen aber auf der herren einhellig guetachten, herr pfleger zu Burgberg und ich der canzler hinab auf die bruck gangen, ihr begeren angehört, so dahingestellt gewesen, weil je der gemaine paursmann so stark auf offentliche verlesung und mittailung ihrer privilegien und brief tringe und sie die ausschuß über alles zu sprechen sie zu anderem zu vermegen nit getrauen, so seye ihr underthenig diemütig pitt, ihnen hierinnen zu willfahren. Darauf herr pfleger und ich canzler ihnen zu erkennen geben, daß, da sie als der ausschuß dem einmal gemachten mehreren schluß und selbst getanen begeren nach, vor den herren deputierten erschinen, dies und anders ihr und der ganzen landschaft begeren der gebür nach vorgebracht hätten und noch täten, wurde ihnen gebürender beschaidt ervolgt seyn. Inmaßen wir dann unserstails nit abscheuens tragen, die tigeus schreyn von ihnen und dem kayß. notario eröffenen, die brief alle durchsuchen, auch nit allein ablesen, sonder ihnen davon abschrifft guetwiligelich widerfahren zu lassen. Demnach aber der pauren vill, so seye unmöglich, habe auch allerhand bedenkens, sie samentlich herein zu das schloß und das gewelb allda die schrein verwahret liegen, einzulaßen. Under wellichen dann ferners allerhannd hin und wieder gered worden, und etliche von vilen brieven und privilegien so vorhanden gewesen sein sollen, sich vernehmen laßen, sonderlich ainer so vor disem ain vorstknecht gewesen, Conrad Vogler von Obersdorf genant, offentlich außgeben, er habe von dem vorigen landamman, des jezigen vatter seeligen, vor vilen jahren vernomen, daß ein brief vorhanden, welches er den zaiger nennet, darinnen stande lauter geschrieben, daß in ganzer teutscher nation kain sollicher siz seye, wie in disem tigeu Röttenberg, und das sie von leibaigenschaft frey, sie auch ain herr weiter nit zu verschicken und zu gebrauchen macht habe, dann von dannen sie aines tags und abends wiederum haim kommen mögen. Item es seye ein herr von Augsburg allein der tigensleute schuzherr. Hiergegen ihnen wiederum zu verstehen worden, daß sie dise und andere vermainte reden hin und wieder auffaßen darauf bauen, und dahero zu dieser schwierigkait bereden lassen. Wir zweiflen aber nit, da sie ire brief lesen und hören, und darauß vermerken werden, daß dene nit also, sie werden sich zu allem gehorsam anweisen lassen und tun wie getreuen underthanen wol anstehet. Es wurde hierunder auch von etlichen under ihnen fürgeben, es wäre bey publication deß religionsmandat angezaigt worden, da sich ainer in lutterische ort verheuraten oder niedertun werde, daß demselben sein vatter- und mütterlich erb nit gevolget werde, andere aber haben solliches widersprochen, mit vermelden, daß bey ihnen dergleichen nit fürkommen. Sie truegen aber sorg es werde geschehen. So wir aber stark widersprochem auch gefraget, ob jemalen dergleichen einichen underthanen zugemutet oder dem mandat einverleibt worden, wie es auch unserm gen. fürsten und herrn in seine gedanken nit kommen seye. Item es werde auch von ihnen der abgeschlagnen geburtsbriff geklagt, darüber aber ich canzler vermeld, daß meines wissens die geburtsbrief niemanden versagt worden. Aber der freybriefen halber hab es sein besondere mainung, darzu sie ainen herrn auch nit zwingen künden, alß welches lediglich in seinem freyen willen stande, auch mit kainem recht dahin künde gezwungen werden, inmaßen die von inen angezogene reichsabschied ain solliches mit sich bringen. So künden und sollen sie auch, als die underthanen ainen herrn nit maß noch ordnung geben, daß er nit dasjenige fürnehme, waß er zur verlaitung seiner von Gott anvertrauten underthonen zum ewigen leben ambts halber vor Gott schuldig seye.

Alß nun mit sollicher conversation auf der bruggen etwaß zeit zugebracht worden und ich canzler den andern deputierten ihres des außschuß fürbringens und begerens relation getan, ist inen den außschussen angezaigt worden, dieweil es nun spat am tag und die eröffnung der schrein und ablösung der briefen weder vom außschuß noch der völligen paurschafft geschehen könde, so sollen sie samentlich des andern tags, als den 18. may, an dem ort, alda sie jezo versamlet wiederum zusamen kommen, die ausschuß sambt dem advocaten und notario vor unß erscheinen, allda die tigeustruehen eröffnet, ihnen die brief erscheint und fürgelegt und abgelösen auch volgens der ganzen landschaft vorgelesen, wie nit weniger auf begeren davon abschrift mitgetailt werden sollen. Dessen sich die ausschuß ersettigen lassen, solliches alsbald der noch versamleten landschaft im ring angemelt und sie wiederum vonainander gezogen und jeder haim gangen ist.

Mitwoch den 18. may ist der ausschuß samt ihren advocaten und kayserlichen notario vor unß im schloß oben aufm saal erschinen, denen wir anfangs die beede tigensschrein im saal herauf fürtragen lassen, und zuvorderst des kayß. notarium gebürendermaßen auch mit fürweißung auch darraichung eines goldguldens und halben thalers requiret, alles dasjenig, so nit allein bey disem actu apertionis scrinorium et editionis documentorum, sonder auch zuvor und nach bey den gemainen versamlungen und vor unß gered und gehandelt würdet, fleißig zu annotieren und unparteyisch zu protocollieren und ihren F. G. unseren gnedigen fürsten und herrn zu dero notturft und auf begeren eines oder mehrer instrumenta zu fertigen und zu stellen. Darauf er notarius sich willfärig erclärt, item die bey sich gehabten gezeugen requiriert.

Der pauren advocat herr doctor David Mägerlin: Demmnach die gehorsamen underthonen I. F. G. wegen etlicher neuer beschwerden ein underthänige supplikation überschickt und darinnen um abstellung derselben demütigist gebeten, ihnen auch unlangsten angezaigt worden, daß sich gestrigs tags dieselben zu anhörung der fürstlichen resolution hieher sollen verfügen, allso wäre inen in sonderhait dem ausschuß nichts liebes gewesen, dann daß man gestrigs tags constituta hora sich gehorsamlich einstöllen mögen. Nachdem aber zum tail die underthonen weit endsessen, die bevollmächtigung und anderß sich wieder verhoffen bis auf den abend verweylet, als bitten die ausschuß ganz underthenig, man wölle sollichen verzug zu kainer verachtung noch in ungnaden vermerken. Soviel dann ferners die communia documenta, so im tigeuschrein aufgehalten werden sollen, tut der ausschuß gegen I. F. G. deß gnadigen willfährigen erbittens, so der selben edition halber beschehen, ganz underthenig bedanken, wöllen auch derselben gehorsamlich erwarten. Ist inen auch nit zuwider, daß der herr kayß. notarius zugegen sollicher edition beywohnen möge. Auf den unverhofften fall aber und angedeuter documentis wenig oder vil sollte ermanglen, alß wöll ein ausschuß solliches und künftigen abgangs halber hiemit offentlich protestiert, wie auch in ain oder ander weeg alle rechtliche notdurfft vorbehalten haben.

18

Gutachten eines hohenzollernschen Beamten über die Frage, ob der am 23. Januar 1608 zwischen der Hohenzollern-Haigerlochischen Vormundschaftsregierung und den Untertanen der Herrschaft Wehrstein geschlossene Vertrag ratifizierungsfähig sei. Von den behandelten Fragen (Türkensteuern, Kreissteuern, Frondienste,

Strafen, Jagddienst) werden hier die allgemeinen Bemerkungen zum politischen Gewicht der Untertanen abgedruckt.

STA Sigmaringen, Ho 177, Nr. 38, (Original)

Erstlich, daß diese unterthanen lehen von Österreich und deswegen ratsam, was gemachers mit ihnen als wan sie aigenthumlich wären umzugehen. Finden auch wie man zu Sigmaringen, Scheer, Neuhausen und anderst wohnt, leichtlich hilf und zwar so viel, daß man ihnen schier mehr als den oberheiten beiständig ist auch solchen oberheiten, so zu selbiger befugt zu sein vermaint, nit wenig abstrickt. Zum andern ist auch wol zu bedenken, was für schimpf, spott, schaden und andere mehr ungelegenheit bey solchem widerwärtigen leben aufstehen muß, schimpf und spott, da man ein wenig was sperrt, das die unterthanen befugt. Sagt man die oberheiten haben ursach zu solchem unwesen geben. Hett selbige dis oder jenes nit angefangen oder bleiben lassen, hetten sie underthanen sich nit widersezt und waß dergleichen mehr ist. Schaden ist in genuge auszurechnen, was mit raisen, consulieren und anderm darauf gehet. Ihre große aintrag nidergelegt werden, will jetzund geschweigen, das ein oberheit nie wohl sagen kan, dis seyen ihre underthanen, so in der ungehorsame und rebellion sein . . .daß sie underthanen möchten sich dardurch verderben und alles gelt, was sie aufbringen könden hinaus tragend, die almanden verschwenden und dergleichen, wie dann die Haigerlochischen und Wehrsteinische underthanen hiedurch zu grossem verderben geraten um sovil, daß man sagt, sie seyen schon drey thail verdorben, sey auch kümmerlich der vierte thail übrig. Was frevel, lob und nutz es sey einer christlichen obrigkeit, so ihre underthanen in ainer solchen schwurmey ganz verderben, mag jedes die rechnung bei ihm selb machen und sonderlich daher erkennen, da man die arme leyt, ihre arme weib und kinder möge sehen, den bitterm hunger leiden und etwas allethalb under andern jurisdictionen nach dem allmusen gehen ihrer grosse viele. Wann sie heimkommen und selzam wehklagen machten, daß meniglich erbärmt mit ihnen hat und weil niemand da ist, so die obrigkeit vertädiget, gibt meniglich derselben unrecht und ain grosse diffamation . . .

Auf vorgeschlagene verträgliche mittel aber kan man obgenanten ungelegenhaiten etwas entgegengehen und sagen, daß die leut nit under andern, sondern diser obrigkeit underthanen seyen, künden ir nahrung mit merer ruh suchen, würd das diffamirn abgestellt, dagegen aber komt die obrigkeit vil unruh, sorge, kosten und verantwortung, wie man spricht, ob dem hals . . .

Für das sechst, den fronpuncten belangend, obwol nit wenige [meinen], das mer ufgehet als empfangen würd, ist doch hingegen auch wahr, daß da man den hof also selbs bawen tut ain mergliches die gueter gebessert werden und vil mer ertra-

gen als wan man sie in fron bawen liß. Dann der ain aus ohnwillen zu hoch, der ander zu tief zu acker gehet und eben . . . mer verderben als sie gut machen, dessen man bei disen und sunderlich den haigerlochischen gütern viva und vera exempla hat, daß dieselben das halb tail hingeliehen mer geben an dem halb tail, den die, so in fron gebawet worden zu ganzem tail. So geben auch all andere güter jezund da sie die mayer bawen noch so vil als da sie im fron gebawet werden, will geschweigen, daß Empfingen und Vischingen zehenden. Da die bawren ob iren feldern bleiben könden, vil ain merers ertragen, als da sie fronen müßen. (. . .)
Was aber die letzte obiection mit dem jagen belangen thut, wer wohl abermal zu wünschen, daß ainer gn. obrikeit mit der generalitet hett könden willfahrt werden. Alldieweil aber die underthanen kurtzum in allem ain gewüsse schuldigkeit haben oder nichts tun wöllen und man gesagt, daß die obrigkeiten auf solchen gemainen worten oft kein end machen, selbige zu weit extendirn und daß daher merthail alle solche streitigkaiten komen zwischen obrigkeiten und underthanen, wie bei allen zu sehen, hat man es weyter nit bringen könden und ehe sie underthanen mer etwas so generalisch und ungewüssres einwilligen, ehe hat man alle tage newe kriege. Sie sagen all, wan sie nur gewüss wüssen, was sie thun sollen, wollen sie ehe mer dan weniger laisten und hat man oben verstanden, ja mit höchster ungelegenhait selbst erfahren, wie grosse schaden aus den unainigkeiten der obrikeiten und underthanen entspringen und weil alle jahr um die herrschaft Wehrstein jahrlich ain mal zwai mit disen 3 tagen könden bejagt werden, zwischen Galli und faßnacht, würd ain gn. herrschaft allerley bedenken halb sich hierin selb wohl zu regulirn wissen und denwegen ain so nutzlich werk nit zuruck gehen lassen.

19

Am 7. November 1608 erteilt Kaiser Rudolf II. einer Kommission den Auftrag, die Beschwerden der Untertanen des Truchseß von Waldburg im Amt Hohentengen zu untersuchen. Bemerkenswert an dieser nur den Kommissaren selbst zugänglichen Instruktion ist der Unterschied der Anweisungen für Obrigkeit und Untertanen.

STA Ludwigsburg, B 90, Büschel 36, (Original)

Sovil den andern puncten der hohentengischen unterthanen beschwär wegen der vom erbtruchsessen irem angeben nach zuvil abgenommen türkensteuer betreffend, stellen wir es dißfalls dahin und wöllen, weil so woll jezt genante hohenten-

gische als auch alte andere aigentumliche erbtruchsässische unterthanen die contributiones aus gemain bewilligt, daß ir euch solcher contribution halben auf gewisse zil und fristen dardurch so woll wir als daß algemaine betrangte und erschöpfte wesen derselben habhaft und hergegen auch ihnen den unterthanen nichts unerschwingliches und unerträgliches aufgelegt werde, vergleichen möget.
Den dritten puncten und nämlich der truchsessischen unterthanen geclagte armut wegen des überheuften wiltpräts betreffent, bevehlen wir euch samt und sonders hiemit genedigist, ir wöllet mehrgenannten erbtruchsessen in unserm namen zu verstehen geben, es kome zwar dise beschwär nit allain von obgedachten underthanen, sondern auch von andern mehr orten gar glaubwürdig und mit sonderbarer befremdung vor, künten daraus fast nichts anders abnehmen, als daß man uns bey algemainer not wider obligend betrangnus durch der gleichen privatbeschwerungen, die doch leuchtlich zu remedieren seyen, an den zu widerstand des erbfeind des türken bewilligten hilfen gleichsam aigens willens zu spörn gemaint seye. Wir verstehen uns zu ihme erbtruchsessen genzlich, er werde dergleichen ungepür abstellen und diß orts zu fernerer clage nit ursach geben.
Jedoch mögen wir dises puncten halben endlich geschehen lassen, daß ir zwischen dem herrn und underthanen gewisse mitl und verglaich, darbei man bayderseits bestehen und nurnemlich die unterthanen nicht zu hart beschwert werden, doch auf unser ratification, machen muget.
Ingleichen sollet ir auch den hohentengischen unterthanen, welche sich etwas ungehorsamer als andere bißher erzaigt, an unser statt alles ernsts und bey vermeidung unserer kay. ungnad und unnachläßlichen straf einpinden und auferlegen, daß sie demyehnigen, wessen man sich hirinnen vermitels eur als unsere kay. commissarien zutuung mit den andern unterthanen, so wol der berait verfalnen als auch künftig verfallenden contributionen und derselben bezahlung halben obverstandnermassen vergleichen würdet, auch ires thails gewiß und unfälbarlich nachkommen sollen.

20

Mitteilung der Bauern des Oberrheintals und der angrenzenden Täler an ihre Nachbarn, die Zahlung des erhöhten Rappenmaßpfennigs (einer Getränkesteuer) vom 8. März 1612 zu verweigern, und Aufforderung zum Beistand.

ADHR Colmar, C 6/26 *(Original)*

Erenhafte, fürneme, ersame, bescheidene, liebe und guete herrn, freund und

nachpauren. Unser guetwillige dienst und grueß seyen euch yederzeit bevor. Demnach mir den 5. merzen ein ersame landsgemeind zu Mumpf bey der herberg zuer glocken angesehen und gehalten wegen des bewüßten und uferlegten rappen- und maßpfennigs. So seind mir als die in der herr- und landschaften Mölinbach, Rheinthal, Frickthal, Wehrerthal, Schwerstetter Thall, Sulzthal, Gansingthal, Metauerthal, Keuster- und Eytelthal undainandern durchaus und aus sammenthaftig einhellig worden, solchen gemelten rappenpfennig bey dem wenigsten nit gestatten zu geben noch bewilligen wöllen, sunder leib, guet und bluet bey einandern lassen, weil ein ader an einem lebt und regt. So haben wür euch solches zuschreiben und zuewissen thuen wölln. Weil aber uns getraut worden, wover mir solchen pfennig nit geben wellen, so woll man uns volk in das land legen und uns aller unser haab und güeter berauben.
Hiermit so stehet an euch unser underthenigs hochflehenlichs bitten, wo sach wer, daß solches solte beschehen, daß ir uns auch wöllent ein beystand thuen und verhilflich sein, damit wir bey unsern weib, kindern und guetlin verbleiben mögen und könnden. Wover es sich begebe, daß ir solten überlaufen und beschwert werden, mit was sach das beschehe, so seind mir gleichfahls durchaus auch einhellig worden, euch mit unsern leib guet ehr und bluet verhilflich zu sein. Wa aber solte sich begeben, daß ir und mir doch nit bei dem wenigisten nit vorhoffen, keinen beistand uns beweisen und verhülflich sein wöllen, so sollent ir auch keines trosts und hilf zu verhoffen haben. Hiemit wellen mir von ainer ganzen burgerschaft ainer antwort in drey oder vier tagen gewertig sein und solche nur in das negstligend thal geschickt werden und beineben uns samentlich götlichen gnaden wol bevelhen. Datum den 8. merzen 1612.

Ein ganze ersame landsgemeind
der obern ermelten herr- und
landschaften und thälern.

21

Die Untertanen von Justingen, Ingstetten und Gundershofen lassen durch ihren Anwalt Dr. Johann Plebst (Tübingen) den von der von Freybergischen Vormundschaft erhobenen Vorwurf der Rebellion zurückweisen.

GLA Karlsruhe, Abt. 83, Fasz. 25a. Vgl. die kurzen Ausführungen bei A. Schilling, Reichsherrschaft Justingen, S. 86–92.

Ob denn nun die paurschaft angezogen werden wölle, als ob sie wider ihren herrn aufgestanden, rebellirt . . . und im veld versamlt, ist doch solches weder in genere noch in specie pro crimine, sondern für ein notwendige gemüßigte betrangte und in allen rechten erlaubte eusserste defension zu halten. Dann dieweil sie nit allein verdrist von ihrem herrn mit allerhand unerhörten servitien und verderblichen, hochschedlichen beschwerden onerirt und von tag zu tag ie mehr betrangt, sondern auch hiernach mit gewalt intolerabili duritie premirt, laesirt und provocirt, auch über sie geschoßen worden, noch in ihren eigenen heusern nit gefreyet und gesichert gewesen wie solches nunmehr laider bey meniglich notorium und kundbar auch die general- und specialgravamina zu erkennen geben. Haben sie allein zu errettung ihres leibes und lebens, weil alberait ihre güter umgebracht defendendi animo, non offendendi, destwegen vor Gott und der welt bezeugend und köndens auch mit ihren ayd beteuren, so in hoc casu zuläßig etliche losgebrent und es solches nit occidendi laedenti aut vulnerandi, multo minus coadiurandi animo geschehen. Ist daraus obzunemen, dieweil sie die büchsen über sich gehalten und niemalen begert haben, ihne an leib oder leben, wie sie wol künt hetten, zu beschedigen, wie effectus solches erwisen, ubi igitur offensio est iniusta, ibi defensio est iusta et licita, nec peccare videtur, qui legibus imo ipsa natura permittente aliquid facit.

Auszug aus dem Bericht konstanzischer und württembergischer Kommissare über die Vergleichsverhandlungen 1614 zwischen der von Freybergischen Vormundschaft und dem Ausschuß der drei Orte. Gegenstand der Verhandlung sind hier die Ackerbaufrondienste der Bauern, die bereits verhandelt worden waren, jetzt aber erneut von der Herrschaft zur Diskussion gestellt werden.

So ist doch obmehrgedachter herr Jörg Ludwig von Freyberg, freyherr zu Öpfingen samt der Frau vormunderin erst den 31. januar zur sachen in der person erschinen, den vertrag widerum zu recapitulieren begert, das sie bei etwelchen puncten sonderlich des järlichen ackerbaws nit allein merklich sich beschwert befinden, sonder auch noch fernerer declaration zu furkommung künftiger strittigkeiten vonnöten, auch mehrere beschwertpuncten einzubringen hetten. Welches die baurschaft samt iren advocaten stark widerfochten, der vormundschaft gewalthaber mandatum cum libera, nit weniger rem iam transactam allegiert und sich gebeten, bey den abgeredten puncten handzuhaben una cum refusione expensarum. Item so hat die baurschaft auch copias der herrschaft lagerbücher, darinnen ihre alten fronen und schuldigkaiten in specie von vor alten begriffen, begert oder wir wollten sie in arrest nemen und inen recht darüber ertailen lassen.
Welches die gedachten von der vormundschaft bevollmächtigte doctores ebenmässig mit ernst bestritten und sich wehren müssen und anfang rem iam transac-

tam negiert, dann der tractatus nit ratificiert und zwar etwelche puncten tractiert aber conclusive nit. Secundo seien mehr gravamina verhanden, ausserhalb dern, so im abschied begriffen . . . Und derowegen so die nit, könden auch die andern volkumlich nit verglichen sein, sondern alle verfallen. Die expensa haben die baurschaft nit die herrschaft verursacht, die legerbücher gehören inen auch nit, sonder wolgedachter herrschaft. Das alles hat der underthanen advocat ganz begerlich inen schön ausgebuzt, war res transacta seye und wie hoch sie die bevolmächtige doctores sich hierin verdieft und seinen principalibus ir recht schon an die hand geben, so inen niemands mehr zu nemen, bewehrlich furgebracht und so ire gräfliche gnaden baide in der person anwesende vormünder, was in ainem oder anderem als melius informati fürzubringen, warum sie sich nit anfangs der commission bey den commissariis gleich sie erzaigt. Derowegen sie ferners in disen puncten zu weichen kaineswegs gemaint. Und also ainen solchen stritt disen ganzen tag verdrießlich verursacht, wir anders nit vermaint, wir abermals ohne verrichte sachen aufbrechen müssen und haben inen doch bei solchen aufstand viam compromissi fürgeschlagen, so die baurschaft nit acceptieren, sonder bei dem vergleich bleiben wollen. Bis die commissari sich weiters darein interponiert, disen puncten des akkerbaws, doch in fal weiteren verschlagens, jedes tails recht vorbehalten, ausgesezt und zu dem überigen geschritten, in obengezogenen vertrag begriffen, solches alles also widerum recapituliert, emendiert, declariert und erleutert, bis den 3. february hat es sich wider in puncto des ackerbaws merklich gestoßen, kain tail dem andern weichen wollen, die baurschaft ir extrema paupertate et impossibilitate item rem iam transactam ansehentlich dargegen die herrschaft possibilitate allegiert und ist doch nur ein halb juchart [Jauchert] ackers der stritt gewesen, daß wir entlichen aufgestanden, uns der sachen weiters nit beladen, unser acta zusammengeordnet und gar aufbrechen wöllen. Und bey solcher zerrüttung haben die underthanen E. F. D. und den herzogen zu württemberg, als baide craisfürsten zue schuz und schürmherren begert mit underthenigsten bitt und begeren, sie darin gnedig auf- und anzunemen, wollen sich alleruntertenigen gehorsam befleißen und als wir solch ir begeren schriftlich begert, haben uns die justingisch vormundschaft, als welche dise commission nit gern zerschlagen gesehen, allerhand gefahr vor augen gehabt, uns wider erbeten, der sachen weiters zu underwinden, wie nachmittags beschehen. Und so vil auf des herrn von Freyberg furschlagen verhandlet, das die baurschaft oder ieder under ihnen, so drey roß hab, uber sein ordinary in dem abschied vergriffnen ackerbaw auf der herrschaft begeren solle noch ain halbe jauchart ackers jarliches um den lohn zu bawen schuldig sein, als von ieder art fünf bazen, dabei es entlich und haubtsachlich zu holz, veld und in allem verbliben. Jedoch ob es gleichwol in dem abschid nit begriffen, so mögen doch die bauren in ihren gemaindhölzern erdbeer und kürsche gewinnen nach des flecken ordnung, von der herrschaft onverhindert.

Von

Auffstand der Untern wider ihre Regenten vnd Obern

sonderbarer Tractat verfertiget
Durch
Johann Wilhelm Neumair von Ramsla
daselbst Erbgesessen.

Ein frommer Fürst der so regiert,
Dem Land vnd Leüt wie sichs gebüert,
Dem ist gehorsam iederman.
Wird er aber zu eim Tyran,
Vnd übt gewalt, so folgt alzeit,
Auffstand vnd widersetzlikeit.

Johan Dürr sculp.

Jena, in verlegung Johann Reiffenbergers, A.° MDCXXXIII.

22

Vorrede und Inhaltsübersicht zu Johann Neumairs von Ramsla „Traktat vom Auffstand der Untern wider ihre Regenten und Obern", Jena 1633.

Es haben weise Leut / so wol den Regenten und Obern / als den Untern / viel herrlicher Lehren und Erinnerungen fürgeschrieben / wie ein jeglicher in seinem stand / Amt und Beruff / sich bezeigen und verhalten sol / damit das Band der Liebe / Trew und Einigkeit zwischen ihnen nicht zerrissen werde / und einer und ander in gutem Friede des Seinen geniessen / und dabey geruhiglichen bleiben muge.

Dieweil aber gleichwol offt geschieht / daß auff beyden Theilen die Gebühr und Schuldigkeit nicht in acht genommen wird / in deme / daß die Obern entweder die Untern allzusehr beschweren / beleidigen und drücken / oder daß die Untern ihres Regenten müd und uberdrüssig werden / und also Ursach und Anlas zu Enderung des Regiments suchen / oder was sonst von einem oder andern Theil fürgenommen werden kan / daraus Verbitterung der Gemüter / und endlich Auffstand und Auffruhr erfolgen muß.

Als hab ich von dieser Materi hiermit auch etwas auffsetzen wollen / damit beydes die Untern und Obern zu sehen haben / was in alten und newen Zeiten / so wol auff einer / als der andern Seiten / bey Auffstand und Empörung in unterschiedenen Regimenten fürgelauffen. Doch wird allhier ein solcher Auffstand gemeynet / da die Untern entweder von des Regenten Herrschafft sich frey und los machen / oder von ihm abfallen / deficere enim idem est quod rebellare. Decian. In tractat. Crim. Lib. 7. Cap. 31 n. 36. oder besorgender und bevorstehender Gewalt und Unterdrückung vorkommen und derselben begegnen / oder zugefügte Schmach und Unrecht an ihm rächen / oder ihn dahin zwingen wollen / dasjenige / darüber sie sich beklagen / zu endern / oder gar abzuschaffen / dann auff diesem bestehen die meisten Auffruhr und Empörungen / so von den Untern wider ihre Regenten und Obern jemal erreget worden / oder noch erreget werden können.

Es sol aber hiervon in nachfolgenden Capituln dieses gehandelt / und

im Ersten gesagt werden / Aus was Ursachen die Untern bewogen werden können / wider ihre Regenten und Obern auffzustehen. Scire enim est rem per causas cognoscere.

Im Andern / Was vor Nutz und Vortheil aus Auffstand und Auffruhr beydes den Untern und den Regenten und Obern / wie auch andern / und in gemein / erfolgen kan.

Im Dritten / Was vor Schad / Nachtheil und Ungemach aus Auffstand und Auffruhr / so wol den Untern / als den Regenten und Obern / wie auch andern / und in gemein / zu entstehen pflegt.
Im Vierdten / Was die Untern zu bedencken haben / auch thun sollen / wann sie wider ihre Regenten und Obern auffstehen wollen / oder allbereit auffgestanden sind. Do denn unter andern fürnemlich von nachfolgenden Puncten gehandelt wird:
1. Welcher Auffstand rechtmessig oder nicht rechtmessig sey.
2. Durch wen / und wie die Untern den Regenten ersuchen sollen / ehe sie ihm sich widersetzen wollen.
3. Zu welcher Zeit die Untern am füglichsten wider ihren Regenten auffstehen können.
4. Was der zu erwegen hat / welcher andere zum Auffstand anreitzen wil.
5. Was vor Mittel die Untern zu ergreiffen pflegen / wann der Auffstand auff einmal durch das gantze Land gehen sol.
6. Was die jenigen zu bedencken haben / welche von ihren MitUntern zum Auffstand angereitzet werden.
7. Bey wem die Untern Hülff und Beystand suchen / und auff was Maß solches geschehen könne.
8. Wann und zu welcher Zeit die Untern sich unter eines andern Schutz begeben und demselben sich submittiren können / wer es seyn / und was an demselben allenthalben consideriret werden sol.
9. Was die jenigen erwegen auch thun sollen / welche von den auffgestandenen Untern umb Schutz und Hülffe angelanget / oder gar zu Regenten angenommen werden.
10. Auff was Maß die Untern dem Regenten frembde Hülff und Assistentz wider sie / abwenden und verhindern können.
11. Was die Untern so wol an ihnen selbs / als in gemein zu betrachten haben / ehe sie auffstehen / oder wann sie allbereit auffgestanden sind.
12. Was Untere thun sollen / wann sie durch den Regenten oder andere von ihrem Fürnehmen abgemahnet / und ihnen Mittel zur Versühnung fürgeschlagen werden.
13. Was auff der Untern Seiten bey dem Angriff fürzulauffen pflegt.
14. Was die Untern thun sollen und können / wann sie sehen / daß ihr Auffstand einen widerwertigen Ausgang gewinnen möchte / auch vor der Straff sich fürchten.
15. Wann den Untern von ihrem Regenten pardon angeboten wird / was ihnen alsdann zu thun obliget.
16. Was Untere thun sollen / wann sie der Regent mit leidlicher Straff belegt.
Im Fünfften / Was Regenten und Obern thun können / wann ihre Untern wider sie

auffstehen wollen / oder allbereit auffgestanden sind. Do dann fürnemlich berichtet wird:

1. Was vor Vermutungen seyn können / daß Untere wider ihren Regenten und Obern auffstehen möchten.
2. Was ein Regent thun sol / wann er sihet / oder mercket / daß die Untern zum Auffstand geneigt / ihm aber die Ursach verborgen ist.
3. Was ein Regent so wol an den Häuptern unter den widerspenstigen Untern / als auch an den Untern in gemein zu consideriren hat.
4. Was der Regent thun sol wann die Untern vor dem Auffstand ihn umb remedirung ihrer gravaminum und Beschwerden ersuchen.
5. Was es vor Leut seyn sollen / durch welche der Regent die rebellischen Untern von ihrem fürnehmen abmahnen lassen wil.
6. Was der Regent thun kan / wann er seine wütende Untern selbs stillen will.
7. Wann die Untern des Regenten Diener einen oder mehr / auff welche sie erbittert / begehren / was zu thun.
8. Wie sich ein favorit an eines Regenten Hoff verhalten sol / damit er beydes seinen Herrn / wie auch sich selbs nicht in Verderben stürtze.
9. Wie weit den rebellischen Untern der Vertrag mit ihnen gehalten werden sol.
10. Ob und wann der Regent bey der Untern Auffstand ausweichen sol.
11. Wie die Untern an ihrem rebellischen Fürnehmen auffzuhalten / oder gar zu hindern.
12. Durch was Mittel den Untern alle Hülff
13. Bey wem der Regent Hülff unnd Assistentz wider die Untern suchen sol / und was so wol der Regent als der Assistent dabey zu consideriren hat.
14. Was die jenigen thun sollen / welche mit den Rebellen grentzen.
15. Wie zwischen den rebellischen Untern Trennung zu machen.
16. Was zu thun / wann der Regent bey wärendem Auffstand von andern angefallen wird.
17. Ob / und wann der Regent wider seine rebellische Untern selbs ausziehen sol.
18. Wen der Regent unter den rebellischen Untern als ersten anfallen sol.
19. Ob man der Rebellen Gesandten hören sol.
20. Was der Regent thun kan / ehe er die rebellischen Untern angreiffen wil.
21. Was einem Regenten zu thun / wann er die Untern getrennet und geschlagen.
22. Wie die uberwundenen Rebellen bestrafft werden sollen und was dabey zu bedencken.
23. Was der Regent thun sol / wann auff der Untern Seiten der Krieg wider ihn glücklich fortgehet.
24. Was er thun sol / wann die Untern den wärendem Krieg perdon bey ihm suchen.
25. Durch was Mittel uberwundene Rebellen bey Gehorsam zu erhalten.

26. Wie ein Regent gegen seine Unterthanen sich bezeigen sol / daß sie ihm allzeit getrew und gehorsam verbleiben.
Im Sechsten und Letzten / Durch was Mittel Auffruhr und Auffstand der Untern wider ihre Regenten und Obern auffhören oder sonst zergehen können.

23

Auszug aus der Chronik des Gerichtsschreibers Martin Harlandter aus Mittersill über den Zillertaler Bauernaufstand im Jahre 1645.

Druck: Mitteilungen der Gesellschaft f. Salzburgische Landeskunde 2, 1862, S. 182–190, hier S. 186–188. Zum Verlauf des Aufstands vgl. J. K. Mayr, Bauernunruhen in Salzburg am Ende des dreißigjährigen Krieges, in: ebd. 91, 1951, S. 1–106.

Mer So hatt Sich, Alls Man Zöldt 1645 Jar den 19 May Im Ziller stal zbischen den Paurn und der Obrigkhaitt wegen EinPringung der Steur ZbysPaldt und AufRue Erhebt, Am Aller maisten Aber durch den Oberschreiber und schörgen, welliche umb Leichte Ursachen die Paurn so Ibel haldten, So gar auch die hiedt (Hüte) genumen und zu schandten gemacht, Sonder (besonders) In ab wessen Ieres Pflegers Wolf CasPern Iber äckherer So das mahl nit An haimb gebessen, das die Paurn haben Iber Sechen und Sein Zu den straichen geradten und haben den schreiber und schörgen Ibel Trackhtirt und den Crichtschreiher verJagt, Ain steurPuech zerrissen, Die RistChamer Eröffnet und das gbör herauß genumen, Iere Leidtinandt und Korprallen Seindt Endt drunen. Alls Than haben Sich die Manß Personnen Samentlich So Vill Ier in Ieren LandtCricht mit Ieren Pösten wören her Ein in den gerlaß Waldt Pegeben, daruan Sie Pey Dreissig Oder Vierzig Man her iber auf Waldt geschickht, In mainung Das Chricht solls mit Inen haldten. Enbt Zbischen ist die Post auf Salzpurg an den Lanzfirten khumen und ist dasmahl der pfleger Von miter Sill Wolf CasPar Iberäckher Zu Salzpurg gewessen, wellicher AllsPaldt fir den Landtsfirdten gemiest und der Firdt ime an deitt, das das Zillerstal ganz Rewellisch, So wolauch die Waldter, Neukhircher und Prämberger, welliches Aber der Iberäckherer nit hat wollen glauben und macht Sich Am Montag das ist den 22 May zbischen Zbölffen und Ain Ur auf und khumbt mit dem dridten Roß Zbischen Ain und Zbay Ur in der nacht auf das miterSiller schloß, welliches die Mittersillerischen Paurn schan mit ganzem Fleiß VerWacht haben wegen der aufrue. AllsThan schickht der her pfleger unsser 6 oder 7 Alls Sefforin (Severin) Seninger, Friderrich Chornpichler Und meiner, Martin harlandter Sambt Andern Am Erchtag Auf Waldt,, Der mainung halber, das mier den Zillerstallerischen Paurn sowollen auch den Oberlandtern Sollen ZueSprechen, Das sie Sich Zu rue Pegeben Und Ein Jeder Sich Zu seiner hauß Und hörberig Verfiege, Dan Sie sollen wissen, Das wier Mittersillerische UnderThannen in Ier Aufrue mit nichten Darein Verwilligen Oder Inen Peystandt Thain, Sunder Unß ganzz ZuWider Und mier Dißmahl nit Ursach gegen die Obrigkhaitt haben. Darumben Wier Sie wöllen Ermandt Und gepeten haben, Das Sie sich auch Wider wollen Zu rue Und Vor grossen PluetVergiessen Und straffen hiedten Wällen, Dan Die hern haben Lang Arbm, Sie raichen weitt, Der Paur hat mit Inen nit guet kriegen, nicht Desto weininger hieldten haldt die Ziller staller in dem Gerlaß Waldt starckhe Wacht Und haben den Weg An Etlichen Ordten Verhackht Und sich Zu Der Wör Wöllen Richten, Underdessen schickht Der firdt Von Salzpurg Pey Vierhundert geworben Soltatten, Darundter Pey 50 Reidern, So Wollen auch Etlich haubtleitt und hern Zirleta (Ciurletta) Alls Landt Oberisten Sambt Etlichen Stückhl Geschiz, welliche aber zu mitterSill Sein Verpliben, Auch khumen hernach Pey Acht hundert Pewördte Paurn, Alls hällinger, gollinger, apenauer, staufeneger, Laufner, Eissendorffer (Teisendorfer), Ditmoninger, straßwalcher; Die haben Pey vier Wochen miessen hie Zu Mittersill, Velbm und Claussen Sich Auf haldten. Doch haben Sie Jere Wachten miessen verricht(en). Und Aber das geworm folckh hat hierauf gen Waldt und rannach gemiest Und sich All dort Zu Rannach verschanzt. Undter Dessen Sein Die Zillerstallerischen Paurn Nach Und nach Abgezogen, Dan man hat inen zuwenig Prauandt herein gepracht, Die Reichen haben fir die Armen nit Zallen wöllen, darmit hat der Chrieg mit der weil Ein Loch gewungen und haben Sich die Paurn Miessen Zu der geduld Pegeben und dem Landtsfirtten Ainen fueßfall Dain, da ist wider Peuelch Abgangen, Sie Sollen Ainen Ausschuß machen und Sich Pey dem LandtOberisten Sambt Andern Kumissarien und hernen Zu MiterSill Einstöllen, Welliches hernach Peschechen. Alls Than hat man Innen Samentlich den 11 Juny Zu MitterSill auf der Landtschrannen In Namen Des Landtsfirdten den firhalldt gethan, Welliches der her von Plaz Mindlich vorricht hat, Darnach haben die Zillerstallerischen Paurn, Welliche All DaZugegen gestandten, so Pey 14 gebessen, Miessen Niderfallen Auf die Khnie Und mit Aufgehabnen hendten Ain Offentliches Abpet dain Durch angeloben, Das Sie hinfiran Sich Wöllen fir dreue Under Than ErZaigen Pey Verlierung Leib, Er, Guett und Pluott, Auch Nimber mer khainer aufrue gedencken, noch Vilweniger Aine Anfangen, Auch Alles Das Jenige haldten, was inen ferners Sambt andern Salzpurgerischen UnderThanen wierdt auf getragen. Danach habens derffen Aufsten Und dem LandtObristen hern Zirletta im Namen des Landtsfirdten mit Mundt und handt angloben DasJenige Zu haldten, hernach Dem Hern Von Plaz, So wie Allen hern Da Zu gegen gesessen Sein. Alls Than hat man die Ziller staller Wider heimb Zu hauß gelassen, Aber die wacht Zu ranach hat den ganzen Sumer Gewerdt mit dem gewormen Volckh, aber Die Salzpurgerischen Paurn So wollen Auch die stuckh hat man AllsPaldt hinweckh gefiert. Aber Das schloß Mitter Sill hat man mit 30 Muckhadierern (Musquetieren) PeSezt Und haben miessen stetigs wacht haldten, Than es Seindt Ausserhalb MitterSiller gerichts schier in Allen gerichten falsche Paurn fundten worden, die Sich der auf Rue Erfreut haben, wie Than Zu Salfelden Etliche gar Endt drunnen Seindt, Ain Thaill ganz Umb Ier Sachen khumen Sein, welliches Auch In andern khrichten mehr Peschechen ist. Aber was die miterSiller, so der Zeitt Pebört (bewehrt) Sein gewessen [anbelangt], hat man Ainen Muskhadierer Ainen schenen Thaim (Dom) Thaller VerErdt Und Ainem OffeZier drei halbe der gleichen, welliche Ich Selber Auch Empfangen hab Zur getechnuß, das wier Unß Rödlich haldten haben. Also ist der khrieg mit der weill Außgewessen. Aber die Ristumb Oder Muschgetten hat man Van Allen schlössern Und Ristkhämern abweckh genummen Und auf Salzpurg gefierdt, Das das LandtVolckh vann ExiZiern Ein guette Zeit hat fridt gehabt Piß Auf das 47 Jar, Alls das halbe fendl samt . . . fendl In der Mardterwochen Auf Salzpurg hat gemiest Und hernach zu Salzpurg und hälla haben die Wachten Auf die wachen miessen Versechen, Dan Der Zeitt ist Iber All frembtes Volckh Alls khaisserisch und Pairisch umb das Salzburger Land herumb gelegen und dem firdten gedrott haben in Sein Land Zu fallen Und Chadier Zunemen, Daher hater Alle Grenizen So wollen Auch die stött VerSichern miessen.

24

Anfrage der Untertanen des Stifts Kempten an die Juristische Fakultät der Universität Ingolstadt über die Rechtslage hinsichtlich verschiedener neuer Belastungen durch ihren Herrn, den Abt des Stifts Kempten (1666).

AStA München, Fürststift Kempten, Münchener Bestand Lit. 428, fol. 14b–24b, Auszug. Vgl. J. B. Haggenmüller, Geschichte der Stadt und der gefürsteten Grafschaft Kempten, Bd. 2, S. 215–24.

Vor allem im Verlauf und nach dem Ende des 30jährigen Krieges waren im Stift Kempten einige neue Abgaben eingeführt und Steuern erhöht worden. Nachdem die Untertanen die Einsetzung einer kaiserlichen Kommission erreicht und Einsicht in die Herrschaftsverträge von 1526 genommen haben, die ihnen von der Stadt Kempten zur Verfügung gestellt worden waren, richten sie die folgende, hier teilweise abgedruckte Anfrage an die Juristische Fakultät in Ingolstadt, um bei den bevorstehenden Verhandlungen „der sachen nit zu vil oder zu wenig" zu tun. Die für die Untertanen insgesamt sehr günstige ausführliche Antwort der Fakultät erfolgte am 29. Januar 1667.

Aus disen und dergleichen noch anderen unerträglichen obrigkeitlichen auflagen und ohnleidenlichen beschwerden seint wir in soliche ergeriste armut und unglaubliches elent gerathen, daß unter uns underthanen oft in den 20igisten oder 30igisten haus nicht nur ein einiges bettle wierdt zu finden sein. Ja auch zu der ligen das frische stroh nit haben kinden, darbei auch uns in solichen schulden last stöcken und mit weib und kindern der bluetiger hunger und mangl leiden miessen. Und dieweilen wir von solichen beschwerungen ganz außgemerglet, dise ins künftig nit mehr ertragen kinden noch wüsten. Jedoch aber uns gegen unserer gnedigister obrigkeit jehe und allzeit gern unsern underthenigisten gehorsamb erzeigen möchten und unsere schultigkeiten nach ausweisung unserer Verträge und kaufbrief williglich abtragen wolten und damit wir gleichwol in dem desto sicher gehn und daß wir unser gnedigisten obrigkeit zu thon schultig sein und was wir mer auflag ertragen miessen oder uns dern mit guten monirt und underthenigisten respect befuessen(!) und entschlagen kunten auch dern von rechts wegen befuegt und berechtigt seyn wissen möchten, setzen wir unsern gnedigisten und hochgeehrten herren volgender puncten und fragen zu deren vernünftigen bedenken, daß diselbe soliche nach dern erleichtem verstand, wie es bei den so geistlichen als weltlichen geschriben rechten an alleränhlichsten sein kan und soll, ganz unpartiescher weis erörtern und decidirn wollen.

1. Als nemblichen erstens ob wir unsern kostbarlichen aufgerichten verträg zuwider unser gnedigister obrigkeit ein jahr lang 3fache oder 6fache steyer anstatt der, wie die underschiedliche verträg lauten, einfache steyer zu geben schuldig seyn und ob wir von rechts oder der reichsconstitution weg dahin gezwungen und vermögt werden könnten.

2. Wan ein raiß- oder reichsteyer außkomt, ob uns soliche uncosten einig und alleinig oder noch mehrers als soliche erfordern könnten von rechts wegen aufgelegt werden, da doch unser verträg uns zu beytragung der 3 thailen klerlich weisen, den lesten vierten teil aber den fürstlichen stift Kempten auferladen?

3. Ob wir zu der unnutzlichen grossen kostbaren gebenen und zu dem niderreißung und widerum schädlichen anfiehrung derselben zu contribuieren, auch die zu vorhero mehrmalen schuldige schar- und frohndienst noch darzugeben zu un-

serm grösten nachteil und stürzung in die eysereste armut von rechts wegen verbunden seyen, weil ein ganz neuerliches, zuvor niemal gedachtes uns aber ein unerschwingliches geföll ist.

4. Weilen wir den ewig St. Martinszeller vertrag ihr original zwar nit haben doch die copia aber in der kay. reichsstatt Kempten canzley ganz unversert von anno 15 und 25 hinderlegt ist, auch soliches aus alten original steuerbuechern belegen und erweislich dartun kinten, daß wir denen einverleibt seint, demgemäß höher nit als von jedem hundert fl. um 15 kr. seint gesteuert worden. Ob wir nit von rechtswegen die edition und vorlegung solicher steuerbuecher auch uns denen gemäß zu halten, begehren, oder ob man von rechtswegen von uns die 6fache steuer erzwingen kinte.

5. Seint wir zwar ganz nichts in abred, daß wir der fürstl. stift Kempten steuerbar und ein jahrliche landsteuer vermög unserer verträgen schuldig seint, auch zu aufbauung des fürstlichen stifts gern unser bestes ton und erschwinglich beyspringen sollen, sodan bekennen wir in gleichen, daß wir die bey der fürstlichen stift von unsertwegen gemachte schulden ablegen und widerum bezahlen sollen. Wir kinten aber erweislich darthun, daß wir von 40 jahren her neben unser jahrlichen geföllen an baren harten gelt, steuern, renten, zinsen, graß- und lehengelter einig und allein an purlauteren extraordinari auflagen an baren harten gelt bezahlt haben auf gnug(?) weiter yber die 5 mal hunterttausend und 34 tausend fl., welche von nutzlich und recht von unsern gnedigisten fürsten und herrn weren angelegt worden, woll und mehr erklecklich gewesen were, daß man nit allein ein ansehliches fürstl. stift aus den grund heraus auferbaun, die schulden bei kreuzer und heller bezahlen und noch einen namhaften yberschuss häte haben kinden.

Anietzo aber stehet der stift gar noch in solicher imperfection und zu solicher unbequemlichkeit, daß wan diser volfiert werden solt, solicher noch wol merers, als in die 50 oder 60000 fl. erfordern wierdt, darbey auch noch ein gewaltige summa der schulden stehet. In welchen, wan wir alles bey zutragen wolten angehalten werden, wir soliches niemehr erschwingen künten, sondern sambt weib und kindern in das bittere elent hinausgehen und haus und hof verlassen miessen. Nun gibt sich die frag bey so gestaltsame der sachen, ob wir unsers gnedigisten fürsten und herrn höchst schedlich und unnutzliches bauen zu entgelten haben und ob wir von rechtswegen zu solichen weitern unerschwinglichen beytragen an baren gelt und zu den schweren nicht schuldigen frohndiensten kinden genötiget werden? Auch ob wir dieselbige schulden zu abzahlung dern cour vil ein mehrers an baren mitlen schon zuvor hero hergeschossen, als daß wir schuldig gewest weren, unser gnedigister fürst aber das gelt nicht zu bezahlung der schulden, sondern anderst wohin unnutzlich verwendet, nochmalen zu bezahlen schuldig seyen, und ob unser gnedigiste obrigkeit yble oeconomia ihn uns erarmte und ausgesogene underthanen und unsere weib und kinder sedundiern sollen, und ob fürderhin auch von uns noch weiter dergleichen unerschwingliche continuierliche unaufbringliche und unnutzliche höchstverderbliche extraordinari exactiones von rechtswegen kinten erfordet und erpresset werden.

6. Hat unser gnedigister fürst und herr sich bei den jüngst anwesenden ansehlichen päbstlichen und kayserlichen commissarien nicht allein selbst erkent, daß wir eiserst betrangte underthanen unerschwinglich überladen seyen, sonder es hat es auch die ganze welt sonnenklar erkennen müssen, wie dan wir keineswegs zweiflen, sondern wol versichert seint, daß soliche unser mehr unertregliche auflagen in der höchsten ansehliche herrn commissarien allerunderthenigisten relation der R. K. M. alereiferichist erzaigt und remonstriert, mit grossen costen leut beschriben worden seyn, indessen unser gnedigister fürst und herr aber sich selbsten in vilen sachen zu remedirn gnedigist erbotten und beraits von der 3fachen steuer auf unser eingegebne klagen adiert und unter andern beschwerten bis zu austrag der sachen (so durch ein gütliche underhandlung oder compromiß beygelegt werden sollen) gewichen ist, daß wir also um so vil desto mehrers verhoffen, es sollen uns von aller rechten billichkeit wegen aufgeladene und wider aller fug und herkommen aufgebürdet beschwerden erleichert und abgenommen werden. Daryber aber wir doch auch unsern gnedigisten und hochgeehrten herrn hoch verninftige juridische sentiment und guetachten begehren zuvernemen verlangen, wie soliches nit nur für sich selbsten sondern auch von rechtswegen beschehen solle.

7. Ist abermal unser underdienstliches anfragen, ob wir das schmaltz oder jehrig butter, so wir vor disen gegen barer bezahlung geliffert, anietzo aber vor etlich jahren her ganz neuerlich ohne aller entgelt ja auch mit schweren antroung strafen geben miessen, noch weiters hin dergestalt wider die alte observanz ohne die bezahlung kinde getrungen und genötigt werden.

8. Möchten auch wir herzlich winschen und wüssen, was die leibaigenschaft aigentlich und von geschribenen rechten wegen auf sich haltete und ob man mit den leibaigenen leuten und underthanen mit guten gewüssen den rechten gemäß und vor Gott verantwortlich dergestalt umgehen dorfe, gleich wie oben erzelt worden.

9. Ob wir zu beytragung und bezahlung der jehrigen grossen und schwern auch schädlich und unnutzlichen unkosten verbunden seye, welcher unser gnedigister fürst und herr wegen der beweißlichen und von jedermann erkennten unrechten differentien aufgewendet hat und noch aufwenden möchte.

10. Ob man von uns wegen derjenigen durch das kreyswesen vil jahr öd und ohne nutz gesparten gueter nach erlangtem lieben frieden von uns mit recht und fug auch von recht und billichkeit wegen nicht allein die verfallen ordinari obrigheitliche geföll, sondern auch die wider alle billichkeit aufgebürde drei- und sechsfache steuern neben andern extra ordinari auflagen mit gueten gewissen zu unserer und unserer weyb und kinder eißeristen verterben fälliglich und ohne allen abgang abzwingen und einnemen haben kinde.

11. Ob einer under uns von rechtswegen mehrers zu versteuern schuldig seye als daß er in seinen vermögen hat.
12. Ob nit die geschribene rechten von Gott und der erbaren welt uns so vil zu erkennen geben solten, daß wir dasjenige, was wir zu vil, uns zu unserer selbst aignen undergang yber alle schuldigkeiten bezahlt nit widerum von rechtswegen zuruck fordern oder aber soliches uns an unser kinftigen geföllen und schultigkeiten abziehen zu lassen begehren möchten oder kinden.
13. Ob jehe hochfürstlichen gnaden ohne alle not das umgelt zu unsere und der armen kranken (nach)perschaft und kindbettern grossen nachteil vor sich selbsten und ohne ursach habe erhöhen kinden.
14. Dißgleichen ob ihr hochfürstliche gnaden ohne alle titul und auch ohne not den gemeinen würten zu grossen beschwerten ihnen ein neuerliches zuvor niemal gewißes noch schuldiges iahrliches fuergelt aufbürden kinden auch ob sye sich dessen nicht von rechtswegen underthenigist widrigen kinden.
15. Ob wir gesamte underthanen weiters künden von rechtswegen dahin gezwungen werden, daß wir noch fürderhin tägliche hochbeschwerliche zuvor niemal schuldige frohndienst laisten und noch yberdas noch darzu unertragliche vor jahren unerdachts bares frohngelt bezahlen sollen, weilen wir sovil nachricht haben, daß dergleichen neuerungen und beschwerliche wider das herkommen aufgebürde auflagen auch ihn der kayserlichen capitulation praecavirt sollen sein.
16. Ob es den rechten und rechtsconstitutionibus gemäß und ähnlich seye, daß einer mehrers von einem gut seiner obrigkeit jahrlich reichen und geben solle, als daß das gut ein ganzes jahr auch zu guter zeit an sich selbsten ertragen mag?
17. Item ob es den rechten gemäß und conform seye, daß ein delictum zum underschiedlichen machen solle abgestraft oder gebüßet werden. Wellen wir auch sovil hören, daß die rechten an sich selbsten die delicta mehrers nicht als mit einer straf bezeichtigen von den gemeinen rechten echtem beneficium jewis zu hoffen haben.
18. Ob wir die wider gesetzte verordnung diß canzleytax hoch beschwerliche ybernemung desselben (so nur um eines oder des andern particularinteresse willen geschehen) billich zu ändern und uns deshalben von rechtswegen billich zu beschweren haben.
19. Ob die fuerwexl so under den herrschaften selbsten dahin zu allerseits underthanen besser nutzen und fromen verordnet, dergleichen und also zu halten abgehandelt worden, von unserm gnedigisten fürsten und herrn proprio mente (?) et auctoritate auch für sich selbsten freywillig zu unserm grossen nachteil und beschwerlicher praejudiz kinden frey und nach belieben abgetan auch von uns die zuvor jemal schuldige abkäufung des leibs und bezahlung des gesuchten abzugs von rechtswegen abgefordert werden.
20. Seind noch vil und mehrerteil aus uns, welche gute und früsche wissenschaft tragen, daß erst ungefahr vor 26 jahren unser gnedigister fürst und herr auch diß

zohls halber ein neuerliche beschwerung eingefürt und angefangen, indeme seithero einer und ein jeder, welcher . . . (?) ein stuck vieh auf den marktfall führet, dises aber nit weg kaufet, jedoch den halben zohl darvon geben muß, darvon er doch vor disem nichts zu geben schuldig gewesen ist, sondern soliches unverkauft stuck vieh noch widerum frey und ohne entgelt haimführen möge. Hirüber mochten wir wol wissen und machen die frag, ob unser gnedigister fürst und herr solichen zuvor niemalen gewesten zohl proprio auctoritate und ohne noturft, auch ohne erhaltene befreyung und privilegierung und praententierung ihrer Kayserlichen Majestät und der gesamten chur- und fürsten haben erhöhen, steigern und den armen man von rechtswegen auferladen kinden, auch ob die erarmte underthanen zu reichung dessen noch fürderhin von rechtswegen kinden gezwungen werden.

21. Es hat uns zwar ihren disen und andern puncten von unser gnedigisten obrigkeit die proscription oder verjahrung wolten vorgeworfen werden, daß sye craft diser dise jura zu manutentieren berechtiget, wir arme underthanen aber solichen last ewiglich zu tragen verbunden seye. Wir tun aber disen leichten einwurf unsern gnedigisten fürsten und herrn dergestalt begegnen, wie er auch selbst bekennen muß, namlichen daß er dises seines praetendierten juris uns erstlich keinen iustum titulum, wie er soliches hergebracht habe, vorlegen kan, secundo daß er jehe und alzeit in mala fide gestituiert gewest, waß wir vermüg unser verträgen gegen dessen fürstlichen stift zu tun schuldig verbunden sey, tertio es kan auch unser gnedigister fürst und herr kein einige continuatam oder quietam iustam possessionen dociern, indem er und dessen räte selbst wol wissen und bekennen muß, wie wir eißerist erpresste underthanen und die höchste erarmte und notleidende witwen und waisen uns ob diser neuerlichen beschwerden jehe und alzeit höchstes beschwert gar wider reclamiert, soliche contradicieret und uns zu solichen schultigkeiten niemal erkent, sonder uns deren zu entheben vil tausendmal fußfälligist angeruft und gebeten haben, wie dan deretwegen nicht nur ein riß papier uberschrieben worden ist, dardurch aber wir mehrers nit erhalten, als daß man von uns alles dasjenige, was wir nit gleich bares gelt erlegt und bezahlt haben, soliches hernach von uns mit gewalt erzwungen und abgenötiget worden. Darbei möchten wir abermal wol wissen, ob unser gnedigister fürst und herr sich auf soliche verjahrung und proscription von rechtswegen beziehe, sogar behalte und craft derer aus ein solich ewig slavisches servitut und dienstbarkeit einschrenke und wir darzu von rechtswegen verbunden sein.

Dises und alles andere, was wir in diser unserer deduction unsern gnedigisten und hochgeehrten herrn puncten weiß nach langs in wahrheitsgrund und wie soliches der ganzen erbaren welt bekant und es an sich selbten beschaffen ist, erzehlet, stellen wir nochmalen zu deren rechtlicher erkantnuß dergestalten, daß diselbe deren hochvernünftiges und erleichtes judicium so wol der geistlichen als weltlichen rechten gemäß und wie soliches heut oder morgen in unseren und unseren weyb und kinder namen gegen Gott den Allmechtigen den gerechten richter und unser gnedigister obrigkeit verantworten sollen und mögen. Darbei wir für uns selbsten anders nichts als was der lieben iustitia und gerechtigkeit ähnlich ist, suchen und begehren.

25

„Discurs Zweyer vom Adel auß der freyen Reichs-Ritterschafft: Wie man die Unterthane tractiren und recht nützlich gebrauchen solle. Gedruckt im Jahr 1670.“

Stadtbibliothek Augsburg

Fridericus: Meine Dienst / Herr Vetter:
Rodericus: Sein Diener mein Herr Vetter: Wie kommen wir hie zusammen? Seine gute disposition und Gesundheit erfreuet mich; Ich habe den Herrn Vetter so lang nicht gesehen / daß er mir fast entwachsen?
Frid. Wie so! Herr Vetter!
Rod. Ich weiß fast nicht.
Frid. Ich habe in Warheit eben so lang den Herrn Vettern nicht gesehen / als er mich / und ist mir lieb zu hören / wann der Herr Vetter sampt den Seinigen bey guter Gesundheit und Wohlstand sich befindet.
Roder. Wan ich fragen darff / wie lebet Weib und Kind?
Frid. Gott Lob! noch so hin / wann wir nur gesund seyn an Leib und Gemuth / so haben wir dem lieben Gott zu dancken: mit Erlaubniß / darff ich auch fragen / wie des Herrn Vettern Liebste mit den lieben Kindern lebet?
Roder. Allwohl! Ich weiß von keiner sonderlichen Anfechtung.
Frider. Das ist gar zu gut. Ich / GOtt Lob / habe immer Anfechtung genug / wo nicht mit meinen unruhigen Nachbarn / doch mit meinen Creditorn.
Roder. Wann mich die Cantzley und mein Pfaff zufrieden liessen / so mögt es im übrigen alles wohl hingehen.
Frider. Was thut ihme die Cantzley zu leyd / sie ist ein alt steinern Hauß / und ja weit genug entlegen / daß sie ihme den Prospect von seinem Schloß oder Fenstern nit hindert.
Roder. Ey / Safferment / es ist mir nicht umb das alte steinerne Hauß zu thun / sondern die Elements-Kerl / die droben sitzen / und die Feder spitzen / die Safferments-Doctores und Federmentisten meyne ich.
Frid. Was thun dann die?

Rod. Sie wollen durchauß nicht gestatten / das ich mit meinen Unterthanen umbgehen möge / wie ich wölle: sondern schicken mir einen Fürstl. Befelch über den andern / Ich sol sie bey ihren alten Herkommen bleiben lassen / ich sol ihnen nicht mehr Dienst und Beschwerung auffladen / als sie bey meiner Voreltern Zeiten gehabt.
Frider. Mein Herr Vetter verzeihe mir / wenn er keine andere Anfechtung hat / denn diese / so kan er wohl ohne Anfechtung seyn.
Roder. Was? sol ich mir denn von dem Fürsten / oder seinen Doctorn lassen vorschreiben / wie ich mit meinen Unterthanen umbgehen / und sie tractiren sol?
Frider. Nein / Herr Vetter! gar nicht / sondern er bleibe nur in Terminis unserer Ritter-Ordnung / darauf wir alle ein leiblich Eyd geschworen / und dazu wir von Rechts- und Billichkeit wegen / auch one Eyd / verbunden seyn:
Roder. Was wil der Herr Vetter von der Ritter-Ordnung sagen / ich habe sie zu Hauß / und etlich mal drinnen gelesen / finde aber nicht darinn / daß mir / als einem Frey. – Fränckischen Reichs – unmittelbaren Edelman / ein Fürst/Lehenherr oder Doctor auff dero Cantzley / vorschreiben möge / was ich thun oder lassen solle.
Frider. Es stehet aber mit außtrücklichen Worten drinnen / wie sich ein Adeliches Mit-Glied gegen Gott / gegen die höchste Obrigkeit / den Römischen Kayser / unsern allergnädigsten Kayser und Herrn / gegen andere Chur-Fürsten / Herren und Stände / gegen seines gleichen und dann auch gegen seine arme Leut und Unterthane verhalten solle;
Roder. Es stehet viel geschrieben / wer hälts? Zu dem / warumb sol ich eben daran gebunden seyn / da doch andere auch thun / was sie wollen: Was wäre ich dann für ein Freyer Franck? was hülffe mich die gerühmte Freyheit? Oder / was wäre dann für ein Unterscheid zwischen einem freyen Edelmann / und Landsassen?
. . .Was ist das viel anders / wenn ich meine Unterthane nicht brauchen sol oder darff / wie ich wil?
Frider. Dem Herrn Vetter beliebt also zu reden / verstehet es aber viel besser / als ich sagen kan.
Roder. Nein warlich / der Herr Vetter verzeihe mir: Er weiß / daß ich der Alten noch keiner / auch bey dem Ritterlichen gemeinen Wesen nicht viel herkommen bin. Was ich weiß / das hab ich von meines Vatters seel. alten Vogt gehört / und nach dem ich denselben abgeschafft / auß seinen Rechnungen und alten Protocollen befunden / wenn ich mich nun zuweilen so drüber setze / umb die lange weil zu passiren, so sehe ich doch viel / daß mein Vatter seel. von der Cantzley nicht so ist vexiret worden / wie ich anjetzo: Mein Vatter sel. hat Jährlich 2. oder 3000. fl. Einkommens gehabt / und sich davon stattlich und wohl halten können / aber jetzt wil es nirgend nicht zulangen / wenn ich nun die Bauern straffe oder sonst mit Steuern belege / damit ich meinen Stat desto besser führen könne / und nicht wie

ein Bernheuter daher ziehen müsse / so lauffen die Schelmen hin / und klagen / worauff mir bald dieser / bald jener Inhibitions-Befelch zukompt.

Frider. Woher kompts dann / der Herr Vetter hat ja noch alle die Güter / die sein Herr Vatter gehabt / und noch mehr dazu:

Roder. Ja! Ich halte aber dafür / die Blut-Bauern seyen so lose Schelmen / daß sie mir allen Segen wegnehmen / ich wolte / daß sie der Teuffel alle mit einander holete!

Frider. Ey behüte GOtt! wie mag der Herr Vetter so wunderliche Reden führen? was wären wir für Edelleute / wann wir keine Bauren hätten? Ein Bauer ist ein Lauer / ist zwar ein alt Sprüchwort: Allein / man kan ihrer nicht entrahten / und wann schon einer ein böser Bub ist / so sind sie es doch nicht alle / den Bösen kann man straffen nach Verdienst / und nicht übermässig oder aus Rach / oder Geitz / sondern nach dem Rechten / aber den Frommen muß man passiren, und alle beyde bey ihrer eingebildeten / vorhin sehr genug beschnittenen Freyheit bleiben lassen: damit man derselben nach und nach wider geniessen könne. Ein Bauer ist eben so wohl ein Creatur GOTTES / und ein Mensch / als wir / ohne / daß uns GOtt in höhern Stand gesetzt / und über den Bauren erhoben hat / daher Kayser Maximilianus gesagt: Ich bin ein Mann wie ein ander Mann / ohn / daß mir GOtt die Ehre gan: Dessen sollen wir aber uns nit überheben denn im Todt / im Himmel / oder der Höllen ist alsdann kein Unterscheid. Die Tugend / als das einige Kennzeichen und Kleinod des Adels / sol uns von Natur eingepflantzet seyn / nach deren Anleitung wir auch leben / und unsern Stat führen sollen; Ein Edelmann ohne Tugend ist viel ärger als ein Bauer / der Herr Vetter weiß selber exempla, ich mag ihm keine erzehlen / wie es bißweilen Gesellen unter uns gibt / die von der Bierkanne und Tabackpfeiffen vielmehr halten / als von einem Gebett-Buch.

Roder. Beten stehet dem Pfaffen besser an / weder einem Edelmann; man lachet heut zu Tag einen Edelmann auß / wann er viel bettens sich befleissigen wolte: Wenn der Herr Vetter einmahl an unsern Hoff oder andere lustige Gesellschafft käme / so würde ers erfahren.

Frider. Nichts desto besser / daß der leidige Teuffel es dahin gebracht hat: Man sehe zu / wie übel sichs einmahl Himmeln wird.

Roder. Wenn ich mit meinem Bauren nicht umbgehen sol wie ich wil / so kan ich meinen Stat nicht führen.

Frider. Man muß die Haußhaltung darnach anstellen / das wenige besser zu raht halten / unnöhtige Außlagen vermeiden / gute Rechnung halten / und gottselig leben; Damit wir aber auf die vorige Reden kommen / warum haben den Herrn Vettern seine Bauren verklagt?

Roder. Die Schelmen klagen / ich verderbe sie und das ganze Dorff.

Frider. Das ist gar generaliter geredt / der Herr Vetter gehe ad speciem, so ihme beliebt.

Roder. Ich muß mich erst recht wieder besinnen / ich kan die Saffermens-Brieff und deren contenta nicht alle behalten: Ich wolte allzeit lieber einen Teuffel sehen / als eine solche papierne Fledermauß mit einem grossen Siegel.
Frider. Wenn der Herr Vetter in terminis justitiae bleibt / so hat er sich nicht dafür zu scheuen / aber mich dünckt / er gehe sonsten seiner inclination nach lieber mit Frauenzimmer / hübschen Pferden / Hunden / oder anderer lustiger Gesellschaft umb / als mit briefflichen Urkunden.
Roder. Der Herr Vetter hats errahten.
Frider. Aber ad rem! beliebt dem Herrn Vettern specialiter zu erzehlen / warumb die Bauren klagen?
Roder. Die Diebe klagen: Ich übernehme sie mit übermässige Zinsen / Steuren oder Schatzungen / und Frohndiensten.
Frider. Das sind dreyerley absonderliche Puncten / Was die Zinsen anlangt / darunter werden verstanden alle Jährliche beständige Erbgefälle / als Erbzinßpfenninge / Faßnachthüner / Herbsthüner / Lambsbäuch / Eyer / Käß / Weck und dergleichen / Item Güld / Getreid / Korn / Haber / Weitzen etc.
Roder. Ja / das meyne ich auch.
Frider. Nun wird ja der Herr Vetter ein richtiges Erb-Urbar- oder Lägerbuch haben / darinnen alle solche Gefälle ordentlich beschrieben / und / was / wieviel / und wovon ein jeder Bauer gibt.
Roder. Das hat mein Vatter sel. vor 50 Jahren lassen machen / und mein Vogt unter Handen.
Frider. Darauß kan ja der Vogt / wann der Herr Vetter die Müh nicht selber auff sich nehmen wil / mit den Bauren rechnen lassen / und was darinnen begriffen / dessen werden sie sich ja nicht weigern.
Roder. Bin ich denn das schuldig zu thun / daß ich einem jeden Bauern mein Urbarbuch an die Nasen hänge.
Frider. Nach gestalt der Sach mein Herr Vetter / Ja! denn obgleich der Herr Vetter nichts auff Universiteten oder in Corpore juris studiret, so hat er doch im Krieg und bey Hoff so viel gelernet / auch von Natur diese eingepflanzte regul im Herzen und Gewisen gegründet / Quod tibi vis fieri, alteri quoque feceris, welche auch der HErr Christus selbst profitiret und gebotten / da Er Matth. 7.V.12. sagt: Alles was ihr wollet / das euch die Leute thun sollen / das thut ihr ihnen auch: Item, ein jede Herrschafft sol sich dergestalt gegen seine Unterthane erzeigen / wie er wolte / daß man sich gegen ihm erzeigte / wenn er ein Unterthan wäre.
Roder. Der Herr Vetter redet zwar hochvernünfftig / allein es reimet sich so übel mit der heutigen raison d'Estat.
Frider. Was verstehet der Herr Vetter damit?
Roder. Meinen Adelichen Stand ansehenlich und mit Reputation zu führen / und ein gut Stück Geld zu samblen.

Frider. Das hat gewiß der Herr Vetter auß dem Politico scelerato studiret.
Roder. Ich habe dasselbe Büchlein fleissig gelesen / denn es dienet einem Privat Cavallier trefflich.
Frider. Aber diese Raison d'Estat hin / raison her / so muß man doch nach der regul und raison Göttlichen Worts / gemeiner Recht und gesunder Vernunfft mehr richten und darnach thun / denn nach jenes.
Roder. Warumb?
Frider. Dieweil jene ihrer Art nach ein Teuffelischer Welt- und Abgott ist / der zum ewigen Verderben führet: Diese aber versichert mich eines guten Gewissens und der ewigen Seeligkeit: Aber auf das vorige zu kommen / so muß der Herr Vetter den Satz also passiren lassen / wenn er ein Unterthan wäre / wie ers wolte gehalten haben.
Roder. Ich laß es so seyn; Was beliebt dem Herrn Vettern weiters?
Frider. Wann nun der Herr Vetter Zinßgeld und andere Schulden außgeben sollte / so wird er doch gern wissen wollen / wovon oder warumb ers geben solle?
Roder. Das wissen die Schelmischen Bauren vorhin / ist unnöthig / daß man langweilige Rechnung mit ihnen pflege. Die Zeit kan man zu hetzen / jagen / oder anders worzu besser anwenden / sondern es ist genug / wenn ich sage: Bauer so und so viel bistu mit schuldig / da zahle / oder ich stecke dich ins Loch.
Frider. Der Herr Vetter verzeihe mir eine Frage: Wenn aber der Baur zweiffelt / ob er so viel schuldig sey / denn er dencket bey sich / daß er bey seines Herrn Vattern sel. Lebzeiten nicht so viel geben; Oder es ist unterdessen eine Veränderung der Güter durch Erbschafft / Kauff / Tausch / oder andere dergleichen Fälle fürgangen / Item, das Wasser hat dem Bauren eine Acker / Wiesen /etc. weggerissen / die er nit mehr hat; So ist ja recht und billich / daß man ihm mit ordentlicher Rechnung und Vorzeigung der Urbar- oder Lehenbücher auß dem Traum helffe / und ihn nicht mehr ansetze oder von ihm begehre / denn er von Rechtswegen schuldig ist / Item, es hat etwa der Baur das Jahr über dem Herrn Vettern mit Fuhren und Hand-Arbeit etwas abverdienet / oder Hüner / Gänß / Getreid und dergleichen in natura zur Küchen geliefert / das muß ihm bey dergleichen Rechnung an seiner Schuldigkeit abgezogen / und do er ein übriges verdienet / ihm hinauß gegeben werden.
Roder. Das wäre eine schöne Sach: so müste ein Edelmann deß Bauren Vogt seyn / und noch manchmahl Geld hinauß geben.
Frider. Ein jeder Creditor ist das jenige zu erweisn und zu liquidiren schuldig / was er von seinem Debitore haben will; der Herr Vetter muß dencken / daß er Creditor und der Baur Debitor sey: wie leichtlich kan einem armen Mann umb ein Pfenning / Creutzer / Groschen / Gülden / minder oder mehr unrecht geschehen: da heists dann / Wehe dem / der sein Hauß mit Sünden bauet / der seinen Nechsten umbsonst arbeiten lässet / und gibt ihm seinen Lohn nicht / Ierem. 22, vers: 13.

Roder. Was ist daran gelegen? Wenn ich kein Geld habe / kan ich nirgends fortkommen / Ich muß sehen / wo ichs zusammen bringe / daß ich das Jahr mit außkomme und noch etwas erübrige / daß meine Junge Bursch nach mir auch was finden.

Frider. Der Segen deß HErrn machet reich ohne Mühe / Prov. 10. v. 22. hingegen wer dem Armen unrecht thut / daß seines Guts viel werde / der wird auch einem Reichen geben und mangeln / Prov. 22. v 16. Wer sein Gut mehret mit Wucher und Ubersatz / der samblet es zu Nutz der Armen / ibid. c. 28. v. 8. Wehe dem / der sein Gut mehret mit frembdem Gut; wie lange wil das wehren? Habac. 3. v. 6.

Roder. Ist denn das unrecht / wenn ein Bauer vor 20. Jahren von einem Lehen oder Acker / der ihm Jährlich 3. oder 4. Schober Frucht trägt / nur 2. oder 3. Pfenning Zinß gebe / mir jetzunder 2. oder 3. Patzen davon geben muß / denn er kans wohl thun / weil das Lehen außträglich und gut ist?

Frider. Freylich ist es unrecht: und diese angefuhrte ratio ist keine ratio, Es folget nicht: Der Bauer kan mehr geben / Ergo ist er mehr schuldig: Das Lehen ist außträglich / Ergo so kan die Erbzinß darauff doppelt oder mehrfach ersteigert werden; Nein / daß ist eine schreckliche Sünde wider Gott und alle Recht; (1.) Wider Gott: Denn du solt nicht begehren deines Nechsten Hauß / Hoff / Acker / Wiesen / Geld und Gut / diß verbeut das 7. und 9. Gebott. (2.) Wider die Liebe deß Nechsten; denn der Arme hat nichts denn ein wenig Brod / wer ihn darumb bringet / der ist ein Mörder / Syr. 55 v. 25. (3.) Wider die natürliche und aller Völcker Recht: denn niemand sol sich mit deß andern Schaden bereichern / l.1.ff. de condict. indeb. und gleich wie die unterscheidende Eigenthumbs-Gerechtigkeiten / oder dominiorum distinctio ex jure gentium herfliesset / l.2.ff. de I. & I. Also hat ein Jeder mit dem Seinigen Macht zu thun / was ihme beliebet / so fern es nur ohne Schaden deß Nechsten / und deß gemeinen Wesens / beschiehet. (4.) Wider die gemeine Kayserl. Rechte: In l.1. C. in quib. caus. colon. da stehet außdrücklich: ,,Wenn ein Herr von einem Bauren mehr fordern und exigiren würde / als mit Alters Herkommens ist / so sol der Bauer Macht haben / den nechsten Richter / so er haben kan / anzulangen / und umb inhibition, auch restituion dessen / so er dergestalt bezahlen müssen / zu bitten / welches der Herr auch wieder zu geben schuldig seyn solle.“

(5.) Wider die Reichs-Constitutiones: Denn im Reichs-Abschied zu Regenspurg de anno 1576, 1594 Augspurg 1582 ist deutlich versehen / daß die Unterthane mit keiner Vbermaß beschweret werden sollen.

Roder. Dieses verstehet sich allein auff die Steuren und Schatzungen / ist aber nicht auff die Zinse zu extendiren.

Frider. Es gilt gleich viel / und wie es in puncto der Steuer und Schatzung / als oneribus extraordinariis, verboten / mehr von den Vnterthanen zu erheben und zu exequiren, oder aber dieselbe höher und weiters nicht zu beschweren / denn so fern sich einer jeden Obrigkeit gebührende Anlag erstreckt; Also ist es vielmehr in denen Jährlich beständig und unablößlichen Erbgefällen verbotten / weil jene mit der Zeit aufhören / diese aber auff ewig / so zu sagen / hinaußzielen und sich ziehen / dahero die Jenige pro falsariis gehalten und gestrafft zu werden pflegen / welche die Lehen- und Läger-Bücher / Schuld-Verschreibungen / Maß / Gewicht und anders zuverfälschen sich unternehmen / denn es ist ein hochsträfflicher Betrug / an statt 3. oder 4. Pfenning einem Unterthanen oder Zinßman / ohne sein Wissen und Willen hinter oder arglistig / 3. oder 4. Patzen; an statt einer Herbsthennen / ein Faßnachthun; an statt einer Hennen / zwo oder drey anzufordern / ins Lehen- oder Zinß-Register zu setzen / und also forderst de facto zu behaupten / denn auff diese Weise könte einer seine reditus und Gefälle ersteigern / so hoch er wolte / alles mit deß Nechsten Schaden / welches durchauß verbotten.

Rod. Was ist es um ein Pfennig / Creutzer oder etliche?

Frid. Es sey so gering es wolle / Ja nur 1. Heller: So heist es doch: Was ich nicht mit gutem titul und Glauben haben kan / das sol ich nit begehren / ob ich einem Bauren seine Zinß und Güld eigenmächtig ersteigere / oder ein falsche Müntz / Maß oder Gewicht zu meinem Vortheil und meines Nechsten Betrug mache / ist eins so lang als breit / und wider Gott und Recht. (. . .)

Rod. Wil mir der Bauer die Zinß nit geben / die ich fordere / so laß er mir die Lehen ligen / oder ich straffe ihn noch wol dazu / und nehme ihm dennoch die Lehen.

Frid. Wehe denen / sagt die H. Schrift / die solches thun / die ein Hauß an das andere ziehen / und einen Acker zum andern bringen / biß daß kein Raum mehr da sey / daß sie allein das Land besitzen. Jesai. 5. v. 8. Was gilts / spricht der HErr / die Häuser sollen wüst werden / und öd stehen / 10. Acker Weinbergs sollen nur 1 Eimer geben / und 1. Malter Samen sol nur ein Scheffel geben.

Rod. Der Herr Vetter hätte einen guten Prädicanten geben / ich meynet / er könte die Bibel außwendig.

Frid. Es beliebt dem Herrn Vettern so zu reden / Ich sage nur die Wahrheit.

Rod. Ich lasse es dahin gestelt seyn / sage aber diß noch einmal / wenn mir der Bauer den Zinß nit nach meinem Gefallen geben wil / so sol er mir das Lehen liegen lassen / ich wil es schon um einen bessern Zinß jemand anders geben; oder / weil mirs nahan meinen Schloßfeldern gelegen / so ziehe ichs zu mir / und lasse es selber bauen.

Frid. Das wäre noch grössere Sünde / wie der Herr Vetter allbereit auß dem Propheten Iesaia vernommen / und wann ichs thäte / fürchtete ich / es dörffte mir gehen / wie dem Könige Achab, und seiner Gemahlin Iesabel, wegen deß Weinbergs / den sie dem Naboth genommen / davon 1. Reg. 21. und 2. Reg. 9. zu lesen; So ists auch wider die klare Recht / denn ob gleich ein solches Zins Lehen-Gut / es sey wie es wolle / gut oder böß / wol oder übel gelegen / dem Herrn Vettern wegen deß Jährlich darauf hafftenden Zienß etlicher massen verhafftet / oder auch wol ratione juris dictionis ihme unterworfen / so ist doch das Dominium und Proprietas eigentlich deß Bauren / und kan ihme / wider seinen Willen / mit keinen Recht genommen werden / Ius semel alicui quaesitum ei invito rursum auferri non potest, sagen die Rechte.

Roder. Thuns doch andere Mitglieder von der Ritterschafft auch / was einem recht ist / das ist dem andern billich.

Fride. Das wil ich nicht hoffen / und so es je zuweilen geschicht / so fragt sichs eben / Obs recht sey? Der Herr Vetter hat gehört / daß es unrecht und Sünde sey: Ich wil nicht wiedersprechen / daß vielmahl dergleichen Unbillichkeiten fürgehen / man muß aber nicht ansehen / was geschicht / sonder was geschehen sol. . . .

Roder. Wenn ich solcher gestalt mit gutem Fug und Grund meine Erbzinß und Gulde nicht ersteigern darff / die wenige aber / so mein Vatter sel. hinterlassen / bey weitem nicht erklecken / daß ich heutiger Manier nach meinen Estat davon führen kan / so muß ich ja ein ander expediens ergreiffen / umb den Abgang zu ersetzen.

Frider. Das ist dem Herrn Vetter unverwehrt / wenn es nur bono titulo & bona fide geschicht.

Roder. Ich meine Ja!

Frider. Worinnen aber / oder was meynet der Herr Vetter vor ein Expediens ergreiffen / umb den Abgang zuersetzen.

Roder. Wenn die ordinari media nicht zulangen / so muß man extra – ordinaria vor die Hand nehmen.

Frider. Wenn sie nur passierlich seynd.

Roder. Ist die Steur und Schatzung nicht ein passierliches Mittel? dessen sich ja heutiges Tags alle Fürsten / Grafen und Herrn gebrauchen / damit Ihnen an Führung ihres Estats nichts manquire.

Frider. Es ist zwar ein passirlich Mittel / wenn es nur legitimo modo gebraucht / und nit abutiret wird / wiewohl man vor Alters wenig davon gewust / sondern ist allererst der Zeit in Teutschland auffkommen / wie die Türcken-Kriege in Ungarn angegangen / und nachgehens immer ie gemeiner worden / da Fürsten und Herren / Rentmeister / Cammer Räthe gesehen / wie es so gütlich thue / ohne sonderbare Mühe Geld zu machen / und auffzubringen.

Roder. Ich habe eben das Recht in diesem pass als ein Fürst / denn das jus collectandi ist eines von den besten regalien, die ein Fränckischer Edelman so wohl hat / als ein anderer Stand deß Reichs / wie Herr Vetter Lendersheim / etc. in vorangezogenem seinem discurs beweiset.

Frider. Er statuirt zwar thesi IX. Wir hätten alle regalia; die er daselbst specificirt; und darunter auch das jus collectandi subditos; Aber er formiret ein Argumentum ab posse ad esse, und ab particulari ad universale: Der von ihm allegirte Nolden und andere Doctores, sagen in terminis nit bloß / daß wir die regalia haben / sondern daß wir sie könten haben; hat schon ein oder das andere Mitglied ein und anders regale, in particulari hergebracht / so haben wirs doch nit alle / und ist ein grosser Unterschied unter denen regalibus: Theils sind majora, theils minora: Jene wird kein einiger von uns haben; und obwol der Herr Vetter von Lendersheimb die von Schaumburg pro exemplo allegirt und saget / daß dieselbe das Münz Regale, so unter die majora gezehlet wird / von dem Römischen Kayser erlanget hätten / so hab ich doch biß dato keinen Heller / ich geschweige einen Thaler oder Ducaten gesehen / den einer von ihrem Geschlecht hätte schlagen oder prägen lassen; Was aber die Regalia minora anlangt / werden unter uns auch die wenigste gefunden / so dieselbe würcklich herbracht haben / ausser dem jure collectandi, mulctandi & puniendi etc. dessen sich ein jeder / der Unterthanen hat / schier gar zu sehr befleissiget / und der Sachen gemeinlich zu viel thut.

Roder. Es fält mir hie bey der alte Hermann, Trompeter Coburg / den wird der Herr Vetter auch wohl gekennet haben / (denn er hat sich fast bey allen Adelichen Hochzeiten und Kindtauffen hieoben finden lassen) der sagte: Bonus Dies, Meister Elias, an non habemus aquam vitae? denn das war sein Leben; wenn man ihn fragte / ob er mehr Latein könte / denn dieses? So antwortete er Nein / er könte nur diß wenige / aber er gebrauchte sich dessen desto öfter und mehr: Also ist es bey nahe auch mit unseren regalibus: Die Inventio Thesauri gehöret zwar auch darunter / wie Daniel Otto in seinem Tractatu politico de Majest. Imper. c. 2. § 36, in fin. auß dem Vultejo referiret, aber es ist so ein rara avis, der sich selten blicken / noch weniger fangen lässet / darumb muß man die Bauren praf straffen und schätzen / so geniesset man seiner Regalien ein wenig; denn was würden mich sonst die regalien helffen / wenn ich sie nicht brauchen solte. Ich habe keine Zöll / keine grosse Wirthschafften / die mir das Jahr ein ein 1000. fl. Ungeld trügen / keine Fährgelder / keine Zehenden auß Erzgruben / kein Acciss, keine Fischzehend / und was sonsten mehr Herr Vetter von Lendersheim unter die Regalia setzet.

Frider. Das Ius Armandiorum wird ja der Herr Vetter auch haben / denn an ihrem Ort hats viel Eysenbergwerck / und je näher Nürnberg / je künstlicher die Leut seyn / davon er einen guten Profit ziehen kan.

Roder. Wenn Arme Mann darunter verstanden werden / Ja / so habe ich derselben mehr / als mir lieb ist / ich wolte daß sie reich weren / wolte sie schon arm und seelig machen / wie der Herzog von Lothringen im vergangenen Krieg gesagt / denn der Armen ist das Himmelreich und also mich dieses regals gebrauche; sich dessen / wie er schon erwehnet / vorhin / wenn er seine Bauren praf straffet / und mit Steuren beleget / daß ihnen wenig übrig bleibet.

Roder. Was ist das / wenn ich heut einen / den andern morgen etwa umb 30, 40 oder 50 Reichsthaler strafe? und das Jahr 2 oder 3 mahl eine Steuer von ihnen einnehme: davon ich mir kaum ein gut Kleyd / Pferd oder ein paar Stiefel an Leib schaffen kan.

Frider. Hat den der Herr Vetter allzeit Ursach und Gelegenheit so zu straffen / oder Steur zufordern?

Roder. O ja! denn die Schelme seyn so listig als sie wollen / so sitzen sie mir doch jetzuweilen auf / ehe sichs einer versiehet! Und wenn die Ritterschaft eine Steuer außschreibet / so setze ich noch zweymahl so viel dazu / das ist mein: das übrige lasse ich zur Ritter Cassa liefern.

Frid. Fürcht sich aber der Herr Vetter keiner Sünden.?

Roder. Was Sünde? sol das Sünde seyn?

Frider. Ierem. 5 v. 26 klaget GOtt / Es seyen Gottlose unter seinem Volck / die den Leuten stellen und Fallen zurichten / si zu fahen wie die Vogelsteller mit Kolben / sie gehen mit bösen Stücken umb / sie halten kein Recht. Mich. 3. v. 1.3.9. Sie hassen das Gute / und lieben das Arge / sie schinden den Armen die Haut ab / und das Fleisch von ihren Beinen: Aber Mein! wie viel gibt der Herr Vetter Jährlich von seinen Proper-Gütern ordinarie zu seines Ritter-Orts Cassa?

Rod. Ich gebe nichs / Die Bauren müssens geben.

Frid. Gar nichts?

Roder. Nicht einen Heller.

Frid. Andere müssen aber doch ihren gewissen Anschlag geben / und halte ichs für die höchste Unbillichkeit von der Welt / wenn sich ein Mitglied dergestalt eximiren und von gemeiner Ritterlichen Geschwerde entfreyen wil.

Roder. Wo ist einer der es thut?

Frider. Nicht nur allhie in Francken thun es die meisten / man sehe gleich die Ritter-Ort ins gemein / oder die Mitglieder in specie an: sondern es geschicht auch am Rheinstrom und andern Craysen unwidersprechlich / woselbst ein jedes Adeliches Mitglied seine Proper-Güter und jährliches Einkommen / zur Ritter-Truhen versteuren muß / wie vor Alters herkommen: die Unterthanen werden in casu necessitatis absonderlich collectiret; und diß ist die höchste Billichkeit; denn die ordinari Steuer ist erst auffkommen / seithero die Ritterschafft sich in eine solche Ordnung gestellet hat / daß man Directores, Hauptleute und Rähte / Advocaten, Agenten, Procuratores, Secretarios und andere gemeine Diener umb gewisse Bestallung geordnet und bestellet / und also ein Corpus oder Stat formiret hat / das einen Stand das Reichs representiret; gleich wie nun hierdurch das gemeine Ritterliche Wesen / Privilegia und Iura beobachtet werden / deren sich die Adeliche Mitglieder ihrer eigenen Person und Nutzen halber; aber der Bauer nichts sonderliches zu erfreuen / als dem es gleich viel gilt / so sein Edelmann einiges Privilegium oder keins hat; Also erfordert die natürliche Billigkeit / daß auch der Edelmann de suo, und nit der Bauer / die Ordinari Steuer gebe / Qui enim sentit commodum, sentit etiam debet onus & incommodum, l. secund, 10. ff. & R. I ad exemplum der Reichsstände: respectu deß Kayserl. Cammergerichts Unterhaltung / welche dieselbe auß ihren eygenen Cammergütern und Gefallen / ohne Beschreibung der

Unterthanen bezahlen; gestalt Dn. Hartlieb beym Klock. in votis Camer. rel. III. num. bezeuget.
Rod. Wenn ich meine Proper-Güter zur Ritterschafft solcher massen versteuren solte / so wäre ich nicht besser conditionirt denn ein Bauer / Nein / das thue ich nit / und solte es was anders kosten.
Frider. Es stehet zu deß Herrn Vettern Belieben und Verantwortung / Einmal sol es von Rechts und Billichkeit wegen seyn / und haben es unsere Vorfahren also damit gehalten.
Rod. Was wil der Herr Vetter davon sagen: Ich weiß kein einiges Mitglied unsers Orts / der seine Proper-Güter dergestalt versteuert / oder aber der von seinem jährlichen Einkommen 1. Creutzer zur Ritter Cassa contribuirte. Ja / Was noch mehr ist / Ich weiß / daß wo nit alle / doch die meiste / noch dazu alle Jahr so viel Steur und Schatzung von ihren Unterthanen erheben und einnehmen / als vor 60, 70 Jahren zu damahligem Türcken-Kriege gesteuert / und dem Röm. Keys. pro Subsidio caritativo bewilliget worden / das stecken sie in eigene Seckel / wie ein beständigen Erbzinß und gewisse jährliche Beeth oder Losung.
Frid. Geben sie dann solche Steuer nit zur Ritter Cassa?
Rod. Nein, nicht ein Heller davon.
Frider. Behüte Gott! das ist ein gewaltige Sach / und sorge ich warlich: wie solche Steur und Schatzungen / als vorgemeldt / von den Türcken-Kriegen ihren Ursprung haben / und propie nichts anders / sind als gemeine Reichs- und Türckensteuern / es dörffte der liebe Gott dem Türcken einmal verhängen / daß er käme und fordere all solcher eingefangenen Steuren und Schatzung wegen / mit dem äussersten Schaden der Christenheit / von solchen seinen Rentmeistern richtige Rechnung / welche den letzten Heller alsdann zu bezahlen mit ewiger Dienstbarkeit dörften angehalten werden.
Roder. Das wollen wir nit hoffen und muß der Herr Vetter wissen / ob gleich solche Steuren und Schatzungen anfänglich Reichs- oder Türcken-Steuren gewesen / so sind sie doch durch eingeführte Gewonheit nunmehr zu einem Ordinari Gefäll worden.
Frider. Wol! Aber es solten solche zum gemeinen und nit zum Privat-Nutzen angewendet werden / denn alle Steuren und Collecten seynd Contributiones publicae, pro commodo reipublicae, non rei privatae, indictae: und muß ich zwar bekennen daß die Gewonheit so weit auffkommen / daß solche / dem Anfang nach / Türcken-Steuren / nunmehr zu einer Jährlichen Ordinari-Steuer worden; allein / da muß man die causam efficientem und finalem betrachten / woher es kommen und wozu es eygentlich angesehen.
Roder. Das weiß ich nicht: beliebt dem Hernn Vettern solches zu eröffnen?
Frider. Ich habe es schon vor etlicher massen gedacht / daß es daherkommen / nachdem sich die gemeine Ritterschafft in eine gewisse Verfassung ge-

stelt / die Ritter-Ordnung aufgerichtet / dieselbe von der Röm. Käyserl. Maj. confirmiren lassen / zu deren Stats-Führung man Directores Hauptleute / Rähte Advocaten und andere gemeine Ministros vonnöthen gehabt / welche man ohne Geld / als den nervum rerum gerendarum, nicht halten können / so ist die Gewonheit eingeführt worden / daß ein jedes Mitglied so viel zur gemeinen Cassa jährlich geben solle / als es vorhero zu einem Termin der gewesene Türcken-Steurn / erstlich von seinen eigenen Gütern / und dann auch wegen seiner Unterthanen / gegeben hat: Als zum Exempel: A: 1567 wie ich noch unter meinen alten Briefen gefunden / ist der Röm. Käys. Maj. von denen 6. Cantonen in Francken 24 000. fl. Türckensteuer / bewilliget worden / die haben sie erstlich unter denen 6. Ritter-Orden außgetheilet / was jeder Canton zu seinem Antheil und Portion geben solle; Darnach hat jeder Ort zur Aufbringung seiner Portion alsdann von jedem Mitglied colligiret, was selbiges seinem eygen Anschlag nach dazu geben wollen; da sich nun einer nach seinem Vermögen / selber angelegt / daß die andern dessen keine Beschwerde gefunden / so haben sie es dabey bleiben lassen; wo nit / so hat man per majora ihme / in Ansehung seines Vermögens und habender Unterthanen / einen gewissen Anschlag oder Quantum gesetzet / das hat er fürters von seinen Unterthanen dergestalt subcollectirt, daß ein jeder von 100 fl. Hauptwerths ein Ortsgülden geben; Ist nun damit sein bewilligte und gebilligte Portion herauß kommen / so hat mans zur Ritter-Truhen geliefert / ist sie nit herauß kommen / so hat der Edelman den Abgang auß seinem eigenen Seckel ersetzt; ist aber im Gegentheil ein Überschuß herauß kommen / so hat er selbiges für seine Müh zu rechnen / in den Seckel gesteckt: Was nun auff diese Art und Weiß einem jeglichen Adelichen Mitglied zu geben beliebt hat / oder gebilliget worden / das ist hernach auffgezeichnet und gleichsam in eine Matricul gebracht / und für eine Ordinari-Steuer / zu Führung deß gemeinen Ritterlichen Estats, angesetzt worden: Und wie solche Steuer und Schatzung alle und jede Mitglieder ohne fernere Beschwerung der Unterthanen biß zu dem nechstverlittenen Schwedische Krieg alljährlich zur Ritter-Truhen erschüttet: also solten sie es billich nunmehro nach / Gott Lob! erlangtem Frieden widerum thun / und die armen Unterthanen / denen der werthe Frieden theur genug ankommen / weiter nit beschweren.

Rod. Es hat aber der Status Imperii sich in 30.40. Jahren her dermassen geendert/ daß man jetzo nit auff das vorige / sondern vielmehr auff das das neue Herkommen uebet: Und weil die Bauren bey vergangenem Krieg gelernet und gewohnet / nicht nur Jährlich / sondern Monatlich und Wochentlich zu contribuieren, so scheinet es nicht unbillich / sie in solcher Gewonheit zu erhalten: Semel enim imposita non facile tolli debent etiam causa sublata; imo praestat inveterata augeri, quam nova imponere, quia plerumque ingratum est quod & novum & grave est, suadet Boxhornius, Instit. Polit. l.I.c.10. §18.

Frid. Daß läßt sich politice wol statúiren, aber nit so simpliciter, wie der Herr Vetter zu seinem Privat-Nutzen vermeynet / extendiren und verstehen / denn ein anders ist / was auff diese Weise dem gemeinen Wesen zum besten geschicht / ein anders / was eine Privat-Person zu seinem eygenen Nutzen practicirt.

Rod. Mein Beutel und Stat hat so viel Geld vonnöthen / als die Ritter-Cassa, oder der gemeine Seckel.

Frider. Das thut nichts zur Behauptung seines Intents: So viel ich gelesen habe und verstehe / so hat kein Edelmann / ja kein Fürst oder Herr / das Recht / an und für sich selbst jure proprio seinen Unterthanen einige: Steuer oder Schatzung / wider ihren Willen auffzubürden: Er habe es dann durch eine sonderbahre Käyserl. Concession, Privilegium oder rechtmässiges Herkommen erlangt.

Roder. Das wäre viel: was muß der Käyser darumb wissen / ob und was mir meine Unterthane jährlich für Steuer und Anlagen geben.

Frider. Mein Herr Vetter verzeihe mir / Ihre Maj. müssen es eben nicht wissen: Allein / dieweil dem gemeinen Wesen viel daran gelegen ist / reiche Unterthane zu haben / so gebühret auffs wenigste doch denen Ritter, Hauptleuten und Rähten zu wissen / wie viel der Herr Vetter Jährlich Steuer von seinen Unterthanen erhebet.

Roder. Warum das?

Frider. Darumb / daß eine billiche Gleichheit und aequalitet der Matricul und Anlagen halber unter denen Mitgliedern gehalten / und keine Confusion, Trennung und Difficulteten geursacht werden möchten.

Roder. Was geht mich das an / ein jeder für sich / Gott für uns alle.

Frider. Eben daher kommpts / daß so viel Klagen über die Ungleichheit der Matriculn geführet werden, weil das commodum privatum dem politico fürgezogen wird.

Roder. Wenn ich nichts habe / so gibt mir weder die Cassa, noch sonsten jemand etwas / darumb lasse ich mir auch nichts vorschreiben / wie ich meine Bauren brauchen sol und kan.

Frider. Wenn sie aber nun hinlauffen und klagen / wer wil sie verdencken.

Roder. Die Schelmen! da soll sie der Teuffel davor holen; Ich wils ihnen schon verbieten / entweder mit dem Thurm und Geldstraff, oder wil sie gar von Hauß und Hoff wegjagen.

Frider. Ey! Herr Vetter / das wird er nicht thun / sondern sich eines bessern bedencken / wenn schon der Herr Vetter sich dißfals vor niemand scheuet / dergleichen Gewalt zu üben / so läßt es doch Gott gewißlich nicht ungerochen / und muß der Herr Vetter endlich mit bösem Gewissen sterben / dergleichen Exempla mir unterschidlich beyfallen / die der Herr Vetter vielleicht selbsten gelesen: (...) Solche Herren die ihre Untherthane übel tractiren haben gemeiniglich einen tragicum exitum: wie man dann nur drey Tyrannen zu nennen weiß / die eines sanfften Todes gestorben seyn.

Roder. Wer sind sie gewesen?
Frider. Der 1. Dinoysius Syracusanus. 2. Sylla Romanus, und 3. Tiberius. Richter. Axiom. Polit. 167.
Roder. Aber wolte der Herr Vetter leyden / daß ihn seine Unterthane bey der Fürstl. Cantzley oder sonsten so verklagen?
Frider. Ich gebe ihnen keine Ursach darzu / sie haben sich auch gegen mir im geringsten nicht beschweret / dann ich lasse sie vermög unserer Ritter-Ordnung beym alten Herkommen bleiben / warte das Meinige dabey in Ruhe / so habe ich den Segen von Gott desto mehr bey dem wenigen zugewarten / so er mir bescheret; wenn sie aber vermeyneten / daß ich ihnen in etwas zu viel oder unrecht thue / so ligt mir nichts dran / wenn ich ihnen durch bewegliches glimpffliche Zureden nit kan auß dem Traum helffen / so mögen sie zu Rotweil / zu Speyer / zu Wien / bei der Orts-Hauptmannschafft oder dem Directorio, oder aber bey dem Lehenherrn klagen / denn erfindet sich alsdann / daß sie unrecht haben / so ist der Schad ihr / daß sie sich vergeblich Unkosten und Mühe gemacht / und lassens ein andermal bleiben; Erfindet sich dann / daß ich unrecht habe / (denn es must ein Theil unrecht haben.) so lasse ich mich billich auch weisen / wir sind alle Menschen / und können leichtlich irren / und sol sich ein Jeder an Gleich und Recht begnügen lassen.
Roder. Es stehet aber so disreputirlich / wenn ein Edelman mit einem Bauren rechten sol.
Frider. Man muß ihn nicht Ursach dazu geben / dann für sich selbsten wird kein Bauer leichtlich mit einem Edelman sich in eine Rechtfertigung einlassen / geschicht es aber / so hat der Herr Vetter meine Meynung schon verstanden.
Rod. Hey! ehe ich mit einem Bauren rechten / und meine reputation so prostituiren wolle / ich wolte ehe was anders thun.
Frid. Wenn ich nur die drey Praecepta juris in acht nehme / so bleibt mir meine reputation und respect schon in salvo.
Roder. Was sind das für Praecepta?
Frid. Die weiß der Herr Vetter von mir.
Rod. Nein, warhafftig.
Frid. Wenn er nur die Institutiones juris auffschlagen mag / so findet er sie gleich im Amfang deß 1. Buchs im Titul.
Rod. Ich habe sie nit. Wer will allzeit das Corpus Iuris mit sich schleppen: Er sage / wie heissen sie?
Frider. Sie heissen so: (1) honeste vivere. (2.) alterum non laedere. (3.) jus suum cuique tribuere.
Roder. Das Safferments-Latein fält mir nit allemal ein: Es bleibt aber doch dabey / die Bauren sind Lauren / auffs allerwenigste sol man ihnen alle 3. Jahr einmal die Haar abschneiden / und sie behauen / wie einen Weidenstock.

Frider. In allen Dingen muß das Gewissen salvirt werden / wenn es salva conscientia geschehen kann / so lasse ichs zu / wo nit / so heists: Manum de tabula. Quod tibi non vis fieri, alteri ne feceris: darinn bestehet die gantze Bibel / das Corpus juris und die rechte Politic. Setzt man aber das Gewissen auff die Seiten / und drillet die Bauren nach der Schwerigkeit / so bleibt man hinwieder von andern nit ungeheyt / wie Besold. in Thesaur. suo verbo. Freye Reichs Ritterschaft etc. davon sagt: Daß die Nobiles a potentioribus opprimiret werden / justa talio videtur, geschiehet ihnen eben recht / weil sie ihre Unterthanen hart halten / quorum gemitus Deus exaudit: und muß man dazu noch gewertig seyn / daß Gott dergleichen Verfahren auch mit ewiger Straff ansiehet / wie die Schrift an vielen Orten bezeugt und warnet. (. . .)

Frid. Der Herr Vetter verzeihe mir / ich hab ihn gar zu lang auffgehalten / Adieu. Ich werde Abschied nehmen / und um Vergebung deß verdrießlichen Discurs bitten müssen.

Roder. Es hat gute wege Herr Vetter: Aber was hält er von solcher Predigt.

Frid. Die Warheit zu bekennen / was in H.Schrifft stehet / ist nit zu laugnen / und scheinet ein starckes Argument zu seyn / daß ichs nicht zu refutiren weiß / dann die jura Civilia und Canonica halten den Stich wider die Schrifft nicht / und hätte ich warlich Sorg / wenn ich unsern gantzen Discurs wiederhole und examinire, so könte ich nit anders schlissen denn daß es um alle diejenige / so wieder Gött- und Weltliche Rechte / Gebott oder Verbott mit ihren Unterthanen also handeln / wie der Herr Vetter oben erzehlet / mit neuerlicher Beschwerung / von Zinsen / Steuren / Diensten und andern Exactionen, wie auch der allzu grossen Gemeinschaffe mit Juden und Judengenossen / dermahl eins nehmen würde ein schröckliches oder gefährliches

ENDE

26

Bericht des Michael Schulze aus Wernsdorf über den Verlauf der „Jerisauer Bauernschlacht" vom März 1676. Im Zusammenhang der seit 1647 dauernden Auseinandersetzungen in der Grafschaft Schönburg kam es nach vorübergehender Beruhigung 1674 zu neuem Widerstand der Bauern. Der Kampf in Jerisau ergab sich aus den Versuchen zur Einquartierung von Exekutionstruppen.

Vgl. E. Schaller, Die Jerisauer Bauernschlacht im Jahre 1676, in: Sächsische Heimat 5, 1922, S. 263–266, der „Bericht" ebd. und B. Gentsch, Der Klassenkampf der ländlichen Untertanen, S. 256ff.

Anno 1676 hat sich was Denkwürdiges zugetragen, welches zu schreiben und zu erzählen wert ist. Im Anfang des Jahres setzten sich die Bauern wider die Herrschaft der Frone wegen und ward in 15 Wochen nicht gefrönet. Wir waren in einer Woche ein, zwei, drei wohl vier Mal geheißen, zuletzt bei 5 Tlr. Strafe und sind wir 15 Wochen unserer 6 nur einen halben Tag zur Frone gewesen und haben 2 Scheffel Samenkorn eingearbeitet, auch einen Tag zu Haber gearbeitet, auch einen Tag geegget, so sind wir in 15 Wochen vier und einen halben Tag zu Hofe wesen. Es folgte darauf elendes Leben. Im Februar wurde uns von unsrer Obrigkeit eine große Schatzung angeheißen, die sollte dem Kurfürsten von Brandenburg, die den 15. Nov. 1675 war angegangen im ganzen Schönburgischen, Glauchau, Waldenburg, Lichtenstein, Hartenstein und die Mitbelehnten und sollten einen Monat 2000 Tlr. und auf 6 Monate 12 000 Tlr. geben, aber die Leute wollten es nicht glauben, daß sie es schuldig zu geben wären, etliche Bürger und Bauern gaben zwar vom Schock 1 Groschen 4 Pfg., die meisten aber unter Bürgern und Bauern hielten sich immer auf und wollten nichts geben. Bald kamen 7 Reiter nach Glauchau und kurz hernach kamen deren 17 mit 20 Pferden gleich am heiligen Osterabend von Gera nach Jerisau, aber die Bauern kamen mit Gewehr und gaben ihnen kein Quartier, sondern jagten sie wieder fort. Aber die Mittwoch nach Ostern kamen 2 Komp. von 200 Pferden von Gera, die Bauern aber wollten es nicht glauben, daß es Brandenburgisch Volk wäre, und stellten sich wieder zur Wehr und kamen über 200 zu Haufe mit Musketen, Röhren, Spießen und allerlei Gewehr, was ein jeder haben konnte und sammelten sich in Jerisau, aber der Obristwachtmeister Cramon schickte 8 Reiter aus an die Bauern und begehrte ein Nachtquartier, aber die Bauern waren das nicht zufrieden, weil sie nicht trauten. Die Kompanien hielten beständig im Jerisauer Wege, der Obristwachtmeister aber, da es die Bauern abschlugen, ritt mit noch zweien nach Glauchau und wie sie an den Schloßberg unter das Tor kamen, mußten sie absteigen und zu Fuße zu dem Herrn Amtmann gehen; da er stark angehalten, sie sollten sie in die Stadt lassen, sie wollen für ihr Geld zehren; aber die Bürger ließen die Trommel rühren, kamen ins Gewehr und gaben ihm kein Quartier. So mußten sie wieder fortreiten. Hernach ritten die Soldaten Jerisau näher, die Bauern aber gingen ihnen entgegen bis an das Pfarrfeld in Jerisau. Da nun die Soldaten die Bauern auf freier ebner Wiese stehen sahen, teilten sie sich in 3 Haufen; da denn die Bauern froh wurden, meinten, sie wollten ausreißen. Ein Haufe blieb stehen, die andern beiden kamen von ferne wieder herzu und umringten die Bauern ganz unversehens und geschwind, ehe sie es sich versahen, und kamen also von hinten zu auf die Bauern, welche aus Furcht und Schrecken in einander fuhren. Hernach gaben die Soldaten Feuer auf die Bauern, welches ich selber gehört, worüber ich sehr erschrocken und hatte dieses Unglück lange gefürchtet, wie ich denn meine Schatzungen vor 4 Wochen schon gegeben hatte und zu dieser Zeit gleich einen halben Scheffel Haber säete bei einem wilden Birnbaum, da hörte ich auf einmal 3 mal 30 Schüsse losgehen und da war ein groß Gepurzel und jämmerlich Geschrei unter den Bauern angegangen, einer war in den Kopf, der andere in die Achsel, in den Leib, in die Beine geschossen, etliche sind auch gar tot geblieben, wie der Thomas Hecht aus Schlunzig, der mit 60 Stück Schrot im Rücken geschossen ward und hatte am Herze viele blaue Flecke und des Müllers Sohn, ein Mühlbursche aus St. Egidien, welcher in den Kopf geschossen war. Auf dem Platze sind tot liegen blieben: Johann Flämig von Reinholdshain, welcher hinten in das Gesäße und vorn bei dem Nabel wieder herausgeschossen worden ist, den andern Tag gestorben und in Glauchau begraben worden. Jakob Wilhelm von Dennheritz ist in den Schoß geschossen worden, daß sein Wasser zu den Löchern ist herausgelaufen, hat noch 1 Tag und 2 Nächte gelebt; etliche 40 sind schadhaft geschossen oder gehauen worden, wie denn beim lateinischen Brückchen groß Elend gewesen, da denn immer zu zwei oder 3 nacheinander nach Glauchau als schadhaft zu Barbieren und Badern sind geschleppt worden, 15 haben sich lassen durch die Mulde jagen, aber 100 Bauern sind gefangen genommen worden und in das Haus Thomas Häuslers getrieben und bewacht worden. In 2 Stunden sind sie wieder ins Feld getrieben und von den Soldaten bewacht worden. Diese Nacht ist das Dorf Jerisau ganz ruiniert worden; was die Soldaten nicht haben fortbringen können, haben sie alles zu schanden gemacht, das Getreide auf den Mist geschüttet, die Betten aufgeschnitten und ausgeschüttet, die Kleider zerrissen. Den Donnerstag als den 30. März haben sie 95 Mann nach Lichtenstein gefangen geführt und haben sie bei dem Mathes Bäcker in den Keller gesperrt, darin sie bei Tage dicht aneinander stecken müssen und fast keine Luft gehabt; die Nacht darauf sind sie in Georg Eberts Gewölbe eingesperrt worden und haben 2 Tage und 2 Nächte darin stecken müssen. Den andern April haben sie sich müssen ranzionieren, ein jeder mit 3 Gld. Da sind sie wieder nach Hause gekommen. Unter solchen Gefangenen sind aber auch viel schadhafte gewesen. Christof Schubert hatte 2 Hiebe in die Achsel und auch einen Hieb in den Kopf, Hans Weber, Christof Förster, Georg Flämig, Jakob Kirsche, Peter Riedel sind alle schadhaft gewesen, Andreas Hase, welcher mit einem Stück breiten Blech in ein Bein geschossen worden, ist auf der Wahlstatt liegen blieben, als wenn er tot wäre, bis die Soldaten sind weg gewesen. Adam Fritzsche aber, wie ich bin berichtet worden, welcher sehr gefährlich in den Kopf gehauen, soll der Schäfer welcher ihn geheilet, 7 Schnitter von der Hirnschale genommen haben. Es sind aber auch viele, ehe das Schießen ist angegangen, aus Furcht durch die Mulde geschwommen. Den 2. April sind die Soldaten wieder nach Glauchau kommen, so haben wir 1 Sipmaß Haber, 1 Bund Heu, 1 Bund Stroh geben müssen. Wir haben vor 6 Wochen 2 Boten nach dem Kaiser geschickt und hofften stets, sie würden wieder kommen, aber es verlief sich eine Zeit nach der andern. Wir sollten von 1 Schock 2 Gr. 5 Pfg. geben, da schon 4 Monate verflossen waren und in Summa 4 Gr. von 1 Schock auf 6 Monate und ich hatte den

3. März 1 Gr. 4 Pfg. vom Schock gegeben, so blieb ich von den Bauern davon. Den 11. April ist der kurf. Hofrat von Zwickau zu Glauchau in dem großen Gasthof gewesen, wie auch der Herr Amtmann Dr. Faber, Hauptmann von Mannigswalde und haben die beschädigten Bauern und andere, die bei solchem Scharmützel gewesen, verhört, wie es denn wäre zugegangen. Vier waren tot und viele beschädigt und wäre auch wohl ärger worden, wenn die Bauern nicht wären auf die Erde gefallen. Denn wie geschossen ward, so schrie der Obristwachtmeister: „Fallt um, ihr Bauern!" So sind sie alle auf einen Haufen gefallen. Den 17. April ist Hans Martin von Schlunzig, der von dem Pferde getreten und schadhaft gewesen, gestorben. Den 7. Mai sind wieder 60 Reiter von Gera nach Schlunzig kommen, und eine Nacht und einen Tag da gelegen, haben sich übel aufgeführt, daß viel Bauern entlaufen und die Güter stehen lassen. Gleich um die Zeit des Treffens sind 3 Comp. Brandenburger Reiter in unsere Schönburgischen Landen einquartiert worden, wir haben vor die Pferde Hafer, Stroh und Heu geben müssen, die haben 16 Wochen da gelegen. Hernach sind sie fort und nach Polen gezogen. Den Reitern mußte man auch Essen und Trinken verschaffen, wie und was sie begehrten, mußte auch den Brandenburgischen vom Schock 4 Gr. 2 Pfg. geben auf 6 Monat. Im vorigen 1675. Jahre lagen auch 3 Comp. da; da hieß es, sie zehrten vor ihr Geld, aber die Bauern bekamen nicht die Hälfte wieder was es kostet, mußten auch vom Schock 4 Gr. Schatzung geben, anno 1676 auch vom Schock 4 Gr. 3 Pfg. Steuern ins Amt.

27

Von der Bauren Halsstarrigkeit und Wiedersetzlichkeit. Auszug aus einer anonymen Schrift mit dem Titel „Der glückselige und unglückselige Baurenstand, nach seinem Ursprung . . .", Leipzig 1711.

Das XXV. Cap.
Von der Bauren Halsstarrigkeit und Wiedersetzlichkeit.

Ein Bauer hat neun Heute, wie ein Hase: wer ihn streiffen soll, muß starcke Arme haben. Denn ehe er etwas nachgäbe, liesse er sich eher alles nehmen. Auch ein einzelner Bauer ist so hartnäckig, und heimtückisch, daß, wenn er von seiner Herrschafft gefragt wird, wie es vormahls in diesem und jenem gehalten worden, nichts aus ihm zu bringen ist, sondern verschweiget alles aus Eigennutz, und meinet, wenn er es sagte, würde er die Gemeinde verrathen. Da spricht er: O der Guncker wird ja wissa, ih was warle nit, ih mah halta asu und asu. Der ein Narr wäre (denckt er) daß ich dirs sagte, und dir ein Drittel an die Hand gäbe, wie du mich schurgeln und quälen soltest. Weil aber ein eintzelner nicht viel aus richten kan, so hängen sie sich aneinander, wie Krötengeröcke, oder wie die Schweine wieder den Wolff, richten ein so genanntes Syndicat auf, denn sie dencken, sie müsten in allen ungerechten Sachen vor die Gemeine reden. So mögen sie denn so schlimme Händel anfangen, als sie wollen, so müssen die armen und unschuldigen es wieder ihren Willen mit ihnen halten, auch dazu contribuiren, sonst verbieten sie ihnen die Scheune, und geben ihnen keine Arbeit, wollen auch nicht mit ihnen aus der Kanne sauffen. Sind denn diese auch wiederspänstig, so theilet sich die Gemeine in zwo Partheyen, und erhebt sich unter ihnen ein Aufruhr, Mord, und Todschlag. Da trauen sie ihre Briefschafften oder Archiv nicht in ihren Häusern, sondern legens bey der Fürstlichen Regierung verwahrlich bey, verlassen sich auf ihr Leugnen und Spendiren, haben auch wohl ehe wieder Grafen und Herren ihr Recht erhalten, z. e. wegen der Fröhnen und Bitt-Fuhren, da der Herr, wenn er nicht erschienen, in der Regierung contumaciret worden, und die Bauren recht behalten. Worauf sie sich, als wie der Bock auf die Hörner verlassen, meinen, es werde ihnen allezeit so glücken. Wenn sie nun ein Proceß wieder ihre Obrigkeit haben, lassen sie sich lieber dreymal durch eingelegte Musquetirer exequiren, ob sie schon vogelfrey seyn, oder etliche Wochen in Thurm stecken, als daß sie dem Befehl pariren solten. Ja es kommt öfters dahin, daß sie gar die Hand an der Herrschafft ihre Bediente legen, und dieselbe mit Schlägen tractiren, ja der Herrschafft selbst mit geladenen Gewehr ausspannen, und nach ihnen schiessen. Wenn denn die Herren nach ihnen schnappen, und sie in Arrest nehmen wollen, machen sie sich bey Zeiten aus dem Staube, entweichen in die Stadt oder in ein ander Gerichte, dreschen dieweile bey einem Bekanten, bis der Sturm vorbey ist, und lassen indessen die Weiber haußhalten. Nehmen keine gütliche Vorschläge noch Vorträge an, biß sie schon verspielet haben, oder ihnen mit der hohen Obrigkeit gedrohet wird. Über dem alten Herkommen, es mag recht oder unrecht seyn, viel oder wenig anbetreffen, halten sie steiffer, als über Glaubens-Artickeln: Wir lossen nichts naues aufbringen, sprechen sie, es mag bey den olen Löchern bleiben. (da sie doch selbst neue Löcher genung bohren) Und dieses thun sie nicht allein, wenn ihnen neue Steuern und Gaben aufgebürdet werden wollen, sondern, weil sie es also gewohnet, auch in andern Dingen, die ihnen keine Beschwerung bringen: z. e. wegen der Zeit, wenn sie das Pfingst-Bier trincken sollen, wegen des Priesterl. Opffer-Geldes, da sie auch nur ein Pfennig opffern dürfften. Rechten lieber 10. oder 20. Jahr darum, und müssens doch wohl endlich in der Güte eingehen. Hat einer sonst etwas angerichtet, und etwa wieder den Priester, oder gar seinen Gerichs-Herrn ein lose Maul gehabt, so ist er trotzig, daß, er eher einen falschen Eyd schweret, in die Stadt läufft: Spricht, ich muß mir flugs einen S. (meinet einen Advocaten) holen, und ob sich der Advocat schon wegert ihm in seinen losen Sachen zu dienen, lässet er ihm doch nicht vom Halse, biß er ihm willfahret: Kehret sich auch nicht dran, ob es schon übel abläufft, wie mit jenem Bauer, welchen die Fehrleute, da der Amtmann in der Fehre mit der Kutsche über die Elbe fuhr, zurück liessen, da er denn fluchte, und sich mit den losen Worten hören ließ: die hundsf. Kutsche hätte wohl warten können, und nachdem er lange deswegen processiret und viel drauf gewendet, endlich verspielete, in Thurm kriechen, und die Kutsche (wenn man die Geldstrafe mit rechnete) mit Haut bezahlen mußte. Offt werden sie auchin ihrer Halsstarrigkeit von ihren Advocaten; offt auch von ihren Weibern, welche die Butter-Pfennige nicht angreiffen wollen verstärkt. Da verräth nun keiner den andern; der Schultze, Richter und Schöppen, die sie straffen solten, sehen durch die Finger, und machen selbst mit, also daß immer ein Schwerdt das andere in der Scheide behält. Siehe mich nicht, sprechen sie, so sehe ich dich nicht. Oder sie lassen ihre Schelmstücke, wenn sie sich mit einander geschlagen, den Zoll verfahren, Unterschleiff in der Accise gemacht, oder einen Hasen, Rebhüner etc. geschossen, nicht an Tag kommen, sondern beugen gleich mit der krummen Hand bey der Obrigkeit vor. So darf es auch der Priester bey Leibe nicht erfahren, sondern sie können sich seinetwegen in der Schenke zehen mahl schlagen, und auch zehen mahl wieder vertragen, ehe er es etwa von fremden Leuten erfährt. Ungeachtet ein geitziger Bauer sich sonst kein Gewissen machen solte, vor einem Ducaten, Land und Leute zu verrathen. Und also stehet es auch mit eines Bauren unversöhnlichen Haß und Groll. Kömmt also alles darauf an, daß, wer etwas von einem reichen Bauer erhalten will, ihm nicht viel gute Worte geben, sondern das rauche heraus kehren, ihnen ein Amts-Gesicht weisen, und die Schärffe brauchen, auch wo man ihn auf der fahle Ziege findet, nachdrücklich bestraffen muß. Denn hier trifft das Sprüchwort zu: Wenn der Bauer nicht muß, so reget er weder Hand noch Fuß. Welches ihnen alle Edelleute, Amtleute, Priester und Officirer mögen lassen recommendiret seyn. Sonst bildet sich der Bauer stets ein: Alles was ihm anbefohlen werde, auch mit allen heilsamen Gesetzen, die zu seinem eigenen besten angesehen, wären zu seinen Verderben gestellet und suchten Edelleute und Priester etc. ihren Eigennutz, den ein trotziger Bauer trauet keinem Menschen, bleibt also auf seinen neun Augen, und macht man ihn nicht anders, wenn man auch den Narren (wie Sirach spricht) im Mörser zerstiesse.

28

Erörterung des Juristen Anton Wilhelm Ertel über die Möglichkeit des rechtlichen Widerstands von Untertanen gegen ihren Gerichtsherrn im Rahmen einer ausführ-

lichen Abhandlung über die Praxis der Niedergerichtsbarkeit. Der Abdruck erfolgt unter Auslassung von zwei in den Text eingeschobenen Literaturbelegen.

A. W. Ertel, Praxis aurea de jurisdictione inferiore, civili et bassa, vulgo von der Niedergerichtsbarkeit . . ., Nürnberg 1713, Buch 3, S. 1–7

Ob die Unterthanen ihrem Gerichts-Herrn/ wann er unbillicher oder thätlicher Weise wider sie verfähret/ sich wiedersetzen können? Die Erste Observation.

Nach beschehenem Sündenfall unssers ersten Vatters Adams / als das menschliche Geschlecht dermassen aus der Art geschlagen/ daß zwischen den Menschenkindern sich hin und wider Neid erhoben / aus dem Neid Feindschafften / und aus diesen Unrecht / aus dem Unrecht Raub / aus dem Raub Mord und Todschlag entsprungen / hat die höchste Noth erfordert/ eine Civil-Societät / oder Bürgerliche Gesellschafft und Abtheilung der Güter einzuführen / und sind zu gleich / nach eröffneten heilsamen Gesetzen / die Obrigkeiten bestellt und angeordnet worden / damit sie, als Gesetz-Bewahrer / die Mißthaten bestraffen / die Tugenden hingegen belohnen / und den allgemeinen Ruhstand in Sicherheit erhalten möchten. Dahero hat GOtt selbst die Auffstellung der Gerichte unter den Menschen nicht nur zugelassen / sondern auch ausdrücklich gebotten.

Und diese Obrigkeiten / oder Gerichts-Herrn / werden billich Gottes Diener genennet / weiln sie nicht der Menschen / sondern Gottes-Gericht / als Statthaltere / ausüben: Ja sie werden in heiliger Schrifft offtmals Götter benammst.
Hat derowegen der hochgelehrte Ziegler. in Discurs. dicast. Praelat. §. 33. sehr schön angemercket / daß Gott nicht nur den Guten und Gerechten / sondern auch den Ungerechten / auf eine besondere Weise / wider die Hexen / Mörder / und ander loses Gesindel Schutz und Beystand leiste / damit man gewiß wissen möge / daß nicht der Menschen / sondern GOttes selbsten Gerichte von der Obrigkeit exercirt werden. Nachdem aber die Gerichs-Herrn mehr dann vielmahl ihrer Gewalt mißbrauchen / und vornehmlich / wann sie gegen den Unterthanen einen privat-Haß heegen / thätlicher Weise und aus unrechtmässiger Rachgier denselben und dessen Güter anfallen / als ist meines Erinnerns offtmals in Zweiffel gezogen worden: Ob ein solcher / zur Ungebühr bedrückter Unterthan / dem Gerichts-Herrn sich wiedersetzen könne? Man siehet täglich / daß die Gerichts-Herren / so da als Sterne leuchten solten / nichts mehrers / als die Finsternüs der Ungerechtigkeit lieben / aus Gottes Dienern / Teuffels Diener werden / und / da sie Zanck und

Streit vorkommen oder abkürtzen solten / vielmehr solchen aufs neue / aus Begierde der Gerichts Sportuln, erregen.

Es pflegen aber die Herrn gemeiniglich auf zweyerley Art wider ihr Ambt / thätlicher Weise / sich zu vergreiffen. Erstlich / per factum commissivum, das ist / durch wirckliche Begehung oder Handlung / v. g. wann sie den Unterthanen ohn Ursach schlagen / plagen / stöcken und blöcken / seines Innhabens entsetzen. & c. Zum andern / per factum omissivum, durch Unterlassung ihres Ambts: v. gr. wann sie in Beschützung der Beklagten sich nachlässig erzeigen / selbige gar versagen / die Rechts-Streite verzögern / die Mißthaten ungestrafft hingehen lassen / oder das Recht versagen. Dieweiln aber die Erörterung gegenwärtiger Frag sehr gefährlich fallen würde / wann man selbige also bloßhin stracks erledigen wolte / und dabey zu besorgen stehet / es möchte eine ohn Unterschied gefaßte Meinung dem gemeinen Wesen Zwispalt und Empörung erwecken / so bin der Meinung / es sey der Rigor dißfalls mit einigen Distinctionen zu temperiren. Dann welcher Unterthaner würde nicht / wann er nur in etwas und ungefehr vom Gerichts-Herrn Schaden litte / so gleich sich empören / auf Gewalt-That bedacht sey / und den Land-Frieden stören? Dergestalt / daß das heilige und unverletzliche Obrigkeitliche Ambt eine Schlacht-Banck boßhafftiger Leut seyn müste. Wann derowegen der Gerichts-Herr wider einen Unterthan / ohn erhebliche Ursach / gewaltthätig und aus lauter Passion, ausser gerichtlich prodicirt und demselben unrecht zufüget / solchen Falls mag er sich ohnverwirckt einiger Straff widersetzen / und dessen Befehl entgegen handeln; so weit nemlich sonsten einer privat-Person eigenmässig zu wiederstehen zuläßlich ist; dann auf obige Weise wird der Richter nur pro privato gehalten: Sintemaln / was nicht rechtmässig geschiehet / eben so viel / als nicht gethan heisset: Und wo die Offension unrechtmässig / da ist die Defension zugelassen: Cessirt also in dergleichen Fall die gute Vermuthung vor den Gerichts-Herrn / und kan demselben / wann er die Gräntzen seiner Gewalt überschreitet / resistirt werden.

Wann aber der Gerichts-Herr wieder ein Unterthanen Gerichtlich und wie sichs zu Recht gebührt / procediret / so ist abermals zu observiren / ob solches ohn vorgehende der Sachen Erkänntnus und ausser rechtlicher Ordnung geschiehet; ob er zwar nach Anleitung rechtlicher Ordnung und juridice, jedoch de facto und unrechtmässig verfahren. Ersten Falls / mag man den Richter ohnstraffbar wiederstehen / sintemalen / derselbe in solcher Begebenheit als eine Privat-Person sich aufführet / des dritte in Recht aufhebt / und zu Hinterziehung solcher Gewalthaten / selbst gehalten ist;

Wofern aber derselbe nach rechtlicher Ordnung / jedoch unrechtmässig und de facto procediret / alsdann ist wiederum dahin zu sehen: Ob desselben Factum kundbarlich unrecht / oder es annoch zweiffelhafftig damit ist: Da jenes / so kan ihme ohnstraffbarlich contravenirt werden.

Wann hingegen annoch zweiffelhafft / ob eine solche Obrigkeit unrecht verfähret so hat sich kein Unterthan einiger Weise zu wiedersetzen / sintemaln den Unterthanen unerlaubt ist / auf die Rechtmässigkeit der Richterlichen Handlung so genau zu inquiriren: Dann im Zweiffel / waltet die Vermuthung allzeit vor die Obrigkeit / weilen sonsten tausenderley Gelegenheit zur Boßheit sich ereignen / und das Band des öffentlichen Gehorsams / gelöset würde.

Dannenhero / ist bey den Pragmaticis zur Regul eingeführt worden / daß der Richterliche Befehl / wann er gleich etwas unrechtes im Mund führet / dennoch den Gehorchenden von aller Gefährde / Straff und Verbrechen entschuldige.

Die Andere Observation.

In Fällen nun / da den Unterthanen / wie obgesagt / die Resistentz gegen den Gerichts-Herrn bisweilen zugelassen / ist eine doppelte Cautel und Vorsichtigkeit wol zubeobachten / damit nicht aus einem solchen General-Principio viel gefährliche und absurde Nachfolgereyen entspringen. Erstens ist zu mercken / daß dergleichen Resistentz / in Betrachtung des schuldigen Obrigkeitlichen Respects / alsdann erst vorzukehren / wann kein ordentliches Recht-Mittel mehr übrig ist: Dann ausser solchem fall / hat man zu dergleichen extraordinar-Remediis nicht zu greiffen. Kan demnach der beschwerte oder zur Ungebühr bedruckte Unterthan durch rechtmässige Supplicationes, delationes, Injurien Klagen / simplicis quae relae und in andere Wege wider den Gerichts-Herrn agiren. Dahero siehet man täglich / daß die Fürsten ihren armen Unterthanen mit Promotorial-Schreiben / Poenal-Mandaten, Decretis sine clausula und dergleichen / wider die unbillige Gerichts-Herrn zu Hülff kommen.

Zum andern / ist dahinzusehen / daß die Resistentz in den Schrancken natürlicher Defension bleibe / und dem gewaltthätigen Richterlichen Verfahren proportionirt sey. Ja / es ist dißfalls besser / der Sachen zu wenig als zu viel / zu thun / damit nicht Thür und Angel zu allerhand Insolentien im gemeinen Wesen eröffnet werde.

Die Dritte Observation.

Aus dem bisher Beygebrachten ergibt sich die Antwort auf die berühmte Frag / so vor vier Jahren in unser Nachbarschaft ventilirt worden? Ob nehmlich der Bauer / deme der Gerichts-Herr ohn vorgehendem Gerichtlichen Process und rechtmässiger Ursach / aus lauter Passion sein stattliches Guth wegenommen / sich mit Gewalt dargegen habe setzen: Und so mittelst das abgenommene Guth recuperiren und hinwieder an sich bringen können? Dann obwohln sonsten versehenen Rechtens ist / das niemand sich in Streit-Sachen eigenmächtig rächen / sondern selbige vielmehr durch den Ober-Richter entschieden: Keines wegs aber durch Privat-Rach erörtert werden sollen /

So ist jedoch das Landfriedbrüchige Verbrechen (welches durch gewaltthätige und unrechte Beraubung begangen wird) allwegen vor eine solch verhaßte That / so wol bey Unterthan / als deren Herrn / gehalten worden / daß die Reichs-Satzungen dem beschädigten Theil / auf frischen Fuß und in continenti, oder auch nach rechtmässigen Raum / nach Bewandnus der Sachen / Personen und Zeit / die Defension und Recuperation ihrer Güter verstatten / es mag auch deswegen beym Richter schon Klag erhoben seyn / oder nicht;
Dann dergleichen Recuperation wird nicht pro spolio, sondern vor eine Continuation der alten Posseß: angesehen / sintemalen / ein solcher gewaltthätig Entsetzter die Posseß im Gemüth behalten und gleichsam stillschweigend mit demjenigen / welcher ihn seines Guts entsetzt / und selbiges natürlich und violenter vorenthält / gestritten hat. Derowegen / und obgleich die Defension mit gewehrter Hand bey andern Invasionen und Gewaltthätigkeiten / ex intervallo und nach der Hand / unzuläßlich ist / inmassen Brunnen. ad l. 1. C. unde vi. lehret so wird jedoch selbige in diesem Fall deme / welcher in der Civil-Possession bleibt / nicht verwehret / dergestalten / daß er die natürliche ihm entwendete Posseß / eigenmächtig / auch mit gewehrter Hand / recuperiren kan Sigism. Scaccia, de Judic. l. 2. c. 2. num. 18. Dahero / als ein gewisser Obrister in Westphalen eines andern Schloß gewaltthätig eingenommen / und der Spoliirte / unter währendem Proceß, dasselbe mit gewehrter Hand hinwieder occupirt / ist nicht allein vom Kayserlichen Reichs-Hof-Rath an. 1656. ihme ein Mandatum Manutenentiae sondern auch de non amplius turbando wieder den Spolianten ertheilt worden / wie Andler in Jurispr. publ. l. 2. tit. l. 2. §. 8. bezeuget; dann wer wolte die offtmals sehr langwührig Gerichtliche Verzögerungen und den unrechtmässigen Gebrauch seiner Sachen mit gedultigen Augen ansehen? Oder so lang zu warten / biß der Spoliant den occupirten Ort dermassen verwahret / daß dessen Recuperation fast unmöglich fällt? Ist also besser gethan / bey Zeiten auf Rettungs-Mittel bedacht seyn, / als erst / nach allzusehr gekränckten Sachen vergebliche Kosten aufzuwenden / und unnützlichen Streit zu erheben.

29

Druckschrift der Greizer Landesherrschaft über die Steuerverweigerung ihrer Untertanen in Ober-Greiz im Jahre 1714/15 o. O. 1715 (Staatsarchiv Weimar, Hausarchiv Obergreiz und Untergreiz, Schrank IV, Fach 7b, Nr. 18).

Vgl. dazu R. Schramm, Ein Bauernaufstand im Greizer Land 1714/15, in: Jahrbuch des Kreismuseums Hohenleuben-Reichenfels 1954/55, Heft 4, S. 5-58.

Nachdem die Hochgebohrne Gräfin und Frau / Frau Henrietta Amalia, verwittibte Reußin / Gräfin und Frau von Plauen / gebohrene Gräfin von Frießen / Ihre beyde Herren Söhne / die auch Hochgebohrne Grafen und Herren / Herrn Heinrich den Ersten / und Herrn Heinrich den Andern / Gebrüdere ältere Reußen / Grafen und Herrren von Plauen etc. bey die 17 Jahre / nach Ihres Herrn Gemahls / des Weyland / Hochgebohrnen Grafens und Herrn / Herrn Heinrichs des Sechsten / ältern Reußens / Grafens und Herrns von Plauen / Herrn zu Gräitz / Crannichfeld / Gera / Schläitz / und Lobenstein etc. Ihro Königl. Majestät in Pohlen und Chur-Fürstl. Durchl. zu Sachsen hochbestalt-gewesenen General-Feld-Marschalls / Geheimden Kriegs-Raths und Obristens über ein Regiment Cuirassiers, Tode / mit schweren Kosten erzogen / und dieselbe vor etlichen Jahren in Franckreich und Italien geschickt / So haben Sie / nebst Ihrem Herrn Mit-Vormund dem Hochgebohrnen Grafen und Herrn / Herrn Heinrich dem Vier-und zwanzigsten / jüngern Reußen / Grafen und Herrn von Plauen / Sr. Königl. Majestät in Preussen Cammer-Herrn etc. vor gut befunden / ihre getreue Land-Stände um einige Steuren zu Ergäntzung derer bereits auff solche Reise gewendeten Kosten / und zu deren fernern Fortsetzung / anzusprechen / und zu dem Ende einen Landtag im Julio verwichenen 1714ten Jahrs auszuschreiben.

Daß nun denen Herren Grafen Reussen / gleich andern Reichs-Ständten / das Jus Collectarum oder Steuer-Regal zukomme / und Sie dahero befugt seyn / Steuren / und zwar die Reichs- und Creiß-Steuren ohn Consens der Land-Stände / diejenige aber / so zu Herrschafftl. freyen Disposition gehören / mit Consens derselben auszuschreiben / ein solches ist so notorisch / daß man nicht hätte glauben können / daß jemand dasselbe in einigen Streit ziehen würde.

Nachdem man aber leider! erfahren müssen / daß diejenige wiederspenstige Bauren / so die gegenwärtige Unruhe angefangen / nebst ihrem gottlosen Rathgeber sich nicht scheuen / denen Herren Grafen solch Steuer-Regal zu disputiren und öffentlich vorzugeben / dieselbe hätten keine Macht Steuren auszuschreiben / sondern das könte der Käyser allein thun; So ist man / um die Unwissende zu desabusiren / genöthiget / sich dißfalls nicht allein auff den hiebey sub. lit. A. gefügten Extract Käyserl. und Königl. Lehen-Brieffs; darinnen die Herren Grafen ausdrücklich mit dem Steuer-Regal beliehen worden / sondern auch auff die über das Pactum de Anno 1546. vermöge dessen die Herrschafft Gräitz und andere Reußische Lande zum Böheimis. Lehen gemacht worden / erfolgte Käyserliche und der Chur-Fürsten des Reichs Bewilligung / und darin enthaltenes Reservat zu beziehen / dann daselbst ausdrücklich enthalten:

Daß die Bewilligung in solche Lehnschafft dem Käyser und dem Heiligen Reich an ihren Herrl. Ober- und Gerechtigkeiten unvorgreifflich und ohnschädlich seyn solle.

Welches dann auch in denen folgenden Käyserl. Confirmationen des bekandten

Privilegii Ludoviciani reservirt ist / und lauten daselbst die Worte also:
Nostris tamen & S. Rom. Imp. Superioritate, & imprimis Decreto illo s. Pacto de Feudis deinceps a Nobis tanquam Bohemiæ Rege recognoscendis, &, aliorum quorumcunque Juribus salvis.

Daraus dann Sonnenklar erhellet / daß die Herren Grafen Reussen / ob sie wohl durch obbemeldtes Pactum Königl. Böheims. Vasalli und ihre Lande zum Böheims. Reichs Lehn geworden / dannoch Status Imp. geblieben / und die Superiorität allein vom Käyser und dem Reich / mithin alle Jura Statuum Imp. & Superioritatis Territorialis, wohin auch das Jus Collectarum oder Steuer-Regal gehöret / ohnstreitig haben. Massen Sie dann auch in notorischer Possess, so wohl der Landes Hoheit und jurium Statuum Imp. in genere, als auch des Juris Collectandi in specie begriffen / und iederzeit Steuren mit oder ohn Consens der Land-Stände (nachdem nehmlich die Steuren beschaffen gewesen/) ausgeschrieben und erhoben haben; Wie sie dann auch dabey von der Römischen Käyserl. Majestät selbst / wann die Unterthanen sich wiedrig bezeiget / allergnädigst geschützet worden / davon das unten lit. N. befindliche Käyser. Mandat ein sattsames Zeugnis giebet.

Gleichwie nun dieses denen Ober-Gräitzis. Land-Ständen mehr als wohl bewust, sonst auch ihnen bekandt und notorisch ist / daß die Reußische Unterthanen bey der jüngern Linie zu denen Reisen dasiger Jungen Herrschafft / ein Ansehnliches theils beygetragen haben / theils noch würklich alle Jahr beytragen / so haben sie auff die geschehene Land-Tags Proposition hiebey sub lit. B. in Erwegung daß Ihr Hochgräfl. Excellenz dem Lande Wohl und rühmlich vorgestanden / und wärender ihrer Vormundschafft von den Unterthanen nicht das geringste über dasjenige / was Sie Dero in GOTT ruhenden Hertzgeliebtesten Herrn Gemahls / obhochgedachten Herrn General-Feld-Marschals Hochgräfl. Excellenz, Glorwürdigsten Andenckens / vorhin gegeben / gefordert hat / Einmüthiglich laut sub C. beygehenden Landtags-Abschieds / bewilliget / daß das Land 2. Steuern jährlich / 6. Jahr lang / und also in 6. Jahren zusammen 12 Steuren / zu besserer Subsistenz der jungen Herren in frembden Landen / (Deren zwar einer nachgehends den 7. Septemb. 1714. in Pariß gestorben / aber zu dessen Beerdigung / gleichwie vorhin zu beyder Reise ein grosses aufgangen) abstatten solte; dagegen die Herrschaft eine Kriegs-Steur vor das 1714. Jahr zu erlassen / gnädigst versprochen.

Ob man nun wohl die Kriegs-Steur würcklich laut Attestats lit. D. erlassen / und die Bauren dieselbe im Sack behalten / also disseits dem Reces ein Gnügen geschehen / die Städte auch / und einige Dorffschafften / besage des Schössers Berichts lit. E. die Reise-Steuer willig abgetragen / so haben doch die meiste Dörffer / durch Verhetzung einiger rebellischen Bauren / aus denen so genandten Oberdörffern / (darunter der alte Schimmel / bereits wegen dergleichen Empörung Anno 1693 in 6. Jährige und Anno 1698 in 10.Jährige Landes-Verweisung / durch eingehohlte Urthel auswärtiger Universitæten condemniret / aber von der Herrschaft begnadigt worden) zu denen bewilligten Reise-Steuren sich nicht verstehen wollen / sondern laut Protocols hiebey sub F. theils vorgewendet / sie könten wegen des heurigen Mißwachses nichts geben / theils / sie fürchteten / daß sie diese Steuren / wann sie sich einmahl dazu verstünden / allzeit geben müsten.

Nun hat man dem Ersten Einwurff dadurch abgeholffen / daß die Herrschaft so gnädig gewesen /·und sich vermöge ihrer Erklärung lit. G. vor das Jahr mit einer Steuer (so die Unterthanen sonst zur Kriegs Casse hätten geben müssen) begnügen / mit der andern Steuer aber bis nach künfftiger Erndte in Gedult stehen wolten. Ingleichen ist dem anden Einwurff durch die sub lit. H. anliegende Versicherunge / daß es nicht länger als 6. Jahr wären solte / (so ihnen vorgelesen / und ihnen zu extradiren offeriret worden) begegnet / und haben dabey die in Vormundschafft bestellte Cantzley-Director, Räthe und Assessores denen Bauren auffs bewegligste / wie aus dem Protocol hiebey lit. I. zu ersehen / zugeredet. Darauff sie auch von ihrer Schuldigkeit überzeugt / und zum Abtrag geneigt zu seyn / geschienen.

Nachdem aber auff bestimmten Tag theils Dorff-Richtere gar nicht erschienen / theils aber berichtet / sie hätten keine Resolution von ihren Gemeinden erhalten können / so ist man genöthiget worden / die Execution, dem Herrschaftlichen Befehl oben lit. G. zufolge / ergehen zu lassen / dabey man jedoch abermahl denen willigen Dilation mit einer Steuer bis nach der Erndte angebothen / und im übrigen alle Moderation gebraucht / wie die Instruction hiebey lit K. mit mehrerm zu erkennen giebt. Es haben auch einige Dörffer namentlich Settendorff und Sorga / Mehla / Kauren / Brückla und klein Rheins-Dorff / so bald die Executanten hingekommen / sich willig erwiesen / und eine Steuer bezahlet / darauff die Execution abgangen. Als aber die Execution auff das Dorff Naitzschau gekommen / so haben diese Gottvergessene und alle Pflicht / so sie der Obrigkeit schuldig / aus den Augen setzende Bauren / so gleich in der Nacht in andere Dörffer geschickt / und die Bauren zusammen geruffen / da dann derselben bey 300. sich zusammen rottiret / nach Naitzschau gelauffen / und nicht allein der Execution sich wiedersetzet / sondern auch den Gräflichen Ambts-Verwalter übel tractiret / und ihn gezwungen / mit seinen Executanten abzuziehen.

Ja sie sind in ihrer Boßheit so weit gegangen / daß sie diejenige / so sich nicht mit ihme rottiren wollen / todzuschlagen gedreuet haben. Massen dann Viele unter ihnen die That bereuet / und / daß es nicht geschehen seyn möchte / gewünschet / dabey aber ausdrücklich sich vernehmen lassen / sie müsten wohl mitlauffen / wofern sie sich nicht wolten todtschlagen lassen. Einige haben auch auff Befragen / warum sie mitgelaufen / keine andere Ursache eingewandt / als diese: sie hätten sich von den andern Bauern nicht wollen todtschlagen lassen. Über das alles continuiren sie noch in ihrer Wiedersetzlichkeit und Ungehorsam / so gar / daß sie sich zum Theil bedrohlicher Worte gegen ihre Obrigkeit vernehmen lassen / auff ausgelassene Citationes zu erscheinen / sich ausdrücklich weigern / und den Gerichts

Knecht / wo er wieder käme / übel zu empfahen / dreuen. Alles besage hiebey gehenden Protocoll sub lit. L. 1. & L. 2.

Gleichwie nun ein solches Factum Scandalosum, und solche zusammen Rottir- und Empörung der Bauren allen göttlichen und menschlichen Gesetzen zuwieder laufft / und in denen Reichs-Satzungen höchst verpönt und verboten; Also ist es bey denen Ober-Gräitzisch. Reußischen Unterthanen desto straffbahrer und unverantwortlicher / weil ihnen bereits Anno 1693 und 1698. da sie ebenfalls respective die schuldige Frohnen / und auff einem Land-Tage bewilligte Steuren zugeben / sich geweigert / vermöge sub lit. M. & N. hiebey gehenden Käyserl. Mandaten / (so damahls auch gedruckt und öffentlich affigirt worden) aller heim- und öffentlichen Zusammenkünfften und Rottirung / sonderlich aber thätlicher Empörung und Auffstandes / sich gäntzlich zu enthalten / bey Pœn von 10. Marcklöthigen Goldes und schwehrer Käyserl. Ungnade anbefohlen worden.

Und was den Unfug der Bauren desto grösser und ihre Wiedersetzlichkeit desto detestabler macht / ist dieses / daß die Hoch.-Gräfl. Vormundschaffts-Herrschafft / wie so wohl notorisch / als durch dero getreuen Ritterschafft Attestat lit. O. bezeuget wird / eine solche moderate gelinde und gütige Regierung bishero über ihre Unterthanen geführet / daß diese nicht die geringste Ursache zu klagen haben / welches dann auch daraus leichtlich zuerkennen / daß die gnädigste Herrschaft in 17 Jahren / so lange nemlich die Vormundschafft währet / ohn geachtet der schweren Schulden-Lasten / so auff der Herrschaft / bekandter Massen / gehafftet / und des höchstnöthigen Schloß-Baues / welcher viele tausende gekostet / dannoch nicht den geringsten ausserordentlichen Beytrag von ihren Unterthanen begehret / sondern Ihr Hochgrafl. Excellenz das Ihrige hergeschossen / und sich mit denen 3. halben oder anderthalben gantzen jährlichen Steuern / so in der gantzen Familie von allen Unterthanen gegeben werden / begnügen lassen / auch mit Kriegs-Steuren daß Land / so viel möglich / verschonet / da doch die hiesige Ober-Greitzis. Ambts-Unterthanen / vermöge des mit der Herrschafft den 6 Junii Anno 1685 zu Döhlau errichteten Recessus, laut Extractus lit. P. schuldig gewesen wären / eben so viel Steuren als die Unterthanen bey der jüngern / in specie in der Gerauischen / Linie zu entrichten. Weßfalls man sich aber quævis Competentia vorbehält.

Aus dieser kurtzen Facti Specie erhellet nun (1) daß die Herrren Grafen Reussen / als notorische Reichs-Stände / und vermöge Kayserl. und Königl. Lehn-Brieffe / das Jus Collectarum, oder die Macht haben / Steuren auszuschreiben / und zu dem Ende ihre Land-Stände zu convociren / und daßjenige / was dieselbe bewilliget / von allen Unterthanen zu exigiren . . .

30

Aussage des Hans Nicol Jahn über die Versuche des Advokaten Bulisius im Jahre 1723, die Schwarzburg-Rudolstädter Untertanen zur weiteren Unterstützung des von ihm am Reichshofrat in Wien geführten Prozesses zu bewegen.

Druck: Endliche und letztere palpable Demonstration des gantzen Bulisischen Unwesens, 1727, S. 64–67. Vgl. dazu E. von Ranke, Das Fürstentum Schwarzburg-Rudolstadt zu Beginn des 18. Jahrhunderts, S. 85 ff. Vgl. Dokument Nr. 33.

Nachdem Jahn zuförderst erstlich ermahnet worden, die rechte gründliche und unverfälschte Wahrheit zu sagen, und seine Antwort so zu erstatten, wie er solche mit gutem Gewissen eydlich zu bestärcken sich getraue; So hat derselbe auf Befragen gemeldet:

Er heisse Hanß Nicol Jahn, sey ein Schuhmacher, wohne in Blanckenburg / sonst von Teichröde gebürtig / und ohngefehr 35. Jahr alt; könne hiernechst nicht läugnen, daß er bey dem Land-Streite, welchen der bekannte Bulisus führe, halte, weilen er sich einmal mit unterschrieben; er, referent, sey auch öffters bey Bulisio gewesen, und zwar in Stadt Remda zweymahl, in Unter-Berlitz einmahl, in Erffurth aber zu verschiedenmahlen.

Auf Befragen: ob er sich der von Bulisio an die Gemeinden und Unterthanen beschehener Vorträge erinnern könne, und worinnen solche bestanden?

Meldet Deponent Jahn, daß er nicht im Stande sey, alles zu erzehlen, was Bulisius denen Unterthanen und Syndicis vorgetragen; wenn ihm aber iemand auf die Bahn hülffe, und von dem, was Bulisius vorgetragen, erzehlete, so würde ihm wohl das meiste annoch beyfallen.

Hierauf wurde ihm der von Notar. Fiedlern beschworne Vortrag sub B. vorgelesen, da er denn einiger Stücke und Umstände sich noch gar wohl erinnerte, einiger aber um deßwillen sich nicht wohl erinnern können, weiln es bereits eine geraume Zeit, daß solches geschehen, er auch nicht allezeit beständig dabey gewesen, sondern nur auf- und abgegangen. Dasjenige dessen er sich noch aus denen Fiedlerischen Aufsätzen wohl erinnerte, auch eydlich zu bestärcken bereit wäre, bestünde in folgenden:

Ihr lieben Leute etc.: Ihro Hoch-Fürstl. Durchl. geben ihren werthen und hohen Nahmen zu der Landes-Sache, ach! lieber GOTT, des theuren Fürsten Nahmen muß ihrer Schalckheit Deckel seyn, etc. Der Landes-Fürst weiß wenig oder nichts davon, der hohe Nahme wird ja recht gemißbrauchet von denen bösen Räthen und Beamten, damit sie nur die Sache bemänteln, das hat alles der N. N. eingesehen etc.: Ich bitte euch um GOttes willen, gebet doch das Wenige zu dem Land-Streit, weil die Gnaden-Thür in Wien noch offen stehet, werdet ihr solches nicht thun, so werdet ihr sehen, was ihr gemacht, es solte ein ieder Haus-Vater 10. Thlr. zu solchen Proceß borgen, denn ihr streitet vor die Freyheit, ist die Gnaden-Thür erst in Wien zugeschlossen, hernach müsset ihr alle Land-Läuffer abgeben, darnach wird es heissen, das sind die gottlosen Unterthanen, ja keine Herrschaft wird euch auf- und annehmen, darum weil ihr vor Rebellen ausgeschryen worden, bedencket doch das Unglück so über euch und eure Nachkommen schwebet, bethet ja fleißig, daß der theuren Herrschafft die Augen eröffnet werden, damit ihr nicht gar in Verzweiffelung fallet, und dancket den lieben GOtt Tag und Nacht daß er einen so rechtschaffenen Mann erwecket, der sich euer so treulich annimmet. Bedencket doch in was Gefahr ich mich um euch gegeben, und spahret keinen Fleiß die nöthigen Kosten beyzuschaffen, denn sonst wird alles Weh auf euch ruhen. Ja, wenn die Beamten solten victorisiren, hilff ewiger GOTT, wie würde es mit euren Seelen ergehen, denn hernach würdet ihr folgends desperat, o! was für Unglück über das arme Land, was hilfft es den Menschen, wenn er die gantze Welt hätte, wer Ohren hat zu hören der höre! Ich reisse euch als euer Advocat nach, und ihr soltet zu mir kommen, sehet die Liebe. Ihr lieben Leute, ich habe mich gantz müde geredet, ach! lasset Euch doch meiner erbarmen, damit ich doch einmal von der grossen Last komme, sehet mit GOtt wollen wir Thaten thun, ich weiß auch gewiß der liebe GOTT wird erhören, und seine Ehre nicht lassen zu schanden machen, denn ich suche nicht meine Ehre, sondern meiner lieben Herrschafft und der armen Unterthanen Wohlseyn; Ob schon die gottlosen Räthe und Beamten es am klügsten greiffen an, so geht doch etc.: Nur getrost, ich will nicht ehender ruhen, bis die Steuer- und Accis- Rechnungen mir vorgeleget werden, aber die nöthigen Kosten müssen beygetragen werden; Ach! ängstiget mich nicht so um das Geld, denn es ist nicht anders, als wenn ich es von euch erbetteln müßte. Das verfluchte Geld, ich habe manchmal so einen Eyffer wenn die Leute kommen, wir könnens ohnmöglich zusammen bringen. Aber nicht wahr? ins Amt habt ihr Geld, wenn ihr es zu fünff und mehr Fl. hinbringen müsset, von Steuern und andern Abgaben will ich gar nichts gedencken, hätte ich Exequirer, ich wolte schon Geld bekommen, und das wissen eben die gottlosen Leute, da sagen sie, was fragen wir nach Bulis. der hat uns nichts zu befehlen. Thue ich erst meine Augen zu, worauf ohne diß alles angefangen, und der Hirte ist weg, wie wird es denen Schaafen gehen, dencket ja nicht daß es Kinder-Spiel ist; Ist die Gnaden-Thür einmal zu, wie ich gesaget habe, hernach ist keine Gnade mehr zu finden, alle Kosten sind umsonst, abgewiesen seyd ihr, man giebt euch als Rebellen kein Gehör mehr. Nun das verfluchte Geld, und wenn ich euch was zuschicke, so unterschreibet es, ist der Nachtbar nicht zu Hause, so unterschreibe ein anderer seinen Nahmen, damit wir von der Sache kommen, denn ich habe der Sache so satt, und kostet es mich nur ein Schreiben an meinen lieben Fürsten, daß ich die Sache niederlegen wolte, so machten sie mir gleich Thür und Thore auf. Kehret euch nicht an die gottlosen Räthe und Beamten, wenn sie gleich aussprengen, es wird nichts aus der Sache, iedoch traget allen Respect vor sie, ach die Noth! die Noth! ihr werdet wunderbarlich sehen, vertrauet nur auf GOtt, und wenn am grösten ist die Noth, so kömmt und hilfft der liebe GOtt.

Nun wollet ihr gehen lieber Mann, grüsset die ehrbare Gemeinde, und solten ja fleißig bethen. Stille doch, das Gebeth will ich allen nochmals recommandiren, und schicket doch ja ja Geld, ich möchte mir manchmal alle die Haare aus den Kopffe rauffen, meine Liebste spricht auch, es wundert mich, wo du die Gedult hernimst, der Gedults-Bindfaden wäre mir längst zerrissen, so bin ich nur zufrieden, daß sie gedultig ist, die liebe Frau schicket mir Geld, Victualien, und erhält mich so gar in Wäsche, der grosse GOtt sey ihr Lohn dafür, wie ist denn, ist angespannet, was bin ich schuldig, sehet Geld, Geld, und niemand will etwas beytragen.

Ferner wurde ihm der von dem Notario Fiedlern ebenfalls beschworne Vortrag sub D. vorgelesen, den er von Bulisio gehöret zu haben, völlig eingestehet, und folgenden Innhalts ist:

Ihr Leute, was meynet ihr, wollet ihr nicht schwören, und ist eure eigene Sache, ich gebe euch noch Geld darzu aus der Landschaffts-Cassa. Ja! ich glaube ihr ließt euch lieber von denen gottlosen Räthen und Beamten das Fell über die Ohren ziehen, Sclaven seyd ihr schon, sehet die Herrn Räthe und Beamte an, wie sie mit euch umgehen; wenn ihr in das Amt oder vor die Regierung kommet, und verlanget Abschrifft von Sportuln etc. nicht wahr, keinen Buchstaben bekommet ihr, ich gebe euch aber alle meine Sachen in öffentlichen Druck, daraus zu zeigen, wie es mit der Landes-Sache stehet, hilff ewiger GOtt, wie solte es mir gehen, wenn ich etwas falsches drucken liesse. Und daraus sehet ihr meine Liebe, Treue, und beständige Aufrichtigkeit, die ich vor euch arme Leute trage, ja ich habe mich vor das Land einmal sacrificiret, und will um des Landes Wohlseyn, mir meinen Kopff vor die Füsse legen lassen; Nun saget mir um GOttes willen, was ich mehr thun und leiden soll etc. Ja sehet eure Nachkommen werden euch unter der Erden verfluchen, wenn sie erfahren, daß ihr nicht um der Landes-Sache Bestes geschworen, ist das nicht so und so?

Bey Vorlesung des Fiedlerischen eydl. bestärkten Vortrags sub E. meldet der Schumacher Jahn, daß er nachstehendes aus Bulisii Munde gehöret, und ebenfalls eydlich erhärten könte.

Bedencket dabey, wie ich um euretwegen so gefährliche Reissen thun müssen, sehet die Liebe die ich zu euch trage, so möchte das Wetter seyn wie es immer wolte, und wenn man auch keinen Hund hinnaußjagte, donnerte und blitzte, so soll mich doch von der Wienerischen Reisse nichts abhalten, als GOttes Gewalt, und saget mir ob ich nicht Liebe zu euch habe; Ja! sehet mein Leib und Leben setze ich euretwegen dran etc. Ich muß gestehen daß der Herr Rath Kühnhold sich eurer Sache recht angelegen seyn lässet, und haben wir alle GOtt zudancken, daß er uns so einen rechtschaffenen Mann zugewiesen, der es mit dem Lande recht ehrlich und treu meinet etc.

Es wird auch ohne allen Zweiffel manchen unter uns bekandt seyn, und werdet ihr es vieleicht gehöret, und erfahren haben, daß ich die Feyertage zu hausse gewesen bin, den ersten Oster-Feyertag früh um 4. Uhr fing ich auf meiner Orgel anzuspielen, HErr GOtt dich loben wir etc. und da sunge ich darzu, da hab ich mich recht erquicket etc.

Ferner: Ihr wisset daß vom Consistorio befohlen worden, welchen Umlauff ich auch aufgefangen habe, daß kein Schulbedienter euch einen Aufsatz machen oder schreiben dürffen. Ey schöne Geistlichkeit cum venia was schiert denn die Landes-Sache denen Geistlichen? solten sie nicht denen Räthen und Beambten in das Gesicht gesagt haben, wir haben mit unserer Biebel zuthun etc.

Ich gestehe es, ich wolte lieber bey denen Meinigen seyn, aber was vor Verfolgung solte ich und ihr darvon haben; wenn wir wolten zusammen kommen, würde der Teufel immer Unkraut einstreuen, da würden sie bald hier bald dar an einen oder den andern locken, und fragen: Was habt ihr bey Bulisio gemacht, bey euren Abgott? wollet ihr noch nicht von dem Bauern Procurator bleiben? Ists nicht wahr? wenn wir den Salv. Conductum nicht hätten, so würde bald Befehl ergehen, schafft die Rebellen die gottlose Rotte aus unsern Landen. Ja! es würde uns nicht anders als denen Ziegeunern ergehen, die an keinen Orthe bleiben können.

Weil nun Deponent Jahn nach beschehener Wiedervorlesung darbey verharret, und daß er sich eines mehrern nicht erinnern könte, bevorab da er bey denen Bulisischen Vorträgen nicht allezeit in der Stube zugegen gewesen, fielen keine besondere Umstände von Bulisio hiervon ihm nicht mehr bey, ausser daß sich derselbige mit dem Notario Fiedler öffters in Reden überworffen und gezancket, Deponent wisse nicht was die Uhrsache gewesen; und denn hiernechst offtgedachter Jahn vorstehendes alles mittelst Eydes zubestärken sich anerklähret hat . . .

31

Zeugenaussage über die Organisation des Widerstands der Untertanen der Vogtei Elsoff in der Grafschaft Sayn-Wittgenstein im Dezember 1723.

Druck: Beständige Nachricht wegen der in der Grafschaft Wittgenstein . . . , 1725, S. 12-17. Vgl. Dokument Nr. 32 und F. Krämer, Der Elsoffer Bauernkrieg.

Actum Wittgenstein den 29ten Decembris 1723.

Wurde der Commissarius Johann Christian Nolle vorgefordert / und / prævia diligenti avisatione de dicenda veritate, nachfolgender Gestalt befraget.

Quaest 1.

Ob nicht Deponent selbsten gesehen / gehöret und sonsten vernommen / daß in der Vogtey Elsoff seiter einigen Tagen ein gewaltiger Auffruhr / Tumult und Zurüstung unter denen Einwohnern gewesen?

R: Ja / das hätte er nicht allein gehöret / sondern auch mit zum theil selbst angesehen und erfahren.

Quaest. 2.

Worinnen dann sothaner Auffruhr / Tumult und Zurüstung eigentlich bestanden?

R. Es wären heute 8. Tage / da er mit dem Kutscher Wilhelm von Wittgenstein über Arfeld auff Bettelhausen geritten / umb einen Herrschafftlichen Befehl / wegen Zehnt-Heues und Stroh zu publiciren / da dann ohngefehr zwey Büchsenschüsse auff disseit Bettelhausen eine Partey Elsöffer ad 20. biß 30. Mann / so auff ihren Schultern lange Stangen geführet / und in Reihen und Gliedern marchiret / begegnet / denen Er Deponent zugeredet / was sie doch also auff öffentlicher Strasse mächten / und was solches bedeute? Worauff besagte Elsöffer keine Antwort gegeben / als daß sie ihn Deponenten gefragt / woher er käme und wohin er wolte? Deponent hatte darauff nur gesagt / sie solten ihm Platz machen um durchzureiten / welches dann auch geschehen wäre; In Bettelhausen wäre er beim Einreiten nicht allein gewahr worden / daß die Bohlen von der Eder-Brücke herunter geworffen / sondern auch daß an die etzliche hundert Mann auß der ganzen Vogtey daselbst mit langen Stangen / woran vornen Sensen mit Ringen angemacht gewesen / langen Keulen / Hornickelle / Heugabeln / und dergleichen zum Streit zusammen gerafften Instrumenten sich zusammen rottiret gehabt / und wie Er Deponent genugsam vernommen / und daß jene kaum eine halbe Stunde vor seiner Ankunfft eben von einander gegangen; Er wäre von Bettelhausen weiter durch Elsoff mit besagtem Kutscher Wilhelm / nach Allertshausen wegen obgedachter Commission geritten / da er dann immittelst auch gesehen / daß ein Troupp Allertshäuser / so sich noch zu Elsoff verspätet gehabt / mit ihren langen Stangen und obgedachten Instrumentis Rusticis, ihnen ins Dorff Allertshausen gefolget; Bey seiner Retour von Allertshausen auff Elsoff hätte er an diesem letzten Orte auff dem Rath-Hause den Abend nach Glocke 6. Uhr / bey Eintritt in der dasigen grossen Stuben / über hundert Mann daselbst angetroffen / so sich meist auff die Erde zur Ruhe gelegt / und ihre Stangen / Sensen / Futter-Messer und übriges Bauren-Gewehr umb sich stehen und liegen gehabt / hätten ihme aber von ihrem etwaigen Vorhaben nichts sagen wollen.

Quaest. 3. Ob und was Deponent mehr von solchen Händeln wisse?

R. Weiter nichts / als daß den Donnerstag Morgen vor Weyhnachten / wie der

Kutscher Wilhelm von Schwartzenau dahin wieder zurück kommen / umb ihn Deponenten auff Geheiß der Herrschafft abzuholen / die Bauern in Elsoff die Glocke geläutet / und sich darauff gleich wieder zusammen rottiret: addebat. Einige auß Elsoff hätten sich den Mitwochen verlauten lassen: sie wolten noch Geld darum gegeben haben / daß er Commissarius Nolle etwas eher gekommen wäre / wie sie noch alle miteinander zu Bettelhausen zusammen gewesen / damit er ihre Force hätte sehen können; Sie Vogteyische hätten sich auch hautement verlauten lassen / daß sie sich von der Lands-Herrschaft durchaus nicht wolten Pfänden lassen / oder sich vielmehr biß uuff den Todt wehren.

Quaest. 4. Ob nicht von solchen Aufflauff und anderem der Vogteyischen Beginnen / so wohl in hiesigem als anderen benachbarten Ländern ein gemeiner Ruff / und deßhalb ein großes Auffsehen seye?

R. Ja freylich / und hätten schon von Giessen her ihn benachrichtet / daß es weit und breit daherum erschollen. Deponent sagte ferner / wie er annoch ad præcedentem Quæaestionem tertiam zu deponiren / vergessen / was gestalt den Abend vor Weynachten / als 14. hujus umb 7 Uhr / wie er sich eben niedergelegt / und seine Ehe-Frau wegen des Lermens ihn gewecket / daß man nicht allein mit der kleinen Glocken / auff dem Kirch-Thurn geläutet / sondern auch die grosse Sturm-Glocke gezogen / bey welchem Schrecken er auß dem Fenster gegucket / und der dasigen Bauren grossen Lermen mit grosser Bestürtzung angesehen / wie selbige mit Ihren Stangen / Sturm-Sensen und Hornickels / etc. auß allen Ecken / mit bey sich gehabten Stroh-Fackeln hervor gelauffen / und ein schröcklich Geschrey gemacht / und geruffen: Schlagt todt! schlagt todt! biß sie endlich selbst wieder von einander gegangen;

Den andern Christ-Fest-Tag / hätte er auch (als er Deponent nach Wittgenstein Herrschafftlicher Geschäffte halber reiten sollen) daß Fatum gehabt / daß die Bettelhäuser / bey dasigem grossen Gewässer nicht allein vornen an im Dorff ihre Wagenburg ferm gehalten / und Ihn Deponenten über eine halbe Stunde arrretiret / sondern auch ferner bey der abgeworffenen Brücke par force die Bohlen nicht wieder darauff legen wollen / daß er nolens volens nach Elsoff wieder zurück reiten müssen.

Quæst. 5.

Es habe der Elsoffer Gemeinds-Mann Lipps Feuering diesen Morgen vorgeben / daß ihre vorgedachte Zusammen-Rottirung auß Furcht geschehen / weilen unter andern der Commissarius Nolle sich daselbst verlauten lassen / daß sie solten durch die Wittgensteinische Soldaten angegriffen werden / ob dem so wäre?

R. Er hätte den 14. Decembris, als in der dritten Advents-Woche auff Ordre Ihro Hochgräflichen Excellentz sich auff Wittgenstein sistiret / und biß den 22. Eod. sich hieselbst arretiren müssen / da doch die Elsöffer Vogtey bereits den Tag vorhero als 21ten ejusdem sich zu Bettelhausen zusammen rottiret und armiret gehabt

/ wäre also des Lipps Feuerings sein Angeben gantz ohnerheblich und falsch. Dimissus.

32

Bericht zweier Notare über den Widerstand der Untertanen der Vogtei Elsoff (Grafschaft Sayn-Wittgenstein) vom 11. Oktober 1725 gegen den Versuch der Beamten, Strafgelder für nicht geleistete Frondienste einzutreiben.

Druck: Beständige Nachricht wegen der in der Grafschafft Wittgenstein . . ., 1725, S. 30-34. Vgl. Dokument Nr. 31.

Instrumentum Notariale. Im Nahmen der Heiligen und Hochgelobten Drey-Einigkeit! Amen.

Kund und zu wissen sey hiemit allen und jeden / besonders aber doch denen Jenigen / so hieran gelegen durch gegenwärthiges offenes Instrumentum Notariale, daß im Jahr nach Unsers lieben HErrn und Heylandes JEsu Christi Gnadenreichen Geburth und Menschwerdung Eintausend Siebenhundert Zwanzig und Fünff . . .

Mittwochs Vormittags umb Eilff Uhr / war der zehende Monaths-Tag Octobris, Ihro Reichs Hoch-Gräflichen Excellentz der Hoch-Gebohrne Reichs-Graf und Herr / Herr *Augustus* Graf zu Sayn / Hohen- und Wittgenstein etc. etc. etc. Durch Dero Land-Secretarium David Künckel allhier zu Laasphe mich subscribirten Notarium Wilhelm Stuppe / und dann den 11. dieses Monaths Octobris des Morgens gantz frühe / durch Dero Land-Capitain Regeler mich auch unterzeichneten Notarium Frantz Nicklas Belman / debitè & specialiter wie wohl nur Mündlich requiriren lassen / ad hibitis ad exercendum quendam Actum Notarialem fide dignis Testibus deme zu Eintreibung des / wegen biß daher von den Vogtheyischen Unterthanen zu thun unterlassener schuldigen Frohndiensten andictirten Straffen rückständigen Rests über sie Voigtheyische verhängten ferneren Execution bey zu wohnen umb alles das / was etwan hierbey vorkommen / geredet und gethan werden möchte / wohl zu observiren und prothocolliren / und dann demnächst Seiner Obhochersagter Reichs-Hoch-Gräflichen Excellentz darüber Instrumentum vel Instrumenta gegen die Gebühr mitzutheilen.

Demnach nun / requirirter massen / wir vorhin gedachte und zu End unterschriebene beyde Notarii dieses alles / Amts halber also thun wollen und sollen; Hierum so haben wir / nach dem zu vor / als ich erst gedachter Notarius Stuppe / Johann George Dehnledern und Johann Jost Sonneborn / beyde Bürgere und Schlössere auß Laasphe / und dann ich auch vorhin genannter Notarius Belmann hiesigen Bötticher und Küster Paul Fende / benebst dem Leinweber Ludwig Reuter von Fischelbach / als Zeugen / besonders subrequiriret gehabt / uns den 11. dieses vorgedachten Monaths Octobris, mit dem Hoch-Gräfl. Wittgensteinischen Commando in die Vogthey und zwahren erstlich nach Bettelhausen / von dar aber weiters uns nach Elsoff begeben / daselbst man nahe für dem Dorffe einen grossen Hauffen der Vogtheyischen Unterthanen beysammen gesehen / umb / wie gesagt worden / falls die Bettelhäuser Exequiret werden sollten / mittelst ihrer Assistence solches zu verwehren; wie diese aber das Commando sich Elsoff nähern gesehen / haben sie sich wieder ins Dorff retiriret / und die Sturm-Glocken geläutet; darauff sich insgesamt wohl etliche Hundert starck aus der gantzen Vogthey / als nehmlich Allertshausen / Elsoff und Bettelhausen / in Männer / Söhnen / Knechten / Weibern / Mägden und halberwachsenen Kindern bestehend / mit tödtlichen Gewehren / als / grossen / langen / dicken und starcken Stangen / Keulen und Prügeln / deren etliche mit dicken Kolben / auch eine und die andere mit Eisen beschlagen gewesen / sich zwischen das Rath-Hauß und daselbstigen Nolls Haus ordentlich rangiret. Wie nun der Hoch-Gräfliche Wittgensteinische Herr Land-Capitain Regeler / das Commando auffmarchiren lassen / und solches vor obgedachtes Nolls Hauß postiret gehabt / ist er zu ihnen gegangen / und sie befraget / was sie mit ihrer Rüstung und denen in Händen habenden gefährlichen grossen Prügeln und Stangen / wie auch den Heu- und Mist-Gabeln da machten / sie ihme zur Antwort gegeben: weil ihr mit eueren Gewehr zu uns kommet / so ist uns auch nicht zu verdencken / daß wir unser Gewehr ergreiffen / umb Gewalt mit Gewalt abzutreiben etc. Darauff der Hoch-Gräfliche Wittgensteinische Herr Land-Secretatius Künckel auch herzu getretten / und Beyseyns unserer Notarien und Zeugen / ihnen glimpflich fürgestellet / wie sie nur kähmen / die letzt restirende und noch neuerlich auffgeloffene Frohn-Straffe nach dem ihnen schrifftlich communicirten Befehl beyzutreiben etc. Sie möchten also nur das Commando einquartiren / dabey gelegenheitlich er sie gar gütig und getreulich gewarnet / und hertzinniglich gebetten: Sie möchten sich doch ihres Besten halben zur Ruhe begeben / sich nicht gegen ihre Landes Herrschafft vergreiffen / und versündigen / und also selbst nicht durch ihre Rebellisch Widerstreben / unschuldiges Blut zu vergiessen Anlaß geben / anderst sie solches sonst gar schwehrlich zu verantworten haben würden / und hieran wären so dann Gnädigste Herrschaft unschuldig / wie Er dann auch für sich selbst hieran unschuldig seyn wolte; zu deme wäre ja genug bekannt / daß die Herrschafft wiederum in die Possession der ungemessenen Diensten gekommen. Aber alle diese wohl-gemeynte Fürstellung verfieng nichts / sondern sie gaben auffs letztere nur allein zur Antwort: Daran wäre ihr Doctor zu Wetzlar alleinig schuld.

Eines vor alles / so declarirten sie sich / wie sie keine ungemessene Dienste schuldig wären / so wolten sie auch durchauß keine thun / noch die Execution zu geben / oder diß Commando auffnehmen und einquartiren / es möchte auch kosten / was es immer wolte / wenn es auch schon das Leben gelten solte / sie wären dem lieben GOtt doch einen todt schuldig / wäre also ihnen eins / ob sie Heute oder Morgen stürben; Und ohngeachtet ich der Notarius Stuppe ihnen hierauff bescheidentlich für gestellet / Sie möchten dißfalls doch ihr selbst eigen Bestes prüffen und beobachten / ihr Recht erwarten / und es ja nicht zu äussersten Dingen und etwan gefährliche Extremitäten kommen lassen / vielmehr mit ihrem Gewehr nach Hauße gehen und ruhig seyn etc. So hat dieses eben wenig oder gar nichts bey ihnen fruchten wollen / sondern sie sind nach wie vor / mit ihren vorhergedachten Rüstungen daselbst steiff bestehen geblieben; Hierauff die bey dem Commando befindliche Officiers und Bediente ins Nolls Hauß gegangen seyn / und denen Unterthanen bey 2. Stunde Zeit / sich zu bedencken gegeben haben / inmittelst doch Billets zum einquartiren gemacht; Nach diesem dann der Herr Land-Capitain das Commando in Reyhe und Glieder gesetzet / und weil ihme nicht-unbekannt war / daß sie die Unterthanen viel tödlich Gewehr auff dem Rath-Hauß haben solten / auch zu haben pflegten / so hat er sich mit acht Mann dahin begeben / um solch Gewehr / grösser Unglück zu vermeyden / hinweg und in Verwahrung zu nehmen; Als er aber das Rath-Hauß so wohl / gleich wie andere Häußer / verschlossen fand / die Unterthanen auch / allen freundlichen Ermahnen ohngeachtet / die Thür nicht auffmachen wollen / so hat er solche eröffnen lassen / und darinnen visitiret; und als er desselben keines mehr finden können / so haben sie sich / der Capitain bey des daran wohnenden Schmieds / der Lieutenant aber mit etlichen Mannen bey des gegen über wohnenden Gickers Hauß begeben / und da eben auch die Thüren auffzumachen / und zu öffnen begehret / und die Leute einzunehmen / sie ermahnet; Als sie dessen aber / gleich wie vorhin / sich geweigert / so haben sie die Thüren selbst geöffnet und etliche Soldaten darein billettiret; Wie sie darauff nun weiter sich zu Gernands Hauß begeben / umb auch daselbst Quartier zu machen; So haben die Unterthanen zu ruffen angefangen: Wir haben nun genug geschehen lassen / aber nun soll es durchauß nicht weiter kommen / es gehe auch und koste was und wie es wolle; Also sie nochmahls mit allen 3. Glocken zugleich gewaltiglich gestürmet; Wie nun vollend alles zusammen geloffen gekommen / so haben sie einander ermahnet und zugeruffen / wie die Brüder beyeinander zu halten / und darauff hertzhaft loß zu gehen / es würde das Leben nicht kosten / und solten sie ja etwan auch schießen / so würde es doch eben nicht alle treffen; Darauff sind die Unterthanen so Mann- als Weibs-Personen mit der grössesten Ungestüm / allen treulichen Warnen ohnerachtet / auff das Commando zugeloffen / und haben in dasselbe / ob sie ihnen schon das Gewehr vorgehalten gehabt / einzudringen getrachtet / auch als währender Zeit die Thür von dem Hauße geöffnet werden wolte und die Commandirten sie zurückdringen und abhalten wollen / so haben sie mit ihren Kaußen und starken Stangen auff das Commando zuzuschlagen angefangen / und würcklich 3. Soldaten / als nemlich / den Tambour Sebastian / den Musquetir Hoffmann und den Medbach dergestalt auff die Köpffe geschlagen / daß sie voller Blut / als todt zur Erden niedergefallen seyn / dem Gefreyten Horchler aber die Hand fast, das Gewehr aber entzwey geschlagen worden / noch sind etliche andere mehr elendig zugerichtet / wie dann auch der Tambour Sebastian zugleich durch den Hut geschossen worden / wie dann der Schuß auff dem Rande desselben / und daß solcher auß dem Bauren Hauße gefallen seyn müsse / der Augenschein klärlich ergiebet / auch solches so geschehen zu seyn / ein und andere mehr vom Commando es attestiren; Auch kam ein grosser starcker Unterthan mit einer langen Stange / so wie ein Botten-Spieß mit Eysen beschlagen / zugleich zugeloffen / vermuthlich mit darauff schlagen und stechen zu helffen / welcher / da ihn der Herr Lieutenant von Steubert mit einer vorhaltenden Pistole abhalten wolte / Ihme Lieutenant dergestalt und mit solcher Force, wie dieser den Schlag entweichen wollen / auff die Schulter und oberen Arme schluge / daß Er darüber zu Boden fallen müssen; Wie dann auch weiters die Bauren mit schlagen nicht nachliessen / also das gantze Commando von ihnen niedergeschlagen zu werden / sich befahren muste; So sind gegen die Bauren einige Schüsse gefallen; Ob nun wohl etliche von ihnen so gleich todt auff dem Platze blieben / und einige gar schwerlich blessiret wurden / so kehreten dannoch sich die Bauren hieran gar nichts / sondern drungen vielmehr mit grossen Hauffen und ihrem Gewehr in das Commando hinein / und schlugen unter andern den Jäger Johannes Reuter so hefftig auff den Kopff / daß er auch so fort zur Erden fiel / und eine gute Weile / wie todt auff derselben beliegen bleiben mußte / wie auch eben so dem Förster Henck von Richstein und vielen andern mehr von der Land-Militz geschehen ist; Wie sie damit also recht Hand gemein geworden seyn; So sind noch viele von der Land Militz / den Förstern und andere mit gegebene Leute mehr lahm / braun und blau geschlagen worden; Und / als das Commando mit dem anhaltenden Schießen sich noch immer forthin defendiret und einige davon ferner niedergeschossen / und zum theil starck blessiret / so sind die Bauren endlich gewichen / doch haben sie noch etliche mahl sich wieder zu setzen und das Commando anzugreiffen getrachtet; aber wie man Feuer unter sie zu geben gedrohet und das Gewehr gegen sie gehalten / sind sie endlich gewichen / und aus einander geloffen etc. Darauff das Commando noch eine weile auff der Huth gestanden / endlich nach gesetzter Schildwacht / sie sämtlich auff dasiges Rath-Hauß ein logiret / und nach diesem hat der mehr gedachte Herr Land-Capitain Regeler dem erhaltenen Befehl zu Folge / anfangen lassen in einigen Scheuren zu dreschen / um so wohl die Executions-Gebühr / als die noch restirende Straffe unterlassener Frohn-Dienste heraus zu bringen. Von den Bauren selbst sind so gleich 3. auff dem Platz todt geblieben und 2. hernach / so starck blessiret gewesen

/ gestorben / ohne die noch in Gefahr sind zu crepiren:
Wie demnach Herr Land-Secretarius Künckel / von allem Illustrissimo Comiti Regenti Unterthänigsten Bericht abgestattet gehabt; So haben selbige so fort ihren Apotheckern benebst einem Chyrurgo mit dienlichen Medicamenten versehen / nach Elsoff abgeschicket / die die Krancke besuchet / besehen und Medicamenta gegeben / und auch da gelassen haben / dergleichen von Berlenburg aus auch so geschehen; Noch liegen einige zu Schwartzenau / die von dasigem Chyrurgo Pfeiffer / eben auch gebührlichen versehen werden; Wiewohl etliche darunter seyn sollen / die Gefahr haben dörfften. Geschehen seyn alle diese Dinge / im Jahr / Indiction, Kayserlicher und Königlicher Reiche / Regierung / Monath / Tag / Stund und Òrthen / wie vorhin gemeldet worden.

33

Reichshofratsconclusum vom 10. Oktober 1724 in der Streitsache der Untertanen von Schwarzburg-Rudolstadt wegen Steuer- und Akziseerhöhung.

Druck: Merkwürdige Reichshofrats-Conclusa II, 1726, S. 419 ff. (Auszug) Zum Verlauf der Auseinandersetzung vgl. E. von Ranke, Das Fürstentum Schwarzburg-Rudolstadt zu Beginn des 18. Jahrhunderts, S. 106 ff. Vgl. Dokument Nr. 30.

1. Ponantur die sämmtliche eingekommene neuere Exhibita, in specie vom 11. 17. 18. 24. 28. Julii, 17. 30. Augusti, 9. 18. 28. Septembris und 9. Octobris aller lauffenden Jahrs ad Acta.
2. Hat das hinc inde gethane Begehren Communicationis variorum Exhibitorum, nach Gelegenheit dieses in præparatoriis zu genauer Erkundigung der eigentlichen Beschaffenheit versirenden Processes, auch anderer aus dem bißherigen den rechten Grund der beyderseits anderst angegebener und controvertirter factorum je länger je mehr in Dunckelheit setzender häuffigen productorum herrühriger wichtiger Ursachen, nicht statt, sed fiat
3. Mit Aufhebung des gegen die 3. vorherige Verordnungen vom 20. Januarii 1723. 1. Martii und 5. Julii ejusdem anni unter unstatthaffter wiederhohlter Fürwendung einer Cameral-litis-pendenz veranlaßten Conclusi de 21. Julii besagten Jahrs quoad membrum tertium & quartum alles so wohl von Seiten des Herrn Fürstens als dessen angegebener neuer Landständen von Ritterschafft und Städten, zumahlen noch erst sub præsentato den 9. dieses weiters beschehenen Einwendens

ohngehindert, nova Commissio an den Herrn Landgrafen zu Hessen-Cassel, & rescribatur eidem:

Nachdeme verschiedene Jahre hindurch zwischen ermeldtem Herrn Fürsten zu Schwartzburg-Rudelstadt, Dero Regierung und Beamten eines, dann dessen Unterthanen andern Theils, grosse Verwirrungen und Uneinigkeit, hauptsächlich und mit dißmahliger Vorbeygehung anderer eingeklagten Beschwerden wegen der Steuer, und ihrer Multiplication des eingeführten Comsumptions-Accises, des errichteten Waysen- und Zucht-Hauses, und so wohl dißfalls als im Land verkauffendes Vieh gelegten Imposten, item den übermäßigen Sportuln und abgeforderter Inquisitions-Kosten &c. obgeschwebet, und dato noch vorwalten, welche bey (ohnedem schon geraume Jahr hindurch mit Kayserlicher Langmuth angesehenen und gedauerten allerhand Vorwendungen) unterbleibender gründlich- und geschwinder Untersuchung in loco zu schädlichen Unruhen in selbiger Gegend ausschlagen, wo nicht gar andere Länder mit ergreiffen könnten. Deme aber vorzukommen, mithin die eingerissene Verwirrungen, sammt dem daraus erwachsenen verderblichen Mißtrauen schleunigst abzuhelffen, Ihro Kayserliche Majestät sich ein ernstliches Anliegen seyn lassen, und dessentwegen jetzo benannten Endzweck desto förderlicher zu erreichen, in des Herrn Landgrafens zu Hessen-Cassel bekannte Liebe und Neigung zu stifftender nöthiger Ruhe und Vereinigung ungleich gesinneter Gemüther, sonderlich wo dergleichen sich in der Nachbarschafft äussern wollten, ein sonderliches Vertrauen setzen, daß bey dessen eintrettenden Vermittelung das zu wünschende gute Vernehmen wieder hergestellet werden dürffte. Solchemnach wollen Höchst- gedachte Ihro Kayserliche Majestät Dero Kayserliche Commission ihm Herrn Landgrafen sumptibus klagender Unterthanen dahin auftragen, daß derselbe, ohne Annehmung einiger zu Verzögerung dieser und dergleichen auf Beschirmung der Wahrheit und Justiz angesehener unvermeintlicher nöthiger Kayserlicher Local-Erforschung gereichter Einwürffen, sich förderst über die Legitimation und Qualification des von erwehnten Klägern bestellten dahiesigen Mandatarii Bulisii, nicht weniger, ob die Unterthanen zur Klage von ihm mittelst Vorzeigung eines selbigem beygemessenen Kayserlichen Reichs-Hof-Raths-Conclusi, oder sonst in andere ungebührliche Wege aufgereitzet habe, oder aus wessen Antrieb sie darzu bewogen worden seyn, als weßfalls viele gegeneinander streitende Vorstellungen beschehen sind, genauest erkundigen, demnächst die angebrachte und coram Commissione in förmlicher Ordnung nochmahls anbringende wahrhaffte Gravamina durchsehen und erwegen, zumahlen allen Fleiß vorkehren, damit de plano, und durch den Weg gütlicher Compositon selbige abgethan werden, in Entstehung dessen aber, oder sollte auch der Herr Commissarius einige Aufzüglichkeit der Kayserlichen allergnädigsten Anweisung zuwider ab Seiten des Beklagten Herrn Fürsten verspüren, nichts desto weniger die Untersuchung der von denen Unterthanen zu Klage gestellter und repetirender Puncten, ohne einige Einred hierüber zu attendiren, allenfalls in Contumaciam, aus dem Fundament mit Vorenthaltung der den 22. Octobr. 1709 ergangenen Kayserlichen Resolution sub Lit. A. beygehend untersuchen, gesammte Theile gnüglich hören, aber den Fortgang der Sachen, und der Partheyen Bezeugung nach ermessendem Befund von Zeit zu Zeit berichten, so fort nach vollbrachtem Geschäfft das geführte ordentliche Protocoll sammt denen Anlagen und beygefügtem eigenen räthlichen Gutachten Kayserlicher Majestät zu weiterer allerhöchsten Entschliessung sub termino duorum mensium einschicken, anbenebens aber der vorberührten Unterthanen Sachwalter, in specie den Bulisium, ihre Advocaten, Notarien, Schreiber, und wen sie sonsten in ihren Geschäfften zu gebrauchen nöthig finden, (inmassen ihnen solche Advocaten und Notarien, oder andere zu Verführung dieser Rechtlichen Angelegenheit diensam erachtende Personen, wenn sie auch gleich ausserhalb des Rudelstädtischen Landes wohnen, zu erwehlen und zu gebrauchen frey stehet) ertheilten Kayserlichen salvum conductum so wohl zu Beredung ihrer Angelegenheit, als nöthiger Zusammenkunfft und Einsammlung der erforderlichen Gelder, doch daß dißfalls, und was in allen biß hieher von Klägern bereits angewendet worden, eine ausführliche Specification ad Acta Commissionis überliefert werden, Autoritate Cæsarea kräfftigst halten solle. Hierauf

4. Der gebetene salvus conductus, und zwar von klagenden sämmtlichen Unterthanen den Bulisium Advocaten, Sachwaltern, Notarien und andere gebrauchende Personen um ihre Nothdurfften unter Kayserlicher Sicherheit so viel und so offt es nöthig scheinen mag, bedencken, vorstellen und verabreden, auch die erforderliche Gelder, wovon sie eine Specification ad Acta Commissionis zu überliefern haben, zusammen bringen zu können, in optima forma hiermit erkannt, jedoch mit dieser ernstlichen Auflag an den gegen ihren Landes-Fürsten und dessen nachgesetzte Beamte beyzubehalten schuldigen Respects und Gehorsams, weniger an Abführung der bißherigen Abgaben und Præstandorum, biß anderweite Kayserliche Verordnung, und bey sonst zu gewarten habender empfindlicher Bestraffung sich nichts zu Schulden kommen zu lassen.

5. Cum notificatione præcedentium rescribatur dem Herrn Fürsten zu Schwartzburg-Rudelstadt: Es hätten Ihro Kayserliche Majestät aus bewegenden hochwichtigen Ursachen über dessen Unterthanen eingebrachte Gravamina, worwider Er, der Herr Fürst, so zahlreiche schrifftliche und theils zum Druck beförderte nach Bewandnüß gegenwärtigen in præparatoriis zu Untersuchung derer an beyden Theilen gantz widerwärtig gegeneinander, gantz bedencklicher, und der künfftigen Kayserlich-Ober-Richterlichen Decision wegen vollständig zu wissen ohnentbehrlich nöthigen Umstände bloß versirenden Processes, mehr zu Ergrösserung der Acten, als Abhelff der Sachen dienlichen Vorstellung ohnabläßig thun lassen, eine Commission, und zwar dißmahl in Betracht gegen die vorige aus und

inner Gericht angeführter Exceptionen auf den Herrn Landgrafen zu Hessen-Cassel zu erkennen, den Entschluß fassen müssen, allerhöchst Dieselbe hätten solche Ober-Richterliche Verfügung dem Herrn Fürsten hierdurch bekannt machen, zugleich sich versehen, und Ihn erinnern wollen, erwehnte Kayserliche Commission bey deren Einruckung nicht allein mit behöriger ohnweigerlicher Submission und Gehorsams-Bezeigung allenthalben zu begegnen, sondern auch die klagende Unterthanen vor dessen an Vortragung ihrer Beschwerden, deren Berathschlagung, auch zu diesem Ende nothdürfftigen Zusammenkünfften und Ersammlung der erforderlichen Gelder, anders als bißhero mannigfaltig in præjudicium der allerhöchsten Kayserlichen Jurisdiction an Seiten der Fürstlichen Räthe, Bedienten und Beamten geschehen zu seyn, aus verschiedenen in denen Fürstlichen Exhibitis enthaltenen Anzeigungen wahrzunehmen ist, nec directe nec indirecte zu behindern, zu geschweigen etwas zu veranlassen, womit der mehr ermeldten Klägern, ihrem Sachwalter dem Bulisio, Advocaten, Notarien, Scribenten, und andern zu Verführung ihres Rechts coram Commissione gebrauchenden Personen, wann sie auch gleich aus einem andern Lande von denen Unterthanen zu ihrem Besten vor- und zum Beystand angenommen würden, als solches zu Vermeidung allen Verdachts ihnen in keine Weise zu verwehren, anheut ertheilten salvum conductum in optima Forma entheiliget, und im geringsten darwider tentiret werde.

6. Retradantur die dem Bulisio auf beschehene Denunciation des Notarii Schneiders und des Fürstlichen Hof-Raths Pantzer abgenommene Acta, endlich

7. Communicetur das Bulisische Exhibitum de 28. Septembris nuperi ermeldtem Fürstlichen Hof-Rath Pantzer, mit der Auflage, was er ratione der angegebenen falschen Conclusorum dem Bulisio zu Schulden geleget hat, in Statu Juris besser zu erweisen, und Rechtlich zu concludiren, idque sub termino duorum mensium.

34

Urteilsentwurf und -begründung der Juristischen Fakultät der Universität Altdorf vom 1. April 1730 in einem Kriminalprozeß gegen die drei Brüder H., die als Anführer einer Revolte gegen den Freiherrn C. zu E. des Aufruhrs bezichtigt wurden. Die Urteilsbegründung vermittelt einen guten Einblick in die Einzelheiten dieser Bewegung, bei der es sich - den Abkürzungen, den Daten und dem Sachverhalt nach zu schließen - um die Revolte der Untertanen zu Eberstatt gegen den Freiherrn Rüd von Collenberg handeln muß. Vgl. dazu Merkwürdige Reichshofrats-Conclusa Bde. I, S. 545 f., VII, S. 409–412 und VIII, S. 292–294.

Druck: J. J. Beck, Responsa juris criminalia et civilia, Nürnberg 1736, S. 279–286.

Urthel.

In Inquisitions-Sachen Heinrich, Thomas und Andreas H. Gebrüdere, Freyherrl. C. Unterthanen zu E. erkennen der Röm. Kayserl. Majestät respective würckliche Räthe / wie auch einer ohnmittelbahren Reichs-Ritterschaft in Franken Orts N. N. Haubtmann / Räthe und Ausschuß / auf eingehohltes Gutachten auswärtiger Rechtsgelehrte vor Recht: daß obgedachte 3. Inquisiten von wegen ihrer Pflicht vergessener Wiedersetzlichkeit / unverantwortentlichen Ungehorsam / irrespectueuses und seditieuses Bezeugen und begangene große Excesse und Mißhandlungen gegen ihre Vogtey-Herrschafft und ordentliche Obrigkeit / ihnen zur wolverdienten Straffe, andern aber zum Abscheu und Exempel, nach vorhergehender abgeschwohrner Urphed, der Freyherr. Dorf- und Herrschafften auf ewig zu verweisen; der Heinrich H. aber zu vorhero eine Zeit lang, offentlich an den Pranger zu stellen / anbey auch weniger nicht Inquisiti alle auf diesen Inquisitions Process gegangene Unkosten, jedoch auf vorhergehende Richterl. moderation und Ermässigung, miteinander, zu gleichen theilen über sich zu nehmen und zu erstatten schuldig. . .

Rationes Decidendi.

Es erhellet aus den vollführten Inquisitions-Protocollis daß die 3. Inquisiten, Heinrich, Thomas, und Andreas H. verschiedene facta haben zu schulden kommen lassen, als da ist 1.) die unterlassene parition des unter dem 25ten Febr. 1717 emanirten und bei 2. Martii An. 1718 geschärft wiederhohlten allergnädigsten Kayserl. pœnal-Rescripti von 6. Marck löthigen Golds, 2.) die nicht befolgte Erscheinung vor der Kayserl. Commission zu A. ingleichem die Vilipendirung der fernerweit An. 1721. an die E. Gemeindte ergangene Commissar. Verfügung und Dehortation, 3.) der dargegen beharrlich ad Curiam feudalem N. N. in causis non feudalibus incompetenter genommene recurs / 4.) die verweigerte praestationes an Herrschafftlichen Schuldigkeiten / bevorab an Frohndiensten. Insonderheit aber hat 1. Heinrich H. die gedeme Gemeinde oder Ausschuß in Thomä H. Hauß wieder die Herrschaft zu consultirn, zum öfftern convocirt, 2. die so genannte resolution von 4. April. An 1729 worinnen der Herrschafft die Aufkündigung der Frohn-Dienste geschehen, in seinem und der Gemeinde Nahmen, eigenhändig unterschrieben, und solche dem Schultheißen, in das Schloß zu überbringen zugestellt, 3. denen Wirthen das Umgeld, und denen Metzgern den Accis zu geben verbotten, 4. die Gemeindte zu veranlassen geholffen, daß sie nicht viritim auf das Herrschafftl. Geboth letzthin den 4ten Decembr. An. 1729. erschienen, 5. dem Schützen wieder der Herrschafft Befehl ein anders Gebot aufgegeben, und 6. die Ausschliessung der 5. Gemeinds-Leuthe von denen Nutzungen der Gemeind-Rechten, weiln sie ihre Weinertsberg der Herrschafft zu kauffen gegeben, krafft eines Bund-Briefs Lit. S. mit unterschreiben helffen, und zum solicitirn an N. Lehen-Hof sich gebrauchen lassen, 7. sich denen Frohnen in Fahren und Bothengehen halsstarrig wiedersetzet, und den Lorenz Münch und Hanns Adam Müller mit aufgepaßt, und da 8. Inquisit das schuldige Handlohn, Sterbfall und Nachsteur nicht entrichten, und dahero exequirt werden wollen, sich mit aller Gewalt äusserst wiedersetzet, den Karst oder Mist-Hacken ergrieffen, und darmit auf den Jäger, der zur Execution von der Herrschafft mit ausgeschickt gewesen, einen gefährlichen Streich geführet, dessen Frau aber den Herrschafftlichen Beamten mit einer Stangen oder Prügel aus dem Hauß gejagt, und dardurch einen grossen Auflauf verursachet, auch sich sonsten durchgehends in allen sehr wiederspänstig bezeuget. Der II. Inquisit Thomas H. hat 1.) sich ebenfalls in dieser verbottenen Sache zum Brieftragen und solicitirn am N. N. Lehen-Hof mit gebrauchen lassen, 2.) mit seinem Bruder, dem Burgermeister Heinrich H. allenthalben fornen mit daran gewesen, 3.) mehrentheils das Wort geführet, besonders aber 4.) die Gemeindte den 5. Decembr. An. 1729. von der Erscheinung vor seiner Herrschafft abwendig machen helfen, 5.) in seinem Hauß zum öfftern Zusammenkünfften halten und anstellen lassen, und gleich andern wieder seine Herrschaft Consilia geschmiedet, 6.) bey der mit seinem Bruder Heinrich H. von Amts wegen vorgenommenen Execution und dardurch entstandenen Auflauf, mit einem langen Prügel herbey gelaufen, und in Bereitschafft gestanden, auch lange an sich kommen lassen, biß er auf seiner zu gegen gewesenen Herrschafft etlichmahliges Geheiß, den Prügel von sich hinweg gelegt, 7.) dem Schulmeister ohne Vorwissen der Herrschafft bedrohet, ihn aufzukünden, auch seine Besoldung zu verringern, anbey gesagt: es habe die Herrschafft dem Schulmeister verbotten, die Kinder das Schreiben zu lernen, 8.) auf erhobene Klage eines Mannes von S. und Beschehene Herrschaftl. Citation nicht erschienen, 9.) ein gleiches bey der Herrschafftl. Citation den 25ten Decembr. An. 1729. gethan, und andere der Gemeindte darzu veranlasset. So ist auch der III. Inquisit Andreas H. 1.) als der Gemeindte Brennholtz zu führen gebotten worden, die aber solches zu thun geweigert, die Herrschafft aber hierauf wegen Mangel des Brennholtzes, von der Bauren Holtz zum hinlänglichen Vorrath aufzuladen anbefohlen, mit einem Prügel herzugelaufen, dem Herrschafftl. Beamten solchen unter das Gesicht gehalten, und gefragt: ob er heim fahren wolle oder nicht? so gleich darauf, ohne eine Andwort abzuwarten, den Anfang mit Zuschlagen auf die Herrschafftl. Pferde, und dann auf den Knecht gemacht, deme die andern hierinnen nachgefolgt; 2.) hat derselbe wieder den publicirten Herrschafftl. Befehl die unreife Frucht wegen des davon aufzuheben habenden Zehendens, nicht zu schneiden, solche dannoch geschnitten, und als der Beamte ihn befragt: wer ihm Frucht zu schneiden Erlaubnuß gegeben, höhnisch und spöttisch geantwortet: er habe sichs selber geheisen, er seye Herr über seine Frucht, 3.) den neuen Weg eigenmächtiger Weiße versperret, und da ihn die Herrschafft citiren lassen nicht erschienen, hernachmaln aber, als der Herrschafftl. Vogt nebst etlichen Bedienten zu ihm ins Hauß gekommen, und ihn abhohlen wollen, dem Herrschafftl. Knecht Stephan R. der ihm gütlich zugeredet, eine dichte Maulschelle gegeben, daß ihme Mund und Nase davon geblutet, dem Beamten aber, als dieser hierauf mit einem dünnen Spanischen Rohr etlichmaln nach ihn geschlagen, aber niemaln wegen der niedern Thür treffen können, beym Hals ergrieffen, und ihme das Halstuch mitten entzwey gerissen, in dem Handgemeng mit dem Beamten über die Haustreppe hinunter gefallen, letztens sich auf die Knie gesetzt, und auf der Wiese gar niedergelegt, daß man ihn fragen müssen, bey welcher Gelegenheit er seines mit zu gegen gewesenen Herrn Flünten ergrieffen, und so fest gepackt, daß man zuthun gehabt, selbige ihme wieder zu entreißen, anbey auch, des einen Zeugen Aussage nach, spöttisch und garstige Wort gegen den Herrn ausgestossen, endlich und 4.) bey der zu E. gegenwärtig gewesenen Kayserl. Commission sich ebenfalls sehr hartnäckig und irrespectueus bezeuget, und darbey in diese Worte herausgebrochen: wann der Lehenherr die Hand von ihme abgezogen habe, so möge derjenige seinen Kopf haben, der ihn kriegte, es seye ihme einerley, ob er heunt weg fahre oder morgen. Wie nun bey einen Rechtslehrern eine ausgemachte Sache ist, quod subditi seditiosi, tumultuantes, rebelles coerceri queant, . . . also haben die Inquisiten von wegen dieser ihrer erwiesenen Pflichtvergessener Wiedersetzlichkeit / unverantwortlichen Ungehorsam, irrespectueuses und seditieuses Bezeugen und grobe Excesse gegen ihren Herrn und ordentliche Obrigkeit, eine schwehre Leibes-Straffe und scharfe Anthung gar wol verdienet: Nachdem mehr aber gesammte Inquisiten ihre begangene Mißhandlungen nicht nur hertzlich bereuen und um Gnade bitten, sondern auch als Bauersleuthe, wegen ihrer auf sich gehabten Cent-Pflicht, so eigentlich nicht gewust, wer hierinnen Judex competens seye, sondern insgesammt mit der Gemeindte in denen Gedancken gestanden, es müssten die wegen der Frohnen entstandene Mißhelligkeiten mit der Herrschafft von der N. N. Regierung entschieden werden, worinnen sie auch von denen N. N. Beamten, und die von dort emanirte Befehle gutentheils gestärket worden, hiernechst auch manchmaln mehr ex impertu, rusticitate & dolore, sich vergangen zu haben scheinen, überdiß auch die Inquisiten alle Kinder im Leben haben, besonders der Thomas H. mit 4. der Andreas H. mit 7. zum theil noch unerzogenen kleinen Kindern beladen, welches ebenfalls, ceteris paribus, zur mitigation und Linderung der Straffe Anlaß zu geben pfleget, so würde der Justiz ein sattsames Genügen geschehen, wann selbige zu Verhütung mehrern Aergernusses, und andern zu besorgenden desordres, aus dem Landt geschaffet / und der Hochfreyherrl. Dorf- und Herrschafften / nach abgeschwohrner gewöhnlicher Urphed / auf ewig verwiesen / darbey aber auch der erstere Inquisit Heinrich H. andern zum Exempel und Abscheu, sich vor dergleichen Mißhandlungen zu hüten, zu vorhero offentlich eine zeitlang an den Pranger gestellt würde / worbey ihme jedoch auf sein unterthänigstes supplicirn, die Prangerstellung / in Ansehung, daß er ein Handwercksmann / remittirt, und statt deren ein Geld-Buß dafür angenommen, und so dann nur alleine der Landtes-Verweißung an ihn vollstrekket werden könnte. Ubrigens sind die 3. Inquisiten auch anbey alle auf diesen Inquisitions- Prosess gegangene Unkosten / prævia liquidatione & judiciali moderatione, miteinander zu gleichen Theilen zu tragen und zu erstatten, denen Rechten nach schuldig und gehalten. Dann weiln keiner von ihnen Strafffrey ausgehet, und demnach alle pro victis zu halten, so sind sie nach der bekannten Regul: victus victori in Expensas condemnandus (. . .)

Decanus und andere Dd. der
Juristen Facultät bey Nürnberg.

Universität zu Altdorf.

35

Rechtsgutachten aus dem Jahre 1746 in der Streitsache zwischen der hessischen Gemeinde Schwebda (bei Eschwege) und den Herren von Keudel um den Besitz der Gemeindeländereien, den sog. Niederrasen. Johann Stephan Pütter merkt zu diesem Fall an, daß es sich hierbei um eine seit 1604 schwebende Sache handele, die verschiedentlich auch an die Reichsgerichte gegangen und noch immer nicht entschieden sei. Der hier abgedruckte Teil des Gutachtens faßt noch einmal den Tenor des Gutachtens und den wirtschaftlichen Hintergrund des Streits zusammen und erklärt damit zugleich die Dauer dieses Rechtsstreits.

Druck: J. St. Pütter, Auserlesene Rechts-Fälle aus allen Theilen der in Deutschland üblichen Rechtsgelehrsamkeit, Göttingen 1760, S. 244-46 (Auszug).

Wenn man nun endlich alle diese verschiedene Puncten zusammen nimmt, und daraus wegen eines nunmehro aufs neue abzufassenden rechtlichen Urtheils einen vernünftigen Schluß macht; So wird über den vorjetzo einzig und allein erörterten, und den vielen Hofgerichts-Bescheiden zufolge endlich einmahl von allen andern Nebensachen abgesonderten Punct des Niederrasens [d. i. die Gemeindeweide der Gemeinde Schwebda] halber, folgendes herauskommen:
daß 1.) klagende Gemeinde Schwebda dem Kayserlichen Kammergerichts-Urtheile vom Jahr 1693. gemäß wohl befugt gewesen, ihre Gerechtsame des Niederrasens halber hierdurch ganz aufs neue vorzustellen, und desfalls ihre Nothdurft gegen das im Jahr 1620. vom Hochfürstl. Hessischen Sammthofgericht ergangene

Urtheil (jedoch mit Vorbehalt aller hohen Richterlichen Ehren) ferner auszuüben; und daß allenfalls
2.) vor allen Dingen gedachte Gemeinde gegen sothanes Urtheil in vorigen Stand wieder herzustellen;
Hiernächst daß 3.) klagende Gemeinde in dem Besitz des Schwebdischen Niederrasens zu schützen, selbige auch in petitorio sattsam dargethan, daß
4.) nurberührter Niederrasen der Gemeinde Schwebda eingenthümlich zustehe; So viel aber die von beklagten Herren von Keudel auf sothanen Rasen angemaßte Schaaftrift anbelanget, daß 5.) dieserhalben der von Beklagten angezogene Besitz vel quasi für rechtsbeständig nicht zu achten; sondern 6.) denselben die angemaßte Huth- und Trift-Gerechtigkeit nicht zustehe; folglich selbige den Niederrasen mit ihrem Schaafviehe zu betreiben nicht befugt;
Dannenhero, da gleichwohl die Herren von Keudel das vorige und jetzige Jahrhundert der Gemeinde Rasen mit einer ungeheuren Menge Schaafe widerrechtlich betrieben, und die Gemeinde an Benutzung ihres eigenthümlichen Rasens behindert, mithin selbige so wohl dadurch, als durch den verursachten verderblichsten Proceß, in fast unwiederbringlichen Schaden und Kosten gesetzet, daß daher 7. beklagte Herren von Keudel den verursachten Schaden nebst den Kosten des Processes der klagenden Gemeinde zu erstatten schuldig.
Und dieses ist es, was klagender Gemeinde syndicus Hochfürstl. Hessisches Sammthofgericht, gnädig und großgünstig fordersamst in Rechten zu erkennen und auszusprechen, bittet; immassen den ergangenen Arten und den allgemeinen auch den strengesten Rechten gemäß die Sache sich in der That nicht anders als jetzt angebrachtermassen verhält; wovon man auch auf Seiten der Gemeinde im geringsten abzugehen sich nicht schuldig erachtet.
Gleichwohl kann klagender syndicus nicht umhin ausser den bis hieher ex iure & facto angeführten Umständen und Rechtsgründen noch eines und das andere hinzuzufügen, woraus auch nach Recht und Billigkeit noch deutlicher erhelle, wie hart keudelischer Seits mit der armen Gemeinde verfahren werde, und was für ein unglückseliges Schicksaal diese erbarmenswürdige Gemeinde seit mehr als 100 Jahren betroffen.
Denn nicht zu gedenken, daß die Gemeinde seit 142. Jahren, als dem Anfange dieses fatalen Processes, durch die mit allen Processen verknüpfte Kosten und immerwährende Ausgaben fast gänzlich erschöpft worden, und noch dazu das Unglück gehabt, durch viele Gewissenlose oder der Sachen nicht gewachsene Sachwalter auf eine unverantwortliche Art herumgeführet, und bedrückt zu werden, an welchem allen doch, bey offenbarer Gerechtigkeit der Sache auf Seiten der Gemeinde, niemand als die Beklagte die erste Ursache sind, mithin sich die Vergütung des daraus entstandenen unbeschreiblichen Schadens nicht entbrechen können;

So ist bekannt, daß Gemeinden selten andere Einkünfte zu haben pflegen, als was sie etwa aus ihren gemeinen Rasen und andern Plätzen an Weide, Zins u. d. g. erheben können, und daß das einzige Hülfs-Mittel der Nahrung einzelner Einwohner eines Dorfs darinn bestehet, daß sie Vieh halte, solches in Ermangelung eigener besondern Weiden auf gemeine Plätze weiden und treiben lasse, und damit seine Aecker bestellen, oder sonst seine Nahrung ehrlich suchen könne.

Benimmt man der Gemeinde die gemeine Weide, so kann kein Einwohner, der nicht für sich ansehnliches Vermögen hat, (wie doch in Dörfern, zumahl in Schwebda nicht zu finden,) seine Nahrung haben.

Nimmt man überhaupt der Gemeinde alle gemeine Plätze und sowohl deren Eigenthum als Gebrauch, so hat auch die Gemeinde keine Einkünfte mehr.

Nun lasse man die beständige Ausgaben wegen eines Processes, woraus man wegen Ueberzeugung von Gerechtigkeit der Sache noch immer etwas zu erhalten hoffet, nebst anderen unentbehrlichen gemeinen Ausgaben, als Baukosten, Durchmarschen u. d. g. dabey unaufhörlich fortgehen.

Wie will es da anders möglich seyn, als daß das ganze Dorf und alle dessen Einwohner bis in den Grund verderben, und mit einander zum Bettelstabe gerathen?

So ist es eben, leider! mit der armen Gemeinde Schwebda ergangen!

Man hat ihnen ihre gemeine Plätze streitig gemacht, auf ihre gemeine Plätze sich mit tausend und mehr Schaafen zugedrungen, ihnen die Behütung und Benutzung ihrer eigenen Güter versperret, und mit einem Wort alle Quellen der Nahrung zugestopft.

Um nicht zu offenbar alle Schranken zu übertreten, haben die Herren von Keudel den armen Einwohnern der Gemeinde anstatt des ihnen zukommenden Eigenthums auf den Niederrasen eine Koppelhude zueignen wollen; damit sie also nicht Ursache, sich zu beschweren, haben möchten, weil sie sowohl, wie die Adeliche, ihr Vieh darauf treiben könnten.

Um aber auch diesen Vorwand zu entkräften, und der Wahrheit, wie sie ist, Platz zu geben, so weiß ein jeder Hausverständiger, daß vors erste Schaafvieh für arme Einwohner eines Dorfs zu halten nicht angehet.

Adeliche, die ohnedem ander Vieh reichlich haben, die auch durch die Menge des Schaafviehes einen sonst nicht möglichen Vortheil ziehen können, halten das Schaafvieh eben wegen der grossen Menge, auch mit grossem Vortheil.

Einem armen Bauern, dem sein geringes Vermögen wohl nicht über ein paar Schaafe zu halten, zulassen dürfte, würde wenig Vortheil dadurch zuwachsen, zumahl da durch das Sterben ein oder wenig mehrerer Schaafe die Hälfte seines Vermögens verlohren wäre.

Einem Landmann ist vielmehr bekanntlich mit Rindvieh und Pferden gedienet, welches nicht so vieler Gefahr unterworfen, und vermittelst des Pflugs zu bequemerer und besserer Nahrung fähig.

Daß also die Gemeinde, eben wie die Adeliche, ihren Rasen mit Schaafen betreiben sollte, ist ihr nicht zuzumuthen, bevorab, da sie nicht, wie die Adelichen, noch andere Plätze vorräthig hat, wo allenfalls das andere Vieh gehen könnte.
Sollen die Gemeinds-Einwohner auf ihre Rasen, wo vorher der Adelichen Schaafvieh in ungeheurer Menge geweidet, und alles Gras abgenoppet, ihr ander Vieh treiben; so ist wieder bekannt, daß kein Rind oder ander Vieh an solchen Orten das mindeste frißt, wo vorher Schaafe gewesen, zumahl wenn diese in so grosser Menge sind, daß kein Plätzchen leer bleibt, wo sie nicht geweidet.
Folglich ist die Koppelhude der Gemeinde mit den Adelichen auf den Gemeinden-Rasen etwas widersprechendes und unmögliches.
Und so lange es in solchen Umständen verbleibet, daß die Adelichen ihr übermässiges Schaafvieh auf der Gemeinde Rasen treiben sollen, so bringt der Gemeinde ihr eigner Rasen nicht den mindesten Nutzen, und ist der Vorwand der ihr zuzulassenden Koppelhude nur ein leeres Blendwerk.
Es ist daher schon geraume Zeit, als die Gemeinde darauf angetragen, daß sie ihre gemeine Rasen, besonders den Niederrasen, umackern, hernach die daraus gemachte Aecker unter den Einwohnern zu deren Nahrung eintheilen, und nach abgethanen Früchten erst selbst ihr Rind- und ander Vieh, alsdann auch der Adelichen Schaafvieh darauf treiben lassen wollten.
Nichts hätte billiger, als dieser Antrag, seyn können; denn die Gemeinde will a) ihren Rasen umackern, welches ihr ohnedem wegen des ihr daran zustehenden freyen Eigenthums kein Mensch verwehren kann; Sie sucht b) dadurch die Nahrung ihrer Einwohner zu befördern, und die sonst ohne ihren geringsten Nutzen unbrauchbar liegende gemeine Plätze nur einigermassen brauchbar zu machen, welche Absicht nicht löblicher seyn könnte; Ja sie will c) den Adelichen, welchen sonst keine Huth noch Trift auf ihrem der Gemeinde Grund und Boden zustehet, die Schaaftrift nach abgenommenen Früchten verstatten, so, daß in der That den Adelichen an allen, was sie verlangen, nicht einmahl etwas erhebliches abgehet; indem ein geringer Unterschied seyn wird, ob sie ihre Schaafe auf den wüstliegenden und fast nur Dornen und Disteln tragenden Rasen, oder nachhero auf bebauten Aeckern nach abgenommener Frucht betreiben.
Diesem allem aber ungeachtet hat man der armen Gemeinde nicht einmahl die Umackerung ihrer eigenen Länder verstatten wollen; und obgleich hin und wieder selbst in den Acten von Schwebdischer Seite dieser billigste Antrag befindlich; so ist doch derselbe niemahls recht vorgestellet, ausgeführet, noch weniger in einige Erwegung gezogen worden.
Einige darüber ungeduldige Einwohner, so die Gerechtigkeit ihrer Sache vielleicht gar zu deutlich und überzeugend eingesehen, hergegen nicht gewußt, daß der Fehler an ihren Sachwaltern gelegen, vielweniger, daß die eigenmächtige Selbsthülfe von so grossen Folgen sey, haben zu Ende vorigen Jahrhunderts, ungeachtet des

darüber anhängigen Rechtsstreits, eigenmächtig einige Stücke des Niederrasens umzuackern angefangen;

Sie haben aber durch dieses eigenmächtige Unternehmen die gemeine Sache nur weit schlimmer gemacht, und zu einer langwierigen Neben-Streitigkeit Anlaß gegeben, welche nach der bekannten Regel: ne quid pendente lite innovetur, zuletzt besage des am 22. Jun. 1698. desfalls ergangenen Bescheides nicht zum Besten der Gemeinde ausfallen konnte.

Und seitdem ist in der Hauptsache dieses Niederrasens halber fast nicht das geringste erhebliches mehr geschehen.

Immittelst erhellet hieraus nur noch mehr, nicht allein das besonders unglückliche Schicksal, welches die arme Gemeinde bey so offenbarer Gerechtigkeit ihrer Sache betroffen, sondern auch die Unbilligkeit der Gegentheile, die den allerbilligsten Vorschlägen nicht einmahl Gehör geben wollen.

Man hat deswegen ausdrücklich diese Umstände wegen Umreissung oder Umakkerung des Niederrasens nicht ausser Acht lassen wollen, und verhoffet, daß nunmehro, da sowohl das der Gemeinde zustehende Eigenthum des Niederrasens, als der Ungrund der von Gegentheilen sich darauf angemaßten Schaaftrift oben deutlich gezeiget worden, auch dieses Puncts halber ohne Anstand dem oben gebetenen Urtheile werde einfliessen:

daß daher die Gemeinde den ihr eigenthümlich zustehenden und von aller darauf angemaßten fremden Huth und Trift-Gerechtigkeit gänzlich befreyten Niederrasen umzuackern und nach ihrem Gefallen ungehindert zu nutzen befugt sey.

Hierüber, und über alles das, so den Rechten und Umständen dieser Sache gemäß hätte vorgestellt und gebeten werden sollen, wird das hohe mildrichterliche Amt besten Fleisses angerufen, und Hochfürstlich Hessisches Sammthofgericht um nunmehrige baldigste Beförderung zur gedeylichen Endschaft der Sache um so flehentlicher unterthänig gehorsamst gebeten, als sonst die bereits verarmte Gemeinde, wenn solche nicht endlich einmahl zu ihrem Recht und zur Ruhe gelangen sollte, kein ander Mittel, sich vom völligen Untergange zu befreyen, sehen würde, als die allergnädigste Landesherrschaft um einen allermildesten und gerechtesten Machtspruch anzuflehen, und dadurch den in letzten Zügen liegenden elenden, jedoch allerunterthänigst getreuesten Unterthanen in Gnaden wieder aufzuhelfen.

Marburg den 15. Apr. 1746.

36

Rede des sächsischen Erblehn- und Gerichtsherrn Adam Friedrich Glafey anläßlich der Huldigung der Untertanen von Laue und Stöttritz am 23. August 1748 über das Verhältnis von Herrschaft und Untertanen.

Druck: J. G. Klingner, Sammlungen zum Dorf- und Bauernrechte, 4 Teile Leipzig 1749-55, hier Teil 2, S. 530-532

Es ist eine durch die Erfahrung bestätigte Wahrheit, daß, wenn Obrigkeit und Unterthanen mit einander in Uneinigkeit leben, daraus die betrübtesten Folgen erwachsen. Denn da entstehet auf Seiten der Obrigkeit Mißtrauen, Wiederwillen und Mißvergnügen, welches zu allerhand Beschwerlichkeiten der Unterthanen ausschlägt. Die Obrigkeit ist alsdenn besser auf ihrer Huth, und nimmet es mit den Unterthanen in allen viel genauer, als sie sonst gethan haben würde. Und wie es nicht anders kommen kann, als daß die Unterthanen auf vielfältige Art in ihre Hände verfallen, also gebraucht sie sich alsdenn der äusersten Strenge und läßt es denen hinwiederum empfinden, welche ihr ohne Noth sich zuvor wiedrig bezeigt. Es findet auch dieselbe höhern Orts eher Gehör und Beystand wider alle Zunöthigungen, und weiß sich leichter zu rathen und zu helfen, wenn Mißhelligkeiten mit denen Unterthanen sich hervor thun. Brechen trübseelige Zeiten ein, da die Unterthanen der Obrigkeit Rath und That vonnöthen haben, entziehet sich alsdenn dieselbe aller Vorsorge, wenn sie weiß, daß ihre Gutthaten übel angewendet seyn. Ueberhaupt ist das menschliche Leben ohne dem mit so vielen Ungemach verknüpft, daß man nicht Ursache hat, solches durch Zwistigkeiten noch mehr zu häuffen, und einander das Hertze abzufressen, und das menschliche Elend unerträglich zu machen. Erwegt man die Ungemächlichkeiten, so auf Seiten der Unterthanen aus denen mit ihrer Obrigkeit obwaltenden Verdrüßlichkeiten entstehen: So sind dieselben nicht weniger beträchtlich. Denn da erwachsen daraus Processe, welche kostbar auszuführen sind, wenn zumahl die Unterthanen, wie es insgemein zu geschehen pfleget in die Hände gewinnsüchtiger Advocaten verfallen, die ihnen große Vorbildungen von der Gerechtigkeit ihrer Sache und viele Hoffnung eines ohnfehlbaren Gewinns machen, da doch die Erfahrung lehret, daß am Ende insgemein, dem gemeinen Sprüchworte nach, die Brühe mehr als das Fleich kostet, und zuletzt ein leerer Beutel zum Vortheil übrig bleibt. Es sind ohnedies die Rechte in ihrer Application so ungewiß, und die Zufälle bey denen Processen so unvermuthet, daß man offt die scheinbarste Sache verspielt, geschweige denn, daß man sich gewisse Rechnung auf den Ausgang solte machen können. Und weil viele

Menschen selten einerley Sinn haben, viele gutherzige Leute auch bey ihrer Obrigkeit bleiben und halten, wenn andere aus Eigensinn und Dünckel mit derselben in Zwietracht gerathen: So ergeben sich daraus Spaltungen und Trennungen zwischen den Unterthanen selbst, woraus weiter Haß, Feindschafft und Verfolgung erwächset, welche der Gemeinde unter Anverwandten, Gevattern und Nachbarn nichts als Unheil anrichten. Von dieser Gelegenheit profitiret alsdenn die Obrigkeit, gießt Oel ins Feuer, welches ihr denn leichter fället, wenn sie die Wohlgesinnten vorziehet, freundlich tractiret und zum Verdruß der andern mit Wohlthaten überhäufft, die Abtrünnigen hingegen vor Rädelsführer und Renitenten und Aufwiegler hält, und dahero bey allen Gelegenheiten hart ansiehet. Ich will nicht gedenken des göttlichen Unseegens, der mit dergleichen widerspenstigen Wesen begleitet ist, dazumahl die Obrigkeit auch nach der heil. Schrifft gar viele Vorzüge hat, und den Unterthanen so gar verübelt wird, wenn sie von der wunderlichen Obrigkeit absetzen, und derselben den schuldigen Gehorsam versagen.
Ich meines Orts habe beym Antritt der hiesigen Herrschaft den ernstlichen Vorsatz, euch, meinem gütigen Naturell nach, mit allem Glimpf, Gelindigkeit und Freundlichkeit zu begegnen, euch bey euren Rechten und Gerechtigkeiten zu lassen, zu schützen und zu handhaben, euch bey entstehenden Irrungen unter einander unweigerliche Justiz wiederfahren zu lassen, mit guten Rath und That in euren Nöthen unter die Arme zu greiffen, und alles zu thun, was man von einem Billigkeits-liebenden und gütigen Herrn nur immer fordern und erwarten kann.
Eben diesen Sinn und Meinung haben auch meine Frau Liebste und Frau Schwieger Mutter, als welche ohnedem ein stilles und ruhiges Leben gewohnt sind, und dahero zu Erhaltung guten Vernehmens unter uns allen das möglichste beytragen werden. Solchergestalt liegt es nur noch an euch, daß ihr uns mit einer treuen Unterthanen wohlanständigen Aufrichtigkeit entgegen tretet, und durch euer Wohlverhalten und Bezeigen gegen Uns, bey obiger guten Neigung uns weiter unterhaltet. Es ist dieses der Endzweck gegenwärtiger Handlung, da ihr zusammen beruffen worden seyd, den Unterthanen-Eyd abzuschweren, und mittelst demselben die Versicherung zu geben, daß ihr alles getreulich erfüllen wollet, was getreuen Unterthanen gegen ihre Obrigkeit wohl anstehet, eignet und gebühret. Sehet diesen Eyd nicht als eine bloße Zeremonie oder alt Herkommen an, sondern erwegt wohl dabey, daß ihr mit dem allgegenwärtigen Gott, dessen Hülfe und Beystand ihr begehret, und den ihr zum Zeugen anruft, daß euer Eyd von Hertzen gehet, zu thun habt, der denn solchen Frevel und Verwegenheit, wenn man mit dergleichen Eyden leichtsinnig verfährt, bey vielen mit Verlust ihres zeitlichen Vermögens zu straffen, und heimzusuchen weiß. Ich trage Bedenken, ein mehrers hiervon zu erwehnen, da ich unter euch so viele alte Greise vor mir stehen sehe, welche ohnedem durch ihre lange Erfahrung dessen allen sattsam überzeugt sind, und nicht ermangeln werden, die Jüngern davon zu belehren und zu unterrichten. Ihr habt

also Achtung zu geben, was euch vorgelesen wird, und sodann solches mit einem Eyde zu bekräfftigen.

37

Widerspruch des Grafen von Isenburg-Büdingen-Meerholz gegen die in den Reichshofratsconclusa von 1721 und 1730 geforderte Umwandlung der ungemessenen Frondienste in „ex aequo et bono" gemessene Dienste.

Vgl. dazu (F. K. von Buri), Zuverläßige Ausführung derer von denen Unterthanen des Ysenburg-Meerholzischen Gerichts Gründau wider Ihre Landes-Herrschaft eingeklagten Beschwerden, Büdingen 1754; Druck: ebd., S. 57-62. Vgl. auch Dokument Nr. 41.

Die Gründauer Unterthanen brachten unterschiedene Vorfälle von geleisteten Frohnden als Beschwerden an, daß sie gar sehr und über die Billigkeit damit belästiget würden, und weil ihnen ab Seiten der Herrschaft entgegen gesetzet wurde, daß, weil sie von Alters her zu ungemessenen Frohn-Diensten verbunden gewesen, ihnen durch die von ihnen angeführte Gattungen keine Beschwerde zugefüget werde, so trugen sie kein Bedenken, anfänglich ihr Gericht vor ein freyes Kayserliches Gericht, und sich vor freye ihrer Landes-Herrschaft nicht unterworfene Leute auszugeben, und wie ihnen dieser Wahn in dem ergangenen allergerechtesten Kayserlichen Reichs-Hof-Raths-Concluso vom 7. Julii 1721. benommen wurde, wovon oben ad Nr. I. in mehrerm gehandelt worden, so suchten sie doch ihre Obliegenheit zu ungemessenen Frohnden in Zweifel zu ziehen, und setzeten dadurch die Herrschaft von neuem in die Nothwendigkeit, bey ihrem kundbaren Besitz, welcher denen Unterthanen selbst am besten aus der bisherigen Erfahrung bekannt war, dennoch den Beweis davon zu übernehmen; da sich denn zum guten Glück ein Kayserl. Urtheil de Anno 1659. vorfand, welches fub Nro. 23. anlieget, durch welches die Unterthanen, wie sie ebenfalls vor beynahe hundert Jahren versucht hatten, die Obliegenheit derer ungemessenen Frohnden abzuschütteln, dazu gerechtest angewiesen waren. Weil nun dieses unläugbare Document die unverantwortliche Absicht derer Unterthanen, ihrer angebohrnen Landes-Herrschaft die klareste Gerechtsame vorsetzlich abzuleugnen, derselben dadurch den Beweis zuzuschieben, und wenn es hieran, wie bey solchen bloß in dem Herkommen gegründeten Juribus gar leicht möglich, in etwas ermangeln möchte, zu deren Schmälerung den Weg zu bahnen, gar zu deutlich verrieth; so wageten die Unterthanen ferner durch eine neue Verneinung diesem Urtheil, wo möglich, die Kraft zu nehmen, da sie behaupteten, daß solches ihnen niemals publiciret worden. Die Herrschaft muste sich also wieder zum Beweis anschicken, war auch so glücklich, daß Sie bey Hanau, als gewesenem Kayserlichen Commissario in dieser Sache, die Original-Commissions-Acten verabfolget bekam, und daraus die geschehene Publication vorangezogenen Kayserlichen Urtheils de Anno 1659. zu erweisen vermogte.

Weil aber dessen ungeachtet die Unterthanen vorgaben, wie sie zu hart mit denen Frohnden beschweret würden, so gab solches bey der in An. 1718. vorgewesenen Kayserlichen Commission zu allerley Vorschlägen zur Güte Anlaß, da bald eine Verwandelung derer Dienste in Geld, bald eine Bestimmung derer Frohn-Dienste von denen Subdelegirten, als ein Vergleichs-Mittel, in Vorschlag gebracht wurde. Nun ward dieserhalben bey der nachherigen Kayserl. Commission de An. 1722. zwar eines und das andere verhandelt, und wurden von dem Impertrantischen Anwald unterschiedene unten insbesondere vorkommende Fragen aufgeworfen, man konte aber dennoch zu keinem Vergleich kommen, und erfolgete darauf nachstehendes Reichs-Hof-Raths-Conclusum vom 19. Oktobr. 1730. welches Membr. VI. also lautet:

Die Frohnen betreffend, lassen es zwar Ihro Kayserl. Majestät überhaupt nicht nur bey der in Casarea Resolutione de An. 1659. festgesetzeten Impetratischen Befugniß quoad operas indeterminatas nochmalen allergerechtest bewenden, sondern es werden auch die Unterthanen . . . hiemit angewiesen und dabey alles Ernstes erinnert, künftighin bey angesagten Frohnden nicht nur zu rechter Zeit zu erscheinen, und, wie es gebräuchlich, davon wieder abzugehen, sondern auch währender Frohn-Zeit denjenigen Fleiß, mit welchem sie sich selbst zu arbeiten pflegen, anzuwenden; dahingegen sind selbige mit ungewöhnlichen und solchen Frohnden, deren Unbilligkeit die Herrschaft zum theil selbst erkannt, theils aber die Unterthanen vorhin nie geleistet, und dem Herkommen zuwider seyn, billig in das künftige zu verschonen.

Dem nachhero noch weiter hinzugefüget wird:

Wobey denn Jhro Kayserl. Majestät zu dem Impetrato sich allergnädigst versehen, er werde hierunter allenthalben aller billigen Moderation in Ansetz- und Anforderung derer Frohnden sich gebrauchen, und die Billigkeit dergestalten fürdringen lassen, damit selbige nicht nach denen äussersten Kräften derer Unterthanen gemessen, sondern solchergestalt eingerichtet werden mögen, daß die Unterthanen noch ferner in aufrechtem Stande und bey ihrer Nahrung erhalten werden können. Gestalten im widrigen unverhofften Fall, und da diesem unerachtet die Unterthanen einige gegründete Beschwerden in das künftige zu führen Ursach überkommen solten, Ihro Kayserl. Majestät nicht entstehen würden, in Kraft tragenden allerhöchstrichterlichen Amts dem inständigen Bitten derer Unterthanen dermahleinst zu deferiren, und die ungemessene Frohnden in gemessene ex aequo & bono zu verwandeln.

So höchst-gerecht und billig nun auch die allerhöchste Verordnung auf beyden Seiten ist, so sehr haben dennoch Ihro Hochgräfl. Gnaden zu Meerholz, Kraft der bisherigen Erfahrung, Ursache besorget zu seyn, daß solche von denen unruhigen Unterthanen gemißdeutet, und zu Schmählerung derer Herrschaftlichen Befugnissen fernerhin gemißbrauchet werden, wenn hierunter nicht durch allerhöchste weitere Vorsehung denen Unternehmungen dieser Leute Maas und Ziel gesetzet wird. Denn

1) Ist überhaupt von einem Landes-Herrn nicht zu vermuthen, daß er seine Unterthanen durch unmäßige Frohnden werde zu drucken, und zu seinem eigenen und seiner ganzen Nachkommenschaft unwiederbringlichen Schaden dadurch zu richtiger Abführung derer Herrschaftlichen Abgaben mit Fleiß untüchtig zu machen suchen; vielmehr ist zu glauben, daß ein Landes-Herr sich die Erhaltung seiner Unterthanen, als woran ihm selbst am meisten gelegen ist, und bey deren Verarmung Er mit leiden muß, äusserst werde angelegen seyn lassen, und daß also, wenn bey ungemessenen Frohnden die Unterthanen über Ubermasse und unbillige Ausdehnung derselben klagen, im Zweifel mehr zu vermuthen ist, daß die Unterthanen dadurch suchen, sich von einigen bisherigen Diensten, wenn es dem Landes-Herrn etwa an dem Beweis derselben ermangeln möchte, loszumachen, und die ungemessene Frohnden dadurch nach und nach in gemessene zu verwandeln, wie solches die Erfahrung sowohl bey denen vor hundert Jahren bereits geführeten Klagen derer Gründauer Unterthanen, als bey dem gegenwärtigen Proceß, nur zuviel gelehret hat.

2) Findet dieses alles um so mehr bey Anwalds gnädigem Herrn Principalen statt, als es in der ganzen Nachbarschaft und denen streitenden Unterthanen selbst am besten bekannt ist, daß Hoch-Dieselbe nach Ihrer Gemüths-Art und Liebe vor die Unterthanen unfähig sind, solche in einigem Stück über die Gebühr zu belästigen.

3) Ist durch die schon in An. 1677. publicirete, und in dem Kayserlichen Urtheil bekräftigte Frohn-Ordnung bereits ein Riegel vorgeschoben, daß, wenn die Unterthanen nach selbiger behandelt werden, alle Ubermasse und unbillige Belästigung von selbst wegfällt; zumal wenn

4) Die Unterthanen der allergerechtesten Kayserlichen Erinnerung nachleben, und die Frohnden mit demjenigen Fleiß und Redlichkeit, wie ihnen oblieget, verrichten wolten, als in welchem Fall annoch fast die Helfte an denenjenigen Spann- und Hand-Frohnden, welche die Unterthanen anjezo leisten müssen, ersparet, und insgemein dasjenige in einem Tage verrichtet werden könnte, wozu jezo manchmal mehr als zwey Tage genommen werden. Da aber diese Gesinnung denen mehresten Bauern gewöhnlich ist, und schon vor hundert Jahren bey denen Gründauern darüber geklaget worden, auch, wenn einige darunter sind, die redli-

cher handeln und gerne sehen möchten, wenn dieser Mißbrauch abgestellet würde, diese wenige dennoch die Sache eben so wenig, als wie die Herrschaft selbst, zu ändern vermögen; so werden dadurch die Frohnden ohne Noth und Nutzen der Herrschaft, und ohne derselben Verschulden zum eigenen Verderben der Unterthanen vermehret, und diesen ein von ihnen selbst veranlasseter Vorwand über übermäßige Belästigung zu klagen verschaft.

5) Bey diesen Umständen fällt es nicht allein der Landes-Herrschaft sehr hart und empfindlich, wenn Selbige sich von allem Mißbrauch und Übermaß sicher weiß, und sich dennoch durch die unverschämte Ableugnung, erdichtets Wehklagen und untreues Arbeiten derer Unterthanen in die Gefahr gesetzet sehen muß, daß die von Ihren Vorfahren wohlhergebrachte Gerechtsame derer ungemessenen Frohnden in viele Wege geschmählert werde, sondern es würden auch Ihro Hochgräfl. Gnaden zu Meerholz wider Ihre Ihro Kayserl. Majestät und dem Reich geleistete theure Lehen-Pflichten handeln, wenn Sie durch Ihr Stillschweigen und Nachlässigkeit Anlaß geben wolten, daß ein Reichs-Lehen zu Ihro Kayserl. Majestät und des Reichs eigenem Nachtheil auf eine so beträchtliche Art auf ewig deterioriret würde, immassen die Frohnden der mehreste Nutzen und Beyhülfe sind, welche die Ysenburgische Landes-Herrschaft im Gericht Gründau von denen Unterthanen zu gewärtigen hat, und wenn solche in vielerley Arten geschmählert und vermindert werden, dieses Reichs-Lehen um ein merckliches an seinem innern Werth verschlimmert wird, indem die Schatzungen, welche die Unterthanen zu zahlen haben, hinwiederum durch die Ausgaben, welche zum Besten des Landes aufgewendet werden müssen, weggenommen werden, und also vor die Landes-Herrschaft kein weiterer Nutzen, als die wenige Pächte, übrig bleibet.

6) Diesem nach, da die Unterthanen im Gericht Gründau unstreitig zu denen ungemessenen Frohnden verbunden sind; so waltet bey entstehendem Zweifel, ob diese oder jene Gattung von Frohnden von denen Unterthanen zu leisten sey, die allgemeine Vermuthung immer vor die Herrschaft wider die Unterthanen ob, und wenn diese von einer oder der andern Gattung von Frohnden vorgeben, daß solche von der Regel und ihrer allgemeinen Verbindlichkeit, der Landes-Herrschaft alle Frohnden auf eine unbestimmte Art zu leisten, auszunehmen sey, so müssen sie diese Ausnahme erweisen, und zeigen, daß die quæstionirte Art von Frohnden ihrer Natur und Eigenschaft nach unter solchen nicht begriffen, sondern vor ganz ungewöhnlich zu halten.

7) Hierzu aber ist nicht hinlänglich, wenn die Unterthanen, wie solche es in diesem Proceß meisterlich gelernet, sich nur bloß auf das Leugnen legen, und ungescheuet vorgeben, daß sie diese oder jene Frohnde überhaupt, oder wenigstens an einer gewissen Gegend nicht geleistet, und dadurch die Herrschaft in die Nothwendigkeit setzen wollen, eine jedwede Gattung Frohnden, oder die Frohnden bey einer jedweden Gegend insbesondere zu erweisen, als wobey die Herrschaft fast immer

verlieren muß, weil es moraliter nicht möglich ist, von allen Frohnden, wenn solche entweder in Absicht der Art oder der Gegend seltener vorfallen, immer einen solchen Beweis bey Handen zu haben, welcher keinen Ausstellungen unterworfen sey. Sondern die Vermuthung ist hierinnen billig so lange vor die Landes-Herrschaft zu machen, daß eine Frohnde weder insolita noch indebita, und die Landes-Herrschaft bey deren Genuß zu lassen sey, bis daß die Unterthanen rechtlich dargethan, daß die ihnen zugemuthete Frohnde ihrer Natur und Eigenschaft nach so beschaffen sey, daß solche unter denen Operis rusticis gar nicht begriffen, und in deren Absicht ganz ungewöhnlich sey, oder daß wenigstens solche Umstände dabey vorgekommen, woraus man deutlich abnehmen kan, daß die Herrschaft diese Frohnde denen Unterthanen gänzlich erlassen, und durch Dero Gesinde selbst verrichten lassen wolle.

Ihro Kayserl. Majestät werden also die Gnade und Reichs väterliche Vorsorge haben, diese vorerwehnete Umstände bey zukünftiger Abfassung Dero allerhöchsten Verordnungen in allermildeste Betrachtung zu ziehen, indem die Unterthanen nicht ermangelt haben, und auch fernerhin nicht ermangeln werden, die obangeführete an sich allergerechteste Kayserliche Verordnung zu mißbrauchen, und unter deren Vorwendung ihrer Landes-Herrschaft eine Gattung Frohnden nach der andern zu disputiren, und solche für ungewöhnlich und nicht herkommlich auszugeben, um auf solche Art der Landes-Herrschaft den zum öftern nicht wohl zu vollführenden Beweis zuzuwelzen. Der bisherige Vorgang und was noch bey der leztern Commission verhandelt worden, gibt davon überflüßige Proben an die Hand. Verlanget die Landes-Herrschaft an die Unterthanen, sie sollen ihrem Beamten, Pfarrer und Schulmeister sein Brenn-Holz abliefern, so geben sie solches vor etwas ungewöhnliches aus, worzu sie nicht schuldig seyen, und die Herrschaft muß das Gegentheil erweisen. Beruft sich die Herrschaft auf ihre alt-hergebrachte Befugnisse, ungemessene Dienste von ihren Gründauer Unterthanen zu fordern, so leugnen sie solche ihnen nur gar zu wohl bekannt gewesene Schuldigkeit ab, und die Herrschaft muß solche erweisen. Verweiset die Herrschaft die über eine Ubermasse derer Frohnden klagende Unterthanen auf die ihnen publicirete Frohn-Ordnung und die darin enthaltene Austheilung, so wollen die Unterthanen von keiner Frohn-Ordnung jemals etwas gehöret haben, und die Herrschaft muß deren Daseyn und Gültigkeit wieder erweisen. Fordert die Herrschaft von denen Unterthanen die alt-hergebrachte Francken-Wein-Fahrten, so weisen die Unterthanen diese Fuhren, als ungewöhnlich, von sich, und die Herrschaft muß solche erweisen. Sollen die Unterthanen die schuldige Frohnden zu denen herrschaftlichen Mühlen und Wirths-hause verrichten, so schreyen sie solche vor ungewöhnlich aus, und wenn die Herrschaft solche nicht verlieren will, so muß sie sich zuvorderst zum Beweis anschicken. Sollen die Unterthanen das Heu im Schul-Grunde zu Frohnde machen, so ist solches wieder eine ungewöhnliche Frohnde in

Absicht der Gegend, und die Herrschaft muß wieder den Beweis von dieser Schuldigkeit der Unterthanen übernehmen, etc. Bey allen diesen Exempeln ist nun die Landes-Herrschaft annoch so glücklich gewesen, daß sie Nachrichten vorgefunden, um den Beweis zu vollführen, bey andern Vorfällen hingegen haben sich dergleichen nicht immer vorfinden lassen wollen, und die Landes-Herrschaft lauft darüber Gefahr, des Besitzes und der vor Selbige obwaltenden Vermuthung unangesehen, ihre Gerechtsame zu verlieren. Die Unterthanen haben bey dieser der Sachen Beschaffenheit, wenn sie nur Verwegenheit genug haben, woran es ihnen denn nicht fehlet, ihrer Landes-Herrschaft eine Gerechtsame abzuleugnen, den Vortheil immer auf ihrer Seiten. Ist die Herrschaft glücklich, und findet in ihrem durch die viele Fatalitaeten sehr mangelhaft gewordenen Archiv Nachrichten, wodurch sie den zugeschobenen Beweis vollführen kan, so verlieren die Unterthanen nichts dabey, sondern sie behalten die vorige Verbindlichkeit, welcher sie sich ohnehin ohne Ungerechtigkeit nicht entziehen können, und die Herrschaft muß oben darauf die Commissions- und andere Kosten, welche Ihr durch das gewissenlose Ableugnen derer Unterthanen verursachet worden, mit tragen helfen. Begegnet aber der Herrschaft die Fatalität, daß sie über einen jedweden besondern Vorfall keine zum Beweis dienende Urkunden in ihrem Archiv, oder sonsten, sogleich vorfinden und beybringen kan, so erlangen die Unterthanen die Bequemlichkeit, sich von einer ihnen obgelegenen Schuldigkeit loszuwickeln, und die Herrschaft muß sich an ihren hergebrachten Gerechtsamen geschmählert sehen. Die bey der letzern Commission von dem Impetrantischen Anwald hervor gesuchte mancherley Ausstellungen wider ein und andere Gattungen Frohnden, und deren ausgekünstelte Vervielfältigung, wovon zum Beschluß dieses Frohn-Puncts annoch das weitere vorkommen wird, verrathen die unlautere Absichten derer Unterthanen, ihre Schuldigkeit zu ungemessenen Frohnden zum Nachtheil der Herrschaft immer mehr und mehr einzuschränken, zur Genüge, und legen zugleich die Nothwendigkeit, hierunter denen immer weiter gehenden Zudringlichkeiten aufgebrachter Bauren und ihrer Advocaten allergerechteste Ziel und Schrancken zu setzen, vor Augen.

38

Bericht über die Entstehung und den Verlauf der Auseinandersetzung zwischen Graf Christian von Wied-Runkel als Besitzer der Grafschaft Kriechingen und den Untertanen dieser Grafschaft bis zum Einsatz eines Exekutionskommandos im Juli 1758.

Druck: v. Cramer, Wetzlarische Nebenstunden 98, S. 131–39. Vgl. auch Quellen und Beiträge zur Geschichte des Dorfes und der Herrschaft Saarwellingen, Folge 17, 18, 31 (1970–1976)

Die Klägere seynd theils samtliche auf dem Reichs-Boden liegende Crichingische Unterthanen überhaupt nomine collectivo, theils aber hat fast jede Gemeinde annoch particulaire Beschwerden eingeklaget, und besondere Mandat-Process eingeführet. Es stehen daher folgende Reichsländische Gräflich-Crichingische Ortschaften anzuführen, und zu bemerken: nemlich

1. die Gemeind Crichingen,
2. die Gemeind Steinbiedersdorf,
3. die Gemeind Tettingen, Lellingen und Folschweiler,
4. die Gemeind Saarwellingen,
5. die Gemeind Büdingen, welches Dorf 3. gemeine Herren hat: nemlich Crichingen zu 2. Theil, der v. Galugner zu I. und die Closter-Frauen zu St. Arnold gleichmäßig zu einem Theil.
6. Die Gemeind Dentingen,
7. die Gemeind Mannersdorf, endlich
8. die Gemeind Nider-Wissen.

Ausweis der Original-Vollmacht ⊡ ad. Causam sämtlicher Unterthanen.
Der Herr Beklagte ist Herr Graf Christian zu Wied-Runkel, und Erbherr der Grafschaft Crichingen.
Nach Absterben Herrn Grafen Johann Ludwigs von Crichingen, und erfolgtem Abgang des Mannsstammens Püttingischer Linie, wurde dessen Frau Schwester Anna Dorothea, vermählte Gräfin zu Ostfrießland von dem Parlament zu Metz in den Besitz der Grafschaft gesetzet, deren Frau Tochter Christine Louise sich im Jahr 1726. mit Herrn Grafen Johann Ludwig Adolf zu Wied-Runkel vermählet, und mit demselben den jetzigen Herrn Grafen Christian erzeuget hat, welcher sogleich, nach erfolgtem Absterben seiner Frau Mutter, als Erbgraf Besitz von dieser Grafschaft genommen hat. (. . .)
In langer Zeit hatte sich vorhin keine Herrschaft selbsten auf dem Schloß zu Crichingen wohnhaft aufgehalten, sondern die Grafschaft wurde Paechtern überlassen, welche bey der so mächtigen Nachbarschaft die Unterthanen mit vieler Nachsicht tractieren mußten.
Da aber der jetzige Herr Graf annoch bey Lebzeiten seines Herrn Vaters Grafen zu Wied-Runkel, und nach erlangter Majorennität, seine Residenz zu Crichingen selbst bezogen, so nahm Herr Graf Christian den Anlaß, seine Regiments-Verfassung nach denen neuesten Maasregeln der Landeshoheit der deutschen Reichsständen in forestalibus, politicis, & oeconomicis, auch militaribus einzurichten,

welches denen Crichingischen Unterthanen, als eine ihren alten Rechten und Herkommen höchst nachtheilige Neuerung angeschienen, woraus dann zulezt vielfache Process, und kostbare Irrungen und Weitläuftigkeiten zwischen Herrn und Land entstanden seynd.

Die Gemeind Büdingen machte im Jahr 1755. den Anfang mit einer particular-Klag, das Rubrum belehret uns sattsam von dem Objecto dieser Klagen, es lautet also: Citat. ad videndum se manuteneri in Possessione vel quasi Sylvae Juriumque inde dependentium, nec non Juris venandi pariter, ac piscandi, ut & se ad Restitutionem inique ablatorum condemnari.

Im Jahr 1756. folgte diesem Vorgang die Gemeind Steinbiedersdorf, und bewürkte ein Mandatum de desistendo ab omni Turbatione in Possessione vel quasi immemoriali Juris piscandi & lignandi, s. de non gravando inconsuetis servitiis venatoriis, & exactionibus per novas ordinationes introducendis, nec ideo ullatenus offendendo, sed manutenendo secundum Tenorem Observantiae antiquissimae Weißthums & Transactionis, cassandoque Decreta & Ordinationes, ac restituendo Mulctas cum omni causa, vi metuque extortas C. C. una cum Citatione super injuriis, & cum expensis condemnari.

In eben diesem Jahr 1756. führte die Gemeind Saarwellingen ihre Klagen gleichmässig ein, und erhielte ein Mandatum de non contraveniendo Transactioni & promissis, nec adigendo ad onera & operas insolitas de non turbando in possessione immemoriali Juris lignandi & Pascui, sed restituendo Agros ablatos, & resarciendo omni Damno Cum. de revocandis attentatis vero, restituendis Pignoribus, & omnia in eum statum, quo fuit tempore insinuatae Inhibitionis reponendo S. C. cum salvo Conductu in optima forma.

Endlich erfolgte sub Rubro Crichingen im Jahr 1757. der Aufstand samtlicher Unterthanen und Dorfschaften der Grafschaft Crichingen, und bewürkte ein Mandatum de non contraveniendo Transactioni, nec gravando contra antiquam observantiam C. C. samt Verordnung.

Bis hieher waren verschiedene Herren Referentes extrajudicialiter angeordnet, nun aber wurden alle Proceß zusammen Einem, als Referenti judicali, zugetheilet; dessen erste Fürsorge ware dahin gerichtet, die vielfach Separatim nachsuchende Proceß, die doch im engesten Zusammenhang mit einander verknüpfet waren, zu combiniren, und nunmehr alle neuerlich einführende gemeinsame Beschwerden ad hanc Causam produciren zu lassen.

Der Anfang wurde gemacht mit der von Seiten des Herrn Grafen Christian von Crichingen extrajudicialiter übergebenen Supplica pro Mandato de praestando debitam Domino suo obedientiam, ejusdemque ordinationibus ac Praeceptis, non amplius refractarie resistendo, neque eundem durante adhuc contra illum in hac Imperiali-Camera suscepta Lite, in Exercitio suorum territorialium, aliorumve Jurium eorundemque possessione ullo modo in posterum turbando, sed istius Litis

Decisionem quiete exspectando, S. de restituendo vero omne hactenus per Resistentiam datum damnum, causatasque expensas C. C.

Diese Supplique war der Gegenstand von der Unterthanen geführten Klag-Puncten: die mehresten Beschwerden der Gemeinden wurden in hac Supplica, als wohlbefugte Territoria- und Policey- auch Forst- und Jagd-Gerechtsame angegeben, also wo dieses Mandat nach seinen formirten Special-petitis erkannt worden wäre, so würden super iisdem Objectis widersprechende Mandate erfolget seyn; Und eben aus diesem Bewegungs-Grund ist diese Supplicia Domini Comitis ad Causam sämtlicher Crichingischer Unterthanen verwiesen worden, jedoch mit angefügter Verordnung, daß sämtliche Gemeinden und Unterthanen ihrem Landsherrn gebührenden Gehorsam zu leisten, und sich dessen Reichs-Gesetzmäßigen Verordnungen, und wohlhergebrachten bishero ruhig ausgeübten Territorial-Rechten, worunter jedoch das eingeführte Stempel-Papier und neuerliche Onera bis zum Austrag Rechtens nicht gehörig, ingleichem, daß die Verhängung derer Waldungen Forstmäßig, mit billigmäßiger Rücksicht auf derer Unterthanen nöthigen Viehwaid geschehen solle, ferner weit nicht zu widersetzen, bey Straf 5. Mark löthigen Golds, anbefohlen worden.

In eben diesem Jahr suchte die Gemeind Dentingen ein Particular-Mandat de non turbando in possessione immemoriali Juris pascui, nec contraveniendo Decretis & Ordinationibus Cameralibus d. d. 14. Martii & 8. Jul. 1757. welches Gesuch gleichmäßig judicialiter ad hanc Causam verwiesen und reproduciret, sofort in allen diesen und vorgemeldten Causis bis zum Beschluß der Sachen nunmehro verfahren worden.

Die Menge derer von beeden Theilen eingeführten Beschwerd-Puncten legte sich bey der Special-Abhandlung eines jeden Acten-Stocks specifice dar. Nur stehet annoch allhier zu bemerken, daß unter denen allgemeinen Beschwerden auch die Aufstellung des Crichingischen Contingents zu der Ober-Rheinischen Craiß-Militair – Verfassung in Natura mit begriffen gewesen, welcher Klag-Punct aber, als in die innere Verfassung der Reichs-Craißen einschlagend, allhier nicht angenommen, sondern vermög neuester Kayserl. Wahl-Capitulation an die L.Ober-Rheinische Craiß-Versammlung verwiesen worden.

Dem Actenstock samtlicher Crichingischen Unterthanen [134] [135] seynd weitläufige Ober-Rheinische Craiß-Executions-Acta zu dem Ende beygeleget, um den Geist der Widerspenstigkeit, Hartnäckigkeit und Insolenz der Crichingischen Unterthanen etwelchermaßen abzuschildern und vor Augen zu legen; Da selbige zu unserer Erkanntnis weiter nicht gehören, so wurde nur folgender kurze Auszug mitgetheilet. Nachdeme alle gütliche Erinnerungen des Ober-Rheinischen Craises nichts verfangen wollten, um eine Aushebung des Crichingischen Craiß-Mannschafts-Contingents von 29. Köpfen zu bewürken, sondern die Unterthanen darauf beharrten, daß diese Mannschafts-Stellung in Natura eine Neuerung, und bis-

her niemals üblich geweßt seye, so wurde endlich dem benachbarten Herrn Fürsten zu Nassau Saarbrücken die Execution aufgetragen, welche dann im Julio 1758. Dero Rath Lerse, nebst einem Unter-Officier und 10. Land-Reutern nach Crichingen abgeordnet haben. Die Unterthanen, welche hierauf besondere Deputirte, die sie die Ausgezogene nannten, denen volle Macht und Gewalt gegeben wurde, das nöthige mit der Commission zu verhandeln. Die Gemeinde Tettingen, Lellingen und Folschweiler, wie auch Büdingen submittierten sich zeitlich, die andere aber machten ein förmliches Verbindnis, sich nicht zu bequemen, und vor Einen Mann zu stehen. Man tentirte hier und da einen Ansatz der Executions-Kosten, und den Angriff mit Pfandaustragen zu machen: allein die Gemeinden nicht nur im Ort, sondern in der Nachbarschaft, liefen zusammen und drohten mit Thätlichkeiten. Der damalige Cammer-Gerichts-Advocat in Casa Lt. Gülich ermahnte selbsten die Unterthanen zur Submission, aber vergebens:
Commissio ersuchte den Clerum, dienstlichen Zuspruch auch ihres Orts zu thun: aber auch dieses wolte nichts fruchten. Man bewürkte bey Lotharingen, und Luxemburg, Befehl, daß dieser Machten benachbarte Unterthanen denen Renitenten keinen Beystand thun, noch von flüchtender Haabschaft einiges aufnehmen solten, gleichwohlen wolte auch dieser Vorgang nichts verfangen: Sie schickten einige Deputirte nach Wien, Regenspurg, und nach Frankfurth, ohnerachtet aber solche unverrichteter Dingen ab- und zur Submission verwiesen worden, so ware dannoch solche nicht zu bewürken, außer daß hier und dar einzelne Personen sich zum Gehorsam ergaben. Der Fürst zu Saarbrücken schickte unter dem Hauptmann von Hüls ein verstärktes Commando, allein es konnte solchem nicht einmal die Einquartierung verschafft werden. Der Hauptmann liesse zwar einen Deputierten namem Pottier eine Haußthür mit Axten aufbauen, der Tumult aber nahme dermaßen zu, daß er viel zu bedenklich hielte, seine Mannschaft der Ueberlegenheit auszustellen: bey dem Abzug verwandelte sich dieser Auftritt in ein Gespött, mit dem Zuruf: bon voyage. Vom Julio biß in November daurte die Langmuth des Oberrheinischen Craißes: fortan kamen 200 Mann Infanterie, und 50. Mann Churpfälzischer Hussaren anmarchiret, worauf endlich der Gemeind der Muth entfallen: Sie submittirten sich zu der Ausziehung des Craiß-Contingents und Zahlung der bisher aufgelaufenen sehr schweren Executions-Kosten, der Landsherr aber selbsten mußte dabey die Bedingung eingehen, wegen derer übrigen im Proceß liegenden Beschwerden, dem Weeg Rechtens den Lauff zu lassen.

39

Abhandlung des Reichsjuristen Christian Jakob von Zwierlein über die Klagen zwischen Untertanen und ihren Landesherren, die die Bedeutung und die Häufigkeit dieser Klagen belegt.

Druck: Ch. J. von Zwierlein, Vermischte Briefe und Abhandlungen über die Verbesserung des Justizwesens am Kammergericht mit patriotischer Freimütigkeit entworfen, 1. Theil, Berlin 1767, S. 105–113. Abdruck ohne die Anm. 37 u. 38

Auch bei Klagen zwischen Untertanen und ihren Landesherren würde es gut seyn, wenn das Verfahren überhaupt abgekürzet, und bei dem Extrajudicialproceß angefangen werden könnte. Diese Gattungen von Klagen, sind leider in neuern Zeiten so häufig, daß man täglich die Bauren, Schaarenweise in Wezlar auf die Sollicitatur ziehen siehet.

Die Untertanen sind Menschen wie der Fürst, und zwar der größere Teil der Menschen, vor welche der Oberbeherrscher und die ihn vorstellen, seine Gerichte, vorzüglich sorgen sollen. Bleiben die Untertanen ungehört, und ihre Sachen unerörtert, so erwachsen in kurzem aus unseren meisten Reichsständen Despoten, die Untertanen werden Sklaven, und das bisgen deutsche Freiheit, das ohnehin in vielen Territorien nur noch ein bloßer Schall ist, gehet ganz verloren.

Auf der andern Seite hingegen ist zu erwegen, daß 1) der Landesherr bei Streitigkeiten mit Untertanen die Regel und die Vermutung vor sich habe, daß 2) die Bauren, wie die Bewohner der Insel Creta bei dem geringsten Misvergnügen Meutereien machen, ein Saz, den die ältere Baurenkriege, und der noch im jezigen Jahre angesponnene Aufstand der Anhaltbernburgischen Untertanen erweiset: daß 3) die Gesezze eben deswegen dem Landesherren bei Gelegenheit der ältern Bauernkriege die Selbsthülfe gestattet haben[1], und daß daher nicht allemal die von dem Landesherrn gebrauchte Gewalt unrechtmäßig[2] sey.

Es ist daher bei Klagen der Untertanen viele Vorsichtigkeit zu gebrauchen und besonders gleich bei der ersten Anlage zur Einleitung des Processes. Giebt man dem Fürsten zu viel Gehör, so leiden die Untertanen dabei: finden die Untertanen zu vielen Beistand, denn geben sie dem Fürsten weder das, was sie nicht schuldig, noch das was sie schuldig sind[3].

Der J. V. Abschied §. 10. und 11. handelt von dieser Materie und wiederholet die alten Gesezze. Die neueste Wahlkapitulationen Art. XV. und XIX. handeln ebenfalls von derselben. Jener verordnet, daß I) nach Maasgabe der ältern Reichsgesezze dem Untertanen nicht leicht[4] Processe ohne vorhergehendes Schreiben um

Bericht erkannt werden sollen. Daß II) bei erheischender Notdurft[5] einem solchen Schreiben um Bericht eine temporal Inhibition beigefüget, daß III) bei ausbleibendem Bericht, das von denen Untertanen gesuchte Mandat erkannt und IV) bei eingekommenem Bericht nach Verschiedenheit der Umstände entweder die Inhibition wieder aufgehoben, oder weiter verfüget werden solle was Rechtens. Die neueste Wahlkapitulation verordnet Art. XV. fast das nemliche, und fuget Art. XIX. §. 7. noch hinzu, daß dergleichen Processe mit möglichster Kürze, jedoch unter Beobachtung der Substantialium processus abgethan werden sollten. Dieses sind die gesetzliche Vorschriften in dieser Materie.

Die Processe zwischen Untertanen und Landsherren betreffen entweder A) Eingriffe der leztern in die Freibriefe der erstern, die ruhig eingeklaget werden, oder B) neue Auflagen, die entweder der Herr mit widerrechtlicher Gewalt beitreibet, oder denen sich der Untertan mit ähnlicher Gewalt widersezzet. Wo A) die Klage ruhig ein- und ausgefüret wird, kann die Sache ihren ordentlichen Lauf behalten, wo aber B) auf Seiten der Landesherrn unrechtmäßige Gewalt, auf Seiten der Untertanen Meuterei zu besorgen ist, daß ist es freilich notwendig gleich in den ersten Dekreten der Flut mit einem Damm vorzubeugen. Ich glaube daß folgende Regeln, welche ich aus denen in des Freih. von Cramers Nebenstunden[6] angefürten Beispielen abstrahiret habe, diesen lezten Fall erschöpfen könnten. Wo 1) gleich aus der ersten Suplik erhellet, daß die Zumutungen des Landesherrn gegen die Untertanen rechtswidrig seyen, könne wie bisher das Mandat dem Untertanen ohne Schreiben um Bericht erkannt werden. Wo 2) aus dieser Suplik zwar nicht die Unrechtmäßigkeit der landesherrlichen Forderungen, aber eine übertriebene Strenge in deren Beitreibung, und ein denen Untertanen dadurch zugefügter großer Schaden[7] erhellete, wäre Schreiben um Bericht mit einer temporal Inhibition zu erkennen. Wo endlich 3) von Seiten der Untertanen Meutereien und Aufstand, worunter jedoch Berathschlagungen einzelner Dorfschaften oder der Deputirten mehrerer Dorfschaften über ihren Proceß nicht gehören[8], zu besorgen stünden, oder bereits erreget worden wären, müsten dem Landesherrn geschärfte Patente[9] gegen diese Untertanen und allenfalls auch mandata auxiliatoria gleich Anfangs erteilet, und wo endlich 4) auf beiden Seiten Thathandlungen zu besorgen wären, gegen beide Teile auf gedachte Art vorgeschritten, auch allenfalls bei größeren Anordnungen dem Krais der Ruhe in dem Lande wieder herzustellen aufgetragen werden.

Dieses wären ohngefehr die provisorische Verfügungen, welche das erste Dekret begleiten könnten. Wäre alsdenn das Schreiben um Bericht nebst dem Gegenbericht eingelanget, so bliebe noch übrig den weitern Proceß einzuleiten. Erhellete nun 1) aus dem Bericht und Gegenbericht, daß die Untertanen in ihrem Gesuch recht oder unrecht hätten, so wäre ihnen das Mandat entweder ganz zu erkennen oder abzuschlagen, und alsdenn dem Landesherrn keine weitere gerichtliche Exceptio sub & obreptionis zu gestatten, weil bereits desselben Bericht, die Stelle dieser Einreden vertreten hätte. Erhellete 2) daß die Untertanen nur in gewissen Punkten recht hätten, so wäre solches auf gedachte Punkte einzuschränken, und in denen übrigen zu versagen, bliebe endlich 3) die Sache zweifelhaft, entweder daß a) das Recht des Fürsten selbst noch nicht klar genug, oder b) nicht zu ersehen wäre, wie weit solches ginge, oder c) daß man wegen weitläuftiger und von beiden Seiten noch nicht genug belegter Berechnungen, nicht ergründen könnte, ob die Untertanen nicht bereits ihre Verbindlichkeit in Ansehung dieses Rechtes erfüllet hätten, so wäre zwar denen Untertanen, wegen mit untergelaufener Executionen und Thätlichkeiten ein Mandatum de non via facti sed juris procedendo, wegen des übrigen aber entweder ein Mandatum C. C. gegen den Landesherrn zu erkennen, oder letzteres allenfalls facta reproductione ad judicum zu verweisen, 4) übrigens aber der Landesherr wärend des Processes mittelst einer Verordnung im Besiz zu erhalten, 5) und zu früherer Beendigung des Haders eben diesem Dekret die Erkennung einer Localcommission auf den Krais, jedoch mit der Vorschrift beizufügen, daß derselbe auf einsweiligen vorschuß des Klägers nur einen Rath, mit allenfallsiger Beifügung eines Rechnungsverständigen so subdelegirte, daß dieser beide Teile über jeden Punkt vernehmen, alsdenn die instruirte Akten entweder, wenn es eine von denen Parteien verlangte auf Akademien zu Abfassung eines Gutachtens verschikte, oder solche selbst mit einem Gutachten begleitete, und dem Kammergericht binnen einer gewissen Frist einsendete. Auf diese Art könnte die Hauptsache schon beinahe instruieret seyn, wenn die Reproduction geschehen sollte. Dem Kammergericht würde dabei die Arbeit, und denen Parteien die Ungedult ersparet, die die Schwester eines langen Sollicitirens ist.

1 Der Bauernkrieg war im J. 1524. und 1525. Die erste Spuren der erlaubten Ständischen Selbsthülfe erscheinen darauf in denen R. A. v. 1526. 1529. u. 1539. und in der Leopoldinischen Wahlkapitulation, woraus solche in die II. Josephinische Art. XV. §. 8. übertragen worden ist. S. des Freih. v. Cramers N. St. II. T. VIII. St. §. 10. p 134. und *Stryck.* de via facti principibus imperii permissa, wie auch G. L. Boehmer in Diss. princeps imperii jus suum vi atque armis tuens. §. XVII. p. 41.

2 Sie wird unrechtmäßig, teils wenn die Befugnis, zu deren Ausübung sie angewendet wird, ungegründet, teils wenn die Art, wie sie angewendet worden, ausschweifend ist, und aus diesem gedoppelten Gesichtspunkte habe ich solche in der Folge betrachtet.

3 De Ludolf in Comment. syst. de. J. E. s. I. §. X. n. 39. p. 110. Freih. v. Cramers Nebenst. II. T. VIII. St. §. 8. p. 130.

4 Dieses *nicht leicht* schlieset das arbitrium Iudicis in klaren Fällen nicht aus, und wenn gleich in denen neuesten Wahlkapitulationen Art. 19. §. 7. die Worte stehen, daß *bei dessen* (nemlich des Schreibens und Bericht) *Hinterbleibung ihnen* (denen Ständen) *zugelassen seyn solle, keine Parition zu leisten*, so müssen doch solche aus denen älteren Reichsgesezzen dem J. R. A. §. 105. und dem Vis. Absch. §. 10. erkläret werden, s. Freih. v.

Cramer Wezlar. N. St. II. T. VIII. St. §. 2. p. 124. u. f. woselbst viele Beispiele dergl. erkannter Mandate ohne Schreiben und Bericht angefüret sind.

5 Die Fälle bestimmet der Freih. v. Cramer am angef. O. §. 7. f. 130.

6 Freih. v. Cramers N. S. II T. VIII. St.

7 Freih. v. Cramer am angef. O. §. 7. f. 130. eben derselbe §. 15. s. 143.

8 Eben derselbe §. 9. s. 132.

9 Eben derselbe § 11.p.135. wo Beispiele vom R. Hofrath, und T.LIII.St.VI.§.I.p.123. wo das Beispiel einer solchen Cameralurtel v. 17. Juli. 1765 in Sachen Untertanen zu Hohenzollern Hechingen contra den Herrn Fürsten mandati angefüret ist.

40

Brieflicher Kommentar des Großherzogs Peter Leopold (des späteren Kaiser Leopolds II.) an Maria Theresia zu dem von Raab'schen Projekt einer Robotaufhebung in Böhmen aus dem Jahre 1778, der u. a. die Bedeutung des bäuerlichen Widerstands für die Reformpolitik deutlich macht.

Vgl. dazu D. Silagi, Ungarn und der geheime Mitarbeiterkreis Kaiser Leopolds II. München 1961; S. 53f., Druck: ebd., S. 118f.

Fiorenz den 28 Juny 1778

Liebste Mutter.

Ich habe Dero gnädigstes Schreiben v. 28ten ergangenen Monats mit denen Schrieften v. Raab erhalten, die ich Denenselben hier beygeschlossen zurükzusenden mich unterfange. Dieses Unternehmen muß sicherlich von großen Nutzen seyn, sowohl für die Güterbesitzer als Unterthanen, in Ansehung der Abkürzung und weniger Kösten der Verwaltung. Sie ist gerecht, nützlich und Vortheilhaft für alle und kann Eüer Majestät nichts als den Seegen der unterthanen zuziehen, welche, aus übelbehandelten Sklawen ohne Stand und Ansehen hierdurch zu freyen Leüthen umgestaltet, ein Eigenthum erlangen.

Ich wünsche nichts sehnlichers, als daß dieses für das Land so nützliche Beyspiele auch v. denen übrigen Ständen nachgeahmet werden möge; allein ich fürchte sehr, daß die alte Vorurtheile, der Eigennutz und der den größten Theil übelgesinten Menschen angebohrne Neid, Neuerungen zu wiedersprechen, hauptsächlich, wenn sie nützlich sind und der Geist des Stolzes und unterdrükung, der in *Deutschland* allgemein unter dem Adel gegen ihre Unterthanen und Volk *herrschet*, sie verhindern werden, diesem Beyspiel zu folgen, welches Euer Maj. ihnen haben geben wollen.

Allein die Zeit wird Sie hierin aufklären und ihre unterthanen, nachdeme sie ihre

Verfassung mit jene der Bauern und den Domainen Euer Majestät verbinden, so werden ihr Nachbahrn sie entlich zwingen, dieses System anzunehmen, und *so wird ein mäßiger Aufstand der Bauern dem Staate nützlich seyn, um die Grossen zu demüthigen,* daß zu thun anzutreiben, was Recht und billig ist gegen ihre Bauern, deren Klasse eben so gut ein Theil der Monarchie ist, als jene der Grossen, die alle durch die Regirung müssen beschützt und unterstützt werden.
Vor allen andern aber Hauptsächlich die Klasse der Bauern, welche die zahlreichste, die nützlichste und nothwendigste für den Staat ist, und die schon nur allzusehr unterdrückt ist durch die Verachtung, Auflagen und Militaire System etc. ohne noch andern Übel zu gedenken, die den Umständen des Staats, die sie unterdrücken, in dem sie auch noch denen besonderen Abgaben der Herrschaften unterliegen, welche, je grösser, reicher und mächtiger sie in einem Staate sind und je grössere Besitzungen sie darinnen haben, desto gefährlicher, desto stolzer sind sie, und die Unterdrükung ihrer unterthanen und Tyranney gegen dieselbe ist ihre einzige Beschäftigung, ja sie machen besondere Corps aus und geben sich das Ansehen eines *Staates in dem Staate,* welches zu sehr die Waagschale ihrer Seits in Ansehung ihrer aller Vorhteile wankend macht und welche hernach überwiegendes und gefährliches Corpus aus allen jenen Urachen, die schon gegen das Corps der Jesuiten angeführet worden, ausmachen, da nemlich alle Höffe diese Ausrottung verlangten.
Ich bitte Eurer Majestät, dem Eifer dieser meiner Ausschweiffung zu verzeihen, der meine wahre Denckungsart über diese Sachen enthält, die ich nicht verbergen kann, denn ich mus hier v. Dingen reden, die die Unterdrückung des schwächsten durch den Arm des reichern zum Gegenstand haben, und zwar von den nützlichsten Gliedern der Monarchie durch jene, welche darinn weder nützlich noch nothwendig sind.

41

Überblick über die publizistische Auseinandersetzung zwischen den Grafen von Isenburg-Büdingen-Meerholz und ihren Untertanen im Verlauf des 18. Jahrhunderts als Vorwort zu einer Gegenschrift der Untertanen, die von dem Advokaten Kopp verfaßt worden war und 1790 gedruckt wurde.

Druck: (Kopp), Unbefangene Darlegung des warhafften Bestands des jezo Gräflich-Ysenburg-Büdingen-Meerholzischen Gerichts Gründau . . . , 1790, S. 1–6. Vgl. auch Dokument Nr. 37.

Schon verschiedentlich bemühte man sich Hochgräflich Ysenburgmeerholzischer Seits, durch allerley in Druk gegebene weitläufige Dedukziones zu zeigen, wie ungegründet die gegen solche, als die höchste Landesherrschaft, von denen Untertanen des Gerichts Gründau, wegen mehreren Beschwerden, gleich nach dem 30jährigen Krieg erhobene Klage sey, und welche Rechte und Gründe man auf des Herrn Beklagten Seite vor sich habe, dieses und jenes von diesen Gründauer Untertanen zu fordern; Allein, man richtete seiner Sache immer so ein, daß solche, teils nicht zur Verantwortung mitgeteilet wurden, teils aber waren auch die Untertanen selbst, immer in solchen Umständen, ihren Sachwaltern ihre habende Rechte, und deren Beweis nicht so überliefern zu können, um mit Gründen das allerhöchste Reichsoberhaupt, wo dieser Rechtsstreit zu Wien anhängig ware, dann die deshalb aufgestelte allerhöchst kaiserliche Kommißion und höchstderselben Herren Subdelegaten, zu beleren, wie ungegründet in mereren Stükken das Vorgeben der impetratischen ysenburgischen höchsten Herrschaften, welche Scheingründe sie aufgestellt, um ihre Behauptungen damit zu unterstüzzen, und wie eigentlich die ware Beschaffenheit und Verfassung dieses Gerichts von uralten Zeiten her gewesen.

Die höchste Landesherrschaft der Gründauer Gerichts-Untertanen, die Herren Grafen zu Ysenburg-Büdingen-Meerholz, suchten schon 1718. durch einen so betitelten

„Historischen Vorbericht"

die Sache dieser ihrer klagenden Untertanen, und die deshalb erhobene Beschwerden über Entziehung ihrer, von vielen Jarhunderten von mehreren in der Burg Gelnhaußen ehedem residirenden Kaisern erhaltenen Privilegien und sonst selbsten schon vorhero und nachhero erworbenen Rechte und Freiheiten auf einer Seite vorzustellen, die teils solche als widerspenstige, halsstarrige, gegen ihre höchste Herrschaft ungehorsame Leute, teils das Recht der Landesherrschaft, so, und nicht anders zu handeln, darstellen, und verteidigen, zugleich aber dem allerhöchsten Reichs-Oberhaupt zur Belerung und gewissermassen zur Richtschnur dienen sollte.

Nicht ganz in seiner Vermutung und Absicht hintergangen, spürte man einige Wirkung hiervon, da der Untertan selbst zu wenig Erfarung und Geschik hatte, solches in Person gehörig zu widerlegen, sodann die Sachwalter nicht genugsam unterrichtet, der biedere Landmann auch über das nichts von denen, sogar dargegen in Händen habenden Beweisen wußte, und was solche eigentlich zu Verteidigung ihrer gemachten Weigerung enthielten, verstand, vielmer in der Vergessenheit begraben, und so unter einzelnen Mitgliedern aufgehoben waren, daß noch über 60 bis 70 Jare hingiengen, ehe sie ans Tageslicht gebracht wurden, und man hiervon den gehörigen Gebrauch machen konte.

Durch diese vorangefürte und empfundene Wirkung ermuntert, machte man sich

Gräflich-Ysenburgischer Seits im Jar 1719. abermals daran eine sogenannte

„Facti Species cum extractu actorum loco informationis
in Sachen
Ysenburg-Büdingischer Unterthanen des Gerichts Spielberg und Dörfleins Hesseldorf
contra
Ihro Gräfliche Herrschaft zu Ysenburg-Büdingen
in puncto diversorum gravaminum
nunc Commissionis“

ins Publikum durch den Druk zu befördern, zugleich aber darinnen zu zeigen, wie die Herren Grafen von Ysenburg aus der Rheingegend in diese Gegend gekommen, und wie sie nach und nach zu diesen Gerichten gelanget, dann, daß schon 1656. und 1659. wegen der denen Untertanen obliegenden Schuldigkeiten allerhöchst kaiserliche Erkenntnisse ergangen seyen.

Bey allen diesen übergebenen gedrukten Ausführungen mußte das Gericht Gründau stille-sizzen, und sich nachreden lassen, was gräflichysenburgischer Seits und deren aufgestelten Sachwaltern nur immer einfallen mogte, da beim Gericht aller Gegenbeweis noch immer verborgen ware, und es nicht mit ungegründeten, und damals noch nicht so, wie jezo gekanten und zu beweisen möglichen Gegenbehauptungen auftreten wolte und konte.

Bei weiterer Verhandlung der Sache wurde endlich auch im Jar 1732. gräflich-ysenburgischer Seits eine abermalige Drukschrift sub rubro:

„Supplicatio pro clementissime restitutione in integrum contra sententiam die 19. Oct. 1730.
latam ob documenta noviter reperta & c.

und darinnen abermals verschiedenes gegen die Sache und die Gründauer Untertanen vorgetragen, so abermals von lezteren unbeantwortet gelassen worden, obgleich vieles dagegen erinnert und anders dargestelt werden können, wenn die Gründauer recht beraten, und ihre eigentliche Entstehung, und gehabte Vorrechte gekant, und solche darzulegen gewußt hätten.

Endlich in dem Jar 1754. verfertigte man abermals ex adverso eine weitläufige Ausfürung unter dem Namen:

„Zuverläßige Ausführung
derer
von denen Unterthanen des Ysenburg-Meerholzischen Gerichts Gründau wider ihre Landesherrschaft eingeklagte vermeynte Beschwerden,

nach Anweisung
derer in diesem langwiehrigen Prozeß überge-
benen gerichtlichen Handlungen, geführten
Commissarischen Protocollen und er-
statteten Berichten
auch
darauf ergangenen kaiserlichen Urteln"

und ließe solche allerhöchsten Orts einreichen.

Die darinnen gemachte Behauptungen suchte man freilich mit Urkunden zu belegen, name aber auch öfters unrichtige Gründe an und machte dabei so eine weitläufige Ausführung, eben so viele Wiederholungen und dergleichen, die den hohen Herrn Referenten irre zu führen versuchen, überhaupt aber jeden andern Leser ermüden mußten.

Indessen seie dem wie ihm wolle! man erreichte seinen Zwek ziemlich, und fast dörfte man vermuten, daß alle nachher erlassene allerhöchste kaiserliche und Reichshofraths-Konklusa, besonders das vom 1sten Julius 1773. mit denen in diesem Jarzehend ergangenen Konklusis, auf die darinnen angegebene und behauptete Säzze gebauet werden wollen, weil der Herr Referent noch zur Zeit nicht vom Gegenteil durch autentike Urkunden ein anders überzeugt worden ware, das Gericht vielmer bis daher gegen diese gedrukte Ausfürung stille sasse, solche auch nicht gehörig kante. Man empfand hierdurch zwar manches Drükkende, nur ohne das gehörige Mittel zu kennen, demselben abzuhelfen, bis man vor kurzer Zeit die untrüglichsten Urkunden, welche selbst unter den übrigen Mitnachbarn verstekt, und aus Mangel der Kentniß im Lesen und Schreiben noch zur Zeit ungebraucht und unverstanden gewesen waren, vorfande und sich zugleich entschlosse, von Seiten der Untertanen des Gerichts Gründau eine änliche, ganz unbefangene und richtige Ausfürung wo nicht just entgegen zu stellen, jedoch das Verhältnis der ganzen Sache so viel möglich genau vorzulegen, und jedem Unbefangenen das eigene Urteil darüber anheim zu geben, zugleich aber auch diese lezte gegenteilige Drukschrift näher zu beleuchten, wie auch diese Ausfürung selbst und deren Beilagen zeigen werden, um dadurch den allerhöchsten Richter allenfalls zu veranlassen, das eigentliche Verhältnis und Entstehung des Gerichts Gründau näher allergnädigst zu erwegen, und vielleicht dahin zu bewegen, die allerverehrlichsten Konklusa in ein und anderen Stükken nach jezo neu beigelegten Urkunden allenfalls nach der allerhöchst angebornen Huld allergerechtest zu mildern, angesehen bis daher durch die gegenteilige Ausführung vielleicht manche Sache aus einem andern Gesichtspunkt zu betrachten, Veranlassung gegeben zu sein scheinet, wenigstens sich von Seiten der Gründauer gewissermassen gegen die drukkende Vorrükkungen möglichst zu dekken, wenn solche auch nicht gänzlich entfernt werden könten.

Dieses hier Angefürte allein ist der Grund, aus welchem man es wagt, folgende Darstellung zu machen, um in manchen Stükken einem künftigen Herrn Referenten, und auch das unbefangene Publikum so von der Sache zu beleren, wie sie vorhero ware und jezo ist, bleibe also von der vorherigen und jezigen Verfassung des Gerichts selbst, dann des jezigen Prozeßstandes durch die Gegeneinanderhaltung näher zu unterrichten.

In wie ferne dieser Versuch gelungen, und ob er die obgezielte Folgen haben wird, müssen Zeit und Umstände leren. Ob man sich gleich überzeugt hält, solche Gründe vorgetragen zu haben, welche nicht leicht zweideutig oder gar unrichtig befunden, und somit über den Haufen geworfen werden können. Man wird dabei um so weniger in den Verdacht der Schreibflucht verfallen; Da ja nach dem lieben vaterländischen Recht jedem streitenden Teil vergönnet ist, seine vermeintliche Rechte auf alle mögliche Weise gründlich zu verteidigen, überdies aber durch merere lange vorher im Druk erschienene Dedukzionen hochgräflich-ysenburgischer Seits das Gericht Gründau gleichsam zum änlichen Schrit aufgefordert und genötiget worden ist, um sich nicht selbsten den gerechten Vorwurf von seinen Nachkommen machen zu lassen, daß es seiner Seits alles allenfalsige Recht vergraben und sich selbst vermodern lassen, es vielmer alles gethan habe, was ihme in eben der Zeit möglich ware.

In diesem Betracht hoft man eine gütige Beurteilung des Publizi, über die Ausfürung selbst, und bittet dabei, das niemals aus den Augen zu sezzen, daß jede Sache von Menschen gefertiget immer nicht ganz vollkommen sein könne, man also blos aus diesem Gesichtspunkt die folgende Arbeit und die dazu erlangte Urkunden betrachten müsse, gegen welche man jede menschenfreundliche Erinnerung und bessere Berichtigung mit dem verbindlichsten Dank annehmen, und dann in dem Fortlauf der Sache selbst zu nuzzen suchen werde.

C. Bibliographie (Auswahl)

1. *Bäuerliche Gesellschaft und Bauernstand, allgemein*

An.: Der glückselige und unglückselige Bauren-Stand, nach seinem Ursprung . . . betrachtet, Leipzig 1711.

Alroy, Gil Carl: The involvement of peasants in internal wars, (P. Research Monograph 24) Princeton 1966.

Beik, William H.: Searching for popular culture in early modern France, in: JMH 49, 1977, S. 266–281.

Blum, Jerome: The european village as community, In: Agricultural History 45, 1971, S. 157–178.

ders.: The internal structure and polity of the european village community from the 15. to the 19. century, in: JMH 43, 1971, S. 541–76.

ders.: The end of the old order in rural Europe, Princeton, N.J. 1978.

Böck, Karl: Das Bauernleben in den Werken bayerischer Barockprediger, München 1953.

Bosl, Karl: Repräsentierte und Repräsentierende. Vorformen und Traditionen des Parlamentarismus an der gesellschaftlichen Basis der dt. Territorialstaaten vom 16. bis 18. Jahrhundert, in: *ders.* (Hg.), Der moderne Parlamentarismus und seine Grundlagen in der ständischen Repräsentation, Berlin 1977, S. 99–120.

ders.: Kasten, Stände, Klassen. Zur Problematik soziologischer Begriffe und ihrer Anwendung auf die mittelalterliche Gesellschaft, in: ZBLG 32, 1969, S. 477–494.

Buchholz, Ernst Wolfgang: Ideologie und latenter sozialer Konflikt. (Göttinger Abhandl. zur Soziologie, Bd. 15), Stuttgart 1968.

Duggett, Michael: Marx on peasants, in: JPS 2, 1975, S. 159–182.

Foster, George M.: Peasant society and the image of limited good, in: American Anthropologist 67, 1965, S. 293–315.

Franz, Günther: Bücherkunde zur Geschichte des deutschen Bauerntums (Der Forschungsdienst – Sonderheft 9), 1938.

ders.: Der Bauer in der politischen Welt. Studien z. Geschichtsbild. Hist.-pol. Hefte der Ranke-Gesellschaft, Heft 15, 1964.

ders.: Bauernschaft und Bauernstand. 1500–1970. Büdinger Vorträge 1971–1972 (Dt. Führungsschichten in der NZ, Bd. 8), Limburg/Lahn 1975.

Gagliardo, John G.: From Pariah to Patriot. The changing image of the german peasant 1770–1840, Lexington, Kentucky 1969.

Galtung, Johan: Institutionalized conflict resolution, in: Journal of Peace Research 1965, S. 348–397.

Hörger, Hermann: Dorfreligion und bäuerliche Mentalität im Wandel ihrer ideologischen Grundlagen, in: ZBLG 38, 1975, S. 244–316.

Huizer, Gerrit Jan: Peasant unrest in Latin America. Its origins, forms of expression and potential, Diss. Amsterdam 1970.

Huntingdon, Samuel P.: Political order in changing societies, New Haven/London 1968.

Köpeczi, B. – *Balazs,* E. H. (Hgg.): Paysannerie française, paysannerie hongroise XVIe – XXe siècles, Budapest 1973.

Kramer, Karl-Sigismund: Bauern und Bürger im nachmittelalterlichen Unterfranken. Eine Volkskunde auf Grund archivalischer Quellen, Würzburg 1957.

Lausser, Helmut: Die Wallfahrten des Landkreises Dillingen. Der Versuch einer Wallfahrtstypologie unter dem Gesichtspunkt ihrer Verwendung als Mittel zum Ausbau oder zur Festigung von Herrschaft durch ideologische Einflußnahme auf die Untertanen, in: ZBLG 40, 1977, S. 75–119.

Lutz, Robert Hermann: Wer war der gemeine Mann? Der dritte Stand in der Krise des Spätmittelalters, München-Wien 1979.

Martini, Fritz: Das Bauerntum im dt. Schrifttum, in: Vierteljahresschrift für Literaturwissenschaft und Geistesgeschichte 27, 1944.

Mendras, Henri: Un schéma d'analyse de la paysannerie occidentale, in: PSN 1, 1972, S. 79–93, 126–144.

ders.: Sociétés paysannes. Eléments pour une théorie de la paysannerie, Paris 1976.

Mey, Harald: Der Beitrag v. B. Moore Jr. zur soziologisch orientierten Sozialgeschichte, in: Soziologie und Sozialgeschichte, Sh. 16 der KZSS 1972, S. 473–490.

Migdal, Joel S.: Peasant politics and revolution. Pressures toward political and social change in the third world, Princeton 1974.

Möller, Heinrich: Die Bauern in der dt. Literatur des 16. Jahrhunderts, Phil. Diss. Berlin 1902.

Moore, Barrington Jr.: Soziale Ursprünge von Demokratie und Diktatur. Die Rolle der Grundbesitzer und Bauern bei der Entstehung der modernen Welt, Frankfurt/M. 1974.

Parker, William N. –*Jones*, Eric L. (eds).: European peasants and their markets. Essays in agrarian economic history, Princeton 1975.

Posch, Fritz (Hg.): Das Bauerntum in der Steiermark. Ein geschichtlicher Überblick. Zs. d. Hist. Vereins f. Steiermark, Sonderband 7, Graz 1963.

Potter, J. M., *Diaz*, M. N., *Foster*, G. M. (eds.): Peasant society: A reader, Boston 1967.

Powell, John Duncan: On defining peasants and peasant society, in: PSN 1, 1972, S. 94–99.

Radbruch, Renate Maria –*Radbruch*, Gustav: Der deutsche Bauernstand zwischen Mittelalter und Neuzeit, 2. Aufl. Göttingen 1961.

Reichardt, Rolf: Auf dem Weg zu einer Totalgeschichte des ländlichen Frankreich, in: HZ 224, 1977, S. 635–654.

ders.: „Histoire des Mentalités". Eine neue Dimension der Sozialgeschichte am Beispiel des französischen Ancien Régime, in: Intern. Archiv für Sozialgeschichte der dt. Literatur 3, 1978, S. 130–166.

Sabean, David: Landbesitz und Gesellschaft am Vorabend des Bauernkrieges, Stuttgart 1972.

Shanin, Teodor (ed.): Peasants and peasant societies (Penguin Modern Sociology Readings), Harmondsworth, Engl. 1971.

ders.: Peasantry: Delineation of a sociological concept and a field of study, in: PSN 2, 1973, S. 1–8.

Skazkin, S. D.: Der Bauer in Westeuropa während der Epoche des Feudalismus, bearb. v. B. Töpfer und S. Epperlein, Berlin (Ost) 1975.

Thorner, Daniel: L'économie paysanne, concept pour l'histoire économique? in: Annales E. S. C. 19, 1964, S. 417–432.

Tilly, Charles: From mobilization to revolution, Reading (Mass.) 1976.

Tschajanoff, A.: Die Lehre von der bäuerlichen Wirtschaft, Berlin 1923.

Uhrig, Kurt: Der Bauer in der Publizistik der Reformation bis zum Ausgang des Bauernkrieges, in: ARG 33, 1963, S. 70–125, 165–225.

Wenskus, R. u. a. (Hgg.): Wort und Begriff „Bauer". Zusammenfassender Bericht über die Kolloquien der Kommission für Altertumskunde Mittel- und Nordeuropas, Abhandl. der Akademie der Wiss. in Göttingen, Phil.-Hist. Klasse 3. Folge, Nr. 89, Göttingen 1975.

Wiener, Jonathan M.: Review of reviews. Social origins of dictatorship and democracy. Lord and peasant in the making of the modern world, in: History and Theory 15, 1976, S. 146–175.

Woloch, Isser (Hg.): The peasantry in the old regime. Conditions and protests (= European Problem Studies) New York 1970.

2. *Bauernrevolten und bäuerlicher Widerstand, allgemein*

Blickle, Peter (Hg.): Revolte und Revolution in Europa. Referate und Protokolle des Intern. Symposions z. Erinnerung an den Bauernkrieg 1525 (Memmingen, 24.–27. März 1975) HZ Beiheft 4 NF München 1975.

Cistozvonov, A. N.: Die Genesis des Kapitalismus und ihre Widerspiegelung in den regionalen Typen der Bauernbewegungen in Europa im XVI. bis XVIII. Jh. (Problemstellung), in: Der Bauer im Klassenkampf. Studien zur Geschichte des deutschen Bauernkrieges und der bäuerlichen Klassenkämpfe im Spätfeudalismus, hg. v. G. Heitz/A. Laube/M. Steinmetz/G. Vogler, Berlin (DDR) 1975, S. 1–26.

Davies, C. S. L.: Peasant revolt in France and England – a comparison, in: The Agricultural History Review 21, 1973, S. 122–134.

Davies, J. C. (ed.): When men rebel and why, New York 1970.

Forster, Robert – *Greene*, Jack P. (eds.): Preconditions of revolutions in early modern Europe, Baltimore 1970.

Fourquin, Guy: Les soulèvements populaires au moyen âge, Paris 1972.

François, Martha Ellis: Revolts in late medieval and early modern Europe: A spiral model, in: Journ. of Interdisciplinary History 5, 1974, S. 19–43.

Gately, M. O. – *Moote*, Lloyd A. – *Wills*, J. E. Jr.: Seventeenth Century Peasant Furies: Some problems of comparative history, in: PaP 51, 1971, S. 63–80.

Gudde, E. G.: Social conflicts in medieval German literature, Berkley 1934.

Hausen, Karin: Schwierigkeiten mit dem „sozialen Protest". Kritische Anmerkungen zu einem historischen Forschungsansatz, in: GG 3, 1977, S. 257–263.

Heitz, Gerhard: Der Zusammenhang zwischen den Bauernbewegungen und der Entwicklung des Absolutismus in Mitteleuropa, in: ZfG SH 13, 1965, S. 71–83.

Kahan, Arcadius: Notes on serfdom in western and eastern Europe, in: Journal of Economic History 33, 1973, S. 86–99.

Kamen, Henry: The Iron Century. Social change in Europe – 1550–1660, London 1971.

Kosminski, J. A.: Das Problem des Klassenkampfes in der Epoche des Feudalismus, in: Sowjetwissenschaft GA 1952, S. 460–482.

Landsberger, Henry A.: The role of peasant movements and revolts in development, in: *ders.:* (Hg.), Latin american peasant movements, Ithaca and London 1969, S. 1–61, auch in Int. Institute for Labour Studies. Bulletin 4, 1968, S. 8–85.

ders.: (Hg.) Rural protest: Peasant movements and social change, London 1974.

Maczak, Antoni: La paysannerie et les luttes des classes, in: Acta Poloniae Historica 16, 1967, S. 139–147.

Makkai, Laszlo: Periodisation und Typologie der europäischen Bauernbewegungen, in: U povadu 400. godišnjice hrvatsko-slovenske seljačke bune, Radovi 5, Zagreb 1973, S. 41–48.

ders.: Gelöste und ungelöste Probleme der Geschichte der Bauernbewegungen, in: Heckenast, Gusztav (Hg.): Aus der Geschichte der ostmitteleuropäischen Bauernbewegungen im 16.–17. Jh. Budapest 1977, S. 523–529.

Miguel, Pierre, La révolte, Paris/Brüssel/Montreal 1971.

Mollat, Michel – *Wolff*, Philippe: The popular revolutions of the late middle ages, London 1973.

Mousnier, R.: Peasant uprisings in seventeenth century France, Russia and China, London 1971.
ders.: Le concept de classe sociale et l'histoire, in: Revue d'histoire économique et sociale 1970, S. 449–459.
Nemetzade, Kamal: Strukturanalyse des sozialen Konflikts, Wi.-So. Diss. Köln 1974
Niederhauser, Emil: Bauernkriege und Bauernbewegungen in der osteuropäischen Geschichtsschreibung, in: Heckenast, Gusztáv (Hg.): Aus der Geschichte der ostmitteleuropäischen Bauernbewegungen im 16.–17. Jh., Budapest 1977, S. 515–520.
Pascu, S. – *Mavrodin* V. V. – *Poršnev,* B. F. – *Antelava,* J. G.: Mouvements paysans dans le centre et le sud-est de l'Europe, du XVe au XXe siècle, in: Comité des Sciences Historiques, Rapports IV, Wien 1965, S. 211–235.
Petran, Josef: Typologie der Bauernbewegungen in Mitteleuropa unter dem Aspekt des Übergangs vom Feudalismus zum Kapitalismus, in: Der Bauer im Klassenkampf, hg. v. G. Heitz/A. Laube/M. Steinmetz/G. Vogler, Berlin (DDR) 1975, S. 449–467.
Pöhler, Willi – *Neuloh,* Otto: Zur Theorie des sozialen Konflikts, in: O. Neuloh (Hg.), Soziale Innovation und sozialer Konflikt (= Studien zum Wandel von Gesellschaft und Bildung im 19. Jahrhundert Bd. 15), Göttingen 1977, S. 31–40.
Poršnev, B. F.: Formen und Wege des bäuerlichen Kampfes gegen die feudale Ausbeutung, in: Sowjetwissenschaft GA 1952, S. 440–459.
Press, Volker: Französische Volkserhebungen und dt. Agrarkonflikte zwischen dem 16. und dem 18. Jh., in: Beiträge zur Hist. Sozialkunde 7, 1977, S. 76–81.
Reinhard, Wolfgang: Theorie und Empirie bei der Erforschung frühneuzeitlicher Volksaufstände, in: Historia Integra. Fs. Erich Hassinger z. 70. Geburtstag, hg. von H. Fenske, W. Reinhard, E. Schulin, Berlin-München 1977, S. 173–200.
Rudé, Georges: Die Volksmassen in der Geschichte. England und Frankreich 1730–1848, Frankfurt/M.-New York 1977.
Sabean, David: Markets, uprisings and leadership in peasant societies (Western Europe 1381–1789), in: PSN 2, 1973, S. 17–19.
ders.: The communal basis of pre- 1800 peasant uprisings in Western Europe, in: Comparative Politics 1976, S. 355–364.
Schulze, Winfried: Zur veränderten Bedeutung sozialer Konflikte im 16. und 17. Jh., in: Der deutsche Bauernkrieg 1524–1526, hg. H. U. Wehler (Geschichte und Gesellschaft Sonderheft 1) Göttingen 1975, S. 277–302.
Starn, Randolph: Historians and „Crisis", in: PaP 52, 1971, S. 3–22.
Tilly, Charles: Collective violence in european perspective, in: H. D. Graham – Ted R. Gurr (eds.), The history of violence in America. Historical and comparative perspectives, New York – Washington – London 1969, S. 4–45.
ders.: Hauptformen kollektiver Aktion in Westeuropa 1500–1975, in: GG 3, 1977, S. 153–163.
ders.: Food supply and public order in modern Europe, in: ders. (Hg.): The formation of national states in Western Europe, Princeton 1975, S. 380–455.
Töpfer, Bernhard: Volksbewegungen, Ideologie und gesellschaftlicher Fortschritt in der Epoche des entwickelten Feudalismus, in: ZfG 25, 1977, S. 1158–1167.
Wolf, Eric R.: Peasant wars of the twentieth century, London 1971.
ders.: On peasant rebellions, in: Intern. Social Science Journal 21, 1969, S. 286–293.
Yaresh, Leo: The peasant wars in soviet historiography, in: American Slavic and East Europ. Review 16, 1957, S. 241–59.

Bercé, Yves-Marie: De la criminalité aux troubles sociaux: La Noblesse rurale du Sud-Ouest de la France sous Louis XIII., in: Annales du Midi 76, 1964, S. 41–59.

ders.: Histoire des croquants. Etude des soulèvements populaires au 17e siècle dans le sud-ouest de la France, 2 Bde. Genéve 1974.

ders.: Croquants et Nu-pieds. Les soulèvements paysans en France du XVIe aux XIXe siècle, Paris 1974.

ders.: Fête et révolte. Des mentalités populaires du XVIe aux XVIIIe siècle. Essai, Paris 1976.

Bérenger, Jean: Le paysan français et la crise du XVIIe siècle, in: Köpeczi-Balazs (Hg.), S. 103–125.

Dommanget, Maurice: La Jacquerie, Paris 1971.

Foisil, Madelaine: La révolte des Nu-pieds et les révoltes normandes de 1639, Paris 1970.

Gigon, S. C.: Contribution à l'histoire de l'impôt sous l'Ancien Régime. La révolte de la Gabelle en Guyenne, 1548–1549, Paris 1906.

Goubert, Pierre: The french peasantry of the seventeenth century: A regional example, in: PaP 10, 1956, S. 55–77.

Hours, H.: Emeutes et émotions populaires dans les campagnes du Lyonnais au XVIIIe siècle, in: Cahiers d'Histoire 1964, S. 137–153.

Lavallée, Louis: Les soulèvements populaires en France dans la première moitié du dixseptième siècle. Ētat de la question, in: Histoire sociale – Social History X, 1977, S. 427–432.

Lemarchand, Guy: Féodalisme et société rurale dans la France moderne, in: Sur le féodalisme, Paris 1971, S. 86–105.

Le Roy Ladurie, Emmanuel: Les paysans du Languedoc, Paris 1966.

ders.: Les paysans français au XVIe siècle, in: Köpeczi-Balazs (Hgg.), S. 33–53.

ders.: Révoltes et contestations rurales en France de 1675 à 1788, in: Annales ESC, 1974, S. 6–22.

ders.: Über die Bauernaufstände in Frankreich 1548–1648, in: Wirtsch. und soziale Strukturen im säkularen Wandel, Fs. f. W. Abel zum 70. Geburtstag, Bd. 1, Hannover 1974, S. 277–305.

ders.: Histoire de la France rurale, Bd. 2, L'âge classique des paysans 1340–1789, Paris 1975.

Lublinskaya, A. D.: Popular masses and the social relations of the epoch of absolutism: Methodology of research, in: Economy and Society 2, 1973, S. 343–375.

Mandrou, Robert: Les soulèvements populaires et la société francaise du XVIIe siècle, in: Annales ESC 14, 1959, S. 756–765.

ders.: Les classes et luttes de classe en France au debut du XVIIe siècle, Messina-Firenze 1965.

ders.: Vingt ans après, ou une direction de recherches fécondes: Les révoltes populaires en France au XVIIe siècle, in: Revue Historique 242, 1969, S. 29–40.

ders.: Volksideologien und Volksaufstände in Frankreich im 17. Jh., in: Heckenast, Gusztav (Hg.): Aus der Geschichte der ostmitteleuropäischen Bauernbewegungen im 16.–17. Jh. Budapest 1977, S. 217–225.

Mousnier, Roland: Recherches sur les soulèvements populaires en France avant la Fronde, in: Revue d'Histoire Moderne et Contemporaine 5, 1958, S.81–113.

ders.: Recherches sur les soulèvements populaires en France de 1483 à 1787, in: Revue du Nord 44, 1962, S. 281–290.

ders.: Fureurs paysannes. Les paysans dans les révoltes du XVIIe siècle, Paris 1967.

Nicolas, Jean: Sur les émotions populaires au XVIIIe siècle: le cas de la Savoie, in: Ann. Hist. de la Révolution Franç. 1973, S. 593–607, 1974, S. 111–153.

Pillorget, René: Les mouvements insurrectionnels de Provence entre 1596 et 1715, Paris 1975.

ders.: Genèse et typologie des mouvements insurrectionnels d'après une étude régionale (La Provence de 1596 à 1715), in: Francia 4, 1977, S. 365–389.

Poetschke, Robert W. – *Rothrock,* George A.: The Chalosse Rebellion. A Case study in Seventeenth Century French Revolts, in: Canadian Journ. of History 5, 1970, S. 1–11.

Porschnew, B. F.: Die Volksaufstände in Frankreich von der Fronde 1623–1648, Leipzig 1954.

Rotteli, Ettore: La structure sociale dans l'itinéraire historiographique de Roland Mousnier, in: Revue d'histoire économique et sociale 51, 1973, S. 145–182.

Rudé, George: Popular protest and ideology on the eve of the French Revolution, in: Vom Ancien Régime zur Französischen Revolution – Forschungen und Perspektiven, hg. E. Hinrichs u. a., Göttingen 1978, (Veröffentl. des MPI für Geschichte Bd. 55), S. 420–435.

Tapié, Victor-Louis: La France de Louis XIII et de Richelieu, Paris 1952.

Teall, Elizabeth S.: The seigneur of renaissance France: Advocate or oppressor? in: Journal of Modern History 37, 1965, S. 131–150.

Tilly, Charles: Getting it together in Burgundy, 1675–1975, in: Theory and Society 4, 1977, S. 479–504.

Tilly, Louise A.: The food riot as a form of political conflict in France, in: Journ. of Interdisciplinary History 2, 1971–2, S. 23–57.

Vivanti, Corrado: Le rivolte populari in Francia prima della Fronda e la crisi del secolo XVII, in: Rivista Storica Italiana 76, 1964, S. 957-981.

4. *England*

Appleby, Andrew B.: Common land and peasant unrest in sixteenth century England: A comparative note, in: PSN 1975, S. 20–23.

Allan, D. G. C.: The rising in the west, 1628–31, in: EcHR 5, 1952, S. 76–85.

Archangelsky, S. I.: Agrarian legislation and the agrarian movement in England of the XVII century, Moscow 1955.

Beer, Barrett L.: London and the rebellions of 1548–1549, in: Journal of British Studies 12, 1972, S. 15–38.

Beier, A. L.: Vagrants and the social order in Elizabethan England, in: PaP 64, 1974, S. 3–29.

Beloff, Max: Public order and popular disturbances 1660–1714, Oxford 1938 (new impression London 1963).

Bindoff, S. T.: Ket's rebellion 1549, Hist. Assoc. Pamphlet, General Series 12, 1949.

ders.: Ket's rebellion 1549, in: J. Hurstfield (ed.), The Tudors, London 1973.

Bornkamm, Heinrich: Martin Butzers letzter Brief. Sein Urteil über die engl. Reformation und seine Stellung zum Interim in Deutschland, in: ARG 38, 1941, S. 239–249.

Bowker, Margret: Lincolnshire 1536: Heresy, schism or religious discontent? in: Studies in Church History 9, Cambridge 1972, S. 195–212.

Brailsford, H. N.: The Levellers and the english revolution. Edited and prepared for publication by Chr. Hill, Stanford, Cal. 1961.

Campbell, Mildred: The English yeoman under Elizabeth and the early Stuarts, London 1967.

Cheke, Sir John: The hurt of sedition, London 1549, Repr. Menston Scolar Press 1971.
Clark, Peter: Popular protest and disturbances in Kent, 1558–1640, in: EcHR 29, 1976, S. 365–382.
Coates, Wilson H.: An analysis of major conflicts in seventeenth century England, in: Conflict in Stuart England: Essays in Honour of Wallace Notestein, London 1960, S. 15–39.
Cornwall, Julian: Revolt of the peasantry, London 1977.
ders.: The Ecclesden outrage: A fresh interpretation, in: Sussex Archeological Collections 113, 1975, S. 7–15.
Davies, C. S. L.: The Pilgrimage of Grace reconsidered, in: PaP 41, 1968, S. 54–76.
ders.: Les révoltes populaires en Angleterre (1500–1700), in: Annales ESC 24, 1969, S. 24–60.
Dickens, A. G.: Some popular reactions to the Edwardian Reformation in Yorkshire, in: Yorkshire Arch. Journal 34, 1939, S. 158–169.
Dobson, Richard: The peasants revolt of 1381, London 1970.
Fletcher, Anthony: Tudor rebellions, 2. Aufl. London 1973.
Gay, E. F.: Zur Geschichte der Einhegungen, Berlin 1902.
ders.: The Midland revolt and the inquisitions of depopulation of 1607, in: Transactions of the Royal Historical Society, XVIII, 1904.
Gould, J. D.: The inquisition of depopulation of 1607 in Lincolnshire, in: EHR 67, 1952, S. 392–396.
Haigh, Christopher: The last days of the Lincolnshire monasteries and the Pilgrimage of Grace, Manchester 1969.
Hill, Christopher: The many-headed monster in late Tudor and early Stuart political thinking, in: C. H. Carter (ed.), From the renaissance to the counter reformation. Essays in honour of G. Mattingly, New York 1965, S. 296–324.
Hilton, Rodney H.: Bond men made free. Medieval peasant movements and the english rising of 1381, New York 1973.
Hoskins, W. G.: The Midland Peasant, London 1957.
James, M. E.: Obedience and dissent in Henrician England: The Lincolnshire Rebellion, 1536, in: PaP 48, 1970. S. 1–78.
ders.: The concept of order and the northern rising of 1569, in: PaP 60, 1973, S. 49–83.
ders.: Family lineage and civil society. A study of society, politics and mentality in the Durham region, 1500–1640, Oxford 1974.
Jones, Whitney R. D.: The mid-Tudor crisis 1539–1563, London 1973.
Kerridge, E.: The revolts in Wiltshire against Charles I., in: Wilts. Arch. u. Nat. Hist. Mag. LVII, 1958–9, S. 64–75.
ders.: Agrarian problems in the 16th century and after, London-New York 1969.
Land, Stephen K.: Kett's rebellion. The Norfolk rising of 1549, Ipswich 1977.
Lindsay, Philip – *Graves*, Rey: The Peasants revolt 1381, London-New York 1950.
Manning, Brian: The nobles, the people and the constitution, in: PaP 9, 1956, S. 42–64.
ders.: The peasantry and the english revolution, in: JPS 2, 1975, S. 133–158.
ders.: The english people and the english revolution 1640–1649, London 1976.
Manning, Roger B.: Patterns of violence in early Tudor enclosure riots, in: Albion VI, 1974, S. 120–133.
ders.: Violence and social conflict in mid-Tudor rebellions, in: Journal of British Studies 16, 1976/77, S. 18–40.
ders.: The Rebellions of 1549 in England (Review Article), in: Sixteenth Century Journal 10/2, 1979, S. 93–99.
Parker, L. A.: The Agrarian revolution at Cotesbach, 1501–1612, in: Transactions of the

Leicester Arch. Soc. XXIV, 1948, S. 41–76.
Pound, J. F.: Poverty and vagrancy in Tudor England, London 1971.
Quinault, R. – *Stevenson* J. (eds.): Popular protest and public order. Six Studies in british history 1790–1920, London 1974.
Ravensdale, J. R.: Landbeach in 1549: Ket's rebellion in miniature, in: East Anglian Studies, ed. Lionel M. Munby, Cambridge 1968, S. 94–116.
Rose-Troup, Frances: The Western rebellion of 1549, London 1914.
Russell, F. W.: Ket's rebellion in Norfolk, London 1859.
Schochet, Gordon J.: Patriarchalism, politics and mass attitudes in Stuart England, in: Historical Journal 12, 1969, S. 413–441.
Stone, Lawrence: Patriarchy and paternalism in Tudor England: The Earl of Arundel and the peasants revolt of 1549, in: Journal of British Studies 13, 1974, S. 19–23.
Tawney, R. H.: The Agrarian problem in the sixteenth Century, London 1912.
Thirsk, Joan: Enclosing and engrossing, in: J. Thirsk (ed.), The Agrarian History of England and Wales vol. IV 1500–1640, Cambridge 1967, S. 200–255.
Walter, John – *Whrigtson,* Keith: Dearth and the social order in early modern England, in: PaP 71, 1976, S. 22–42.
White, Helen C.: Social criticism in popular religious literature of the 16th century, New York 1944.
Woodmann, A.: The Buckinghamshire and Oxfordshire rising of 1549, in: Oxoniensa 22, 1957, S. 78–84.

5. *Ost- und Südosteuropa*

Adamček, Josip: Susjedgradsko – stubičko vlastelinstvo uoči seljačke bune 1573, in: Historijski zbornik 19–20, 1966–67, S. 141–194.
ders.: Grada o Susjedgradsko – stubičkom vlastelinstvu 1563–1574, in: Arhiviski Vjesnik VII–VIII, Zagreb 1964–65, S. 7–340.
ders.: Novi dokumenti ugušivanju seljačke bune 1573, in: Arhiviski Vjesnik X, 1967, S. 69–115.
ders.: – Filipović, Ivica – *Križman,* Mate: Nova gradja o seljačkoj buni 1573 (I), in: Arhiviski Vjesnik XI–XII, 1968–69, S. 7–41.
ders.: – Križman, Mate: Izvještaj o istraživanju grade o seljačkoj buni 1573. u austrijskim arhivima u. 1968. godini, in: Arhiviski Vjesnik XI–XII (1968–69), S. 455–468.
ders.: – Filipović, Ivan – *Križman,* Mate: Izvještaj o istraživanju grade o seljačkoj buni 1573. U inostranim arhivima 1969. i 1970. godine, in: Arhiviski Vjesnik XIII (1970), S. 489–512.
ders.: – Filipović Ivan: Nova grada o seljačkoj buni 1573 (II), Arhiviski Vjesnik XIV, 1971, S. 223–236.
ders.: Seljačka buna 1573, Zagreb 1973.
ders. u. a.: Prva buna stibrenaca 1608–10, Arhiviski Vjesnik 17/18, 1974/75, S. 79–156.
Bak, Janos M.: Quincentennial of the Birth of Gyorgy Szekely Docza, in: East Central Europe 1, 1974, S. 153–167.
Balázs, E. H.: Die Lage der Bauernschaft und die Bauernbewegungen (1780–1787) (Zur Bauernpolitik des aufgeklärten Absolutismus), in: Acta historica 3, 1956, S. 293–327.
Blau, J.: Geschichte der Kunischen Freibauern im Böhmer Wald, Piber 1934.
Bobinska, Celina: Propriété féodale et luttes paysannes en Pologne méridionale, in: Annales historiques de la Révolution française 36, 1964, S. 279–293.

Bojničić, Ivan: Preslúšavanje svedoka proti susjed gradskomu silniku Franji Tahiju godine 1567, Vjesnik Zemolsk. Arkiva 12, 1910, S. 16–47.
ders.: Neizdani saborski zapisnik od godine 1578, ebd. S. 122–127.
Bonis, György: Die Retorsionsgesetze von 1514, in: Heckenast, Gusztav (Hg.): Aus der Geschichte der ostmitteleuropäischen Bauernbewegungen im 16.–17. Jh. Budapest 1977, S. 309–316.
Bromlej, J. V.: Vosstanie chorvatckich i slovenskich krest'jan 1573 g. Učenye Zapiski Instituta slavjanovedenija 11, 1955, S. 154–216.
ders.: Krest' janskoe vosstanie 1573 g v Chorvatii, Moskau 1959.
Buganov, V. J,: Krest'janskije vojny v Rossii XVII–XVIII w., Moskau 1976.
ders.: Bauernaufstände und Bauernkriege in Ost-, Mittel- und Westeuropa in der Feudalzeit, in: Jahrbuch für Geschichte der sozialistischen Länder Europas 21/2, 1977, S. 115–129.
Čečuk, Božidar: Tragom poginulih seljaka u seljačkoj buni 1573, godine. Zbornik historijskog instituta jugoslavenske akademije, Bd. 3, Zagreb 1960, S. 499–503.
Dzuk, F. – *Führlick*, H. – *Klos*. A.: Ursachen, Charakter und Verlauf des Widerstandskampfes der bäuerlichen Bevölkerung in den böhmischen Ländern in der Periode von 1618–1648. Ein Beitrag zur Rolle der Volksmassen unter den Bedingungen des Dreißigjährigen Krieges und die Widerspiegelung der bäuerlichen Bewegungen in der hist. Literatur, Phil. Diss. Dresden 1975.
Elekes, Lajos: Les luttes antiféodales de la paysannerie et le systeme gouvernemental des „Etats et Ordres" en Hongrie au cours des XVe et XVIe siècles, in: Köpeczi-Balazs, S. 13–31.
Gestrin, Ferdo: Economie et société en Slovenie au XVIe siècle, in: Annales ESC 17, 1962, S. 663–690.
Gierowski, Józef: Die politische Bedeutung der Bauernbewegungen in Polen im 17. Jh., in: Heckenast, Gusztav (Hg.): Aus der Geschichte der ostmitteleuropäischen Bauernbewegungen im 16.–17. Jh., Budapest 1977, S. 103–105.
Grafenauer, Bogo: Stara i nova upračanja ob hrvatsko – slovenskem kmečkem uporu 1573, in: Zgodovinski Časopis 9, 1955, S. 170–188.
ders.: Kmečki upori na Slovenskem, Ljublijana 1962.
ders.: Tipologiia kmečkih upora in ljudskih vstaj pri jugoslavenskih narodih od XV. do konca XVIII. stoletja, in: Jugoslavenski Istorijski Časopis, 2 (1962), S. 3–22.
ders.: Typologie des révoltes paysannes et des soulèvements populaires chez les peuples yougoslaves du XVe à la fin du XVIIIe siècle, in: Acta Jugoslaviae Historica 1, 1970, S. 59–84.
Heckenast, Gusztav, (Hg.): Aus der Geschichte der ostmitteleuropäischen Bauernbewegungen im 16.–17. Jh., Vorträge der intern. wiss. Konferenz aus Anlaß der 500. Wiederkehr der Geburt v. György Dozsa, Budapest, 12.–15. Sept. 1972, Budapest 1977.
Karaman, Igor: Die Bauernbewegungen und der bäuerliche Klassenkampf in Kroatien im Zeitalter des Spätfeudalismus, in: Der Bauer im Klassenkampf, hg. v. G. Heitz/A. Laube/M. Steinmetz/G. Vogler, Berlin (DDR) 1975, S. 491–512.
ders.: Die wirtschaftliche und soziale Bedeutung der bäuerlichen Bewegungen in Nordkroatien im 16. und 17. Jh., in: Heckenast, Gusztav (Hg.): Aus der Geschichte der ostmitteleuropäischen Bauernbewegungen im 16.–17. Jh. Budapest 1977, S. 335–340.
Kašpar, Jaroslav: Nevolnické povstáni v čechach roku 1680, Acta universitatis carolinae. Philosophica et historica – monographia VIII, Prag 1965.
Klaić, Vjekolav: Tužba Franja Taha protiv kmetova Susjedgrada i Doljne Stubize, in: Vjesnik Zemaljskoga Arhiva Bd. 11, 1909, S. 134–136.
Koči, Josef: Die Klassenkämpfe der Untertanen in den böhmischen Ländern während des Dreißigjährigen Krieges, in: Heckenast, Gusztav (Hg.): Aus der Geschichte der

ostmitteleuropäischen Bauernbewegungen im 16.–17. Jh. Budapest 1977, S. 341–349.

Koropec, Jože: Statenberg in Kmečki upor, in: Časopis za zgodovino in narodopisje, Nova ursta 8, 1972, S. 14–34.

Leszczyński, Józef: Forschungsergebnisse der polnischen Historiographie auf dem Gebiete des Klassenkampfes der schlesischen Bauern im Spätfeudalismus, in: Der Bauer im Klassenkampf hg. v. G. Heitz/A. Laube/M. Steinmetz/G. Vogler, Berlin (DDR) 1975, S. 469–489.

Loserth, Johann: Bauernschinderisches, in: Mitt. des Vereins für Geschichte der Deutschen in Böhmen, 27, 1889, S. 186–190.

Mavrodin, V.V.: Soviet Historical Literature on the Peasant Wars in Russia during the 17th and 18th Centuries, in: Soviet Studies in History I, 1962, S. 43–63.

ders.: Die historische Bedeutung der Bauernkriege in Rußland, in: Heckenast, Gusztav (Hg.): Aus der Geschichte der ostmitteleuropäischen Bauernbewegungen im 16.–17. Jahrhundert, Budapest 1977, S. 113–119.

Petran, Josef: Poddany Lid v Čechach na Praha Třcetileté války, Prag 1964.

ders.: Der Höhepunkt der Bewegung der untertänigen Bauern in Böhmen, in: Acta Univ. Carolinae – Philosophica et Historica III, 1969, S. 107–140.

ders.: Nevolnické povstani 1775, Acta Univ. Carol. – Phil. et Hist. Monographia XLII, Prag 1972.

Podraza, Antoni: Bauernbewegungen in den Karpaten vom 16. bis zum 18. Jh., in: Heckenast, Gusztav (Hg.): Aus der Geschichte der ostmitteleuropäischen Bauernbewegungen im 16.–17. Jh. Budapest 1977, S. 121–130.

Popovic, Milko: Seljačka buna u Hrvatskoj godine 1593. i zumberački uskoci obejuvera, Zagreb 1964.

Probszt, Günther: Die sozialen Ursachen des ung. Bergarbeiteraufstands von 1525/26, in: Zs. für Ostforschung 10, 1961, S. 401–432.

Prameny k nevolnickému povstani v Čechach i na Morave v roce 1775, Kvydani připravili M. Toegel, J. Petran, J. Obršlik, Prag 1975.

Purš, Jaroslav: Der Bauernaufstand in Nordböhmen im Jahre 1680 in neuer Sicht, in: Jahrb. für Wirtschaftsgeschichte 1968, S. 383–392.

Racki, Fr.: Gradja za poviest hrvatsko-slovenske seljacke bune god. 1573, Starine 7 (Zagreb 1875), S. 164–322.

ders.: Dopunjak gradje za poviest hrvatsko-slovenske seljačke bune god. 1573 i nekoliko izprava o hrv. polurici Franji Filipoviću, Starine 8, 1876, S. 243–252.

Radics, P. von: Herbard VIII., Freiherr von Auersperg (1528–75), ein krainischer Held und Staatsmann, Wien 1862.

Ratkos, Peter: Die slowakischen Bauern im Klassenkampf von 1526 bis 1785, in: Der Bauer im Klassenkampf, hg. v. G. Heitz/A. Laube/M. Steinmetz/G. Vogler, Berlin (DDR) 1975, S. 429–447.

Ressel, Anton: Urkundl. und archivalische Beiträge zur Geschichte des Bauernaufstands in Nordböhmen im Jahre 1680, in: Mitt. des Vereins für Heimatkunde des Jeschken-Isergaues (Reichenberg) 20, 1926, S. 1–62.

Revesz, Laszlo: Der osteurop. Bauer. Seine Rechtslage im 17. und 18. Jh. unter bes. Berücksichtigung Ungarns, Bern 1964.

Schlenz, Joh.: Geschichte des Probsteistifes St. Stephan in Leitmeritz, Prag 1933.

Seibt, Ferdinand: Gutsherrschaft und Grunduntertanen im böhmischen Ständestaat, in: Bohemia 3, 1962, S. 225–238.

Stark, Werner: Die Abhängigkeitsverhältnisse der gutsherrlichen Bauern Böhmens im 17. und 18. Jh., in: Jb. f. Nationalökonomie u. Statistik 164, 1952, S. 270–292, 348–374,

440–453.
Strauß, Emil: Bauernelend und Bauernaufstände in den Sudetenländern, Prag 1929.
Szücs, Jenö: Die Ideologie des Bauernkrieges, in: Heckenast, Gusztav (Hg.): Aus der Geschichte der ostmitteleuropäischen Bauernbewegungen im 16.–17. Jh. Budapest 1977, S. 157–187.
Tschischke, M.: Der Bauernaufstand in der Herrschaft Grafenort 1679/80, in: Glatzer Heimatblätter 17, 1931, S. 57–69.
Varga, Janos: Die Regelung des Verhältnisses zwischen untertänigen Bauern und Boden nach der Niederschlagung des Bauernaufstandes, in: Heckenast, Gusztav (Hg.): Aus der Geschichte der ostmitteleuropäischen Bauernbewegungen im 16.–17. Jh. Budapest 1977, S. 407–412.

6. *Andere europäische Länder*

Imhof, A.: Über die Möglichkeiten internationaler Meinungsbeeinflussung um die Mitte des 16. Jh. am Beispiel des großen Bauernaufruhrs in Südschweden 1542/43, in: VSWG 59, 1972, S. 153–181.
Kamen, Henry: A Forgotten Insurrection of the Seventeenth Century: The Catalan Peasant Rising of 1688, in: JMH 49, 1977, S. 210–230.
Mastellone, Salvo: Les révoltes de 1647 en Italie du sud, étaient-elles paysannes ou urbaines? In: Revue d'Histoire Diplomatique 92, 1978, S. 166–188.
Koht, Halvdan: Les luttes des paysans en Norvège du XVIe au XIXe siècle (Bibliothèque Historique 43), Paris 1929.
Weisser, Michael R.: The peasants of the montes. The roots of rural rebellion in Spain, Chicago-London 1976.

7. *Zum Bauernkrieg von 1525 und seinen Folgen*

Blickle, Peter: Die politische Entmündigung des Bauern. Kritik und Revision einer These, in: HZ Beiheft 4 NF 1975, S. 298–312.
Endres, Rudolf: Der Bauernkrieg in Franken, Bll. f. dt. Landesgeschichte 109, 1973, S. 31–68.
Franz, Günther: Der dt. Bauernkrieg, 10. Aufl. Darmstadt 1975.
Greiner, Christian: Die Politik des Schwäbischen Bundes während des Bauernkrieges 1524/25 bis zum Vertrag von Weingarten, in: Zs. d. Hist. Vereins für Schwaben 68, 1974, S. 7–94.
Heck, Roman: Die Folgen des dt. Bauernkrieges und des Anabaptismus in der Geschichte der schlesischen Bauern, in: M. Steinmetz (Hg.) Der dt. Bauernkrieg und Thomas Müntzer, Leipzig 1976, S. 43–48.
Kintner, P. L.: Memmingens „Ausgetretene". Eine vergessene Nachwirkung des Bauernkrieges 1525–1527, in: Memminger Geschichtsblätter 1969, 1971, S. 5–48.
Klein, Thomas: Die Folgen des Bauernkrieges von 1525. Thesen und Antithesen zu einem vernachlässigten Thema, in: Hess. Jahrbuch f. Landesgeschichte 25, 1975, S. 65–117.
Kolb, Robert: The Theologians and the peasants: Conservative evangelical reactions to the german peasants revolt, in: ARG 69, 1978, S. 103–131.

Kübel, Lothar: Zur Frage der rechtlichen Begründung der Reformforderungen des gemeinen Mannes im Bauernkrieg 1525, Diss. Heidelberg 1939.

Ludwig, Karl-Heinz: Ergebung und Widerstand im Zusammenhang mit dem Bauernkrieg von 1525/26, in: MGSL 116, 1976, S. 117–136.

Mayer, Eberhard: Die rechtliche Behandlung der Empörer von 1525 im Herzogtum Württemberg. Ein Beitrag zur Rechtsgeschichte des sog. „Deutschen Bauernkrieges", Schriften zur Kirchen- und Rechtsgeschichte, 3. Heft, Tübingen 1957.

Müller, Walter: Wurzeln und Bedeutung des grundsätzlichen Widerstandes gegen die Leibeigenschaft im Bauernkrieg 1525, in: Schr. d. Ver. f. Geschichte des Bodensees und seiner Umgebung 93, 1975, S. 1–41.

Nabholz, Hans: Zur Frage nach den Ursachen des Bauernkriegs 1525, in: Aus Sozial- und Wirtschaftsgeschichte. Gedächtnisschrift für G. v. Below, Stuttgart 1928, S. 221–253.

Press, V.: Der Bauernkrieg als Problem der dt. Geschichte, in: Nassauische Annalen 86, 1975, S. 158–177.

Rankl, Helmut: Gesellschaftlicher Ort und strafrichterliche Behandlung von „Rumor", „Empörung", „Aufruhr" und „Ketzerei" in Bayern um 1525, in: ZBLG 38, 1975, S. 524–556.

Reinhard, Alex: Die kaiserliche Zentralgewalt. Ein Motiv politischer Hoffnung in der frühbürgerlichen dt. Kunst, in: M. Steinmetz (Hg.), Der dt. Bauernkrieg und Thomas Müntzer, Leipzig 1976, S. 204–207.

Rinckart, M.: Monetarius Seditiosus sive incendia rusticorum bellica ... Der Müntzerische Bawernkrieg, so Anno 1525 in das Evangelische Reformationswerck mit eingefallen ... Leipzig 1625.

Rößler, Helmut: Über die Wirkungen von 1525, in: Wege und Forschungen der Agrargeschichte, Frankfurt/M. 1976, S. 104–114.

Steinmetz, Max: Zum historischen Standort des deutschen Bauernkrieges in der Geschichte der Bauernbewegungen beim Übergang vom Feudalismus zum Kapitalismus, in: Der Bauer im Klassenkampf, hg. v. G. Heitz/A. Laube/M. Steinmetz/G. Vogler, Berlin (DDR) 1975, S. 27–47.

Vahle, H.: Der deutsche Bauernkrieg als politische Bewegung im Urteil der Geschichtsschreibung, in: GWU 23, 1972, S. 257–277.

Vogler, Günter: Der deutsche Bauernkrieg und die Verhandlungen des Reichtags zu Speyer 1526, in: ZfG 23, 1975, S. 1396–1410.

ders.: Die Auswirkungen der Niederlage des deutschen Bauernkrieges von 1524/25 auf die Klassenauseinandersetzungen bis zur Mitte des 16. Jh., in: Heckenast, Gusztav (Hg.): Aus der Geschichte der ostmitteleuropäischen Bauernbewegungen im 16.–17. Jh. Budapest 1977, S. 413–423.

Wohlfeil, Rainer: Der Speyerer Reichstag von 1526, in: Bll. für pfälz. Kirchengeschichte und religiöse Volkskunde 43, 1976, S. 5–20.

Wunder, Heide: Der samländische Bauernaufstand von 1525. Entwurf für eine sozialgesch. Forschungsstrategie, in: R. Wohlfeil (Hg.), Der Bauernkrieg 1524–26. Bauernkrieg und Reformation, München 1975, S. 143–176, bes. S. 169ff.

Zimmermann, Wilhelm: Allg. Geschichte des großen Bauern-Krieges. Nach handschr. und gedruckten Quellen Bd. 3, 2. Aufl. Stuttgart 1854.

8. *Rechtlich-politische Voraussetzungen des bäuerlichen Widerstands in Deutschland*

Ahrens, Tilo: Aus der Lehr- und Spruchtätigkeit der alten Duisburger Juristenfakultät, Duisburger Forschungen 4. Beiheft, Duisburg-Ruhrort 1962, S. 106.

An.: Der Juristische Federfuchser, eine Quatemberschrift, 10 Teile Leipzig 1751–53.

Anton, Karl Gottlob: Über die Rechte der Herrschaften auf ihre Untertanen und deren Besitzungen, Leipzig 1791.

Bader, Karl Siegfried: Dorf und Dorfgemeinde im Zeitalter von Naturrecht und Aufklärung, in: Festschrift für K. G. Hugelmann Bd. 1, Aalen 1959, S. 1–36.

ders.: Dorfgenossenschaft und Dorfgemeinde. Studien zur Rechtsgeschichte des mittelalterlichen Dorfs, 3 Teile, Wien-Köln-Graz 1962/73.

Bauer, Ferdinand: Studien zur rechtlichen Lage der Bauern im 16. Jahrhundert im Lande ob der Enns, Phil. Diss. Graz 1951.

Baumgärtel, Gottfried: Die Gutachter- und Urteilstätigkeit der Erlanger Juristenfakultät in dem ersten Jahrhundert ihres Bestehens, zugleich ein Beitrag zur Geschichte der Rechtspflege, Erlanger Forschungen Reihe A, Bd. 14, Erlangen 1962.

Beck, Johann Jodok: Responsa juris criminalia et civilia maximam partem inclytae facultatis juridicae aliquam et privato nomine elaborata, Nürnberg 1736.

Bernhardt, Walter: Die hohenzollernsche Erbteilung im Jahre 1576, in: Zs. f. Hohenz. Geschichte 12, 1976, S. 9–28.

ders.: Graf Eitelfriedrich I. v. Hohenzollern-Hechingen (1545–1605), in: Zs. f. Hohenz. Geschichte 12, 1976, S. 29–97.

Blickle, Peter: Die staatliche Funktion der Gemeinde – die politische Funktion der Bauern aufgrund von oberdt. ländl. Rechtsquellen, in: ders. (Hg.), Deutsche ländliche Rechtsquellen. Probleme und Wege der Weistumsforschung, Stuttgart 1977, S. 205–223.

ders.: Personalgenossenschaften und Territorialgenossenschaften im Allgäu, in: Standen en Landen 53, 1970, S. 183–241.

ders.: Bauer und Staat in Oberschwaben, in: Zeitschrift für Württembergische Landesgeschichte 31, 1972, S. 104–120.

ders.: Landschaften im Alten Reich – Die staatliche Funktion des gemeinen Mannes in Oberdeutschland, München 1973.

Blumblacher, Christopher: Tractatus de jure emphyteutico, vitalico et jure precariae, vulgo von Erbrecht, Leibgeding und Freystiftsrecht, Salzburg 1661.

Brunner, Otto: Land und Herrschaft. Grundfragen der territorialen Verfassungsgeschichte Österreichs im Mittelalter, 5. Aufl. Wien 1965.

Bünemann, August Rud. Jesaias: Adsertio de rusticorum libertate et operis contra Reineccium, Hannover 1750.

Burckhardt, Johann Friedrich: Ad constitutionum Henrici VII. Imperatoris romani unicam, qui sint rebelles in extravagantia maxime accomodata, Basel 1654.

Buri, Friedrich Carl v.: Ausführliche Abhandlung von Bauerngütern, Giessen 1769.

ders.: Ausführliche Erläuterung des in Teutschland üblichen Lehen-Rechts oder Anmerckungen über Johannes Schilteri Inst. juris, Gießen 1746–68.

Burmeister, Karl Heinz: Genossenschaftliche Rechtsfindung und herrschaftliche Rechtsetzung. Auf dem Weg zum Territorialstaat, in: P. Blickle (Hg.), Revolte und Revolution, S. 171–185.

Carpzov, Aug. Benedikt: Disp. de praecipuis rusticorum privilegis, Leipzig 1678.

Choppinus, Renatus: De privilegiis rusticorum libri tres, Frankfurt/M. 1608.

Claassen, W.: Schweizer Bauernpolitik im Zeitalter Urich Zwinglis. Berlin 1899.
Clasen, Claus-Peter: Anabaptism. A social history, 1525–1618. Switzerland, Austria, Moravia, South and Central Germany, Ithaca – London 1972.
Consilia Tubingensia, 9 Bde., Tübingen 1731–1750.
Cramer, J. Ulrich von: Wetzlarische Nebenstunden, worinnen auserlesene beym höchstpreislichen Cammergericht entschiedene Rechtshändel zur Erweiter- und Erläuterung der Teutschen in Gerichten üblichen Rechtsgelehrsamkeit angewendet werden, 128 Teile, Ulm 1775–1773, Hauptregister 1779.
Czok, Karl: Charakter und Entwicklung des feudalen dt. Territorialstaates, in: ZfG 21, 1973, S. 925–949.
Daegener, Conrad Wilhelm: De abusibus, qui circa praestationes rusticorum plerumque occurrere solent, Leipzig 1721.
Dalner, Andreas: Ein Tractat von Aufruhr oder Empörungen aus geistl. und weltlichen Historien auch gemeynen Rechten und dero Lehrern zusammen gezogen und dem gemaynen Mann zu gutem verteutscht an Tag geben, Ingolstadt 1601.
Deeters, Walter: Erfahrungen aus der Verzeichnung von Reichskammergerichts-Akten im Nieders. Staatsarchiv in Wolfenbüttel, in: Arch. Zs. 71, 1975, S. 12–25.
Diestelkamp, Bernhard: Das Reichskammergericht im Rechtsleben des 16. Jahrhunderts, in: Rechtsgeschichte als Kulturgeschichte. Festschrift für A. Erler zum 70. Geburtstag, Aalen 1976, S. 435–480.
Discurs Zweyer von Adel auß der freyen Reichs-Ritterschaft, wie man die Unterthanen tractiren und recht nützlich gebrauchen, nicht weniger auch, wie man sich der Juden bedienen solle. Gedruckt im Jahr 1670 (o. O.).
Eckart, Hans Wilhelm: Herrschaftliche Jagd, bäuerliche Not und bürgerliche Kritik. Zur Geschichte der fürstl. und adligen Jagdprivilegien, vornehmlich im südwestdeutschen Raum, Göttingen 1976.
Elsässer, Carl Fr. – *Gmelin,* Christian: Gemeinnützige juristische Beobachtungen und Rechtfälle, Frankfurt-Leipzig 1777–1782.
Ertel, Anton Wilhelm: Praxis aurea de jurisdictione inferiore, civili et bassa, vulgo von der Niedergerichtsbarkeit, Marburg 1713.
ders.: Neu eröffneter Schauplatz der landesfürstlichen Oberbotmäßigkeit, Nürnberg 1694.
Estor, Johann Georg: Auserlesene kleine Schriften, 3 Bde., Giessen 1734/36/39.
Faber, Petrus: Synopsis theorematum de jure emphyteutico, Marburg 1589.
Finsterwalder, Benedikt: Practicarum observationum ad consuetudines archiducatis Austriae Superioris accomodatarum libri duo, Salzburg 1687.
Fleischmann, Georg Wilhelm: Dissertatio juridica de tumultibus rusticanis seculo XVI motis, Vom Bauren Krieg, Argentorati 1712.
Fritsch, Ahasver: Subditus peccans sive..., Nürnberg 1685.
Gabcken, L. F.: Grundsätze des Dorf- und Bauernrechts, Halle 1780.
Gablmann, Nicolaus: Theses de statu hominum, Graz 1592.
Gail, A.: Deß kaiserlichen Kammergericht sonderliche Gerichtsbreuche und Rechtsregeln, Hamburg 1601.
ders.: Practicarum observationum tam ad processum iudicarium, praesertim imp. camerae, quam causarum decisiones pertinentium libri duo, ed. postrema Köln 1621.
Garve, Christian: Über den Charakter der Bauern und ihr Verhältnis gegen die Gutsherren und gegen die Regierung, in: ders., Sämtliche Werke Bd. 5, Breslau 1801.
Grathoff, E.: Deutsche Bauern- und Dorfzeitungen des 18. Jahrhunderts. Ein Beitrag zur Geschichte des Bauerntums, der öffentlichen Meinung und des Zeitungswesens. Diss. Heidelberg 1937.

Hauschild, Johann, Leonhard: Von Bauern und deren Frohndiensten, auch der in Rechten gegründeten Vermuthung ihrer natürlichen Freiheit, Dresden und Leipzig 1771.

Hermann, Manfred: Der Schutz der Persönlichkeit in der Rechtslehre des 16.–18. Jhdts. (= Beiträge zur neueren Privatrechtsgeschichte Bd. 2) Stuttgart-Berlin-Köln-Mainz 1968.

Hertz, Friedrich: Die Rechtsprechung der höchsten Reichsgerichte im römisch-deutschen Reich und ihre politische Bedeutung, in: MIÖG 69, 1961, S. 331–358.

Hinz, Manfred: Der Mandatsprozeß des Reichskammergerichts, Jur. Diss. Berlin FU 1966.

Hirschfelder, Heinrich: Herrschaftsordnung und Bauerntum im Hochstift Osnabrück im 16. und 17. Jh. (= Osnabr. Geschichtsquellen und Forschungen 16), Osnabrück 1971.

Hoscher, J. M.: Sammlung merkwürdiger am Reichskammergericht entschiedener Rechtsfälle, 5 Bde., Lemgo 1789–94.

Hrabar, Wladimir: Joh. Wilhelm Neumayr von Ramsla. Beitrag zur Geschichte der staatswissenschaftlichen Literatur im Zeitalter des Hugo Groot, Jurjew 1897, Neudruck Frankfurt/M. 1970.

Hülle, Werner: Das Supplikenwesen in Rechtssachen, Anlageplan für eine Dissertation, in: ZRG GA 90, 1973, S. 194–212.

Hughes, Michael: The Imperial Aulic Council („Reichshofrat") as Guardian of the Rights of Mediate Estates in the Later Holy Roman Empire: Some Suggestions for further research, in: R. Vierhaus (Hg.), Herrschaftsverträge, Wahlkapitulationen, Fundamentalgesetze (= Veröff. des MPI für Geschichte 56 = Studies presented 59), Göttingen 1977.

Kamcke, A.: Die Bedeutung der Bauernschutzgesetzgebung des Kurfürsten August (1555–86) für die Gestaltung der bäuerlichen Rechtsverhältnisse, Phil. Diss. Leipzig 1941.

Kern, Franz: Policei Ordnung des Gotteshauß S. Peter auf dem Schwarzwaldt, aufgerichtet und erstlich publiciert im Jar 1582, in: Freib. Diözesan Archiv Bd. 80, 1960, S. 195–227.

Klingner, Johann G.: Sammlungen zum Dorf- und Bauernrechte, Teil I–IV, Leipzig 1749–1755.

Korn, L.: Geschichte der bäuerlichen Rechtsverhältnisse in der Mark Brandenburg, in: Zs. für Rechtsgeschichte 11, 1873, S. 1–44.

Kraus, Andreas: Die hist. Forschung an der churbayerischen Akademie der Wissenschaften 1759–1806 (= Schriftenreihe z. bay. Lg. Bd. 59), München 1959.

Kress, Johann Paul: Diss. jur. de privilegiis agriculturae apud Germanos. Von Freyheiten und anderen Gerechtigkeiten des Ackerbaus in Deutschland, 3. Aufl., Jena 1731.

ders.: Commentatio succincta in constitutionem criminalem Caroli V. imperatoris, Hannover 1764, S. 395ff.

Lauterbeck, Georg: Regenten-Buch des . . . Georgen Lauterbecken (fürstlichen) brandenburgischen Rahts, Franckfurt am Mayn 1600.

Le Bleu, Jakob: Dissertatio politica de rebellione, Giessen 1660.

Leiser, Wolfgang: Strafgerichtsbarkeit in Süddeutschland. Formen und Entwicklungen (= Forschungen z. dt. Rechtsgeschichte Bd. 9), Köln-Wien 1971.

Leyser, Polycarp: Observata diplomatico-historica de servis servorum, in: ders., Opuscula, Nürnberg 1800, S. 115–123.

Lersner, Achilles August: Disputatio politico-juridico de seditionibus, von Empörungen occasione Tit. 30, lib. 9, c. de seditiosis, Basel 1688.

Link, Christoph: Jus resistendi – Zum Widerstandsrecht im dt. Staatsdenken, in: Convivium utriusque juris. Alex. Dordett zum 60. Geburtstag, hg. A. Scheuermann u. a., Wien 1976, S. 55–68.

Ludolf, Georg Melchior v.: De jure camerali commentatio systematica . . . Frankfurt/M. 1722.

ders.: Symphorema consultationum et decisionum forensium, 3 Bde., Frankfurt/M.

1731–39.
Lünig, Johann Ch.: Bibliotheca deductionum S.R.I., durchaus verbessert und ansehnlich vermehrt von G. A. Jenichen, Leipzig 1745.
Lyncker, Nikol. Christoph v.: De resistentia quae fit potestati, Jena 1694.
Martens, G. F.: Diss. inaug. de foro S.R.I. principum cum subditis suis litigantibus, Göttingen 1780.
Maurer, Hans Martin: Die Ausbildung der Territorialgewalt oberschwäbischer Klöster vom 14. bis zum 17. Jahrhundert, Bll. f. dt. Landesgeschichte 109, 1973, S. 151–195.
Mayer, Dieter-Wilhelm: Die Grafschaft Sigmaringen und ihre Grenzen im 16. Jh. (Phil. Diss. Tübingen 1956), (= Arbeiten zur Landeskunde Hohenzollerns H. 4) Sigmaringen 1959.
Merckwürdige Reich-Hof-Raths-Conclusa, 4 Theile, Frankfurt/M. 1726–28.
Metz, Friedrich (Hg.): Vorderösterreich. Eine geschichtliche Landeskunde, 2., erweiterte und verbesserte Auflage, Freiburg i. Br. 1967.
Meyer, W.: Gemeinde, Erbherrschaft und Staat im Rechtsleben des schlesischen Dorfs vom 16. bis 19. Jh., Würzburg 1967.
Mommsen, Karl: Auf dem Wege zur Staatssouveränität. Staatl. Grundbegriffe in Basler juristischen Doktordisputationen des 17. und 18. Jh., Bern 1970.
Moser, Johann Jakob: Einleitung zum Reichs-Hof-Raths-Proceß, 4. Bde., Frankfurt/M. 1731–37.
ders.: Von der Teutschen Reichs-Stände Landen, deren Landständen, Unterthanen, Landes-Freyheiten, Beschwerden, Schulden und Zusammenkünften, Frankfurt-Leipzig 1769.
ders.: Von der Landeshoheit in Ansehung der Unterthanen Personen u. Vermögens (= Neues teutsches Staatsrecht 16,8), Frankfurt-Leipzig 1773.
Müller, Rudolf Roland: Die Rechtsbeziehungen zwischen den Rittergutsherren und den Bauern der Herrschaft Neuschönfels in Sachsen vom Jahre 1548 bis zur Mitte des 19. Jh. Ein Beitrag zur Geschichte des sächs. Bauernrechts, (= Leipziger rechtswiss. Studien H. 107), Leipzig 1937.
Munzius, Jacob: Disputatio de subditorum et maxime rusticorum operis, Tübingen 1671.
Mylius, Andreas: Disputatio juridica de seditione, Leipzig 1682.
Neue und vollständige Sammlung der Reichsabschiede, 4 Teile, Frankfurt/M. 1747.
Neumair von Ramsla, Johann Wilhelm: Vom Aufstand der Untern wider ihre Regenten und Obern sonderbarer Traktat, Jena 1633.
Neusüss, Wolfgang: Gesunde Vernunft und Natur der Sache. Studien zur jur. Argumentation im 18. Jhdt., Berlin 1970.
Obenaus, Herbert: Versuche einer Reform der Hildesheimer Ritterschaft im ausgehenden 18. Jahrhundert. Über eine Schrift des Freiherrn Moritz von Brabeck, in: Niedersächs. Jahrbuch 37, 1965, S. 75–121.
Osthoff, G.: Tumultus-seditio. Untersuchungen zum römischen Staatsrecht und zur politischen Terminologie der Römer, Phil. Diss. Köln 1953.
Patzelt, Erna: Bauernschutz in Österreich vor 1848, in: MIÖG 58, 1956, S. 637–55.
Pegius, Martin: De jure emphyteutico, Bawrecht die man sonst Erbrecht nennt, Ingolstadt 1559.
Perels, Kurt: Die allgemeinen Appellationsprivilegien für Brandenburg-Preußen, Weimar 1908.
ders.: Die Justizverweigerung im alten Reiche seit 1495, in: ZRG GA 25, 1904, S. 1–51.
Peter, A.: Das Landgericht Klettgau, Jur. Diss. Zürich 1966.
Prehn, Johann Jacob: Von den Austrägen, insbesondere von dem einem Kläger geringeren

Standes vortheilhaftesten Wege, einen Fürsten zu beklagen, Halle 1779.

Press, Volker: Kaiser Karl V., König Ferdinand und die Entstehung der Reichsritterschaft, Institut f. Europäische Geschichte Mainz, Vorträge, Mainz 1975.

ders.: Herrschaft, Landschaft und „Gemeiner Mann“ in Oberdeutschland vom 15. bis zum frühen 19. Jhdt., in: ZGO 123, 1975, S. 169–214.

ders.: Die Landschaft aller Grafen vom Solms. Ein ständ. Experiment am Beginn des 17. Jahrhunderts, in: Hess. Jahrbuch für Landesgeschichte 27, 1977, S. 37–106.

Pütter, Joh. Stephan: Von der Bestimmung, welche die Landeshoheit mit jeder andern höchsten Gewalt gemein hat, daß sie nur zur gemeinen Wohlfahrt statt findet, in: Beiträge zum teutschen Staats- und Fürstenrechte Theil 1, Göttingen 1777, S. 317–350.

ders.: Beispiel eines gräfl. Landes, das nach Eigentumsrecht beherrscht wird, in: ders., Beiträge Theil 2, S. 140ff.

Recktenwald, W.: Verbrechen gegen die öffentl. Ordnung in Kursachsen z. Zt. Benedikt Carpzows, Jur. Diss. Bonn 1956.

Reusner, Nicolaus: De officiis magistratus et subditorum in respublica tam civili, quam literaria oratio, Lauingen 1581.

Reuß, Johann August: Teutsche Staatscanzley, XIX. Theil, Ulm 1791, darin: Über das Deputations-Gutachten die Schreiben um Bericht auf Klagen der Unterthanen wider ihren Landesherrn betreffend, S. 177–221.

Rieder, Otto: Ein bäuerlicher Prozeß bis zum Reichskammergericht, in: Sammelblatt des Historischen Vereins Eichstätt 9, 1894, S. 1–24.

Ritter, Johannes Martin: Verrat und Untreue an Volk, Reich und Staat. Ideengeschichtliche Entwicklung der Rechtsgestaltung des pol. Delikts. . ., Berlin 1942.

Rosenthal, Heinrich von: Tractatus et synopsis totius juris feudalis, Frankfurt/M. 1597–1600.

Ruland, Rutger: Tractatus de commissaris et commissionibus camerae imperialis quadripartitus, Frankfurt/M. 1604.

Scheible, Heinz (Hg.): Das Widerstandsrecht als Problem der dt. Protestanten 1523–1546 (Texte zur Kirchen- und Theologiegeschichte 10), Gütersloh 1969.

Schelguigius, Sam. (praes.): Dissertatio politica de seditionum causis . . . respondens Johannes Claussen, Wittenberg 1663.

Schellhaß, Heinrich jr.: Über die Gerichtsbarkeit der höchsten Reichsgerichte in Klagen zwischen den mittelbaren Reichsuntertanen und ihrer Landesobrigkeit, Stuttgart 1795.

Schib, Karl: Geschichte des Dorfs Möhlin, Thayngen-Schaffhausen 1959.

ders.: Geschichte der Stadt und Landschaft Schaffhausen, Schaffhausen 1972.

Schmid, Carl Friderich Wilhelm: Über den Gerichtsstand bey Klagen der Unterthanen gegen ihren Landesherrn. Ein Beytrag zur Neuesten Kaiserlichen Wahlkapitulation Leopolds II. Art. XIX, § 6, Göttingen 1791.

Schmid, Johann Christian: Dissertatio politico-juridica de tumultibus vulgo von Auflauff/Aufruhr, Jenae 1714.

Schnitter, H.: Desertion im 18. Jh., in: Militärgeschichte 1974, S. 54–60.

ders.: Volk und Landesverteidigung. Studien zur Geschichte des Landesdefensionswesens in den deutschen Territorien vom 16. bis 18. Jhdt., Diss. (B) Militärgesch. Institut der DDR, Potsdam 1974.

Schoockius, Martin: Tractatus de seditionibus seu discordiis domesticis, Groningen 1664.

Schott, Clausdieter: Rat und Spruch der Juristenfakultät Freiburg i. Br. (= Beiträge zur Freiburger Wissenschafts- oder Universitätsgeschichte 30. Heft), Freiburg 1965.

Schraepler, Horst W.: Die rechtliche Behandlung der Täufer in der deutschen Schweiz, Südwestdeutschland und Hessen 1525–1618, Tübingen 1957.

Schroeder, Wolfg. Friedrich: De notione rusticorum in Germania, Göttingen 1743.
Schubert, Ernst: „bauerngeschrey". Zum Problem der öffentlichen Meinung im spätmittelalterlichen Franken, in: Jb. f. Fränkische Landesf. 34/35, 1975, S. 883–907.
Schulze, Winfried: Zur politischen Bedeutung des „gemeinen Mannes" in ständischen Versammlungen des 16. Jahrhunderts, in: ZAA 21, 1973, S. 48–64.
Seip, Anton Ludwig: Diss. jur. de statu rusticorum ex medii aevi rationibus caute dijudicando, Göttingen 1749.
Stolz, Otto: Geschichtl. Beschreibung der ober- und vorderösterr. Lande (= Quellen und Forschungen zur Siedlungs- und Volkstumsgeschichte der Oberrheinlande 4 Bd.), Karlsruhe 1943.
Struben, David Georg: Accessionum ad commentationem de jure villicorum pars I, cui subjungitur tractatio de bonis meierdingicis, Braunschweig und Hildesheim 1739.
ders.: Rechtliche Bedenken. Systematisch geordnet, ergänzt, berichtigt und mit Anmerckungen versehen von Ernst Spangenberg, 3 Bde., Hannover 1827–1828.
Stryk, Samuel: Disp. jur. de praesumptione pro magistratu, Halle 1698.
ders.: Disp. juridica de gravamine legitima, Halle 1702.
La Tenure, Recueils de la Société Jean Bodin, Bd. 3, Brüssel 1938.
Tenzel, Ernst: Diss. inaug. jur. de laudemio eiusdemque contra legem publicam prohibitivam praescriptione, Erfurt 1725.
Thomasius, Christian: De hominibus propriis et liberis Germanorum, Halle 1711.
Tornovius, Petrus: Tractatus de feudis mecklenburgicis eorumque jure, Gustrow und Leipzig 1708.
Trutina status politico-christiani sive discursus juridico-politicus de ratione status a statistis christianis in regimine politico prudenter adhibenda, Cosmopoli 1687.
Tuscher, Franz: Das Reichsstift Roggenburg im 18. Jh., Weißenhorn 1976.
Ulbrich, Claudia: Leibherrschaft am Oberrhein im Spätmittelalter (Veröffentlichungen des Max-Planck-Instituts für Geschichte 58), Göttingen 1979.
Vochezer, Josef: Geschichte des fürstl. Hauses Waldburg in Schwaben, Bd. 3, Kempten-München 1907.
Volkmann, Johann Wilhelm: Dissertatio de seditione, Leipzig 1797.
Voltelini, H. von: Die naturrechtlichen Lehren und die Reformen des 18. Jhdts., in: HZ 105, 1910, S. 65–104.
Von der Obliegenheit des Landesregenten und der Landstände, den Dienst des gemeinen Mannes zu erleichtern und von der Schuldigkeit der Untertanen, aus den Schranken des Gehorsams und der Untertänigkeit nicht auszutreten, Wien 1791.
Waibel, Aloys Adalbert: Die Reichsgrafschaft Königsegg-Rothenfels und die Herrschaft Staufen, Kempten 1851.
Wehner, P. M.: Metamorphosis rerumpublicarum, Frankfurt/M. 1626.
Weisse, Christian Ernst: Über die Berichterstattung auf Klagen dt. Untertanen gegen ihren Landesherrn an den höchsten Reichsgerichten, Wetzlar 1791.
Westphal, Ernst Christoph: Das teutsche Staatsrecht in wissenschaftlich geordneten Abhandlungen, Leipzig 1784.
Willisch, Christian Friedrich: Dissertatio de tumultu ac seditione praesertim ex novissimo mandato Elect. Saxon., Wittenberg 1791.
Wolgast, Eike: Die Wittenberger Theologie und die Politik der evangelischen Stände. Studien zu Luthers Gutachten in politischen Fragen (= Quellen und Forschungen zur Reformationsgechichte Bd. 47), Gütersloh 1977.
Wopfner, H.: Bauerntum, Stadt und Staat, in: HZ 164, 1941, S. 229–260, 472–495.
Wrede, Günther: Territorialgeschichte der Grafschaft Wittgenstein (= Marburger Studien

zur älteren dt. Geschichte I 3), Marburg 1927.
Zeller, Ferdinand: Diss. de literis informatoriis in causis subditorum contra superiorem decernendis in camera imperiali processibus, necessario praemittendis, Bamberg 1777.
Zwierlein, Christian Jakob von: Vermischte Briefe und Abhandlungen über die Verbesserung des Justizwesens am Kammergerichte mit patriotischer Freimütigkeit entworfen, I. Theil Berlin 1767.

9. Agrargeschichtliche Voraussetzungen bäuerlichen Widerstands in Deutschland

Abel, W.: Agrarkrisen und Agrarkonjunktur. Eine Geschichte der Land- und Ernährungswirtschaft Mitteleuropas, 2. Aufl., Hamburg-Berlin 1966.
Abplanalb, F.: Zur Wirtschaftspolitik des Fürstbistums Basel im Zeitalter des Absolutismus. (= Berner Beiträge zur Nationalökonomie Bd. 14), Bern und Stuttgart 1971.
Achilles, Walter: Vermögensverhältnisse braunschweigischer Bauernhöfe im 17. und 18. Jhdt. (= Quellen und Forschungen zur Agrargeschichte Bd. 13), Stuttgart 1965.
ders.: Die steuerliche Belastung der braunschweigischen Landwirtschaft und ihr Beitrag zu den Staatseinnahmen im 17. und 18. Jh., Hildesheim 1972.
Bader, K. S.: frost-hagel-mißgewächs. Zur Leistungsbefreiung und Zinsremission aus rechtssprachgeschichtlicher Sicht, in: Fs. A. Erler, Aalen 1976, S. 219–243.
Bilow, Ferd. von: Geschichtliche Entwicklung der Abgabenverhältnisse in Pommern und Rügen, Greifswald 1843.
Blaschke, Karl-Heinz: Soziale Gliederung und Entwicklung der sächsischen Landbevölkerung im 16.–18. Jh., in: ZAA 4, 1956, S. 144.
ders.: Grundzüge und Probleme einer sächsischen Agrarverfassungsgeschichte, in: ZRG GA 82, 1965, S. 223–287.
Böhlau: Über Ursprung und Wesen der Leibeigenschaft in Mecklenburg, in: Zs. f. Rechtsgeschichte 10, 1872.
Boelcke, Willi: Bauer und Gutsherr in der Oberlausitz. Ein Beitrag zur Wirtschafts-, Sozial- und Rechtsgeschichte der ostelbischen Gutsherrschaft (Schriftenreihe des Instituts für sorbische Volksforschung 5), Bautzen 1957.
ders.: Zur Lage der Oberlausitzer Bauern vom ausgehenden 16. bis zum ausgehenden 18. Jhdt. Ein Beitrag zur Sozial-, Wirtschafts- und Rechtsgeschichte der feudalen Gutsherrschaft, in: Jahresschrift des Inst. für sorbische Volksforschung Letopis Bd. 2, Bautzen 1954, S. 5–124.
Bog, Ingomar: Die wirtschaftlichen Trends, der Staat und die Agrarverfassung in der Geschichte Hessens, in: ZAA 18, 1970, S. 185–196.
Kerckerinck zur Borg, Engelbert Freiherr von: Beiträge zur Geschichte des westf. Bauernstandes, Berlin 1912.
Brandt, Otto H.: Der Bauer und die bäuerlichen Lasten im Herzogtum Sachsen-Altenburg vom 17. bis zum 19. Jhdt. (= Geschichtl. Untersuchungen, hg. v. K. Lamprecht, Bd. 3, 4), Gotha 1906.
Brümmel, Peter: Die Dienste und Abgaben bäuerlicher Betriebe im ehemaligen Herzogtum Bremen-Verden während des 18. Jahrhunderts, Diss. Göttingen 1975, in: Siebzehntes Jahresheft der Albrecht-Thaer-Gesellschaft, S. 51–184.
Brünneck, Wilhelm von: Die Leibeigenschaft in Ostpreussen, in: ZRG GA 8, 1887, S. 38–66.
ders.: Die Leibeigenschaft in Pommern, in: ZRG GA 9, 1888, S. 104–152.

ders.: Die Aufhebung der Leibeigenschaft durch die Gesetzgebung Friedrichs des Großen und das Allgemeine Preussische Landrecht, in: ZRG GA 10, 1890, S. 24–62, S. 101–150.
Bühler, Emil: Die Leibeigenschaft des Fürstbistums Speyer, vornehmlich im 18. Jhdt., in: ZGO 78, 1926, S. 1–24.
ders.: Grundbesitzverfassung und Zehntherrschaft im rechtsrheinischen Teil des Fürstbistums Speyer, vornehmlich im 18. Jhdt., in: ZGO 90, 1938, S. 481–511.
Caro, Georg: Probleme der dt. Agrargeschichte, in: VSWG 5, 1907, S. 433–457.
Dame, Cai: Die Entwicklung des ländl. Wirtschaftslebens in der Dresden-Meissner Elbtalgegend von der Sorbenzeit bis zum Beginn des 19. Jhdts. (= Bibl. der sächs. Geschichte u. Landeskunde III, 1), Leipzig 1911.
Danneil, Friedrich: Geschichte des magdeburgischen Bauernstandes in seinen Beziehungen zu den anderen Ständen bis zum Ende des Erzstifts im Jahre 1680, Halle a.S. 1898.
Denkinger, Tiberius: Orts- und Grundherrschaft in dem ritterschaftlichen Dorf Altheim, Kreis Ehingen, in: Ulm und Oberschwaben 36, 1962, S. 167–178.
Eckerlin: Die gutsherrlich-bäuerlichen Verhältnisse im Fürstentum Halberstadt, in: Zeitschrift des Harz-Vereins 35, 1902, S. 338–395.
Feigl, Helmuth: Die innere Krise der Grundherrschaft im 16. Jahrhundert, in: Bericht über den 6. österr. Historikertag in Salzburg 1960 (= Veröffentl. des Verbands österr. Geschichtsvereine 14), S. 91–98.
ders.: Die niederösterreichische Grundherrschaft vom ausgehenden Mittelalter bis zu den theresianisch-josefinischen Reformen, Wien 1964.
ders.: Bäuerliches Erbrecht und Erbgewohnheiten in Niederösterreich, in: Jb. f. Landeskunde von Niederösterreich 37, 1967, S. 161–183.
Fitzkow, M. Karl: Zur Lage der Bauern im Gebiet des jetzigen Kreises Liebenwerda im 16. bis in das 18. Jhdt., in: Niederlausitzer Studien 1968, S. 55–64.
Fox, George Thomas: Studies in the rural history of Upper Hesse, 1650–1830, Nashville (Tenn.), Phil. Diss. 1976.
Franz, Günther: Das Verhältnis von Stadt und Land zwischen Bauernkrieg und Bauernbefreiung, in: Studium generale 16, 1963, S. 558–564, S. 559.
ders.: Geschichte des deutschen Bauernstandes vom frühen Mittelalter bis zum 19. Jahrhundert, 2., erg. u. erw. Aufl. (= Deutsche Agrargeschichte Bd. 4), Stuttgart 1976.
Fresacher, Walter: Die Freisassen in Kärnten, Klagenfurt 1974.
Frauendorfer, Sigmund von: Ideengeschichte der Agrarwirtschaft und Agrarpolitik im dt. Sprachgebiet. Bd. I. Von den Anfängen bis zum Ersten Weltkrieg, 2. Aufl. München–Basel-Wien 1963.
Fuchs, Carl Johannes: Zur Geschichte des gutherrlich-bäuerlichen Verhältnisses in der Mark Brandenburg, in: ZRG GA 12, 1891, S. 17–34.
ders.: Die Epochen der dt. Agrargeschichte und Agrarpolitik, Jena 1898.
ders.: Der Untergang des Bauernstandes und das Aufkommen der Gutsherrschaften nach arch. Quellen aus Neu-Vorpommern und Rügen (= Abh. aus dem staatswiss. Seminar zu Straßburg, hg. von G. F. Knapp, Heft VI), Straßburg 1898.
Fulgineus, Franciscus: Tractatus de jure emphyteutico, Lugduni 1717.
Gaul, Friedrich: Die persönlichen und wirtschaftlichen Verhältnisse des Bauernstandes im Fürstentum Solms-Braunfels in 1000jähr. Entwicklung vom 9.–19. Jhdt., Jena 1904.
Gesenius, Karl: Das Meierrecht, Wolfenbüttel 1801–02.
Görlitz, Walter: Die Junker. Adel und Bauer im deutschen Osten. Geschichtliche Bilanz von sieben Jahrhunderten, 3. Aufl. Limburg 1964.
Gothein, Eberhard: Die oberrheinischen Lande vor und nach dem Dreißigjährigen Kriege, in: ZGO 40, 1886, S. 1–45.

ders.: Die Hofverfassung auf dem Schwarzwald dargestellt an der Geschichte des Gebiets von St. Peter, in: ZGO 40, 1886, S. 257–316.
ders.: Wirtschaftsgeschichte des Schwarzwaldes, Bd. 1, Straßburg 1892.
Grossmann, F.: Über die gutsherrlich-bäuerlichen Rechtsverhältnisse in der Mark Brandenburg vom 16.–18. Jh., Leipzig 1890.
Grüll, Georg: Die Robot in Oberösterreich (= Forschungen zur Geschichte Oberösterreichs 1), Linz 1952.
ders.: Weinberg. Die Entstehungsgeschichte einer oberösterreichischen Wirtschaftsherrschaft, Mitt. des Oberösterreichischen Landesarchivs 4 (1955) (Sonderdruck).
Grünberg, Karl: Die Bauernbefreiung und die Auflösung des gutsherrlich-bäuerlichen Verhältnisses in Böhmen, Mähren und Schlesien, 2. Bde., Leipzig 1893/94.
Günther, A.: Sind die Weistümer genossenschaftlich entstanden oder von der Herrschaft oktroyiert? Ein Beitrag zur Rechtsgeschichte des deutschen Bauern an Hand unterfränkischer Weistümer von 1100 bis zu den Bauernkriegen, Diss. Erlangen 1936.
Gutenkunst, Emil: Der geschichtliche Ursprung der Reallasten in Baden in Beziehung auf das badische Landrecht, in: ZGO 82, 1930, S. 363–439.
Haack, Hanna: Die sozialökonomische Struktur mecklenburgischer Feudalkomplexe im 16. und 17. Jhdt., Diss. Rostock 1968.
Habs-Randau, Robert: Beiträge zur Geschichte des Frohndienstes am Südharze seit Anfang des 16. Jh., in: Zeitschrift des Harz-Vereins 25/26, 1892/93, S. 168–211, 1–141.
Hanke, G.: Die Entwicklung der bäuerlichen Eigentumsrechte im Amperland, in: Amperland 2, 1966, S. 23ff.
Harnisch, Hartmut: Die Gutsherrschaft in Brandenburg. Ergebnisse und Probleme, in: JWG 1969/IV, S. 117–147.
Haun, Friedrich Johannes: Bauern und Gutsherr in Kursachsen. Schilderung der ländlichen Wirtschaft und Verfassung im 16., 17. und 18. Jahrhundert, Straßburg 1892.
Hauser, Albert: Beiträge der Humanisten, insbes. der Juristen zur Entwicklung der Land- und Forstwirtschaft vom 15. bis 17. Jhdt., in: ZAA 14, 1966, S. 182–190.
Hebeisen, Gustav: Beiträge zur Rechts- und Wirtschaftsgeschichte des Hohenzollern'schen Bauernstands, in: Mitt. des Vereins f. Geschichte u. Altertumskunde in Hohenzollern 58, 1924, S. 91–208.
Hedemann, Justus Wilhelm: Die Fürsorge des Gutsherrn für sein Gesinde (brandenb.-preuß. Geschichte), in: Fstg. Felix Dahn, Bd. 1, Breslau 1905, S. 167–220.
Heitz, Gerhard: Bäuerliche Verhältnisse in Mecklenburg um 1600, in: Die Bauerngesellschaft im Ostseeraum und im Norden um 1600. Acta Visbyensia II, Visby 1966, S. 220–230.
ders.: Agrarischer Dualismus, Eigentumsverhältnisse, Preuß. Weg, in: Studia historica in honorem Hans Kruus, Tallinn 1971, S. 303–310.
ders.: Zum Charakter der „zweiten Leibeigenschaft", in: ZfG 20, 1972, S. 24–39.
ders.: Die Differenzierung der Agrarstruktur am Vorabend der bürgerlichen Agrarreformen, in: ZfG 25, 1977, S. 910–927.
Henkel, Jens: Beiträge zur Jagd- und Forstgeschichte in Schwarzburg-Rudolstadt. II. Die Stellung der ländlichen Bevölkerung zur Jagd, in: Rudolstädter Heimathefte 23, 1977, S. 111–115.
Henning, Friedrich Wilhelm: Dienste und Abgaben der Bauern im 18. Jhdt. (= Quellen und Forschungen zur Agrargeschichte Bd. 21), Stuttgart 1969.
Herding, Otto: Leibbuch, Leibrecht, Leibeigenschaft im Herzogtum Württemberg, in: Zs. für württ. Landesgeschichte 11, 1952, S. 157–188.
Hesse, Richard: Entwicklung der agrarrechtlichen Verhältnisse im Stifte, späterem Herzog-

tum Verden, Jena 1900.
Hippel, Wolfgang von: Die Bauernbefreiung im Königreich Württemberg, in: ZAA 22, 1974, S. 75–88.
Hoetzsch, Otto: Der Bauernschutz in den deutschen Territorien vom 16. bis ins 19. Jh., Schmollers Jb. 16/II, 1902, S. 239–271.
Hoffmann, Alfred: Die Grundherrschaft als Unternehmen, in: ZAA 6, 1958, S. 123–131.
Hüllemann, Herbert: Die Geschichte der Rittergüter in Reuß ält. Linie (= Beitr. z. Wirtschaftsgeschichte Thüringens Bd. 2), Jena 1939.
Huppertz, Barthel: Räume und Schichten bäuerlicher Kulturformen in Deutschland. Ein Beitrag zur Deutschen Bauerngeschichte, Bonn 1939.
Jacobeit, Wolfgang: Bäuerliche Arbeit und Wirtschaft. Ein Beitrag zur Wissenschaftsgeschichte der deutschen Volkskunde, Berlin 1965.
ders.: Bauern und dörfliche Bevölkerung in der Epoche des Übergangs vom Feudalismus zum Kapitalismus in Deutschland (1750er bis 1830er Jahre), in: Ethnologie et histoire, Paris 1975, S. 397–443.
Jänichen, Hans: Beiträge zur Wirtschaftsgeschichte des schwäbischen Dorfes (= Veröffentl. der Kommission für geschichtliche Landeskunde in Baden-Württemberg Reihe B, Bd. 60), Stuttgart 1970.
Jessen, Jens: Die Entstehung und Entwicklung der Gutswirtschaft in Schleswig-Holstein bis zum Beginn der Agrarreformen, in: Zs. für Schleswig-Holstein. Geschichte 51, 1922, S. 1–206.
Jordan-Rozwadowski, Jan von: Die Bauern des 18. Jhdts. und ihre Herren im Licht der neuesten deutschen Forschungen, in: Jahrbücher für Nationalökonomie und Statistik 75, 1900, S. 337–368, S. 478–514.
Kamen, Henry: The economic and social consequences of the Thirty Years War, in: PaP 39, 1968, S. 44–61.
Killinger, German: Die ländliche Verfassung der Grafschaft Erbach und der Herrschaft Breuberg im 18. Jhdt. (= Abh. aus dem Staatswiss. Seminar zu Straßburg, Heft XXIX), Straßburg 1912.
Knapp, Theodor: Das ritterschaftliche Gut Haunsheim in Schwaben, in: Württ. Vierteljahreshefte 1896, S. 1–62, auch in: *ders.*, Ges. Beiträge zur Rechts- und Wirtschaftsgeschichte vornehmlich des dt. Bauernstandes, Tübingen 1902, S. 261ff.
ders.: Über Leibeigenschaft in Deutschland seit dem Ausgang des Mittelalters, in: ZRG GA 19, 1899, S. 16–51.
ders.: Die Grundherrschaft im südwestlichen Deutschland vom Ausgang des Mittelalters bis zu der Bauernbefreiung des 19. Jh., in: ZRG GA 22, 1901, S. 48–108.
Knothe, Hermann: Die Auskaufungen von Bauerngütern in der Oberlausitz, in: Neues Lausitzsches Magazin 72, 1896, S. 1–31.
Kötzschke, Rudolf: Ländliche Siedlung und Agrarwesen in Sachsen, aus dem Nachlaß hg. v. H. Helbig, Remagen 1953, S. 89.
Kraus, Johann Adam: Die Fronbriefe der zollerischen Gemeinden 1592–93, in: Zollernheimat 7, 1938, S. 81–83.
Langelüddecke, Erich: Die Veränderung der ländlichen Eigentumsverhältnisse in den ostelbischen Provinzen Preußens durch die Reformen im 18. und 19. Jhdt., Diss. Halle 1957.
Lauhn, Bernhard Friedrich Rudolf: Abhandlung von denen Frohndiensten der Teutschen, so entweder auf der Person allein, oder dem vorhandenen Zugviehe zugleich haften, mithin als reel nicht anzusehen sind, Frankfurt/M. und Mainz 1759.
Lehmann, Rudolf: Die Dorfbewohner des Dobrilugker Klostergebiets nach dem Urbar von 1546, in: Niederlaus. Mitt. 29, 1941, S. 140–146.

Leister, Ingeborg: Rittersitz und adeliges Gut in Holstein und Schleswig (= Forschungen zur deutschen Landeskunde, Bd. 64), Remagen 1952.

Lersch, Hans: Hessische Agrargeschichte des 17. und 18. Jahrhunderts insonderheit des Kreises Hersfeld, Hersfeld 1926.

Liver, P.: Zur Entstehung des freien bäuerlichen Grundeigentums, in: Zs. f. schweiz. Recht 65, 1946, S. 329–360.

Ludwig, Theodor: Der badische Bauer im 18. Jhdt. (= Straßburger staatswiss. Abh. Heft 16), Straßburg 1896.

Lütge, Friedrich: Die Bauernbefreiung in der Grafschaft Wernigerode, in: Zs. des Harzvereins für Geschichte und Altertumskunde 56/57, 1923/24, S. 1–58.

ders.: Die Belastung der Bauern in Mitteldeutschland mit Frondiensten und Abgaben im 16.–18. Jhdt., in: Jahrbücher für Nationalökonomie und Statistik 140, 1934, S. 166–203, S. 271–314.

ders.: Die mitteldeutsche Grundherrschaft und ihre Auflösung, 2. stark erw. Auflage, Stuttgart 1957.

Lutterloh, Ernst Otto: Dienste und Abgaben der Bauern des Herzogtums Braunschweig-Wolfenbüttel in der Mitte des 18. Jahrhunderts, Göttingen, Landwirtsch. Fak. Diss. 1969.

Maurer, Georg Ludwig von: Geschichte der Dorfverfassung in Deutschland, 2 Bde. 1865–66, ND Aalen 1961.

Mell, A: Beiträge zur Geschichte des Untertanenwesens in Steiermark. I. Die Robot, II. Geld- und Materialabgaben der Untertanen, in: Mitteilungen des Hist. Vereins f. Steiermark 40/41, 1892/93, S. 135–225, S. 140–211.

ders.: Die Lage des steir. Untertanenstandes seit Beginn der neueren Zeit bis in die Mitte des 17. Jhdts., Weimar 1896.

ders.: Zur Geschichte des Ausmaßes bäuerlichen Besitzes in Steiermark, in: Zeitschrift für Sozial- und Wirtschaftsgeschichte Bd. 5, 1897, S. 93–123.

Memminger, A.: Zur Geschichte der Bauernlasten, mit besonderer Beziehung auf Bayern, Diss. Bern 1900, 3. Aufl. Würzburg 1908.

Meyer, Christian: Zur Geschichte des deutschen Bauernstandes, in: Preußische Jahrbücher 42, 1878, S. 339–376.

Makkai, Laszló: Neo-Serfdom: Its Origin and Nature in East Central Europe, in: Slavic Review 34, 1975, S. 225–238.

Mandrou, Robert: Les Fugger, Propriétaires fonciers en Souabe, 1560–1618, Paris 1969.

Matthiesen, Peter Friedrich Christian: Die holsteinischen adelichen Marschgüter Seestermühle, Groß- und Klein Collmar, Itzehoe 1836.

Müller, Hans-Heinrich: Märkische Landwirtschaft vor den Agrarreformen von 1807. Entwicklungstendenzen des Ackerbaus in der 2. Hälfte des 18. Jhdts. (= Veröfft. des Bezirksheimatmuseums Potsdam Heft 13), Potsdam 1967.

Oberleitner, K.: Die Abgaben der Bauernschaften Niederösterreichs im 16. Jahrhundert, Wien 1864.

Opitz, Emil: Die Arten der Rustikalbesitzer und die Laudemien und Markgroschen in Schlesien (= Unters. z. dt. Staats- und Rechtsgeschichte 73), Breslau 1904.

Pach, Zsigmond Pal: Zur Problematik der osteuropäischen Gutswirtschaft: Fronarbeit und Lohnarbeit auf den ung. Herrengütern im 16.–17. Jhdt., in: Studia Historica in honorem Hans Kruus, Tallinn 1971, S. 154–171.

ders.: Corvées et travail salarié dans les exploitations seigneurales de la Hongrie des XVIe et XVIIe siècles, in: Köpeczi-Balazs, S. 75–97.

Pfeiffer, B. W.: Das deutsche Meierrecht nach seiner rechtlichen Begründung und dermali-

gen Gestaltung, 2. Auflage Kassel 1855.
Potgieser, Joachim: De conditione et statu servorum apud germanos tam veteri, quam novo libri tres, Köln 1707.
Prange, Wolfgang: Die Anfänge der großen Agrarreformen in Schleswig-Holstein bis um 1771 (= Quellen und Forschungen zur Geschichte Schleswig-Holsteins, Bd. 60), Neumünster 1791.
Prasse, Max: Die Agrarverfassung des Schwarzwaldes vor der Bauernbefreiung, Phil. Diss. Basel 1937.
Prodan, D.: Die Leibeigenschaft in Siebenbürgen im 16. bis zum 18. Jh., in: SOF 33, 1974, S. 62–84.
Querfeld, Werner: Frondienst und Abgaben für Reichenfels und Triebes im 16. Jh., in: Jahrbuch des Kreismuseums Hohenleuben-Reichenfels 10, 1961, S. 30–41.
Rachfahl, Felix: Zur Geschichte der Grundherrschaft in Schlesien, in: ZRG GA 16, S. 108–199.
Rebel, Hermann: Economic and Occupational Stratification among the Upper Austrian Peasantry in the early Seventeenth Century, Ph. D. Thesis Univ. of California, Berkely 1975.
ders.: Probleme der Oberösterreichischen Sozialgeschichte z. Z. der Bayer. Pfandherrschaft 1620–1628, in: Jahrbuch des oberösterreichischen Musealvereins 115, 1970, S. 155–165.
Reuter, Christian: Ostseehandel und Landwirtschaft im 16. und 17. Jh. (Meereskunde. Sammlung volkstümlicher Vorträge zum Verständnis der nationalen Bedeutung von Meer und Seewesen, 6. Jahrg. 1 Heft (Berlin 1912).
Révész, Laszlo: Die persönliche Abhängigkeit der Bauern in Osteuropa. Eine Untersuchung über die soziale Lage des osteuropäischen Bauerntums im 17. und 18. Jh. mit bes. Berücksichtigung der Verhältnisse in Ungarn, in: Schweizer Beiträge zur allg. Geschichte 17, 1959, S. 67–152.
Rintelen, M.: Bernhard Walthers privatrechtl. Traktate aus dem 16. Jh. vornehmlich agrargeschichtlichen, lehen- und erbrechtlichen Inhalts, Leipzig 1937.
Risto, U.: Abgaben und Dienste bäuerlicher Betriebe in drei niedersächsischen Vogteien im 18. Jhdt., Landw. Diss. Göttingen 1964.
Rodigast, Rolf: Die Greifswalder Stadtbauern im Spätfeudalismus. Untersuchungen zur Entwicklung der wirtschaftlichen und sozialen Lage der bäuerlichen Produz. im Bereich der Gutsherrschaft 1648–1806, Phil. Diss Greifswald 1974.
ders.: Das Einkommen der Greifswalder Stadtbauern in der 2. Hälfte des 18. Jahrhunderts, in: JWG 1976/III, S. 107–118.
ders.: Die Entwicklung der feudalen Arbeitsrente in Schwedisch-Pommern während des 17. und 18. Jahrhunderts untersucht am Beispiel des feudalen Grundbesitzes der Stadt Greifswald, in: JWG 1976/IV, S. 83–106.
Roevenstrunck, Joh. Wilh. von: Rechtliches Bedenken von Anlagen, Contributionibus, Kriegs-Steuern, Straßburg 1664.
Rohr, Julius Bernhard von: Vollständiges Hauß-Haltungs-Recht, in welchem die nöthigsten und nützlichsten Rechts-Lehren . . . abgehandelt werden, Leipzig 1716, 2. Aufl. ebd. 1738.
ders.: Fortsetzung des Vollständigen Haußhaltungs-Rechts, darinnen die nützlichsten Rechts-Lehrer . . ., Leipzig 1734.
Runde, Christian Ludwig: Abhandlung der Rechtslehre von der Interims-Wirtschaft auf deutschen Bauergütern nach gemeinen und besonderen Rechten, Göttingen 1796.
Saller, Alois: Die Lage der Bauern in Nassau-Oranien im 18. Jahrhundert, in: Nass. Annalen 57, 1937, S. 1–54.

Sandberger, A.: Entwicklungsformen der Leibeigenschaft in Altbayern, in: ZBLG 25, 1962, S. 71–92.
Schlag- und Sachwortregister der Dokumentationsstelle der Universität Hohenheim zur Agrargeschichte, Hohenheim, 2. Aufl. 1972.
Schultze, J.: Die Priegnitz. Aus der Geschichte einer märkischen Landschaft (= Mitteldt. Forschungen Bd. 8), Köln-Graz 1956.
Schwarz, Heinrich: Der Hotzenwald und seine Freibauern, in: Der Hotzenwald, Teil I, Karlsruhe 1940, S. 67–163.
Siebeck, Oskar: Der Frondienst als Arbeitssystem. Seine Entstehung und Ausbreitung, Zs. f. d. ges. Staatsw. Erg. Heft XIII, Tübingen 1904.
Spahn, Martin: Verf. und Wirtschaftsgeschichte des Herzogtums Pommern von 1478–1625 (= Staats- und Sozialwissensch. Forsch. H. 60), Leipzig 1896.
Spies, Klaus: Gutsherr und Untertan in der Mittelmark Brandenburg zu Beginn der Bauernbefreiung (= Münchener Universitätsschriften. Jur. Fak. Abhandlungen zur rechtswissenschaftlichen Grundlagenforschung 2), Berlin 1972.
Stadelmann, R.: Friedrich Wilhelm I. in seiner Tätigkeit für die Landescultur Preussens (= Publicat. aus den k. preuss. Staatsarchiven Bd. 2), Leipzig 1878, S. 73ff.
Stammler, Rudolf: Deutsches Rechtsleben im alten Reich, Bd. 1, München 1932.
Stolz, Otto: Die Bauernbefreiung in Süddeutschland im Zusammenhang der Geschichte, in: VSWG 33, 1940, S. 1–68.
Straub, Alfred: Das badische Oberland im 18. Jhdt. Die Transformation einer bäuerlichen Gesellschaft vor der Industrialisierung (= Hist. Studien H. 429), Lübeck 1977.
Strobel, A.: Agrarverfassung im Übergang: Studien zur Agrargeschichte des badischen Breisgaus vom Beginn des 16. bis zum Ausgang des 18. Jhdts., Freiburg/München 1972.
Struben, David Georg: Commentatio de jure villicorum vulgo von Meyer-Recht, Hildesheim 1735.
Sturm, Gottlieb: De rusticis neque servis romanis, neque germanicis, Wittenberg 1732.
Sugenheim, S.: Geschichte der Aufhebung der Leibeigenschaft und Hörigkeit in Europa bis um die Mitte des 19. Jhdts., 1861 (ND Aalen 1966).
Scherer, Peter: Reichsstift und Gotteshaus Weingarten im 18. Jhdt. Ein Beitrag zur Wirtschaftsgeschichte der südwestdeutschen Gutsherrschaft. (= Veröffent. der Komm. für gesch. Landeskunde in Baden-Württemberg B, Bd. 57), Stuttgart 1969.
Schmidt, Rudolf: Die kursächsischen Ämter im Bereiche des unteren Muldentals von der Mitte des 16. bis zum Anfang des 18. Jahrhunderts (Soziale Gliederung der bäuerlichen Bevölkerung und Amtsverfassung) Phil. Diss. Leipzig 1912, Meißen 1913.
Schmolz, Helmut: Herrschaft und Dorf im Gebiet der Reichsstadt Ulm, in: Ulm und Oberschwaben 36, 1962, S. 179–207.
ders.: Herrschaft und Dorf im Gebiet der Reichsstadt Ulm in: Protokoll der X. Arbeitstagung des Arbeitskreises für südwestdeutsche Stadtgeschichtsforschung 1971, hg. v. E. Maschke und J. Sydow, Stuttgart 1974, S. 166–192.
Schräder, Bernhard: Die Besteuerung des Bauerntums in der Reichsgrafschaft Bentheim vom Ausgang des 30jährigen Krieges bis zur napoleonischen Zeit, Oldenburg i. O. 1941.
Schrepfer, G.: Dorfordnung im Hochstift Bamberg. Ein Beitrag zur Rechtsgeschichte des fränkischen Bauern, Diss. Erlangen 1941.
Schwencker, Friedrich: Der Grundherr von Saabar und seine Untertanen im Anfang des 18. Jhdts., in: Zs. d. Vereins für Geschichte Schlesiens 42, 1908, S. 121–150.
Tacke, J.: Studien zur Agrarverfassung der oberen badischen Markgrafschaft im 16. und 17. Jhdt., Phil. Diss. Freiburg 1957, Schopfheim 1957.
Tischler, M.: Die Leibeigenschaft im Hochstift Würzburg vom 13. bis zum beginnenden 19.

Jhdt. (= Veröffent. d. Ges. für Fränkische Geschichte IX, 18), Würzburg 1963.
Troß, Erich: Der oberdeutsche Bauer z. Z. der Entstehung der neuzeitlichen Kultur, in: Oberbayerisches Archiv 62, 1921, S. 1–96.
Valentinitsch, Heilfried: Der Grundherr und der Bauernprokurator. Zur rechtlichen und sozialen Lage der untersteir. Weinbauern im 17. Jh., in: Bl. f. Heimatkunde 50, 1976, S. 129–137.
Vetter, Klaus: Verfassung, soziale Struktur und wirtschaftliche Verhältnisse brandenburg. Ackerbürgerstädte im 17./18. Jh., in: WZ Rostock GSR 24, 1975, S. 781–787.
Voelter, Hans: Die grundherrschaftlich-bäuerlichen Verhältnisse im nördlichen Baden, dargest. an der Geschichte des ehemals Reichsritterschaftlich v. Gemmingischen Gebiets hinter dem Hagenschiess vom 15. bis Ende des 18. Jahrhunderts, in: Neue Heidelberger Jahrbücher 19, 1915, S. 1–102.
Vogler, G.: Die Entwicklung der feudalen Arbeitsrente in Brandenburg vom 15.–18. Jhdt. Eine Analyse für das kurmärkische Domänenamt Badingen, in: JWG 1966/I, S. 142f.
Weichsel, Ferd. Friedrich: Rechtshistorische Untersuchungen das gutsherrl.-bäuerliche Verhältnis in Deutschland betreffend, nebst einem kurzen Anhange . . ., Bremen 1822.
Werkmüller, Dieter: Über Aufkommen und Verbreitung der Weistümer. Nach der Sammlung von Jakob Grimm. Berlin 1972.
Wichmann, Christian August: Über die natürlichsten Mittel, die Frondienste bei Kammer- und Rittergütern ohne Nachteil der Grundherren aufzuheben, Leipzig 1795.
Wick, Peter: Versuche zur Erbverpachtung und Aufhebung der Leibeigenschaft in Mecklenburg zu Beginn des 18. Jahrhunderts, in: JWG 1961/I, S. 45–60.
Winkler, K.: Landwirtschaft und Agrarverfassung im Fürstentum Osnabrück nach dem 30jährigen Krieg, Stuttgart 1959.
Wittich, Werner: Die Grundherrschaft in Nordwestdeutschland, Leipzig 1896.
Witzig, Hartmut: Die Rechtsverhältnisse der Bauern in der Soester Börde von 14. bis zum 18. Jahrhundert, Jur. Diss. Göttingen 1967.
Wright, William E.: Serf, Seigneur and Sovereign. Agrarian Reform in Eighteenth-Century Bohemia, Minneapolis 1966.
Wuttke, Robert: Gesindeordnungen und Gesindezwangsdienst in Sachsen (= Schmollers Forschungen 12/4), 1893.
Ziekursch, Johannes: Hundert Jahre schlesischer Agrargeschichte, Breslau 1927.
Zirkel, H.: Das Urbar der Grafschaft Rotenfels vom Jahre 1573, in: ZBLG 37, 1974, S. 178–189.

10. Widerstandsbewegungen in Österreich vom 16.–18. Jahrhundert

Barton, P. F. – *Thurnwald*, E. (Hgg.), Sozialrevolution und Reformation (= Studien und Texte zur Kirchengeschichte und Geschichte, 2. Reihe, Bd. II) Wien-Köln 1976.
Bilgeri, Benedikt: Geschichte Vorarlbergs, Bd. III, Wien-Köln-Graz 1977.
Bauernkrieg, Der oberösterreichische Bauernkrieg 1626 (hrsg. vom Amt d. oö. Landesregierung, Abt. Kultur), Linz 1976.
Bérenger, Jean: La révolte paysanne des Basse-Autriche de 1597, in: Revue d'histoire économique et sociale 53, 1975, S. 465–492.
Brozek, Rudolf: Der nö. Bauernkrieg 1597 (= Niederdonau. Schriften für Heimat und Volk, Heft Nr. 17), St. Pölten 1942.
Burgstaller, Ernst: Der letzte oö. Bauernkrieg (1632–34) in historischer und volkskundlicher

Sicht, in: In memoriam Antonio J. Dias Bd. 2, hg. Instituto de Alta Cultura, Lissabon 1974, S. 79–101.
ders., Martin Laimbauer und seine machländische Bauernbewegung 1632–1636, in: Kunstjahrbuch der Stadt Linz, 1973, Wien 1975, S. 3–30.
Chmel, Josef (Hg.): Reichart Streins Guetbeduncken wegen der Paurn Aufstand anno 1598, in: Österr. Zs. für Geschichte und Staatskunde 1, Wien 1835, S. 159ff.
Czerny, Albin: Bilder aus der Zeit der Bauernunruhen in Oberösterreich. 1626, 1632, 1648, Linz 1876.
ders.: Einige Blätter aus der Zeit der Gegenreformation in Oberösterreich, in: 42. Bericht d. Museums Franzisco-Carolinum 1884, S. 1–196.
ders.: Der zweite Bauernaufstand in Oberösterreich 1595–97, Linz 1890
Eder, Karl: Glaubensspaltung und Landstände in Österreich ob der Enns, 1525–1602 (= Stud. z. Reformationsgeschichte Österreichs, Bd. 2), Linz 1936.
Eichmeyer – Feigl – Litschel: Weilß gilt die Seel und auch das Guet. Oberösterreichische Bauernaufstände im 16. und 17. Jh., Linz 1976.
Feigl, Helmuth: Die befreiten Ämter der Herrschaft Steyr in den Bauernkriegen des 16. und 17. Jahrhunderts, in: Mitt. des oö. Landesarchivs 6, 1959, S. 209–262.
ders.: Der niederösterreichische Bauernaufstand 1596/97 (= Militär-historische Schriftenreihe, Heft 22), Wien 1972.
Florey, Gerhard: Bischöfe, Ketzer, Emigranten. Der Protestantismus im Lande Salzburg von seinen Anfängen bis zur Gegenwart, Graz-Wien-Köln 1967.
Grüll, Georg: Bauer, Herr und Landesfürst. Sozialrevolutionäre Bestrebungen der oberösterreichischen Bauern, Linz 1963.
ders.: Der Bauer im Land ob der Enns am Ausgang des 16. Jh. (Forschungen zur Geschichte Oberösterreichs 11), Wien-Köln–Graz 1969.
ders.: Bauernkriege, Aufstände und Revolten im Lande ob der Enns, in: Bauernland Oberösterreich, hg. A. Hoffmann, Linz 1974, S. 76–94.
Gubo, Andreas: Bauernrebellionen bei Pettau, in: ders., Aus Steiermarks Vergangenheit, Graz 1913, S. 56–120.
Haselbach, Karl: Der niederösterreichische Bauernkrieg am Ende des 16. Jhdts., Wien 1867.
Heilingsetzer, Georg: Der oberösterreichische Bauernkrieg 1626 (= Militärhistorische Schriftenreihe 32), Wien 1976.
Hirn, Josef: Erzherzog Maximilian der Deutschmeister, Regent von Tirol, 2 Bde., Innsbruck 1915/1936.
Hoffmann, Alfred: Zur Typologie der Bauernaufstände in Oberösterreich, in: Heckenast, Gusztav (Hg.), Aus der Geschichte der ostmitteleuropäischen Bauernbewegungen im 16.–17. Jh. Budapest 1977, S. 325–333.
Holländer, A.: Zu den Bauernunruhen im Gebiete des Bistums Bressanone 1561–64, in: Der Schlern 1931, S. 384ff.
Jahn, Josef: Der oberösterreichische Bauernkrieg im Jahre 1626, Budweis 1909.
Kammerhofer, Ernst: Steyr und die oberösterreichischen Bauernaufstände, Phil. Diss. Wien 1949.
Klein-Buckschwaiger, Franz: Der Bauernaufstand in St. Peter in der Au. Vorgeschichte und Folgen, in: Jahrbuch für Landeskunde von Niederösterreich NF 39, 1971–73, S. 113–154.
Köchl, Karl: Bauernunruhen und Gegenreformation im Salzburgischen Gebirge 1564/65, in: MGSL 50, 1910, S. 107–156.
Kollmann, Johann: Der Zentralismus Maria Theresias und die Gegenwehr Tirols – Bauernunruhen im Burggrafenamte im Jahre 1762, Innsbruck 1962. (Ms. im LRA Innsbruck).
Krawarik, Hans: Das südliche Oberösterreich im Zeitalter der Glaubensspaltung. Religiöse

und soziale Motive, in: JGGPÖ 93, 1977, S. 45–58.

Krones, Franz: Aktenmäßige Beiträge zur Geschichte des Windischen Bauernaufstandes vom Jahre 1573, in: Beiträge zur Kunde steiermärk. Geschichtsquellen 5, 1868, S. 3–34.

ders.: Ergebnisse einer archivalischen Reise nach Linz, in: Beiträge zur Kunde steiermärk. Geschichtsquellen 31, 1901, S. 156–7.

Kurz, Franz: Beyträge zur Geschichte des Landes Österreich ob der Enns, Bd. 1, Linz 1808.

Ladurner, Justinian: Barthlmä Dosser von Lüsen oder der projektierte Bauernrebell im Jahre 1561–1562, in: Archiv für Geschichte und Altertumskunde Tirols 3, 1866, S. 261–310.

Link, Edith Murr: The Emancipation of the Austrian Peasant 1740–1798, 1949, Repr. New York 1974.

Lutz, Volker: Der Aufstand von 1596 und der Bauernkrieg von 1626 in und um Steyr, Steyr 1976.

Makkai, Ladislaus: Die Entstehung der gesellschaftlichen Basis des Absolutismus in den Ländern der österreichischen Habsburger. Studia Historica Academiae Scientiarum Hungaricae, Bd. 43, Budapest 1960.

Mair unter der Eggen, E.: Balthasar Dosser, sein Verhör und sein Prozeß, in: Der Schlern 1953, S. 239ff.

Mayr, Josef Karl: Bauernunruhen in Salzburg am Ende des 30-jährigen Krieges, in: MGSL 91, 1951, S. 1–106.

Mecenseffy, Grete: Sozialrevolutionäre Bauernerhebungen in Südosteuropa während des 15. und 16. Jahrhunderts, in: Südostdeutsches Archiv 15/16, 1972/73, S. 23–35

Mell, Anton: Zum Windischen Bauernaufstand des Jahres 1573, in: Beiträge zur Kunde Steiermärkischer Geschichtsquellen 26, 1894, S. 34–52.

ders.: Der Windische Bauernaufstand des Jahres 1635 und dessen Nachwehen, in: Mitt. des Hist. Vereins für Steiermark 44, 1896, S. 205ff.

Neuhold, Irmgard: Die Bauernerhebungen im Lande ob der Enns im Spiegel der hist. Literatur, Phil. Diss. Graz 1952.

Pferschy, Gerhard: Ursachen und Folgen des Bauernaufstandes 1635 zu Novi Kloster (Neukloster), in: Casopis za zgodovino in narodopisje 5, 1969, S. 296ff.

ders.: Der Streik der Untertanen der Herrschaft Pregled und seine Beilegung. Zu den Ursachen des untersteirischen Bauernaufstands von 1635, in: Mitt. des steiermärk. Landesarchivs 21, 1971, S. 117–128.

ders.: Zu den obersteirischen Bauernunruhen 1635, in: Mitt. d. steiermärk. Landesarchivs 23, 1973, S. 85–89.

ders.: Beobachtungen über Ursachen von Bauernunruhen in der ersten Hälfte des 17. Jahrhunderts im Herzogtum Steiermark, in: Radovi 5 (Zagreb 1973), S. 350ff.

Pirchegger, Hans: Die innerösterreichischen Bauernkriege, Ausgew. Aufsätze, Graz 1950.

Popelka, F.: Táhy Franz, Schloßherr auf Stattenberg, in: Südsteiermark. Ein Gedenkbuch, hg. Fr. Hausmann, Graz 1925, S. 102–115.

Posch, Fritz: Der Kampf um die Freiheit der Untertanen der Herrschaft Stein zu Fürstenfeld und der Bürgerschaft zu Fehring im 16. Jahrhundert, in: Zs des Hist. Vereins f. Steiermark 42, 1951, S. 54–77.

ders.: Robotstreiks steirischer Bauern z. Z. Josefs II., in: Blätter für Heimatkunde 25, 1951, S. 53–69.

Reinalter, Helmut: Die historische Entwicklung Tirols von der älteren Regierungszeit Maria Theresias bis zum 1. Franzoseneinfall 1796, Phil. Diss. Innsbruck 1970.

ders.: Zwei Quellendokumente zur Geschichte des Aufruhrs im Burggrafenamt 1762, in: Der Schlern 50, 1976, S. 104–109.

Schardinger, H.: Der Prozeß des Ischler Marktrichters Joachim Schwärzl, 1602–1609, in: Heimatgaue. Zeitschrift für oberösterreichische Geschichte, Landes- u. Volkskunde 9, 1928, S. 15–31, 137–147.

Schmiedt, Roland Franz: Der Bauernkrieg in Oberösterreich vom Jahre 1626 als Teilerscheinung des Dreißigjährigen Krieges. (Ein Beitrag zur Klärung des Charakters des gesamteuropäischen Konflikts und die Rolle der Volksmassen.), Phil. Diss. Halle 1963.

Schober, Friedrich: Zur Geschichte des Bauernaufstandes 1632, in: Mitt. des Oberösterreichischen Landesarchivs 2, 1952, S. 175–185.

Schober, Herta: Der verspätete Aufstand im Mondseeland, in: Oberösterreichische Heimatblätter 29, 1975, S. 200–212.

Stieve, F.: Der oberösterreichische Bauernaufstand des Jahres 1626, 2. Bde., Linz 1904/05.

Strnad, Julius: Der Bauernkrieg in Oberösterreich, 3. Aufl. Wels 1902.

Stülz, Jodok: Geschichte des Cisterzienser Klosters Wilhering, Linz 1840.

Sturmberger, Hans: Georg Erasmus Tschernembl – Religion, Libertät, Widerstand (= Forschungen zur Geschichte Oberösterreichs 3), Graz-Köln 1953.

ders.: Adam Graf Herberstorff. Herrschaft und Freiheit im konfessionellen Zeitalter, München 1976, S. 259–308.

Wewerka, Christa: Der Millstätter Bauernaufstand von 1737, Phil. Diss. Wien 1965.

Wilflingseder, Franz: Martin Laimbauer und die Unruhen im Machlandviertel 1632–1636, in: Mitt. des oberösterreichischen Landesarchivs 6, 1959, S. 137–208.

Zahn, J.: Zur Geschichte des windischen Bauernaufruhrs im Jahre 1573, in: Steiermärkische Geschichtsblätter, Bd. 6, 1885, S. 177ff.

Zauner, A.: Vöcklabruck und der Attergau in Oberösterreich bis 1620, Wien-Köln-Graz 1971.

Zinnhobler, Rudolf: Der oberösterreichische Bauernkrieg von 1626 – ein Glaubenskrieg? in: ders., Beiträge zur Geschichte des Bistums Linz, 2. Aufl. Linz 1978, S. 107–117.

11. Widerstandsbewegungen in der Schweiz

Amweg, G.: Les troubles de 1730 à 1740 dans l'Evêché de Bâle, Bern 1939.

Felder, Pierre: Ansätze zu einer Typologie der politischen Unruhen im Schweizerischen Ancien Régime 1712–1789, in: Schweizer Zs. für Geschichte 26, 1976, S. 324–389.

Glättli, W.: Geschichte der Unruhen auf der Landschaft Zürich 1645/46, Diss. Zürich 1898.

Guggenbühl, G.: Der schweizerische Bauernkrieg von 1653, 2. Aufl. Zürich 1953.

Gustav, Jakob Peter: Zürichs Anteil am Bauernkrieg 1653, in: Jahrbuch für schweizerische Geschichte 33, 1908, S. 293–344, 34, 1909, S. 163–399.

Liebenau, Theodor von: Der Luzerner Bauernkrieg im Jahre 1653, in: Jahrb. f. schweizerische Geschichte 19, 1894, S. 71–320, 20, 1895, S. 1–233.

Livet, Georges: La guerre des Paysans de 1653 en Suisse, vue par l'Ambassadeur de France in: Revue d'Histoire Diplomatique 92, 1978, S. 130–165.

Mühlebach, A.: Grundsätzliches zum Bauernkriege von 1653, in: Agrarpol. Revue 9, 1953, S. 365–373.

Mühlestein, H.: Der große schweizerische Bauernkrieg 1653, Celerina 1942.

Müller, Walter: Freie und leibeigene St. Galler Gotteshausleute vom Spätmittelalter bis zum Ende des 18. Jhdts., in: 101. Neujahrsblatt, hg. vom Hist. Verein des Kantons St. Gallen, St. Gallen 1961, S. 15ff.

ders.: Die Rohrschacher Unruhen von 1558 und 1559, in: Rohrschacher Neujahrsblatt 1972, S. 85–91.
Tomaschett, P.: Der Zehntenstreit im Hochgericht Disentis 1728–1738. Ein Beitrag zur Bündner Politik und Wirtschaftsgeschichte im 18. Jahrhundert, Diss. Frbg/S. 1955.
Wahlen, Hermann – *Jaggi,* Erust: Der schweizerische Bauernkrieg 1653 und die seitherige Entwicklung des Bauernstandes, Bern 1952.
Wipf, H. U.: Die Hallauer Unruhen von 1790, Schaffhausen 1971.

12. *Widerstandsbewegungen in Deutschland, allgemein*

Eccardus, (d. i. Robert Hessen): Geschichte des niederen Volkes in Deutschland, Berlin o. J. (1902).
Gerteis, Klaus: Regionale Bauernrevolten zwischen Bauernkrieg und Französischer Revolution. Eine Bestandsaufnahme, in: Zeitschrift für Historische Forschung 6, 1979, S. 37–62.
Heitz, Gerhard: Bäuerliche Klassenkämpfe im Feudalismus, in: G. Brendler–A. Laube (Hgg.): Der deutsche Bauernkrieg 1524/26, S. 199–224.
ders.: Überlegungen und Aspekte zum bäuerlichen Klassenkampf im Spätfeudalismus, in: Acta Universitatis Carolinae-Philosophica et Historica (Studia Historica XI), Prag 1974, S. 65–73.
ders., A. Laube, M. Steinmetz, G. Vogler (Hgg.): Der Bauer im Klassenkampf. Studien zur Geschichte des deutschen Bauernkrieges und der bäuerlichen Klassenkämpfe im Spätfeudalismus, Berlin 1975.
ders.: Probleme des bäuerlichen Klassenkampfes im Spätfeudalismus, in: Der Bauer im Klassenkampf, hg. v. G. Heitz/A. Laube/M. Steinmetz/G. Vogler, Berlin (DDR) 1975, S. 513–525.
ders.: Volksmassen und Fortschritt in der Epoche des Übergangs vom Feudalismus zum Kapitalismus, in: ZfG 25, 1977, S. 1168–1177.
Hoffmann, Georg M.: Rusticus seditiosus, Gießen 1707.
Hoscher, Johann Melchior: Beyträge zur neuesten Geschichte der Empörung deutscher Untertanen wider ihre Landesherrschaft, Gießen 1790.
Langer, H.: Zum bäuerlichen Klassenkampf im Dreißigjährigen Krieg, in: WZ Univ. Greifswald GSR 21, 1972, S. 39–42.
Lötzke, Helmut – *Kluge,* Reinhard: Quellen zur Geschichte des bäuerlichen Klassenkampfes in Deutschland in Staatsarchiven der DDR (16. Jahrhundert bis 1789), in: Der Bauer im Klassenkampf, hg. v. G. Heitz/A. Laube/M. Steinmetz/G. Vogler, Berlin (DDR) 1975, S. 549–572.
Press, Volker: Konflikte zwischen Grundherren und Untertanen im Horizont des Reichsrechts, Vortragsmanuskript.
Schilfert, Gerhard: Deutschland von 1648 bis 1789 (Vom Westfälischen Frieden bis zum Ausbruch der Französischen Revolution), (=Lehrbuch der deutschen Geschichte, Beiträge), 3. erw. Aufl. Berlin 1975, S. 79ff.
Steinitz, W.: Deutsche Volkslieder demokratischen Charakters aus sechs Jahrhunderten, 2 Bde. Berlin 1954, 1962.
Strobach, Hermann: Bauernklagen. Untersuchungen zum sozialhistorischen deutschen Volkslied, Berlin (DDR) 1964.
Schiff, Otto: Die deutschen Bauernaufstände von 1525 bis 1789, in: HZ 130, 1924, S. 189–209.

Schultz, Helga: Bäuerliche Klassenkämpfe zwischen frühbürgerlicher Revolution und Dreißigjährigem Krieg, in: ZfG, 1972, S. 157–173.

dies.: Bäuerlicher Klassenkampf und „zweite Leibeigenschaft". Einige Probleme des Kampfes in der Zeit zwischen frühbürgerlicher Revolution und Dreißigjährigem Krieg, in: Der Bauer im Klassenkampf, hg. v. G. Heitz/A. Laube/M. Steinmetz/G. Vogler, Berlin (DDR) 1975, S. 391–404.

Vogler, Günter: Bäuerlicher Klassenkampf – Revolutionäre Tradition und historische Forschung. Zum 450. Jahrestag des deutschen Bauernkriegs, in: Archivmitteilungen 24, 1974, S. 122–125

Volz, Ingrid – *Brather*, Hans-Stephan: Der deutsche Bauer im Klassenkampf (1470–1648). Auswahlbibliographie der Veröffentlichungen in den sozialistischen Staaten aus den Jahren 1645 bis 1972, in: Der Bauer im Klassenkampf, hg. v. G. Heitz/A. Laube/M. Steinmetz/G. Vogler, Berlin (DDR) 1975, S. 573–600.

13. Süd- und Südwestdeutschland

Albert, P.: Geschichte der Stadt Radolfzell, Radolfzell 1896.

Bader, Josef: Die ehemalige Herrschaft Triberg, in: Badenia 2, 1840, S. 199–214.

ders.: Briefe über das badische Oberland (darin: Gründl. Bericht von dem in der Grafschaft Hauenstein entstandenen Unruhhandel von 1720–1730), Freiburg i. B. 1883, S. 87ff.

Baumann, Franz Ludwig: Geschichte des Allgäus, Bd. 3 (Die neuere Zeit 1517–1802), Kempten 1895.

Baumann, Gustav: Der Bauernaufstand vom Jahre 1705 im bayerischen Unterland, in: Verhandl. des Hist.-Vereins für Niederbayern 69/70, 1936/37, S. 3–83.

Bergemann, Ulrich: Die Geschichte der landesherrlichen Jagdhoheit in der Grafschaft Zollern, Gammertingen 1964.

Bernhofer-Pippert, Elsa: Täuferische Denkweisen und Lebensformen im Spiegel oberdeutscher Täuferverhöre (= Reformationsgeschichtliche Studien und Texte, H. 96), Münster 1967.

Blickle, Peter: Personalgenossenschaften und Territorialgenossenschaften im Allgäu, in: Standen en Landen 53, 1970, S. 183–241.

Böhler, Ed.: Die Leibeigenschaft der Talleute von Schönau und Todtnau, in: Das Markgräflerland 19, 1957, S. 1–22.

Clasen, Claus-Peter: Die Wiedertäufer im Herzogtum Württemberg und in benachbarten Herrschaften. Ausbreitung, Geisteswelt und Soziologie (= Veröff. der Kommission für Geschichtliche Landeskunde in Baden-Württemberg, Reihe B, Bd. 32), Stuttgart 1965.

Cramer, Julius: Die Grafschaft Hohenzollern, ein Bild süddeutscher Volkszustände, 1400–1850, Stuttgart 1873.

Ebner, Jakob: Geschichte der Salpeterer des 18. Jahrhunderts, 2 Teile im Selbstverlag des Verf. in Unteralpfen 1953/54.

Elbs, Eberhard: Owingen 1584 – Der erste Aufstand in der Grafschaft Hohenzollern-Hechingen, Wissensch. Hausarbeit, Konstanz 1979.

Erhard, O.: Der Aufstand der Rotenfelser Bauern 1595–1598, in: Allg. Geschichtsfreund NF 17, 1921, S. 13–33.

Fischer, Wolfram: Das Fst. Hohenlohe im Zeitalter der Aufklärung, Tübingen 1958.

Fried, Pankraz: Herrschaftsgeschichte der altbayerischen Landgerichte Dachau und Kranzberg im Hoch- und Spätmittelalter sowie in der frühen Neuzeit (= Studien zur bayerischen Verfassungs- und Sozialgeschichte, Bd. 1), München 1962.

Gönner, Eberhard: Die Revolution von 1848/49 in den hohenzollern'schen Fürstentümern und deren Anschluß in Preußen, Hechingen 1952.

Haggenmüller, Joh. Bapt.: Geschichte der Stadt und der gefürsteten Grafschaft Kempten von den älteren Zeiten bis zu ihrer Vereinigung mit dem bayerischen Staat, Bd. 2, Kempten 1847.

Hansjakob, Heinrich: Die Salpeterer, eine politisch-religiöse Sekte aus dem südöstlichen Schwarzwald, Freiburg 1896/97.

Haselier, Günther: Die Streitigkeiten der Hauensteiner mit ihren Obrigkeiten. Ein Beitrag zur Geschichte Vorderösterreichs und des südwestdeutschen Bauernstandes im 18. Jahrhundert. (= Der Hotzenwald Teil II), Karlsruhe 1940.

ders.: Geschichte des Hotzenwaldes, Lahr/Schwarzwald 1973.

Heuberger, Max: Ein Bericht über den Bauernaufstand des Jahres 1705/06 aus dem Kloster Bornbach, in: Die ostbayerischen Grenzmarken 19, 1930, S. 217–220.

Hodecker, Friedrich: Odenheim. Eine Wanderung durch 2000 Jahre Odenheimer Geschichte, Mosbach/B. 1962.

Hornstein-Grüningen, Edward Frh. von: Ein zweihundertjähriger Prozeß zwischen den Grafen von Hohenzollern und den von Hornstein, in: Mitt. des Vereins f. Geschichte u. Altertumskunde in Hohenzollern 36, 1902/03, S. 93–108.

Hüttl, Ludwig: Max Emanuel, der blaue Kurfürst. 1679–1726. Eine politische Biographie, München 1976.

Lichtschlag, A.: Zur Geschichte der Burg Hornstein und ihrer Besitzer, in: Mitt. des Vereins f. Geschichte u. Altertumskunde in Hohenzollern 5, 1871/72, S. 49–86.

Lautenschlager, Friedrich: Die Agrarunruhen in den badischen Standes- und Grundherrschaften im Jahre 1848 (= Heidelberger Abhandlungen zur mittleren und neueren Geschichte, H. 46), Heidelberg 1915.

Mayer, J. L.: Geschichte der Salpeterer auf dem südöstlichen Schwarzwald, Freiburg 1837.

Meindl, Konrad v. Reichersberg: Schützenobrist Joh. Georg Meindl aus Altheim und der bayerische Bauernaufstand im Rentamte Burghausen im Jahre 1705/06, in: Verhandlungen d. hist. Vereins für Niederbayern, Bd. 24, 1887, Heft 3 und 4, S. 363–456.

Neumayr, H.: Die bayerische Volkserhebung 1705/06. Gedächtnisschrift aus Anlaß der Zweihundertjahrfeier der Sendlinger Bauernschlacht, Allach b. München 1905.

Probst, Christian: Lieber bayrisch sterben. Der bayrische Volksaufstand der Jahre 1705 und 1706, München 1978.

Reischl, Georg A.: Volkskundliches und Volkstümliches aus dem Paargau. Bauern in Not und Aufruhr, in: Bayern, das Bauernland Bd. 3, Das oberbayerische Hügelland, bearb. v. H. Altweck, Freising-München o. J. (1926), S. 72–80.

Richter, Gregor: Auseinandersetzungen um Recht und Herkommen in Stadt und Herrschaft Haigerloch zwischen dem 15. und dem 18. Jahrhundert (Vortragsmanuskript).

Riezler, Siegmund: Der Aufstand der bayerischen Bauern im Winter 1633 auf 1634, in: SB der bayer. Akademie d. Wiss., Phil. Hist. Klasse 1900, S. 33–95.

ders.: – Wallmenich, Karl von: Akten zur Geschichte des bayerischen Bauernaufstandes 1705/06, in: Abh. der kgl. bayer. Akad. d. Wiss., Phil. Hist. Klasse 26, 1914, S. 1–286, 29, 1918, S. 1–254.

Spindler, Max: Der bayerische Bauernaufstand von 1705/06, in: ders., Erbe und Verpflichtung. Aufsätze und Vorträge zur bayerischen Geschichte, hg. v. A. Kraus, München 1966, S. 175–191.

Stieve, Felix: Ein Bauernaufstand in der Herrschaft Rettenberg, in: Zs. des Hist. Vereins für

Schwaben und Neuburg 11, 1884, S. 32–52.

Störmer, W.: Ansatzpunkte politischer Willensbildung der Bauernschaft im spätmittelalterlichen Schwaben, Franken und Bayern, in: ZAA 23, 1975, S. 165–180.

Schilling, A.: Die Reichsherrschaft Justingen. Ein Beitrag zur Geschichte von Alt- und Oberschwaben, Stuttgart 1881.

Walschner: Der Rappenkrieg, in: Badenia 3, 1844, S. 114–124.

Weber, Franz: Der Schwenckfeldianismus in den Freybergischen Herrschaften Justingen und Öpfingen 1584–1631, in: Ulm und Oberschwaben 36, 1962, S. 133–166.

Weis, Eberhard: Révoltes paysannes et citadines dans les Etats allemands sur la rive gauche du Rhin, de 1789 à 1792, in: Francia 3, 1975, S. 346–358.

Wernet, Karl Friedrich: Der Hauensteiner Landfahnen. Entstehung, Entwicklung und Bedeutung der H. Wehrorganisation bis zum Beginn der Unruhen in der Grafschaft im J. 1726, in: ZGO 95, 1943, S. 301–397.

ders.: Der Umfang der Grafschaft Hauenstein, in: ZGO 104, 1956, S. 423–454.

ders.: Die wirtschaftlichen Verhältnisse der Grafschaft Hauenstein zwischen den Burgunderkriegen und den Salpeteraufständen, in: ZGO 98, 1950, S. 115–146.

ders.: St. Blasiens Versuche, sich der Grafschaft Hauenstein pfandweise zu bemächtigen, in: ZGO 107, 1959, S. 161–182.

14. Mittel- und Westdeutschland

Barth, Hermann Peter: Aufstand der Bauern. Ein Zeitbild aus der 2. Hälfte des 16. Jahrhunderts (= Blieskasteler Schriftenreihe Nr. 3), Zweibrücken 1960.

Evertz, Gerhard: Die Revolte der Bauern der Herrschaft Tüschenbroich gegen ihre Obrigkeit in den Jahren 1650–1658, in: 50 Jahre St. Lambertus – Schützenbrüderschaft Tüschenbroich, Wegberg 1959, S. 26–107.

Hänsel, Robert: Ein Notschrei der Fröner in Triebes, in: Jahrbuch des Kreismuseums Hohenleuben-Reichenfels 2, 1952, S. 22–24.

Hattenhauer, Hans: Burchard Wilhelm Pfeiffer und die Bauernbefreiung in Kurhessen, in: Fs. H. Krause, hg. v. St. Gagner u. a., Köln-Wien 1975, S. 188-209.

Heymann, Hugo Friedrich: Der Hungener Aufruhr vom 28. Oktober 1716, in: Heimat im Bild, Beilage zum Gießener Anzeiger 1930, Nr. 20.

Keinemann, Friedrich: Unruhen und Krisen im Fürstbistum Paderborn am Ende des 18. Jahrhunderts, in: West. Zeitschrift 118, 1968, S. 339–362.

Klein, Eitel: Studien zur Wirtschafts- und Sozialgeschichte der Grafschaft Sayn-Wittgenstein-Hohenstein vom 16. bis zum Beginn des 19. Jhdts. (= Schr. d. Inst. f. geschichtliche Landeskunde von Hessen und Nassau 13), Marburg 1935.

Kröber, F. E.: Schönburg-Pfaffrodaer Hut- und Triftkrieg, in: Schönburgische Geschichtsblätter 8, 1899, S. 173.

Lindenstruth, Wilhelm: Der Streit um das Busecker Tal, Phil. Diss. Gießen 1910.

Löffler, Carl: Der Bauernkrieg zu Engelrod im Jahre 1754, in: Heimat im Bild, Beilage zum Gießener Anzeiger 1929, Nr. 3.

Mayenschein, Hermann: Die Rebellion der Stadt Wenigs gegen ihre Landesherrschaft 1596–1603. Ein Beitrag zum Verhältnis zwischen Land und Herrschaft im Zeitalter des konfessionellen Absolutismus, Phil. Diss. Frankfurt 1952.

Ranke, Ermentrude von: Das Fürstentum Schwarzburg-Rudolstadt zu Beginn des 18. Jhdts. Der Landstreit gegen die fürstliche Willkür vor Reichskammergericht und Reichshofrat, Phil Diss. Halle Wittenberg, Halle a. S. 1915.

Weigel, Helmut: Der Streit um die Reichsfreiheit des Hofes Huckarde, in: Westf. Forschungen 7, 1953/54, S. 105–113.

Wieber, Fritz: Die Greifensteiner Rebellion in der Zeit Graf Wilhelms I. geb. 1570 – gest. 1635, in: Heimatkalender des Kreises Wetzlar 25, 1975, S. 101–134.

ders.: Die Greifensteiner Rebellion 1676–1692, 2 Teile, in: Heimatblätter des Kreises Wetzlar 23/24, 1973/74, S. 27–53, S. 51–58.

15. Nord- und Ostdeutschland

Brankačk, J. – *Metšk,* F. (Hgg.): Geschichte der Sorben, Bd. 1, Bautzen 1977.

Croon, G. (Hg.): Die landständische Verfassung von Schweidnitz-Jauer. Zur Geschichte des Ständewesens in Schlesien (= Codex Diplomaticus Silesiae 27), Breslau 1912.

Dlugoborski, Waclaw: Die Klassenkämpfe in Schlesien in den Jahren 1793–1799, in: Maleczyńska (Hg.): Beiträge zur Geschichte Schlesiens, Berlin 1958, S. 401–442.

Frehe, Erwin: Lasten, Leiden und Widerstand märkischer Bauern im 18. Jh., in: Geschichtsunterricht und Staatsbürgerkunde 7, 1965, S. 914–921.

Haalck, J.: Ein Kammergerichtsprozeß aus dem 17. Jh. Ein Beitrag zur Lage der märkischen Bauern im Verhältnis zur Grundherrschaft, in: Märkische Heimat 2, 1957, S. 203–206.

Hänseler, A.: Bericht des Joachim Scultetus betr. nach Polen entwichene märkische Bauern (1685), in: Mitt. des Vereins f. Geschichte der Neumark 11, 1934, S. 15f.

Harnisch, Hartmut: Zur Herausbildung und Funktionsweise von Gutswirtschaft und Gutsherrschaft. Eine Klageschrift der Bauern der Herrschaft Neugattersleben aus dem Jahre 1610, in: Jahrbuch für Regionalgeschichte 4, 1972, S. 179–199.

ders.: Klassenkämpfe der Bauern in der Mark Brandenburg zwischen frühbürgerlicher Revolution und Dreißigjährigem Krieg, in: Jahrbuch für Regionalgeschichte 5, 1974, S. 142–172.

ders.: Bäuerliche Klassenkämpfe in der Mark Brandenburg und im Gebiet der Stifter Magdeburg und Halberstadt im 16. und 17. Jahrhundert. Einige vergleichende Aspekte, in: G. Brendler–A. Laube (Hgg.): Der deutsche Bauernkrieg 1524/25. Geschichte – Traditionen – Lehren, Berlin (DDR) 1977, S. 293–300.

ders.: Landgemeinde, feudalherrlich-bäuerliche Klassenkämpfe und Agrarverfassung im Spätfeudalismus, in: Zeitschrift für Geschichtswissenschaft 26, 1978, S. 887–897.

Herzfeld, Erika: Klassenkämpfe in der Kur und Mark Brandenburg während der schwedisch-brandenburgischen Auseinandersetzungen des Jahres 1675, Phil. Diss. Berlin (DDR) 1961.

Hoffmann, Reinhold: Stadt und Herrschaft Glauchau um das Jahr 1663 und die Türkengefahr, in: Schönburgische Geschichtsblätter 1, 1894/95, S. 38–59.

Huschner, Fritz: Leibeigenschaft und Leibeigenschaftsprozesse im geistl. Grundbesitz der Stadt Wismar im 17. und 18. Jahrhundert, in: WZ Rostock, GSR 21, 1972, S. 29–35.

Kern, A.: Schlesische Bauernunruhen 1527/28, in: Schlesische Geschichtsblätter 1909, S. 25–29.

Klemm, V.: Bauernbewegungen des 16. Jhdts. im Markgraftum Oberlausitz, Letopis B 5, 1958, S. 26–62.

Knauer, Paul: Der Aufstand der Bauern von Eckersdorf (Grafschaft Glatz) zwecks Befreiung von den Roboten i. J. 1680, in: Schlesische Geschichtsblätter 1914, S. 43–45.

Knothe, Hermann: Die Stellung der Gutsunterthanen in der Oberlausitz zu ihren Gutsherrschaften von den ältesten Zeiten bis zur Ablösung der Zinsen und Dienste, in: Neues Lausitzisches Magazin 61, 1885, S. 159–308.

Ködel, Hugo: Die Bauernunruhen im Jahre 1790 in Kursachsen, ihre Vorgeschichte und ihre Auswirkungen im Merseburger Land bis um das Jahr 1800, in: Merseburger Land 1, 1966, S. 12–19.

Kraaz, A.: Bauerngut und Frohndienste in Anhalt vom 16. bis zum 19. Jahrhundert, Jena 1898.

Kühn: Die sächsischen Bauernunruhen des Jahres 1790 und ihre Ausbrüche in der Meißen-Oschatzer Gegend, in: Mitt. d. Vereins für sächsische Volkskunde 3, 1904, S. 166–172, S. 208–216.

Kunze, Peter: Bauernunruhen im Kreis Cottbus 1715–1717, in: Letopis B Bd. 16, 1969, S. 70–90.

Lehmann, Rudolf: Bauernunruhen in der Herrschaft Leuthen (Kreis Lübben) im Jahre 1790, in: ZfG 1, 1953, S. 811–814.

ders.: Quellen zur Lage der Privatbauern in der Niederlausitz im Zeitalter des Absolutismus, Berlin 1957.

Lesske, F. A.: Beiträge zur Geschichte und Beschreibung des Plauen'schen Grundes, 3 Bde. Dresden 1892.

Leszczyński, Józef: Der Klassenkampf der Oberlausitzer Bauern in den Jahren 1635–1720, Bautzen 1964.

ders.: Die Ergebnisse der polnischen Historiographie über den Klassenkampf der schlesischen Bauern im Spätfeudalismus, in: Heckenast, Gusztav (Hg.): Aus der Geschichte der mitteleuropäischen Bauernbewegungen im 16.–17. Jh. Budapest 1977, S. 495–507.

Liebenroth, F. E. von: Fragmente aus meinem Tagebuch, insb. die sächsischen Bauernunruhen betreffend, Dresden-Leipzig 1791.

Lücke, Justus: Die landständische Verfassung im Hochstift Hildesheim (= Quellen und Darstellungen zur Geschichte Niedersachsens 73), Hildesheim 1968, S. 155–159.

Metscher, Gustav: Der märkische Holzschuhkrieg, in: Ruppiner Beiträge. Festgabe für Wilhelm Teichmüller (= Ruppiner Heimathefte 9), Neuruppin 1940, S. 63–65.

Mětšk, Frido: Die Brandenburgisch-Preussische Sorbenpolitik im Kreise Cottbus vom 16. Jahrhundert bis zum Posener Frieden (1806), Berlin 1962.

ders.: Zur Urkundlichen und volkskundlichen Tradition des Uckroer Aufstands, in: Lukkauer Heimatkalender 1976/77, S. 46–57.

Michalkiewicz, Stanislaw: Einige Episoden aus der Geschichte der schlesischen Bauernkämpfe im 17. und 18. Jhdt., in: E. Maleczyńska (Hg.): Beiträge zur Geschichte Schlesiens, Berlin 1958, S. 356–400.

Mölke, Gerhard: „Sonsten werden meine Bauern übermüthig. . ." Ein Beitrag zur Lage der Bauern und zum Klassenkampf auf dem Lande z. Z. der Gutsherrschaft (17. und 18. Jhdt.) am Beispiel des Dorfs Wiednitz, in: Hoyerswerdaer Geschichtshefte Heft 2, 1956, S. 4–29.

ders.: Eine Bauernerhebung in der Herrschaft Hoyerswerda 1527, in: Hoyerswerdaer Geschichtshefte Heft 4, 1956, S. 3–17.

Neumann, Otto: Der Bauernaufstand der Strebelower Bauern 1569, in: Heimatklänge, Stargard, Nr. 204, 1934.

Palm, E.: Beiträge zur Geschichte des Klassenkampfes des Oberlausitzer Landvolks zur Zeit des Spätfeudalismus, Letopis B, Bd. 1, 1953–1955, S. 3–120.

Peschel, J. Chr.: Geschichte von Kemnitz, 1861.

Plaschnick, Friedemann: Der Bauernaufstand zu Uckro 1546–48, in: Luckauer Heimatkalender 6/7, 1974.75, S. 33–40

Prange, Wolfgang: Christoph Rantzau auf Schmoel und die Schmoeler Leibeigenschaftsprozesse, in: Quellen und Forschungen zur Geschichte Schleswig-Holsteins Bd. 49, Neumünster 1965.

Reich, Heinz: Zum Klasseninhalt der antifeudalen Volksbewegung während des 18. Jahrhunderts am Beispiel des „Kohrener Landes", in: Brendler-Laube (Hgg.): Der deutsche Bauernkrieg 1524/25, Berlin 1977, S. 301–310.

Reißner, Manfred: Die Gerichte in den Rittergütern des Amtes Borna im 17. und 18. Jhdt. – ihre Sozialstruktur, ihre Organisation und Funktion im spätfeudalen Staat, Phil. Diss. Leipzig 1973.

ders.: Bauern vor und hinter den Schranken der Rittergutsgerichte, in: Sächs. Heimatblätter 5, 1973, S. 223ff.

Reumann, Klaus-Peter: Die Grund und Gerichtsherrschaft des Schleswiger Domkapitels von 1542 bis 1658, Flensburg 1969.

Rodigast, Rolf: Der bäuerliche Widerstand und die Bestrebungen zur Reform der feudalen Arbeitsverfassung im Bereich des Landbesitzes der Stadt Greifswald 1648–1789, in: WZ Rostock 24, 1975, GSR, S. 731–742.

Schaller, Ernst: Der große schönburgische Fronaufstand, in: Sachsen-Post v. 3./10. August 1910, Nr. 200, S. 1f., Nr. 201, S. 1–4.

Schmidt, Friedrich Lorenz: Beiträge zur Geschichte der reußischen Bauernschaft, in: Jahrbuch des Kreismuseums Hohenleuben-Reichenfels 3, 1953, S. 5–21.

Schmidt, Fritz: Amthauptmann Georg Abraham von Grünberg und seine Zeit für die Herrschaft Cottbus 1639–1672 (= Aus dem alten Cottbus Bd. 2, Nr. 5), Cottbus 1910, S. 3–45.

Schmidt-Breitung, Hellmuth: Die sächsischen Bauernunruhen des Jahres 1790, Diss. Leipzig 1907 (Meißen 1907). Auch in: Mitt. des Vereins für Geschichte der Stadt Meißen 7, 1909, S. 261–427.

Schramm, Rudolf: Ein Bauernaufstand im Greizer Land 1714/15, in: Jahrbuch des Kreismuseums Hohenleuben-Reichenfels 4, 1954/55, S. 5–59.

ders.: Der große Obergreizer Bauernprozeß 1715–1730, in: Jahrbuch des Kreismuseums Hohenleuben-Reichenfels, 7/8, 1959, S. 47–125.

Sieber, Friedrich: Zeichen und Gebärden der Konspiration und Unterwerfung bei Bauernunruhen in der Oberlausitz und in Nordböhmen, in: Letopis C 11/12, 1968/69, S. 215–220.

Strauß, Rudolph: Die Untertanen der Herrschaft Weißbach mit Dittersdorf und der Herrschaft Neukirchen bei Chemnitz im antifeudalen Bauernaufstand von 1790, in: Sächsische Heimatblätter 18, 1972, S. 229–236.

Unger, Manfred: Dokumente zur Geschichte des bäuerlichen Klassenkampfes aus dem 16.–18. Jahrhundert im Staatsarchiv Leipzig, in: Jahrbuch für Regionalgeschichte 5, 1975, S. 239–248.

Vogler, Günther: Probleme der feudalen Arbeitsrente und des bäuerlichen Widerstandes im 18. Jahrhundert. Dargestellt am Beispiel des kurmärkischen Domänenamts Badingen, Phil. Diss. Berlin 1962.

ders.: Probleme des bäuerlichen Klassenkampfes in der Mark Brandenburg im Spätfeudalismus, in: Acta Universitatis Carolinae – Philosophica et historica – Studia Historica XI, Prag 1974, S. 75–94.

Wernicke, Kurt: Untersuchungen zu den niederen Formen des bäuerlichen Klassenkampfes im Gebiet der Gutsherrschaft 1648–1789, Phil. Diss. Berlin 1962.

ders.: Der bäuerliche Klassenkampf als Stimulus für Reformdenken und Reformtätigkeit in Ostelbien, in: G. Brendler – A. Laube (Hgg.): Der deutsche Bauernkrieg 1524/25, Geschichte – Traditionen – Lehren (= Akademie der Wissenschaften der DDR-Schriften des Zentralinstituts für Geschichte Bd. 57), Berlin 1977, S. 287–292.

Wille, M.: Klassenauseinandersetzungen altmärkischer Bauern im 18. und zu Beginn des 19. Jahrhunderts, in: WZ PH Magdeburg 1973, S. 704–722.

16. Nachträge

Beierlein, Paul Reinhard: Straßberger Bauern kämpfen um ihr Recht, in: ders.: Beiträge zur vogtländischen Geschichte (= Schriftenreihe des Kreismuseums Plauen, H. 34), Plauen 1969.

Blickle, Peter: Bäuerliche Erhebungen im spätmittelalterlichen deutschen Reich, in: ZAA 27, 1979, S. 208–231.

ders. (Hg.): Aufruhr und Empörung. Studien zu Formen des bäuerlichen Widerstands in Territorien des Alten Reiches, München 1980.

Deuber, Franz Anselm: Geschichte der Bauernkriege in Teutschland und der Schweiz, Freiburg 1833.

Eimer, Manfred: Das bischöfliche Amt Oberkirch unter württembergischer Pfandherrschaft (II), in: ZGO NF 43, 1930, S. 610–639.

Endres, Rudolf: Bauernunruhen im Hochstift Bamberg im Zeitalter des Absolutismus, in: 116. Bericht des Historischen Vereins Bamberg, 1980.

Gentsch, Bernhard: Der Klassenkampf der ländlichen Untertanen im Erzgebirge und Vogtland im 17. Jahrhundert, Phil. Diss. PH Dresden 1977.

Goldenbogen, Nora: Die Widerspiegelung der Klassenkämpfe und machtpolitischen Auseinandersetzungen während der erste Jahre des Dreißigjährigen Krieges in der zeitgenössischen Flugblätter- und Flugschriftenliteratur, Phil. Diss. PH Dresden 1976.

Hupach, Paul: Der Kampf der Freigerichte um die Erhaltung ihrer Reichsunmittelbarkeit und landesherrlichen Privilegien, in: Buchenblätter. Beilage der Fuldaer Zeitung für Heimatfreunde, 35. Jahrgang 1962, Nr. 32, 36. Jg. 1963, Nr. 4, 5, 6, 7, 10, 11, 13, 15.

Kipping, Otto: Die Rebellion im Amte Freusburg, in: Heimatkalender des Kreises Altenkirchen/Westerwald, Altenkirchen 1969, S. 67–72.

Koolmann, Egbert: Gemeinde und Amt. Untersuchungen zur Geschichte von gemeindlicher Selbstverwaltung und landesherrlicher Amtsverwaltung im südlichen Ostfriesland, Aurich 1969.

Krämer, Fritz: Der Elsoffer Bauernkrieg. Ein Beitrag zur Geschichte der Dörfer Alertshausen, Beddelhausen und Elsoff, in: Wittgenstein 32 (1968), S. 45–66, 58–80 u. 145–163.

ders.: Von Wilddieberei, Falschmünzerei und gottlosen Anschlägen wider den Landesherrn – ein dunkles Kapitel aus der Geschichte Elsoffs, in: Wittgenstein 33 (1969), S. 67–74 u. 134–148.

Langer, Herbert: Der Dreißigjährige Krieg – „endgültiger Abschluß der deutschen Revolution" des 16. Jahrhunderts? in: Manfred Kossok (Hg.), Studien zur Revolutionsgeschichte. Rolle und Formen der Volksbewegung im bürgerlichen Revolutionszyklus, Glashütten/Taunus 1976, S. 16–36.

Nebinger, G.: Die Unruhen in Babenhausen z. Zt. des Grafen Johann Franz Fugger, in: Das obere Schwaben zum Mindeltal 2, 1956, S. 101–122.

Press, Volker: Der hohenzollern-hechingische Landesvergleich von 1798. Reichsrecht und

Untertanenvertretung im Zeichen der Französischen Revolution, in: Zs. für Hohenzollerische Geschichte 14, 1978, S. 77–108.

ders.: Von den Untertanenrevolten des 16. zur konstitutionellen Verfassung des 19. Jahrhunderts. Die Untertanenkonflikte in Hohenzollern-Hechingen und ihre Lösungen in: H. Weber (Hg.), Politische Ordnungen und soziale Kräfte im alten Reich (Vorträge auf einer Tagung im Institut für Europäische Geschichte Mainz im September 1977), 1980.

ders.: Kaiser, Fürst und Untertanen im Fürstentum Fürstenberg, in: Schriften des Vereins f. Geschichte u. Naturgeschichte der Baar in Donaueschingen 34, 1980.

Schmidt, Georg: Agrarkonflikte im Riedeselischen Gericht Moos im 17. Jahrhundert, in: Archiv f. hessische Geschichte u. Altertumskunde 37, 1979, S. 215–328.

Schulze, Winfried (Hg.): Europäische Bauernrevolten der frühen Neuzeit (= Neue Wissenschaftliche Bibliothek Geschichte), 1980.

Ulbrich, Claudia, Leibherrschaft am Oberrhein im Spätmittelalter (= Veröffentlichungen des Max-Planck-Instituts für Geschichte 58), Göttingen 1979.

Wieber, Fritz: Inhalt der Akten der Greifensteiner Rebellion von 1610–1625, in: Heimatkalender des Kreises Wetzlar 26, 1976, S. 123–153.